DANS LE GRAND CERCLE DU MONDE

D'ascendance amérindienne, écossaise et irlandaise, Joseph Boyden est l'auteur de deux romans, *Le Chemin des âmes* et *Les Saisons de la solitude* (couronné par le prestigieux Giller Prize), et d'un recueil de nouvelles, *Là-haut vers le nord*. Traduit en une vingtaine de langues, il est l'un des romanciers canadiens les plus importants d'aujourd'hui. Il partage son temps entre La Nouvelle-Orléans, où il vit et enseigne, et le nord de l'Ontario.

JOSEPH BOYDEN

Dans le grand cercle du monde

ROMAN TRADUIT DE L'ANGLAIS (CANADA)
PAR MICHEL LEDERER

ALBIN MICHEL

Titre original :

THE ORENDA
Publié chez Hamish Hamilton,
Penguin Canada Books, Inc., en 2013

ISBN : 978-2-253-08740-3 – 1re publication LGF

AMANDA

Gnaajiwi nwiidgemaagan

BLANCHE

Gnaajiwi nmama

UN

*Avant l'arrivée des Corbeaux, vos prêtres, nous avions la magie. Avant la construction de vos grands villages que vous avez si grossièrement sculptés sur les rivages de la mer intérieure de notre monde en leur donnant des noms arrachés à nos langues – Chicago, Toronto, Milwaukee, Ottawa –, nous avions aussi nos grands villages sur ces rivages-là. Et nous comprenions notre magie. Nous savions ce que l'*orenda *impliquait.*

Et qui accuser quand tout cela disparaît ? Il est tentant de désigner un coupable, même si l'on ne devrait jamais évaluer ainsi la perte. Alors, qui est responsable de ce dont nous sommes aujourd'hui les témoins, nos enfants qui se taillent eux-mêmes en pièces, qui s'étranglent dans les coins sombres de leurs foyers ou qui ingurgitent votre boisson puante jusqu'à ce que leur corps les lâche ? Mais cela, c'est le futur. Ce conte est en apparence l'histoire de notre passé.

*Les Corbeaux ont volé au-dessus de la Grande Eau de leur ancien monde pour venir se percher, fatigués et apeurés, sur les branches du nôtre, et ils ont constaté que nous avions l'*orenda*. Nous croyions. Oh oui ! nous croyions. C'est pourquoi, au début, ils nous ont* pris pour un peu plus que des animaux. Nous vivions dans un monde sensible qui les effrayait, nous chassions des bêtes qui n'existaient que dans leurs cauchemars et nous nous nourrissions du mystère qu'on avait appris aux Corbeaux à craindre. Nous respirions ce qu'ils craignaient. Et ainsi qu'ils sont enclins à le faire, ils observaient avec attention.

Et quand ils croassaient pour signifier que notre magie était impure, nous riions, nous nous offensions un peu, nous en tuions même quelques-uns puis nous prenions leurs plumes pour en orner nos cheveux. Et la vie continuait. Mais ce mot, impur, un mot pareil à une maladie, pareil à sa propre magie, il commença à se répandre. Une infime minorité d'entre nous le vit venir. Et cette histoire est peut-être l'histoire de cette minorité.

Pourchassés

Je me réveille. Quelques minutes, peut-être, de sommeil agité. Mes dents claquent, et je sens que je me suis mordu la langue. Elle est toute gonflée. Je crache rouge dans la neige et j'essaie de me redresser mais je ne peux pas bouger. Le plus âgé des Hurons, leur chef qui, en raison d'un rêve ridicule, nous a obligés à marcher toute la nuit autour du grand lac au lieu de le traverser, se dresse au-dessus de moi, armé de son casse-tête à pointes. L'importance que ces hommes attachent à leurs rêves les tuera.

Quoique je parle mal leur langue, je comprends les mots qu'il murmure et je réussis à rouler sur le flanc lorsque la massue s'abat. Les pointes s'enfoncent dans mon dos et, devant le torrent amer de malédictions qui s'échappe de ma bouche, les Hurons se tordent de rire. Pardonnez-moi, Seigneur, d'avoir invoqué Votre nom en vain.

Le doigt pointé, se tenant le ventre, ils hurlent tous de joie, comme si nous n'étions pas pourchassés. Un soleil bas se lève, et dans un air si froid, les sons portent loin. Ils se sont à l'évidence lassés de la jeune Iroquoise qui n'a cessé de gémir. Elle a le visage enflé et, la voyant ainsi étendue dans la neige, je crains qu'ils ne l'aient tuée pendant que je dormais.

Il n'y a pas longtemps, juste avant les premières lueurs de l'aube, nous nous sommes arrêtés pour nous reposer. Comme s'ils l'avaient décidé à l'avance, le chef et sa poignée de chasseurs ont fait halte et se sont effondrés les uns contre les autres pour se tenir chaud. Ils se sont entretenus à voix basse, puis deux d'entre eux ont jeté un coup d'œil dans ma direction. Bien qu'incapable de comprendre leur discours précipité, j'ai cru deviner qu'ils envisageaient de m'abandonner là, sans doute avec la fille qui à cet instant était assise, adossée à un bouleau, les yeux fixés droit devant elle comme si elle rêvait. À moins qu'ils n'aient parlé de nous tuer. Nous les ralentissions dans leur marche, et tout en tâchant de ne pas faire de bruit, je trébuchais dans le noir à cause des épaisses broussailles et des arbres tombés enfouis sous la neige. À un moment, j'ai ôté mes raquettes que je jugeais trop encombrantes, mais je me suis aussitôt enfoncé dans la neige jusqu'à la taille et l'un des chasseurs, après m'en avoir extirpé, m'a ensuite fortement mordu au visage.

La neige qui couvre le lac brille, couleur d'un œuf de merle, dans le soleil qui s'efforce de percer au travers des nuages. Si je survis à cette journée, je me rappellerai toujours le grattement de sécheresse au fond de ma gorge ainsi que la sensation d'un violent mal de tête qui s'annonce. Je me dirige vers la fille pour l'aider, si toutefois elle n'est pas morte, quand l'aboiement d'un chien brise le silence. Il a flairé notre piste et son excitation me donne envie

14

de vomir. D'autres chiens lui répondent. J'oublie que mes orteils commencent à noircir, que j'ai perdu tant de poids que j'arrive à peine à soutenir mon corps décharné et que ma poitrine est envahie d'une maladie qui a fait jaunir ma peau.

Je connais les chiens, cependant. Ici comme dans mon ancien monde, ils sont parmi les rares choses qui m'apportent un peu de réconfort. Et cette meute est encore loin, dont les voix voyagent vite dans l'atmosphère glaciale. Quand je me penche pour relever la fille, je m'aperçois que les autres se sont déjà fondus dans l'ombre des arbres et des buissons.

La terreur d'être laissé à la merci de ceux qui me pourchassent et qui ne manqueront pas de m'infliger une mort lente et douloureuse est si vive que j'envisage de mettre fin à mes jours. Je sais exactement comment procéder. Priant le Seigneur d'avoir pitié de moi, je me mettrai nu et je marcherai jusqu'au lac. Je calcule le temps que cela prendra. Après tout, c'est mon deuxième hiver dans le Nouveau Monde, et c'est la première fois que je me rends compte combien mourir de froid doit être terrible. Les dix premières minutes, tandis que la meute se rapprochera à toute allure, seront sûrement les plus atroces. J'aurai d'abord l'impression d'avoir la peau en feu, comme si on m'avait mis à bouillir dans une lessiveuse. Il n'existe rien de plus horrible, sinon l'instant où l'on commence à dégeler et où chaque fibre du corps hurle pour que cesse la souffrance. Mais je n'ai pas à m'inquiéter sur ce point. Je m'allongerai sur le lac gelé et la brûlure du froid me dévorera. Après ces quelques minutes, je ne remarquerai même plus les furieux tremblements, mais viendront alors les élancements dans le front qui pénétreront jusqu'à ce que mon cerveau soit comme aiguillonné par des arêtes. Et quand les chiens seront près d'arriver, je sentirai soudain la chaleur s'insinuer en moi. Mon corps continuera d'être agité de spasmes, mais mes orteils, mes doigts et mes testicules ne me brûleront plus. J'éprouverai une sensation si ce n'est de bien-être, du moins de soulagement. Ma respiration deviendra difficile, et je serai pris de panique, mais cette panique se changera petit à petit en résolution. Et lorsque les chiens se précipiteront vers moi sur le lac, la gueule écumante et les crocs dénudés, je saurai que, même là, je ne souffrirai plus tandis que, les yeux collés par le gel, je glisserai dans un sommeil dont personne ne se réveille. Les chiens m'encercleront et je tâcherai de leur sourire, dénudant mes crocs à moi, et quand ils commenceront à me mordre, je n'aurai pas le sentiment d'être dévoré, mais comme Vous, Seigneur, de faire don de mon corps afin que d'autres vivent.

L'idée du don de soi m'a insufflé assez de force pour relever la fille et m'éloigner de la rive du lac. À supposer qu'elle ne soit pas morte, est-ce que son peuple – mes poursuivants – m'épargnera pour cela ? Je la maintiendrai en vie non seulement parce que Vous le demandez, mais aussi pour me sauver. La pensée de ne pas respecter Votre volonté m'apparaît davantage comme un dilemme intellectuel que ce qui, j'imagine, pourrait me déchirer le cœur. Je m'en inquiéterai plus tard. Pour le moment, je marche de mon mieux sur les traces des autres, et ma lourde soutane noire se prend dans les branches et les orties.

Les fourrés semblent impénétrables, et je m'étonne que les hommes que je suis et ceux qui me suivent n'aient pas en eux une part animale et quelque magie noire qui leur confère des pouvoirs surnaturels.

Vous me semblez très loin, Seigneur, ici, dans cet enfer glacé, et les tentatives du Père supérieur en vue de me préparer avant mon départ de France pour ce Nouveau Monde me paraissent ridicules dans leur naïveté. Vous affronterez de grands dangers. Vous affronterez certainement la mort. Vous douterez de la miséricorde du Christ et même de Son existence. Ce sera Lucifer qui vous chuchotera à l'oreille. Les feux de Lucifer sont de la glace. Ils ne vous réchaufferont ni le corps ni l'âme. Alors que les ténèbres, qu'un pâle soleil ne parvient pas à percer au milieu des arbres, nous engloutissent, je réalise que le Père supérieur n'a aucune idée de ce qu'est réellement le froid.

L'homme devrait se sentir heureux

Je baisse les yeux parce que le soleil se lève, et mon haleine forme de petits nuages qui miroitent dans les premières lueurs du jour. C'est toi, mon amour, qui miroites dans la lumière de l'aube. Le soleil va tout illuminer. Je le sais. Il va montrer aux Haudenosaunees qui nous pourchassent où aller, combien nous sommes, dans quel état nous nous trouvons et, surtout, il va leur montrer que nous sommes encombrés d'un Corbeau. Aujourd'hui, le soleil n'est pas notre ami. Si nous mourons tous, ce sera à cause de lui. Et comme il ne dispensera pas de véritable chaleur pendant trois lunes encore, il est inutile. Quant au Corbeau qui essaie de nous suivre, il est plus qu'inutile. Et la fille aussi. L'emmener a été une erreur. Je le savais hier comme je le sais aujourd'hui. J'ai vieilli, mon amour, mais je n'ai toujours pas appris à écouter ce que mon instinct me dicte.

Je demande à Renard de tendre à la bonne hauteur, à l'endroit où la piste se rétrécit, un collet fait d'un tendon pour étrangler le premier de leurs chiens qu'on entend hurler de l'autre côté du lac, encore assez loin de nous. Avec un peu de chance, les autres, suffisamment affamés, s'arrêteront pour le déchiqueter, car ils n'ont pas dû manger grand-chose ces derniers temps. J'ai rêvé tout cela et je l'ai raconté hier soir au moment où le ciel s'assombrissait. Je sais, mon amour, qu'hier tu regardais de quelque part là-haut quand mon groupe est tombé sur un plus petit groupe de nos ennemis alors que nous poursuivions le même cerf. Le hasard et la pincée de tabac que j'avais offerte la veille à notre mère Aataentsic, Femme-Ciel, m'ont permis de repérer avant qu'ils n'aient repéré la nôtre la trace des ennemis que nous avons vivement suivie. À voir la traînée laissée par les raquettes des Haudenosaunees, je savais qu'ils étaient près de mourir de faim. Et à voir l'absence d'empreintes de pattes de chien, je savais en quoi leur dernier repas avait consisté.

J'ai attaché le Corbeau à un arbre, puis quand leur parti de chasse s'est enfoncé dans une ravine, nous avons attaqué. L'affaire a été presque trop facile. Deux d'entre eux, nous les avons percés de nos flèches, et les deux autres étaient à peine capables de se battre. Ils n'ont même pas semblé réagir lorsque Renard a abattu son casse-tête sur l'une des femmes qui, au moins, a réussi à le mordre profondément. Quant à moi, je me suis dirigé vers le plus grand des deux hommes qui entonnait déjà son chant de mort et je l'ai frappé à la tempe avec ma massue à pointes, furieux qu'il n'ait pas cherché à défendre la femme. Je n'oublierai pas qu'il m'a fallu appuyer un pied sur sa tête pour dégager mon arme. Oui, j'ai vieilli, mais je suis encore fort. Le seul qui soit de ma taille est le Corbeau que j'entends maintenant geindre en trébuchant dans la neige pour tenter de nous rattraper. C'est un Corbeau à la large poitrine, à l'évidence robuste, mais je pense que c'est l'homme le plus maladroit que j'aie jamais rencontré. C'est un homme saint, aussi. Je l'ai observé pendant qu'il priait longuement son peuple du ciel en jouant avec des perles de bois et de métal blanc que je désirerai sans doute prendre pour moi une fois que j'aurai compris leur pouvoir.

Je n'ai éprouvé aucun plaisir à tuer hier les deux dernières femmes. Nous savions à leurs blessures qu'elles n'auraient pas survécu au trajet jusqu'au village. J'ai demandé à Renard de s'en occuper, mais c'est comme si je m'en étais moi-même chargé. Il leur a tranché la gorge avec son couteau, de sorte qu'elles sont mortes rapidement. Il a ignoré les sarcasmes d'Esturgeon, de Faucon et de Cerf, et quand ils l'ont traité de femme pour avoir si vite expédié la première, il a placé la seconde, qui était assez jolie, de manière à ce que le sang jaillissant de la plaie béante leur asperge le visage, ce qui les a fait taire. Bien qu'affecté par ces morts, j'ai ri. Pour autant que je le sache, c'est cette bande qui vous a infligé à toi, mon épouse, et à vous, mes deux filles, une mort lente et horrible. Depuis, il n'y a pas eu de paix. Je ne me soucie plus de paix.

Pendant que nous rassemblions les quelques objets des Haudenosaunees valant la peine d'être emportés, j'ai entendu derrière moi un reniflement en provenance d'un bosquet de sapins. Je ne me suis pas retourné car je me sentais trop fatigué pour me précipiter dans la forêt à la poursuite de ce qui était sans nul doute un enfant. Renard m'a regardé, puis il s'est dirigé vers les arbres et a décrit un large cercle autour afin de couper la retraite à l'enfant. Il est revenu, tenant dans ses bras la fille raide et figée comme un bloc de glace. Les yeux fixés droit devant elle, elle paraissait ne rien voir, mais peut-être voyait-elle tout. Qu'est-ce qui m'a empêché de la tuer et pourquoi ai-je écouté Renard qui me suggérait de la ramener et de la prendre pour fille ? En dépit de son visage criblé des cicatrices d'une ancienne maladie, elle est belle et elle le deviendra davantage encore dans les prochaines années.

Nous n'aurions pas dû repartir par le même chemin. Des traces indiquant une direction aussi nette en apprennent trop à un ennemi à l'esprit vif. Tard dans la nuit d'hier, un groupe de Haudenosaunees beaucoup plus important a découvert le lieu de la tuerie, et depuis il nous suit. Certes, je ne les ai pas entendus ni vus. L'atmosphère glacée s'est modifiée, les cheveux sur ma nuque se sont dressés, quelque chose m'a frôlé comme un essaim de mouches noires bourdonnant à mes oreilles, et là, en plein après-midi, j'ai été tiré de mon paisible sommeil. C'est pourquoi hier soir, j'ai accéléré le pas et mes chasseurs ont su, eux aussi, ce qui nous menaçait.

Bien qu'elle nous ait ralentis toute la nuit et que les gens de son peuple nous poursuivent, je ne regrette plus de l'avoir emmenée. Il y a une force en elle. C'est de plus en plus manifeste. Je suis prêt à courir ce risque énorme en raison de la promesse qu'elle renferme. Et si le Corbeau est capable non seulement de suivre mes chasseurs mais aussi de garder la fille en vie, il m'aura prouvé que tous deux ont quelque chose qui mérite d'être étudié.

Le Corbeau débouche de la forêt, tenant la fille dans ses grands bras, et je décide de continuer à avancer. C'est un bon plan. Si les Haudenosaunees nous rattrapent, ils tomberont d'abord sur le Corbeau, et quand ils s'apercevront que leur enfant est encore vivant, ils célébreront cela par une fête à la fin de laquelle ils mangeront le Corbeau. Et ils enverront aussitôt un bien plus petit groupe nous donner la chasse, mais nous aurons plus de chances de nous en tirer que maintenant. Je montre le collet au Corbeau qui, le souffle court, s'approche d'un pas vacillant.

Il s'assoit dans la neige. La fille est de nouveau toute raide et son regard demeure fixé droit devant elle. Mes hommes et moi, nous nous levons. Sur le visage du Corbeau, le trouble fait place à la colère. Voilà qui me plaît. Il lui reste de l'énergie et peut-être que, après tout, il verra la fin de cette journée. Mes quatre chasseurs et moi, nous nous dirigeons vers la berge à pic d'un petit cours d'eau que j'ai repéré. Accroupi, le corps penché en arrière, je glisse en bas de la pente sur les talons de mes raquettes et, prenant de la vitesse, j'ai l'impression de voler vers la rivière qui nous offrira un chemin plus rapide. Je me sens heureux. L'homme devrait se sentir heureux le jour qui sera son dernier.

Rêves

J'avais rêvé tout cela. Je l'avais raconté à mon père, mais il était trop épuisé, trop affamé, je crois, pour écouter. Je l'avais raconté aussi à ma mère, mais comme lui elle était épuisée et affamée. Avant même qu'elle s'envole, je vois la flèche qui transperce le cou de mon père. Je vois le sang sur la neige qui fume juste un peu avant de se figer, et cela ressemble à la soupe dont il m'a nourrie quand est venue la maladie des tremblements. Avant que ma mère morde le petit homme qui ressemble à un lynx ou peut-être à un renard et qu'il lui fracasse la tête de sorte qu'elle tombe et s'agite comme si elle dansait dans la neige, j'avais déjà rêvé qu'ils s'emparaient brutalement d'elle et qu'elle trouvait mon regard pendant que j'étais cachée au milieu des sapins. Elle me dit avec ses yeux qu'elle s'apprête à faire quelque chose d'important et qu'à ce moment-là, je devrai m'enfuir en courant le plus vite possible et ne pas m'arrêter avant d'avoir rejoint les frères de mon père et leurs enfants qui ne sont pas loin d'ici. Il le faut, sinon je suis perdue. En un éclair, ses yeux me disent que si ceux-là m'attrapent, je regretterai de ne pas être déjà morte. Puis elle mord l'homme comme une louve enragée. Il pousse un cri, abat sa massue sur la tête de ma mère qui s'effondre et fait des soubresauts dans la neige comme un brochet tiré d'un trou dans la glace ou peut-être comme un lapin assommé qui frissonne en agonisant et dont les pattes frappent le sol. C'est mieux que mon père soit là, gisant mort à côté d'elle, une flèche dans le cou, sinon il aurait continué jusqu'à ce qu'ils soient tous morts. Mais il est mort, ma mère va le rejoindre, et mon frère aîné, qui est sourd et aveugle, ne peut ni les entendre ni les voir mourir, quitte le monde avec eux quand un homme plus âgé, grand et fort, lui fend le crâne de sa massue. Aujourd'hui, ma famille entière est là, qui tremble dans la neige avant de m'abandonner, et je l'ai déjà rêvé, mes parents qui tremblent dans la neige, les bras et les jambes qui frappent le sol, puis vibrent, puis s'immobilisent enfin.

Moi, je ne mourrai pas en tremblant, me dis-je dans mon rêve, et je me le dis aussi quand les bras de l'homme-renard qui s'est glissé derrière moi, agile comme un lynx, m'engloutissent, si bien que je me raidis dans l'attente du coup qui va me fracasser le crâne. À la place, il me conduit vers l'homme qui a tué mon frère, et pendant que je passe devant les autres morts, ma mère, mon père, ses deux jeunes chasseurs et leurs femmes qui arrosent de leur sang les ennemis qui se moquent d'elles, je regarde droit devant moi pour tâcher de ne rien voir, feignant d'être mon frère aveugle que j'imite depuis toujours, avec son air de ne rien voir tout en voyant tout. Je vois cependant. Je vois mon père étendu dans la neige, un cercle de sang entourant sa tête, pareil à un anneau étincelant autour de la lune en automne, les bras écartés comme si, de l'un, il montrait où le soleil se lève et, de l'autre, où il se couche, et je vois ses pieds croisés comme s'il était enfin détendu maintenant qu'il a glissé de l'autre côté. Je reste de pierre, néanmoins, croyant que si mon corps demeure le plus immobile et le plus dur possible, ces hommes ne s'intéresseront plus à moi. Ils s'imagineront que je me suis transformée en bois ou en glace et ils me laisseront dans la neige parce que je suis trop lourde à porter, surtout après que les frères de mon père, leurs fils et leurs chiens auront appris ce qui est arrivé. Ceux-là qui ont tué ma famille, ceux-là dont j'ai rêvé, ils feraient mieux de se mettre à courir, car les frères de mon père et leurs fils vont les pourchasser et ils ne renonceront pas avant d'en avoir terminé avec eux. Je ne bougerai donc plus, je laisserai mes pieds et mes bras se prendre dans les branches pendant que ces hommes tenteront de m'emmener. Et si je suis pareille à un bloc de glace, ils seront bien obligés de me lâcher.

Ce matin, mon plan a réussi et les assassins de ma famille m'ont abandonnée derrière eux peu après que le chien le plus vigoureux d'un frère de mon père a chanté qu'il flairait mon odeur. Mais l'autre prisonnier s'est baissé pour me ramasser. Il sent si mauvais que j'ai envie de vomir, et son haleine est aussi fétide que de la viande pourrie. Les poils de loup sur sa figure et ses vêtements couleur de charbon de bois me grattent, je ne peux plus rester ainsi comme un poids mort, et alors que j'ouvre la bouche pour crier, que je m'apprête à le griffer, à lui arracher les yeux et à le mordre comme j'ai vu ma mère le faire, je vois mon père, devenu minuscule et étincelant, suspendu à un cordon de cuir autour du cou de cette créature.

C'est mon père, couché dans la neige, un cercle autour de la tête, les bras écartés, les pieds croisés, détendus. Tandis que l'homme velu se penche au-dessus de moi, je regarde mon père miniature, dont le visage attrape les premiers rayons de soleil du matin, osciller et s'approcher de moi jusqu'à ce que son corps rencontre mes lèvres. Il est chaud et je comprends qu'il est vivant parce qu'il est chaud, et je l'embrasse avant qu'il ne m'échappe en se balançant et que l'homme qui pue me soulève dans ses bras, et j'entends au loin le chien du frère de mon père chanter de nouveau.

Sans défense

Celui qu'on appelle Oiseau et ses guerriers ne doivent pas être loin. Dieu fasse qu'ils m'attendent. Les chiens non plus ne doivent pas être loin. Maintenant qu'ils arrivent à portée de leur proie, c'est-à-dire moi, ils se taisent. La fille toute raide que je porte dans mes bras me semble soudain encombrante, et alors que les traces des raquettes des Hurons m'ont conduit au bord d'un talus à pic, je m'arrête pour réfléchir à la meilleure façon de le descendre. La pente est si abrupte que je me demande si Oiseau n'a pas essayé de tromper ses poursuivants et pris un autre chemin. Je regarde autour de moi à la recherche d'autres empreintes. Rien. Mon Dieu, aidez-moi, je Vous en supplie. Les chiens vont être là et leurs hurlements révéleront ma présence à ceux qui me pourchassent, ces Iroquois aux dents étincelantes, aux visages peints en rouge, noir et jaune, aux hachettes et aux couteaux à lame de silex qui me trancheront le bout des doigts avant que ne débutent les véritables tortures. Je sais tout sur eux que je n'ai jamais rencontrés. Ils adorent « caresser » si lentement leurs ennemis avec des charbons ardents et des silex effilés comme des rasoirs que des journées entières s'écoulent avant que Dieu ne vienne prendre leurs victimes.

Un spasme me tord le creux des reins tandis que je contemple le cours d'eau gelé en contrebas. J'envisage de lâcher la fille pour la laisser dévaler la pente. Si cette pensée me vient, me dis-je avec un sentiment de honte, c'est sans doute parce que je veux voir si elle s'en tirera et si, par conséquent, j'aurai moi aussi une chance de m'en tirer.

J'aperçois alors les traces, celles des raquettes d'Oiseau, pas plus grandes que des pattes de pigeon, qui longent la berge opposée puis disparaissent dans d'épaisses broussailles. Levant plus haut mon fardeau, j'avance d'un pas pour tâter le terrain. Je me sens un peu plus assuré maintenant que j'entrevois une mince lueur d'espoir. Le bout de ma raquette se prend dans une branche ou une pierre enfouie sous la couche de poudreuse et je bascule en avant. Je roule dans la pente et, en bas, au bord de la rivière, je me cogne contre des rochers.

Les côtes et le bras gauche douloureux, je me relève, et une masse de neige me heurte dans le dos. La fille n'est nullement en état de catatonie. Vive comme une hase, elle se remet debout et essaie d'escalader la berge, mais la pente est si forte qu'à peine a-t-elle grimpé un mètre qu'elle glisse et retombe. Ce serait presque drôle, n'étaient les regards furieux qu'elle me décoche. Ses yeux brillent comme ceux d'un animal. Les enseignements de notre bien-aimé Saint-Père ont beau nous apprendre que la possession d'une âme nous élève tous à la condition d'être humain, j'ai été témoin de ce que ces mêmes êtres humains sont capables d'infliger à un ennemi. Pardonnez-moi, Seigneur, mais je crains qu'il n'existe des animaux qui ont forme sauvagement humaine.

Assis dans la neige qui couvre la rivière, je rechausse mes raquettes, nouant de mon mieux les cordons de cuir comme les Hurons m'ont appris à le faire. Prêt à partir, je cherche quelque chose à dire à la fille qui tente désespérément d'escalader le talus, mais je me dis qu'elle ne comprendra pas mon français et je suis trop paniqué pour m'exprimer en huron, une langue que, d'après Oiseau, elle parle un peu. Je vais l'abandonner à son peuple, à mes poursuivants, ce qui apaisera certainement leur faim.

Je n'ai pas effectué dix pas le long de la rivière que je me rends compte que, sans elle, je suis sans défense. J'ai si mal aux jambes et j'ai déjà le souffle si court que je sais que ce jour pourrait être mon dernier. Mes poursuivants sont trop aguerris. Je me retourne vers la fille qui s'évertue toujours à grimper pour aller rejoindre les siens. Quand je tends la main, elle me regarde, et je m'attends à ce qu'elle tente de m'arracher les yeux, mais elle se fige comme si elle était morte puis s'effondre dans la neige avec un choc sourd. J'en rirais si j'en avais la force. Je me penche pour la soulever dans mes bras et, vacillant sous ce faible poids, traînant mes lourdes raquettes, je me lance sur les traces laissées par Oiseau.

Pareils à des prières

Au milieu de l'après-midi, mes guerriers et moi commençons à traîner la jambe. Nous n'avons rien de chaud dans le ventre depuis deux jours, et l'idée d'un simple petit bol d'ottet me fait saliver. Le vent d'est a forci et le froid a un peu diminué. Il y a des nuages bas à l'horizon. La neige s'annonce, et je sais que c'est elle qui me sauvera la vie aujourd'hui. Si elle tombe assez dru, elle couvrira d'abord mes traces puis la direction que nous prenons, et son manteau me permettra de rejoindre les terres protégées de notre village, un endroit où nos poursuivants n'oseront pas entrer. Dans un murmure, je demande son aide au Peuple du Ciel.

Réfléchissant ainsi, je ralentis l'allure, de sorte que Renard me dépasse pour prendre la tête. Il me jette un coup d'œil et, feignant un air dégoûté, crache dans la neige, ce qui me fait sourire. Renard est un homme bien. Un homme très bien. Un grand guerrier. Un grand ami. Plus petit que les autres, il lui faut toujours prouver sa valeur. Et il y réussit parfaitement. Il n'y a pas meilleur guerrier dans toute la nation des Wendats, et si les Haudenosaunees venaient aujourd'hui à le capturer, ils se réjouiraient davantage qu'ils ne se sont jamais réjouis, et ils lui consacreraient toute leur attention, le torturant avec un amour réservé aux êtres exceptionnels. Ils le garderaient en vie pendant des jours, car ils connaissent sa force, puis ils le tueraient de manière particulièrement brutale. Comme ils le feraient avec moi. Je repousse ces pensées et je me concentre sur mes pas pour suivre la piste que Renard a tracée à travers un bosquet de bouleaux tandis que les premiers flocons de neige, pareils à des prières, me chatouillent le visage.

Le père qui étincelle

Je n'ai plus aucune chance de retrouver les frères de mon père. Il tombe une neige épaisse qui va vite couvrir nos traces. Je lève les yeux et je suis obligée de cligner des paupières. La chose brillante qu'est devenu mon père pend sur la poitrine de l'homme velu, attachée à un cordon autour de son cou. Mon père a toujours les bras écartés, et j'imagine son vrai corps dans la neige, les bras à l'est et à l'ouest, les jambes allongées. L'être brillant est presque nu, je le constate à présent, et il me montre ainsi ce que je dois faire. Je n'ai pas eu la force d'escalader cette pente, et j'ai décidé d'aller où ma mère et mon père sont partis. L'homme velu qui me porte ne remarque rien quand, avec mes dents, j'enlève mes moufles pour les cracher dans la neige. Il respire lourdement et parle tout seul à voix basse, pleurant et s'étouffant parfois sur ses larmes. Je ne comprends pas cette créature. Bien qu'il soit grand et à l'évidence fort, il se conduit comme s'il était dans le corps d'un enfant plus jeune que moi. Alors qu'il devrait se concentrer sur ses pas, il ne cesse de geindre. Il ne s'en sortira jamais dans ce monde. Pourtant, il parvient à ne pas perdre la trace de ceux qui ont tué ma famille. C'est par pur hasard, crois-je entendre dire mon père, que celui-là suit le chemin qu'il est censé suivre.

J'ai maintenant les mains engourdies et, tandis que j'essaie d'ôter mon manteau en peau de cerf et de lapin, je ne sens plus mes doigts. Je procède d'abord lentement pour que l'homme velu ne s'en aperçoive pas mais, gémissant et trébuchant au milieu des tourbillons de neige, il ne voit pas grand-chose. Sa barbe noire est parsemée de flocons blancs et je me le représente en vieillard, mais il ne vivra pas assez longtemps pour que ses cheveux blanchissent. Alors que je tente de faire passer mon manteau par-dessus ma tête, mon coude s'enfonce dans son ventre. Il s'arrête, se baisse et me lâche. Ses yeux me scrutent, et son souffle précipité projette devant sa bouche de petits nuages blancs. Je m'assois. Je sais qu'il veut me demander ce que je fais. Sans rien dire, je me débarrasse de mon manteau puis de mes jambières en lapin. Il me regarde bizarrement pendant que j'enlève le reste de mes fourrures. Frissonnante, je me couche dans la neige, les bras écartés, l'un à l'est, l'autre à l'ouest. Je pose un pied sur l'autre et je me détends dans l'attente de la mort. Persuadée qu'il comprendra, je lève les yeux vers l'homme velu, puis je me remets debout et je fais un pas en avant. Claquant des dents malgré moi, je lui souris, et c'est seulement à ce moment-là que ses mains saisissent les miennes dans un geste qui ressemble à de la colère.

Il tente de me renfiler mes jambières. Il ramasse mes vêtements et, comme je me débats contre lui, il me gifle brutalement en travers de la bouche. Incapable de bouger, je me fige pour de bon. Je ne sens que la chaleur du sang sur mon menton. Je demeure pétrifiée pendant qu'il me passe mon manteau par-dessus la tête et me soulève dans ses bras. C'est la première fois qu'on me frappe. J'essaie de glisser mes mains engourdies dans mes manches. Je le regarde une seconde. Dans ses yeux étrécis pour les protéger de l'éclat de la neige, il y a une lueur résolue que je ne lui avais encore jamais vue tandis qu'il longe un bois de bouleaux indiquant que nous sommes sans doute près d'un grand lac. Nous entrons dans leur pays. Je sais maintenant que je vais bientôt mourir, et je regrette juste que ce ne soit pas de la manière que j'avais choisie.

Je veux que ma mère me serre dans ses bras. Je veux que mon père frotte son nez contre le mien. Je veux que mon frère me porte pour traverser la rivière afin que je ne me mouille pas les pieds. Je veux que les frères de mon père infligent à ces hommes les mêmes souffrances que celles que j'éprouve. Je veux qu'ils les fassent durer des jours et des jours.

Il n'y a plus que la neige qui tombe, puis l'odeur des feux au loin. Ma fin va venir plus vite que je ne le pensais. Je lève mes mains gelées pour essayer de prendre mon père qui étincelle contre la poitrine de cet homme, mon père au corps si petit et si par-fait, et je crois sentir sa chaleur se diffuser en moi comme une brûlure, une brûlure qui ne fait pas mal. J'agrippe mon minuscule père et sa chaleur monte le long de mes bras, envahit tout mon corps jusqu'à ce que j'aie l'impression d'être couchée sous un soleil d'été. Mes dents continuent à claquer et mon corps à trembler, mais j'ai chaud. L'homme baisse les yeux et voit que je tiens mon père entre mes mains. L'homme puant s'arrête. Je crains qu'il ne m'arrache mon père, mais un éclair de dents blanches illumine sa barbe noire et il me murmure quelque chose que je ne comprends pas tout en effleurant mon front de son long doigt. Nous nous regardons et nous n'avons plus peur.

Je détache mes yeux des siens seulement quand je sens autour de nous la présence des autres. Je perçois l'odeur de leur colère avant de les voir. Un groupe de Wendats émerge des bouleaux, aussi silencieux que les arbres eux-mêmes. Leurs cheveux se dressent fièrement au milieu de leurs têtes, et tous portent des armes. Ils nous attendaient. Je le sais car leurs visages sont peints de bandes aux couleurs du charbon de bois et de la fleur de courge. L'homme velu me regarde toujours, chuchotant et passant son doigt sur mon front toutes les deux ou trois secondes. Il débite des mots dans une langue qui ressemble à une rivière de printemps au courant rapide. Il ne se rend compte qu'ils nous entourent qu'à l'instant où l'un des Wendats s'empare de moi et où un autre derrière lui brandit sa massue.

La lune où l'ourse a son petit

La chaleur de l'accueil est d'abord tempérée par ce que je ramène avec moi. L'hiver a été calme ici, sans trop de drames, me dit-on, et mes voisins paraissent plus heureux qu'ils ne le sont d'habitude à cette époque tardive. Normalement, les provisions diminuent et la promesse du printemps est encore lointaine. Mais cette année, la moisson d'automne a été bonne pour nous tous, et les Anishinaabes sont venus du nord en grand nombre, leurs chasseurs chargés de viande de cerf et de fourrures à troquer contre le maïs des Wendats, et leurs hommes-médecine ont construit des tentes tremblantes dans les forêts de bouleaux à l'extérieur de mon village pour communiquer avec leurs familles restées dans le nord.

Je suis un homme respecté au sein de cette communauté, mais je sais qu'on a désapprouvé ma décision de quitter le village avec un parti de guerre alors que s'installait la monotonie de l'hiver pendant la lune où l'ourse a son petit. Les relations avec les Haudenosaunees ont toujours senti aussi mauvais que des boyaux malades même si, ces derniers temps, les raids que nous menons les uns contre les autres n'ont rien eu de particulier. Pourquoi réveiller un ours qui dort durant les mois où nous devrions tous jeûner, rêver et prendre des forces ? Je vais te dire pourquoi, mon amour. Pour toi. Pour te venger. C'est aussi simple que cela. Quand la douleur de ne plus te savoir à côté de moi dans le lit, la nuit, est trop insupportable, je ne peux que marcher, marcher jusqu'à ce que je les trouve et en tue quelques-uns. Cent mourront pour chacun des membres de ma famille qu'ils m'ont pris. Trois cents mourront avant que je pense seulement à me reposer.

C'est pendant les longs mois d'hiver que mon cœur est le plus noir. Pendant la lune où le froid pénètre si profondément dans les peupliers qu'ils crient leur souffrance, la mienne, après que je vous ai perdus, toi ma femme si belle, et vous, mes enfants si beaux, est telle qu'elle envahit mes jambes et que rien ne pourra l'apaiser sinon une longue marche vers leur pays.

Je n'aime pas me vanter, mais ces marches de vengeance sont devenues légendaires parmi les jeunes du village qui désirent se chauffer un jour les mains dans les poitrines béantes de leurs ennemis, et je ne manque jamais d'hommes prêts à mettre ainsi leur courage à l'épreuve. Je suis maintenant assez âgé pour savoir que si jamais Renard refusait de se joindre à moi pour ces marches, j'y renoncerais sans doute aussi. Mais, comme moi, il a encore soif d'aventure et de butin. Et deux prisonniers constituent assurément une prise correcte.

Au début, je suis obligé de faire tout le temps garder le Corbeau. Je lui interdis de se promener librement dans le village, si bien que pour le voir, les curieux, et ils sont nombreux, doivent venir jusque chez moi. Ils apportent de petits cadeaux qu'ils déposent près de mon feu, des paniers tressés, de l'ocre pour se peindre le visage, des bandes de cuir que l'on a mâchées pour les assouplir et même du poisson fumé. Tout cela, je le partage avec les habitants de la maison-longue, car eux non plus n'ont pas la vie facile ; jour et nuit, la maison-longue est animée par ceux qui, assis jambes croisées, regardent le Corbeau tenter de s'adresser à eux dans leur langue, ce qui ne cesse de provoquer l'étonnement et les rires. Il parle comme s'il avait la bouche pleine d'écorce de bouleau, et son vocabulaire est plus pauvre que celui d'un enfant, mais il me suffit de demander à ceux qui rient le plus fort d'essayer de prononcer ne serait-ce que quelques mots dans la langue du Corbeau pour qu'ils soient contraints de reconnaître combien ce dernier est doué.

Peu d'entre eux prêtent attention à la fille qui semble se fondre aux parois et à la fumée de notre maison. Je vois qu'elle est triste à cause de sa famille qui lui manque beaucoup. Le moment venu, je m'excuserai pour ce que j'ai fait à ceux de son sang, et je lui expliquerai qu'elle peut se sentir heureuse et comblée maintenant qu'elle est ma fille. J'organiserai un grand festin de bienvenue où j'inviterai tous les gens importants du village et je distribuerai là tous mes biens, car les richesses peuvent toujours être remplacées. Et au cours de cette cérémonie, elle deviendra ma nouvelle fille, et mon chagrin à la pensée de celles que j'ai perdues s'estompera un peu.

Pour l'instant, elle est recroquevillée dans sa robe

de nuit, celle que j'ai cousue pour elle avec maintes fourrures de castor. Elle passe ses journées emmitouflée dedans à écouter le Corbeau croasser ses paroles. Elle refuse de manger. Elle ne boit que quelques gouttes d'eau. Si elle continue ainsi, il va falloir que j'intervienne.

Depuis ton départ, ma chérie, notre maison-longue abrite huit feux, huit familles, surtout des neveux et nièces avec leurs enfants qui courent partout en se pourchassant et en pourchassant les chiens qui traînent à l'intérieur. Après ta mort, Renard, sa femme et ses quatre enfants ont installé leur feu à côté du mien, le plus près de la porte, le meilleur endroit pour un homme comme Renard, un protecteur-né. Maintenant que vous êtes toutes parties, rien ne me plaît davantage que de rentrer à la maison après un long voyage en compagnie de mon ami et de le voir redevenir un enfant, jouant et luttant avec les siens, leur racontant ses aventures soigneusement dépouillées des violences qu'il a commises et dont il a été témoin. La vie d'un enfant est trop brève pour qu'il connaisse déjà cela. Malgré votre absence, mon existence est agréable, et je suis comme un grand-père pour des dizaines d'enfants, un grand-père qui leur enseignera les lois des hommes et les lois de la forêt.

Ce matin, le vent qui gémit autour de la maison-longue me tire de bonne heure de mon sommeil. Je regarde la fille à côté de moi et je constate avec soulagement qu'elle visite enfin le lieu des rêves. Je m'assois, puis je descends de mon perchoir où la chaleur s'est accumulée. Me tournant vers le coin sombre où dort le Corbeau, j'entends le rythme régulier de sa respiration. C'est également bon signe. Il y a cinq jours que nous sommes de retour et c'est le premier où je vois l'un ou l'autre dormir. Ce sont de bien étranges créatures, mais quelque chose dans ma poitrine me dit qu'ils sont tous deux dignes d'intérêt. Du moins je l'espère. Un doute taraudant s'est insinué dans mes oreilles ces derniers jours, et c'est peut-être la raison pour laquelle je me suis réveillé si tôt. Garderais-je ces deux-là pour une mauvaise raison, pour le seul plaisir de les savoir à moi ?

Je remets du bois dans le feu et drape ma couverture sur mes épaules. Tu comprendras, mon amour, le désir que j'éprouve. Après tout, nous nous étions promis que si l'un de nous mourait jeune, l'autre, après avoir respecté la période de deuil convenable, devrait se sentir libre de satisfaire ses besoins physiques. Il est temps d'aller voir Petite Oie.

Le jour n'est pas encore levé, et la neige qui tombe en traits obliques s'empile contre le côté ouest des maisons-longues, contribuant ainsi à les protéger du vent qui souffle du lac. C'est le moment où notre peuple se plonge le plus profondément dans le monde des rêves où, en temps normal, je devrais aussi me trouver. Mais je me suis réveillé avec l'image de Petite Oie en tête, et j'ai compris qu'elle m'appelait. Elle loge près de l'enceinte sud, et personne n'ose construire une maison près de la sienne. Il n'y a qu'elle, parmi une communauté de milliers de gens, qui vive seule.

Elle n'est pas de notre peuple. C'est une Anishinaabe, une Nipissing du Nord. Elle est arrivée un jour d'hiver peu après ta mort avec un groupe de leurs marchands. Ils ont érigé lentement, soigneusement leurs tentes tremblantes, et il y avait dans leur magie quelque chose de plus fort que tout ce que j'avais jamais vu. Ils étaient au courant des ennuis que nous avions eus l'année passée avec les Haudenosaunees, et aussi de ma perte, et certains m'ont invité dans leur tente tremblante pour me dire qu'ils t'avaient parlé, que les filles et toi étiez en sécurité dans le monde des esprits. Alors que personne n'aurait pu leur raconter quoi que ce soit, ils connaissaient tous les détails des raids de nos ennemis contre nos campements de chasse au cours de l'automne dernier. Ils savaient que tu as été tuée après que les filles ont été massacrées sous tes yeux tandis que je luttais pour ma vie à cent pas de là. Ils m'ont dit cela non pas pour se vanter mais pour m'aider à comprendre que vous étiez maintenant en sûreté. Ils le faisaient sans autre motif que leur gentillesse. Les personnes-médecine des Anishinaabes m'ont appris qu'un jour, ils recueilleraient nombre d'entre nous après que nous aurions été dispersés comme des balles de maïs dans le vent.

Après le départ de ces saintes personnes, chargées en guise de cadeau de tout le maïs qu'elles pouvaient porter, nous nous sommes aperçus que l'une d'elles était demeurée avec nous. Cette femme, Petite Oie, avait réussi à passer pendant des jours devant les sentinelles comme si elle était invisible, et on l'avait vue entrer dans plusieurs maisons-longues puis en ressortir avant de disparaître à nouveau. Dans chacune de ces maisons il y avait des mourants. Et une semaine plus tard, ils se relevaient et revenaient manger près du feu.

Elle a poursuivi ses visites tout l'hiver, vivant seule dans un wigwam en écorce à l'extérieur de nos palissades, et chaque fois qu'on la voyait parmi nous, la fortune semblait nous favoriser. Au fil des lunes, nous nous sommes habitués à sa présence. La moisson cette année-là a été abondante, aucun guerrier n'a été tué par les Haudenosaunees ni emporté par le courant pendant le long voyage d'été pour aller faire la traite avec les Français que nous appelons le Peuple du Fer, non loin des grands rapides. Nous les Wendats, après nous être réunis, nous sommes tombés d'accord pour lui construire une vraie maison dans l'espoir qu'elle resterait et continuerait à nous faire bénéficier de ses bienfaits.

Quand je me faufile à l'intérieur, elle est assise près de son feu, et elle m'adresse un sourire faussement timide. Elle laisse glisser sa couverture de castor de ses épaules et, à la lueur des flammes, son corps nu m'apparaît comme celui d'une jeune femme avec ses seins hauts et fermes aux mamelons durcis et, à cette vue, je durcis à mon tour. Ma dernière visite remonte à trop loin. Je laisse moi aussi ma couverture tomber, puis je m'avance vers elle et m'agenouille tandis qu'elle m'enlace. Je me suis souvent demandé si j'étais le seul à avoir droit à ce plaisir ou juste un parmi d'autres. Dans un village où tout se sait, personne n'a jamais mentionné, même pour plaisanter, mes visites à Petite Oie. Et je n'ai jamais entendu quiconque se vanter d'exploits avec elle.

Après, elle est couchée sur le dos, les paupières

closes, un léger sourire aux lèvres, pendant que je lui raconte mes dernières aventures, promenant mon doigt sur les contours des tatouages qui ornent ses bras. Mon préféré est la chouette aux grands yeux, perchée au creux de son coude, délicatement dessinée.

« Tout le monde parle du Corbeau que tu as ramené comme un animal de compagnie, dit-elle. Mais fais attention. Les corbeaux sont difficiles à apprivoiser. »

Je fronce les sourcils. Je n'ai aucun désir de devenir le maître de ce Corbeau, ai-je envie de dire.

« Ils sont rusés, reprend Petite Oie. Ce sont des voleurs. Quand tu t'aperçois de ce qu'ils t'ont pris, il est déjà trop tard.

— Il a quelque chose en lui. Quelque chose que je pourrais peut-être utiliser.

— C'est la fille qui m'inquiète le plus, dit-elle après un instant de silence.

— Qu'est-ce que tu veux dire ? » J'ai réagi trop rapidement, craignant soudain que Petite Oie ait décelé chez la fille une maladie qui ne me soit pas encore apparue.

« Elle est d'un sang rare. Elle manque à ceux de son peuple. Ils veulent la reprendre. Ils parcourront de grandes distances pour la récupérer. »

Sur la défensive, je suis sur le point de répliquer, mais je me ravise.

« Tu devrais la leur rendre avant de la laisser devenir ta fille.

— J'aimerais mieux leur rendre le Corbeau, finis-je par dire.

— Non. Malheureusement, nous devons le garder.

L'avoir avec nous, c'est bon pour les relations avec les étrangers. Il attirera leurs marchands vers nous plutôt que vers les autres. » Petite Oie rit. « Plus tu accueilleras de Corbeaux, plus forts deviendront tes liens avec eux. »

Allongé sur le dos, je sais qu'elle me regarde, me mettant au défi de suivre le cheminement de son raisonnement. Elle a passé l'évidence sous silence. C'est à ce que les Corbeaux apportent et que notre peuple n'a pas encore vu que Petite Oie me demande de réfléchir.

Pour le moment, je préfère ne pas y penser. Je roule sur le ventre, puis je me dresse au-dessus d'elle qui s'arque vers moi et me prend en elle.

Châtiment

Ils sont beaux. Je ne peux pas le nier. J'écris tout cela dans le carnet relié que je serre dans ma soutane. C'est l'un des rares objets de réconfort que je possède. Apporter Jésus-Christ à ces gens est l'une de mes missions. Rendre compte de mes découvertes au Père supérieur à Québec, lequel les transmettra ensuite en France, en est une autre. En définitive, je raconte mes voyages, mes luttes et mes souffrances afin, Seigneur, de Vous glorifier. Je mourrai pour Vous si telle est Votre volonté.

Ces Sauvages n'ont aucune pudeur. Quand les feux brûlent et qu'il fait chaud, les enfants courent tout nus dans la maison-longue et les femmes se dénudent jusqu'à la taille. Les hommes se promènent souvent vêtus d'un simple pagne et j'ai vu plusieurs fois des couples qui n'étaient manifestement pas mariés s'étreindre avant de s'éclipser. Avec l'éclat des feux, l'épaisse fumée, les grognements primitifs des amours, les rires des enfants, les jacasseries dans cette langue que j'ai tant de mal à maîtriser, je pourrais me croire dans l'un des cercles de l'Enfer de Dante.

Je note dans mon journal que les maisons-longues ont les dimensions d'un petit bateau, et qu'elles sont habitées par des familles apparentées par les femmes. Pour autant que je le sache, huit à dix familles, chacune possédant son propre feu, emplissent ces demeures de tous les bruits de l'humanité. J'ai compté partout entre quarante et soixante âmes par maison-longue et je crois qu'il y en a au moins cinquante dans ce village qui, m'a-t-on dit, n'en est qu'un parmi tant d'autres dans ce que j'ai baptisé l'Huronie, le pays qu'ils nomment Wendake. Bien qu'on puisse traverser l'Huronie en quelques jours, j'ai appris que cinq nations différentes et néanmoins unies, chacune ayant son propre nom, peuplent ce territoire fertile. Celle chez qui je suis s'appelle Ours et les autres, Rocher, Corde, Marais et Cerf. Leurs ennemis jurés, les Iroquois, sont également divisés en cinq nations, mais il semble que dans leur langue, les Hurons leur attribuent collectivement le nom de Haudenosaunees.

Les Hurons, comme Champlain l'a dûment consigné il y a un certain nombre d'années, sont les marchands les plus influents au sein de cette vaste contrée, et ils veillent sur leurs affaires avec un œil de banquier. Ils contrôlent le commerce de tribus aussi disparates que les Montagnais au nord et les Neutres au sud. Leur principale monnaie d'échange est le maïs qu'ils récoltent en quantité tous les étés. J'observe avec fascination comment leurs différents systèmes fonctionnent selon les saisons, mais à ce que je vois, ils troquent surtout leur production contre les fourrures de castor que leur livrent les peuples de chasseurs, les Algonquins et les Nipissings, fourrures que les Hurons transportent ensuite chaque été en canot jusqu'en Nouvelle-France et qu'ils troquent à leur tour contre des articles tels que haches en fer, marmites en cuivre ou toutes sortes de perles de verre qui, pour eux, valent de l'or. Après quoi, ils reviennent de Nouvelle-France avec ces trésors qu'ils vendent à leurs voisins du Nord et du Sud. Oui, ils constituent réellement la clé de l'économie de ce Nouveau Monde.

Nous sommes en hiver, et chaque famille dort au-dessus du sol sur des plates-formes, la mère à un bout, le père à l'autre et les enfants coincés au milieu. Ils ont l'intelligence d'écorcer le bois avant de le brûler, mais il y a parfois tant de fumée que j'en ai les yeux continuellement irrités. Ces maisons-longues sont de véritables merveilles, pareilles à des ruches géantes aux parois faites de jeunes arbres entrelacés et couvertes de plaques d'écorce. Aux chevrons sont accrochés du maïs, des haricots, des courges, du tabac, du poisson séché et des tas d'aliments que je n'avais encore jamais vus. Il est clair que pour les Hurons, l'hiver est le temps du délassement et des plaisirs. Les mères jouent toute la journée avec les enfants, la dizaine de chiens qui traînent dans la maison-longue sont traités comme des membres de la famille, ils mangent dans les marmites des Hurons, dorment dans leurs lits, et cette folle animation grouille autour de moi, tandis que les hommes se tiennent en groupes, venus à tour de rôle se rendre visite dans leurs maisons-longues pour parler, rire et fumer des pipes de tabac.

Les hommes sont grands, et quelques-uns presque

de ma taille. En France, mes compagnons ont toujours été plus petits que moi. N'est-ce pas notre cher évêque qui m'a surnommé le Géant breton ? Mais ceux-là ont une musculature impressionnante, un ventre dur, des bras puissants, et à la lueur du feu, leur peau brune imberbe évoque un tableau vivant. Certains demandent à leur femme de leur raser les cheveux de chaque côté de la tête avec des coquillages aiguisés et ornés de décorations élaborées pour ne laisser au milieu qu'une touffe épaisse qu'ils graissent afin qu'elle reste dressée. Au cours de cette malheureuse traversée qui nous a amenés dans ce Nouveau Monde, un vieux marin nous a régalés du récit de ses expériences dans ce pays, allant jusqu'à affirmer que c'était lui qui le premier avait donné à ce peuple le nom de Hurons – ceux qui ont une hure – en raison de la tête des hommes hérissée comme celle de cochons sauvages. D'autres guerriers se laissent pousser les cheveux et ne les rasent que d'un côté. Ils ont alors l'air effrayants et à moitié fous. Sur le sentier de la guerre, Oiseau et ses soldats se peignent le visage en rouge, jaune et ocre brun. Je suis sûr que c'est pour provoquer chez leurs ennemis une peur équivalente à celle que j'éprouve.

Les femmes sont tout aussi saisissantes que les hommes avec leurs longs cheveux noirs brillants, leurs dents blanches qui tranchent sur leur peau brune quand elles sourient. Elles consacrent énormément de temps à se parer et passent parfois des heures à bavarder pendant qu'elles s'entrelacent mutuellement des plumes et de minuscules perles d'argile dans les cheveux. Certaines portent même sur le corps des tatouages figurant des animaux, et ces femmes-là semblent être tenues en haute estime. Nombre d'entre elles, quel que soit leur âge, adorent badiner avec moi. Elles affichent des expressions innocentes, et les plus jeunes n'hésitent pas à me toucher la main ou le bras, comme pour se prouver que je suis bien réel. Le bruit s'est répandu que mes vœux m'interdisaient d'aller avec les femmes, mais manifestement leur simplicité les empêche de comprendre les complexités du sacerdoce. L'autre jour pendant que je prêchais, et après beaucoup de confusion et de malentendus, un homme a osé me demander si je préférais les garçons, ce qui a déclenché autour de moi des rires hystériques. Leur approche enfantine du monde sera à la fois un test important et un outil merveilleux. Je les traiterai comme en France je traitais naguère les jeunes enfants quand on m'avait confié la mission plutôt pénible de leur enseigner le catéchisme.

Les dix premiers jours, je me suis senti prisonnier dans cette maison-longue rougeoyante et enfumée. Oiseau est à l'évidence un homme qui compte au sein de cette communauté. On lui offre des cadeaux et on vient lui rendre visite maintenant qu'il est de retour. Je m'aperçois néanmoins que les gens entrent autant pour me voir moi que pour le voir lui. J'en profite pour essayer d'apporter un peu de la lumière de Dieu dans ce coin sombre du monde. L'année dernière à Québec, j'ai passé des mois à apprendre la langue gutturale des Hurons, aidé par un Sauvage converti au nom chrétien de Luc qui m'initiait à ses difficultés.

Il m'expliquait que pour arriver à maîtriser leur langue, il fallait d'abord que je comprenne le monde naturel autour de moi. Les Hurons, disait-il, ne vivent pas au-dessus du monde naturel mais en tant qu'élément de celui-ci. Posséder la clé de leur langue, c'est établir le lien entre l'homme et la nature. Voilà qui m'a fait bien rire. Il n'existe pas de langue qu'on ne puisse apprendre machinalement. Et Vous, Seigneur, Vous nous avez donné le monde naturel pour que nous l'exploitions et le dominions. L'homme n'est pas né pour ramper sur le sol avec les animaux mais pour s'élever au-dessus d'eux. Je le note pour le rapport que je vous enverrai en temps voulu, mon cher Père supérieur, car cela est d'une importance primordiale pour la conversion des Sauvages. J'ai depuis longtemps prouvé que j'avais le don des langues. Grâce à Vous, Seigneur, j'ai pu parler le latin et le grec, un peu l'anglais, un peu le hollandais. N'est-il pas vrai, mon cher Père supérieur, que vous m'avez choisi pour cette mission en raison de mon aptitude à apprendre de nouvelles langues ?

Une dernière réflexion à propos d'un fait que je trouve à la fois fascinant et épouvantable. En matière d'esprit, ces Sauvages croient qu'il existe en nous tous une force vitale similaire, pourrait-on dire, à ce que nous, catholiques, croyons être l'âme. Cette force vitale, ils l'appellent l'*orenda*. C'est le côté fascinant. Le côté épouvantable, c'est que ces pauvres créatures égarées croient que non seulement les êtres humains, mais aussi les animaux, les arbres, les étendues d'eau et jusqu'aux pierres possèdent une orenda. En réalité, pour eux, la moindre chose dans leur monde contient son propre esprit, sa propre force vitale. Quand j'ai questionné Oiseau à ce sujet, il m'a fourni une réponse assez curieuse. Il m'a raconté que récemment, au cours d'une chasse, il a poursuivi longtemps un cerf qu'il a fini par rattraper et tuer. « Mon orenda a été plus forte que la sienne, a-t-il dit. L'orenda du cerf a permis que je le tue. » Puis il m'a regardé comme si cela expliquait de façon tout à fait claire leur étrange croyance. Je dois reconnaître, cher Père supérieur, que je continue à m'interroger.

Aujourd'hui, une douzaine d'entre eux sont installés par terre devant moi. Ils me dévisagent, échangent des murmures, surveillent chacun de mes mouvements et me scrutent avec une telle intensité que je suis baigné de transpiration. Ceux qui sont le plus près de moi se bouchent le nez ou s'éventent comme si c'était moi qui sentais mauvais, alors qu'ils dégagent une forte odeur de fumée, de peau d'animal et de ce que je ne peux que qualifier de pensées libidineuses. Deux jeunes femmes assises à mes pieds essaient de regarder sous ma soutane, puis elles éclatent de rire en m'imitant quand je me signe. Au fond, un vieil homme se tient le dos raide, les bras croisés et les lèvres pincées.

Pareil à un enfant qui commence à apprendre à parler, je débute par l'Agneau mystique. Or, il n'y a rien de tel qu'un agneau dans leur monde, aussi Jésus-Christ devient-il un faon dont on verse le sang pour que nous puissions vivre éternellement. Une perturbatrice, une vieille femme, dit à voix haute que l'idée de sang de faon lui donne faim en cet hiver où la viande fraîche est rare, et elle demande pourquoi je la torture ainsi. Les autres s'esclaffent. J'ai vite eu l'occasion de constater qu'ils riaient souvent, même aux moments les plus inappropriés.

« Si vous prenez dans votre vie…, dis-je lentement, … le faon qui est Jésus… » Je m'interromps, cherchant mes mots. « … Votre faim, disparue. »

Ils se moquent de moi. « Plus jamais faim ? interroge un jeune homme. Ça veut dire qu'on est mort ? » Les rires redoublent et ils discutent dans leur langue, trop vite pour que je sois en mesure de comprendre.

Quand ils sont partis comme cela, en général au bout de quelques minutes, je sais qu'ils ne m'écouteront plus. C'est alors que je sors de mon sac mon calice et mon étole, puis je prends un petit morceau de leur sagamité, cette horrible bouillie de farine de maïs qu'ils appellent *ottet* et qui constitue la base de leur régime pendant l'hiver et les voyages. J'ai fait sécher la bouillie pour l'aplatir et la découper en une rondelle semblable à une hostie avec laquelle j'administre le plus saint des sacrements. Je lève vers le ciel le calice rempli de neige fondue pour qu'elle devienne Votre sang, puis la petite galette de maïs pour qu'elle devienne Votre chair. Cette cérémonie ne manque jamais de les réduire au silence. Sans plus aucune trace d'amusement, ils suivent mes moindres gestes avec des yeux de faucon. Ils sont apparemment plus sensibles à mes actes qu'à mes paroles. Je l'ai bien noté et j'attends avec patience le jour où l'un d'eux osera demander à boire dans le calice et à grignoter dans ma main tendue.

Pourtant, il y a quelqu'un qui observe tout avec

attention, qui ne me coupe pas impoliment quand je prêche. La jeune Iroquoise, la fille que j'ai portée dans mes bras durant cette journée de cauchemar, se cache sous sa robe de nuit. Depuis que je suis là, je ne me souviens pas de l'avoir vue quitter son perchoir au-dessus de moi dans le lit à côté d'Oiseau. J'espère de tout mon cœur qu'il n'a pas de mauvaises intentions à son égard. Je trouve en effet très bizarre qu'il soit le seul de la maison-longue à n'avoir ni femme ni famille. Le Sauvage aurait-il pris la fille pour en faire son épouse-enfant ? Je vais l'avoir à l'œil.

Tôt ce matin, je me réveille dans le noir. Le vent souffle en rafales et Oiseau remet du bois dans le feu avant de se glisser hors de la maison-longue. Le sommeil m'appelle de nouveau, chaud et accueillant, et je sais que c'est précisément contre cela que je dois lutter. Tant que ceux autour de moi demeureront des idolâtres, je ne mériterai pas ce bien-être. Je m'arrache à mes couvertures et, en chemise de nuit, je m'agenouille dans un coin sur la terre dure, loin des flammes, pour faire mes prières du matin et méditer. La fille me trouble. Elle me trouble profondément. J'ai beau essayer de l'effacer, l'image de son corps nu et offert dans la neige reste gravée en traits de feu dans mon esprit. Je ne saisissais pas le sens de son sourire tandis qu'elle gisait là, à réclamer quelque chose que je ne comprenais pas. Puis l'horreur de ce qu'elle désirait que je fasse m'a frappé et poussé à la gifler. J'ai soigneusement noté cela dans mon rapport au cher Père supérieur, et je ne puis qu'espérer qu'il le recevra un jour. La seule conclusion qu'il me soit possible de tirer des perversions et des brutalités dont j'ai été jusqu'à présent témoin, c'est que ces êtres, tout en étant indubitablement humains, existent sur un plan beaucoup plus bas que même la caste inférieure la plus pervertie d'Europe.

Il ne me faut cependant pas oublier que nous sommes tous les créatures de Dieu. J'ai pour mission d'aider ces pauvres âmes à s'élever, et leur âme éternelle ne sera sauvée que si elles acceptent Jésus et, à cette fin, il leur faut accepter l'Eucharistie.

Comme si le Christ en personne me parlait en ce matin glacial au cœur de ce pays troublé, une vision m'apparaît qui semble se matérialiser dans le nuage de mon haleine. La fille sera ma première convertie. Je le sais avec une certitude absolue. Je me souviens de sa main agrippant mon crucifix pendant que nous franchissions les dernières lieues avant d'être arrêtés par les sentinelles huronnes. La pauvre créature a un besoin désespéré de rédemption. Qu'elle m'ait ainsi tenté en est la preuve. Et on m'a fait venir ici pour la lui apporter.

Mes prières du matin terminées, je passe ma lourde soutane. Elle est imprégnée de mon odeur, l'odeur puissante du dur labeur, l'odeur âcre de la peur, et je me sens soudain gêné. Peu importe. Je dois m'élever au-dessus des salissures de l'homme. Ma mission se situe au-delà des banalités de la vie quotidienne. Je suis davantage que cela.

Tous dorment encore dans la maison-longue pendant que je grimpe l'échelle jusqu'au lit de la jeune fille. Je m'aperçois alors que je ne connais même pas son nom. Ce n'est pas grave. Je lui donnerai bientôt

54

un nom chrétien. Ce sera le premier dans ce territoire, et la nouvelle se répandra au loin.

La fille est couchée sur le dos, emmitouflée dans
une épaisse fourrure. Elle a la bouche entrouverte et
je ne peux m'empêcher de remarquer qu'un mince
filet de salive coule à la commissure de ses lèvres. Elle
a l'air profondément endormie, et j'en suis heureux.
Elle a traversé de rudes épreuves. Comme nous tous.
Bien qu'Oiseau m'ait attaché à un arbre assez loin de
la scène du massacre de sa famille, les bruits de lutte,
les cris et les hurlements continuent de me hanter. Ce
n'est pas sans raison que la fille est devenue muette.
Elle a vu à son âge ce que personne ne devrait jamais
voir. Les violences que ce peuple exerce contre ses
ennemis me stupéfient.

Je contemple un long moment la fille dans la
pénombre. Je voudrais la comprendre. Je me rends
soudain compte que j'essaie de voir son humanité.
Elle n'est pas très jolie, du moins en comparaison
avec les autres enfants autour d'elle. Elle serait
cependant plus belle sans les cicatrices de quelque
maladie d'enfance qui ont ravagé son visage. Les épi-
démies ont commencé à affecter ces gens-là au cours
des dernières années. Il ne peut s'agir que d'un signe
de Dieu, un message divin. Il n'est pas besoin d'être
grand clerc pour savoir que d'importants change-
ments s'annoncent et que les faibles et les dépravés
souffriront. Mais les convertis survivront.

Je me signe et murmure des prières de vénération
et de gratitude, puis je demande à Dieu de me guider. Je prie avec ferveur pour le salut de l'âme de
la jeune fille qui dort devant moi, je lève ensuite le

crucifix en argent, cadeau de ma chère mère avant mon départ, l'embrasse puis je le porte aux lèvres de la fille. Après tout, elle a déjà montré une telle fascination pour la croix.

Au moment où Jésus effleure ses lèvres, j'éprouve un choc en voyant ses yeux s'ouvrir d'un coup, agrandis de terreur. Elle tend les bras pour me repousser, et je m'aperçois alors que je suis penché au-dessus d'elle presque à la toucher. Ses poings me martèlent la poitrine, et tandis que je m'écarte, le crucifix à la main, elle se met à hurler. Pris de panique, je plaque ma main sur sa bouche pour qu'elle ne réveille pas tout le monde. S'ils me trouvent là, ils ne comprendront pas. À voix basse, je la supplie de se calmer, mais ses yeux ne font que s'écarquiller davantage. Elle me mord la main et la douleur m'oblige à la retirer. Les cris de la fille me percent les oreilles, résonnent dans la maison-longue, j'entends les occupants se réveiller tout autour de moi et les hommes tâtonner à la recherche de leurs armes. Un souffle d'air froid me fait frissonner, on escalade l'échelle, quelqu'un m'empoigne par ma soutane et tire.

Je tombe. Je ferme les paupières et serre les dents à l'instant où mon épaule heurte le sol dur avec le craquement d'un os qui se casse, et à l'élancement sourd succède aussitôt une douleur fulgurante qui me coupe la respiration. Oiseau se dresse au-dessus de moi, les traits tordus de rage, un couteau à la main. Il s'accroupit, le brandit. Je sais qu'il va frapper, et ma première réaction est de regretter d'avoir fait tout ce chemin sans même avoir réussi à convertir un seul Sauvage. Les yeux clos, je prie Dieu de m'accorder une nouvelle chance, et j'attends la brûlure de la lame sur ma gorge.

Rien ne vient. J'entends une voix étrange, jeune mais rauque, qui s'exprime en huron, calmement, raisonnablement. Elle n'est pas tout à fait humaine et ressemble à celle d'un petit animal ayant appris à parler comme un bipède. Je saisis quelques mots çà et là. Esprit. Père. Maladie. J'ouvre lentement les yeux. Oiseau a le regard rivé sur moi et, derrière son épaule, perchée sur sa plate-forme au milieu des chevrons, la fille s'adresse à la nuque d'Oiseau, et son visage étroit paraît flotter là-haut, éclairé par la lumière du petit matin qui filtre par les trous à fumée de la maison-longue. Sa figure miroite dans la faible lueur et la fumée des feux, si bien que je ne peux m'empêcher de la considérer comme un esprit, un fantôme apparu pour s'interposer. Oiseau se redresse, un pied de part et d'autre de mon corps. Il ne prononce pas un mot, mais son expression en dit plus que s'il criait. Ne touche plus jamais cette fille. Il se retourne et sort à grandes enjambées. Je regarde autour de moi. Les familles sont descendues de leurs lits et forment un cercle à distance, les yeux fixés sur moi. Je lève la tête pour voir l'étrange tableau que forme la fille, mais elle a déjà disparu.

Pendant trois jours, personne n'est venu me voir ni ne m'a adressé la parole. Je présume que c'est la punition qu'Oiseau m'a réservée. Ne sachant pas si je suis autorisé à quitter la maison-longue, je reste dans un coin où je peux m'isoler un peu et où je passe des heures à prier et à méditer. Ou du moins, j'essaie, mais un sentiment grandissant de solitude, ou plutôt de malaise ainsi que je m'en rends compte le deuxième jour, m'envahit. Comme un toit sur lequel la neige s'accumule, je crains de m'effondrer. Je me suis déboîté l'épaule en tombant, et mon bras droit pend le long de mon corps, plus bas que le gauche. La douleur est atroce. Si seulement il y avait un autre jésuite pour me la remettre en place. Si seulement il y avait un frère avec qui je pourrais parler, un autre prêtre à qui je me confesserais et qui me donnerait l'absolution. Je m'efforce de dormir, mais mon sommeil est agité, entrecoupé d'élans de peur à l'idée que je me suis enfoncé si loin dans ce pays brutal et bizarre que Dieu Lui-même a perdu le contact avec moi.

Où sont les autres ? Je suis parti de Nouvelle-France en pensant arriver en Huronie à la fin de l'été dernier. On m'avait dit qu'un groupe de jésuites devait débarquer bientôt de Normandie et viendrait me rejoindre si le temps le permettait encore.

Dans des conditions favorables, le voyage de la Nouvelle-France à l'Huronie prend environ trois semaines. C'est une épreuve à vous briser les reins tant il faut pagayer et porter sur de grandes distances, tout sortir des canots et effectuer plusieurs voyages, parfois sur des lieues, à travers des marécages ou en escaladant des berges abruptes avec la moitié du poids d'un homme harnachée sur le dos. Sans compter les nuées d'insectes qui piquent, grattent et mordent, si bien qu'on espère que la pluie vous vaudra un court répit, mais quand elle tombe et qu'on frissonne sous les trombes d'eau, on appelle de nouveau le soleil de ses vœux même s'il signifie le retour des insectes. Et on a faim, alors que les Sauvages, eux, qui semblent tirer des forces de la pénurie de nourriture, se lèvent tous les matins à l'aube pour ramer contre le courant jusqu'à la nuit, le dos souple dans leurs fragiles embarcations, tout en fumant leur infect tabac qui leur tient lieu de repas. Ils devenaient plus robustes, plus musclés, tandis que je dépérissais.

Le pire, pourtant, a été les Iroquois, nos ennemis à nous, les Français. Pour gagner l'Huronie, on doit passer par le pays des Iroquois. Oui, rester accroupi du matin au soir sur des genoux ensanglantés pour pagayer dans le vent et la pluie sans jamais se reposer ni s'arrêter pour manger avant le crépuscule, c'était certes terrible, mais la peur abjecte que je tâchais tout le temps de refouler, c'était celle d'être surpris par un groupe d'Iroquois. Je faisais tout ce que je pouvais. Je désirais me placer entre Vos mains. Et je suis infiniment désolé d'avoir pour un moment échoué.

J'ai quitté la Nouvelle-France l'an dernier en compagnie d'une petite bande d'Algonquins qui avaient promis à Champlain en personne de me conduire à bon port chez les Hurons. Aujourd'hui, alors que j'écris cela au cher Père supérieur, je leur pardonne. Après tout, je reconnais que je fais un piètre rameur et qu'en dépit de ma taille, je suis loin d'être capable de porter autant qu'eux. Je me rappelle qu'ils n'ont cessé de maugréer et de se plaindre pendant ces dix jours. L'un des idolâtres a été jusqu'à dire que j'étais un démon sous forme humaine. Mais c'est quand nous sommes tombés sur un feu de camp iroquois à peine froid que les Algonquins ont pris leur décision. Cet après-midi-là, après avoir inspecté le campement, silencieux et prudents comme des loups, et pendant que je me soulageais derrière un bosquet de saules, ils ont grimpé dans leurs canots, me laissant le sac en toile noir qui contenait mon calice, mon journal et quelques objets personnels ainsi qu'un petit sac de nourriture, puis ils sont partis à grands coups de pagaie.

Quand j'ai émergé des arbres, ils étaient déjà à plusieurs encablures sur le lac, et plus je leur criais de revenir, plus ils accéléraient la cadence. Je ne me suis tu qu'en réalisant que c'était inutile et que, de surcroît, je risquais de révéler ma présence aux Iroquois qui ne devaient pas être loin.

Je me souviens de la terreur qui m'étreignait durant les premières heures où, blotti derrière ce même bosquet de saules, je gardais les yeux rivés sur le lac dans l'espoir que les Algonquins retourneraient me chercher, et je Vous suppliais, Seigneur, de ne pas me faire périr ainsi. Est-ce que mourir seul, affamé, gagné par la folie, perdu au milieu de la forêt inextricable, dévoré par les moustiques, ne serait pas pire que de mourir en martyr sous les tortures des Iroquois ? Ce matin, assis dans un coin de la maison-longue, ignoré de tous, je comprends que ma vie et ma mort sont prédéterminées et que m'agiter ne pourra que nuire à ma mission.

Le troisième jour de mon châtiment, je m'agenouille en tremblant sur le sol dur et je sens enfin s'envoler la peur qui me rongeait et pesait sur mes épaules depuis que j'avais posé pour la première fois le pied dans cet abominable endroit. De ma main gauche, malgré les protestations de mon épaule luxée, je soulève au-dessus de ma tête mon bras droit, et je Vous adresse,

Seigneur, une prière muette tandis que je me jette de tout mon poids contre le mur. Je sens l'articulation jouer et je m'écroule, me mordant la main pour ne pas hurler de douleur et réveiller la maison.

Je vais mourir. Nous allons tous mourir. Combien de fois ai-je échappé de peu à la mort au cours de ces derniers mois ? De ces derniers jours ? Ma mort aura probablement lieu dans ce monde étranger, loin de ma famille, donnée par les gens de ce peuple. Qu'il en soit ainsi, Seigneur. Qu'il en soit ainsi.

La porte ouest

Je suis la « porte ouest » de mon peuple. Les frères de ma mère et de mon père ne m'oublieront pas. Ils me sauveront. Je ne sais pas comment pleurer correctement mes parents. Les baisers de ma mère me manquent. L'entendre murmurer mon nom si près de mon oreille que cela me chatouillait me manque, de même que de voir mon père s'agenouiller pour frotter son nez contre le mien. Quand je suis ainsi, triste et effrayée, je me souviens de ce que mon père m'engageait à dire à voix haute : Je suis Chutes-de-Neige. Je suis la « porte ouest » des cinq nations de mon peuple. Je suis une Sénéca, une Onondawaga des Haudenosaunees.

Vers la fin de sa longue maladie, mon grand-père a annoncé à mon père et à ses frères qu'il mourrait dans sept jours, de sorte qu'ils lui ont montré les beaux vêtements, jambières, manteau et mocassins, qu'il porterait lors de ses funérailles et, le sixième jour, il a demandé à son fils de lui peindre le visage de la couleur du sang, car son meilleur ami étant allé dans le monde d'après avait vu à quoi son peuple ressemblait, et le septième jour, comme il l'avait dit, il est parti doucement dans ce monde-là. Il y a eu une pluie de larmes de tristesse. Les femmes de ma famille ont pleuré toute la nuit et pendant dix jours. Mon père et ses frères n'ont pas pleuré mais ils avaient un grand chagrin. Ils ont peint mon grand-père davantage encore avant de le coucher en rond comme un bébé dans le ventre de sa mère puis de l'envelopper dans son manteau de peau pour le poser sur sa natte. J'ai assisté à tout. J'ai regardé mon père le recouvrir d'écorce. En compagnie de ses frères, il est resté près du corps durant tout le temps de la fonte des neiges. Ce qui a permis à chacun de lui dire au revoir comme il convenait. Mais moi, comment dire au revoir à ceux de ma famille ? Je ne savais pas qu'ils s'en iraient si brusquement. Si vite. En dépit de mes rêves, j'ignorais, en me réveillant ce matin-là sur la piste, que ce jour serait le dernier de ceux de ma famille. Le soleil faisait étinceler la neige et les plus téméraires des oiseaux d'hiver s'approchaient dans l'espoir que je leur offre un petit bout de gras de cerf. C'est aujourd'hui seulement que je me rends compte que ces oiseaux étaient ceux qui nous avertissaient de ce qui nous attendait. Nous ne leur avions pas prêté attention, car nous ne pensions pas trouver l'ennemi dans notre campement d'hiver, si loin de chez lui. Or, il est venu. Et il a pris. Et maintenant, il veut être mon père. Mais il ne sait pas encore que j'ai des pouvoirs spéciaux, et je ne vais pas tarder à les dévoiler.

Je n'ai pas quitté ma plate-forme, espérant que les habitants de cette maison-longue m'oublieraient, oublieraient que j'existe. Les premiers jours qui ont suivi mon arrivée, je songeais à m'enfuir, mais l'homme nommé Oiseau, l'air de rien, me surveille de près. Je sais à présent que je ne peux pas m'évader, et un chant de mort naît dans ma tête, que j'essaie de fredonner, mais il se refuse à moi. Je veux retrouver mes parents et mon frère. Je ne veux pas rester ici, entourée des ennemis qui ont massacré ma famille. Je tâche d'apprendre comment mourir.

Au cœur de la nuit, je me débarrasse en catimini de ma chaude robe pour aller me soulager dehors, mais uniquement un soir sur deux, car je bois à peine quelques gorgées d'eau et ne mange pas du tout d'ottet. Aussi silencieusement que je fasse, Oiseau se réveille et guette mon retour. Il lit dans mes pensées. Il savait que je voulais m'échapper. Il sait que je veux mourir. C'est un chasseur habile. Il voit tout. Mais moi aussi, je vois tout.

Tôt, très tôt avant l'aube, il s'est levé. D'abord, je ne l'ai pas entendu, mais j'ai senti le froid sur mon visage quand la porte de la maison-longue s'est ouverte, et j'ai constaté que sa forme endormie n'était plus là. J'ai envisagé de m'enfuir au milieu de la tempête qui faisait rage, mais j'ai glissé dans un sommeil peuplé de cauchemars, d'images qui me font peur. Les loups. Être seule, perdue dans la forêt. L'esprit qui vit sous l'eau. Un contact glacé sur mes lèvres et une odeur de maladie dans la gorge m'ont réveillée. J'ai ouvert les yeux et vu l'homme velu penché au-dessus de moi comme un grand oiseau couleur charbon de bois, les yeux brûlants et humides, qui chuchotait en me projetant des gouttelettes de salive sur la figure. Il avait plaqué mon père sur mes lèvres, sur ma bouche, comme pour me prendre mon souffle. Mon père ne voulait pas me faire cela. Je le sais. Aussi me suis-je mise à crier, à tenter de repousser le Corbeau en lui mordant la main si fort qu'il m'a lâchée, et quand j'ai poussé un autre hurlement, il s'est comme envolé, emportant mon père avec lui. Il s'est envolé comme s'il n'était pas humain, et il a basculé en arrière pour disparaître au-dessous de moi.

Je me suis extraite de ma couche et j'ai regardé en bas. Oiseau était à califourchon sur le Corbeau, et à la tension de son corps, je voyais qu'il s'apprêtait à le tuer. Malgré moi, j'ai ouvert la bouche, et d'une voix que je n'avais pas utilisée depuis de nombreux jours, la gorge crispée par le manque d'eau et le manque de pratique, j'ai parlé.

J'ai dit à Oiseau que je m'appelais Chutes-de-Neige et que le Corbeau avait volé l'esprit de mon père qu'il gardait prisonnier dans l'être brillant autour de son cou et que, s'il tuait le Corbeau, mon père demeurerait captif pour toujours, et que je ne pourrais jamais devenir sa fille. J'ignore d'où me venaient ces mots, mais alors que je les prononçais, la tension meurtrière dans les épaules d'Oiseau s'est relâchée. Ensuite, je lui ai raconté ce que j'avais rêvé, ce que je ne pouvais que maintenant mettre sous forme de mots. Une maladie gagnait ce village, cette maison-longue, et même s'il tuait le Corbeau, il était trop tard pour l'arrêter. Elle était là. Tuer le Corbeau ne ferait qu'empirer les choses. Je ne contrôlais pas le torrent de mots qui se déversaient de ma bouche. Tuer celui-là aurait pour seul effet de rendre furieux ceux qui l'avaient envoyé et qui chercheraient alors à punir les Wendats. Mieux valait le laisser vivre et l'étudier pour tâcher de le comprendre afin de se préparer à ce qui allait arriver. Oiseau a écouté. Lentement, il s'est redressé, et son regard, acéré comme une pointe de flèche, a dit au Corbeau qu'il ne devait plus s'aviser de me toucher.

Le visage brûlant, le ventre brûlant, le dos brûlant comme s'il avait été exposé au soleil, j'ai renfilé ma robe. Pour la première fois depuis le meurtre de ma famille, j'ai chaud, comme si on avait attisé dans mes entrailles un charbon que je croyais éteint. Je désirais fermer les yeux et sentir cette chaleur dans mon sommeil, mais je n'ai pas pu. Le sentiment d'avoir compris quelque chose d'important m'empêche de dormir. Je détiens un pouvoir sur celui qu'on appelle Oiseau. Je détiens un pouvoir sur le Corbeau. Le charbon dans mes entrailles consume les franges de mon profond chagrin. Ses flammes lèchent ma souffrance que je sens devenir aiguisée comme le bord d'une coquille de clam. Je la sens se changer en quelque chose qui a les couleurs du sang et du charbon de bois, et ces couleurs soulagent un tout petit peu ma douleur. Elle se transforme en quelque chose d'autre, et enveloppée dans la chaleur des fourrures, je vois de quoi il s'agit. Le charbon qui rougeoie en moi crée une arme, une arme que, le moment voulu, j'emploierai contre mes ennemis.

Le vent qui souffle de l'ouest n'est pas très froid. Il chasse la tempête et amène un soleil si brillant qu'il m'attire dehors. Je ne demande pas la permission à Oiseau. Je me lève de ma natte avec précaution car mon corps n'a pas bougé depuis un long moment, et il refuse de m'écouter tandis que j'essaie de descendre l'échelle, les jambes engourdies comme si elles étaient gelées, mais je finis par arriver en bas. Les enfants qui jouent dans la maison-longue s'immobilisent et me regardent. Je me soulève sur la pointe des pieds en faisant un bruit qui part de mon ventre et s'échappe comme un fort sifflement. Les enfants ouvrent des yeux qui s'agrandissent encore quand je m'accroupis près du feu et que je prends les cendres à pleines poignées pour m'en frotter le visage jusqu'à ce qu'il soit noir comme la nuit. Je me redresse et les fixe du regard. Un à un, apeurés, ils se détournent de moi. Deux vieilles femmes qui surveillent les enfants m'observent tout en continuant à coudre, levant la tête toutes les trois ou quatre secondes pour voir ce que je vais faire. Mes vêtements raidis sont accrochés non loin. Oiseau n'est pas là, mais je suis sûre qu'il sera bientôt au courant.

On devine dans la neige l'approche du printemps. Je marche sur le tapis qui commence à fondre au soleil et qui borde les chemins sillonnant ce village dont la taille m'effraie. Je ne savais pas qu'il était si vaste, beaucoup plus vaste que le mien. Composé de tant de maisons-longues dont la fumée des feux de toutes les familles serpente dans l'air. Comment les frères de mon père pourront-ils vaincre tant de gens ? Bien que peu d'entre eux soient déjà dehors, je me rends compte qu'ils sont plus nombreux qu'un grand vol de passereaux à vivre ici.

Ma figure noircie doit se remarquer, car on s'arrête pour me considérer avec curiosité. Un grognement naît du fond de ma gorge quand un jeune éclate de rire. Il serait beau s'il n'était pas si stupide. Je fais deux fois le tour du village avant d'explorer les sentiers à l'intérieur. Les pieux très pointus des palissades hautes et épaisses sont plantés sur trois rangs. Les maisons-longues qui ressemblent aux nôtres sont solidement bâties. Quelques hommes qui paraissent s'ennuyer, sans doute les guetteurs, me regardent passer. Je sens leurs yeux braqués sur mon dos. Il faut que je connaisse le village de mon ennemi.

La fatigue me gagne. J'ai l'impression d'être suivie. Je n'avais pas d'idée précise en sortant, je pensais juste jeter un coup d'œil alentour et, un moment, j'ai imaginé que je marcherais jusqu'à tomber d'épuisement. Je suis affaiblie par le manque de nourriture, mais je veux que mes ennemis me croient encore plus faible que je ne le suis. Je veux qu'ils aient pitié de moi. Je veux qu'ils s'inquiètent pour moi.

Je sais qui me suit. La nouvelle a dû lui parvenir. Il se fait certainement du souci pour ma tête, et c'est ce que je veux. Je le laisserai s'interroger à mon sujet jusqu'à ce que j'aie trouvé le moyen de retourner chez les miens, et je le troublerai tant qu'il sera content que je sois partie. Il ne se cache pas. Il fredonne une chanson, une chanson qui évoque le printemps et qui me plaît alors que j'aimerais la détester. J'accélère le pas, mais je n'arrive pas à le distancer. Au bout d'un moment, je me mets à penser que c'est lui qui marche devant et non moi. Je n'aime pas cet homme. Je ne veux pas l'admettre, mais il possède des pouvoirs lui aussi.

Je tourne dans un chemin plus étroit qui, à en juger par la position du soleil, devrait me ramener à sa maison-longue, et je me dis que je vais ralentir pour qu'il me rattrape et vienne marcher à mon côté. Agenouillée dans un talus de neige, je dessine des cercles en attendant que son ombre s'étende sur moi et masque l'éclat du soleil sur la neige. Quand je lève les yeux, je ne vois que les contours sombres d'une silhouette. Ce n'est pas la sienne. Je le sais, parce qu'Oiseau est grand et que cette silhouette-là est aussi mince que celle d'un serpent. Ma tête me dit de me redresser, et une fois que je suis debout, elle me dit de courir, mais mes jambes sont faibles, plus faibles que quand je suis descendue ce matin de mon lit par l'échelle. Comme si on me l'avait ordonné, je m'accroupis, les mains croisées sur les genoux, mais mon regard reste fixé sur la femme mince qui m'a suivie, et tandis que mes yeux s'habituent, je note les mèches de ses cheveux en bataille, ses pommettes qui ont l'air assez tranchantes pour me couper, ses mains nues aux doigts effilés. Elle me dévisage, et son regard me contraint à baisser les yeux. Mes jambes se mettent à trembler, mes genoux à se cogner l'un contre l'autre. Elle lève la main et mes jambes s'immobilisent.

« Tu as peur ? demande-t-elle. Froid ? » Elle n'attend pas ma réponse. « Je m'appelle Petite Oie. Je pourrais te demander si tu es ici parce que tu le voulais, mais je sais déjà que non. »

Je dresse la tête pour la regarder, les taches de soleil dansent, puis sa figure devient nette. Je la trouve belle, mais ses mots, sa voix font que mes jambes recommencent à trembler. Elle lève de nouveau la main. Les tremblements cessent.

« Tu causeras de grandes souffrances à ton nouveau père, dit-elle. Cela aussi, je le vois. » Elle sourit.

« Ce n'est pas mon père. » L'idée qu'il le soit me perturbe et me rend triste.

Bien que sa bouche ne change pas, je lis le trouble dans son propre regard. « Je ne t'ai pas autorisée à parler, Chutes-de-Neige », dit-elle.

J'ai envie de lui répondre qu'elle n'est pas ma mère, non plus. Et comment sait-elle mon nom ? J'essaie de puiser en moi la force d'ouvrir la bouche pour le dire, mais c'est comme si elle était cousue avec des tendons de cerf.

« Tu es une fille forte, mais pas à ce point, dit-elle. Si tu y tiens, je te le prouverai. »

J'ai soudain l'impression d'avoir la tête sous l'eau. Je me mesure du regard avec elle, et je cherche ma respiration. Le trouble a maintenant disparu de ses yeux. L'air absent, elle me laisse me noyer. Ma bouche s'ouvre et se referme comme celle d'un brochet jeté sur le rivage. Je sens mes yeux prêts à jaillir de leurs orbites.

Elle cligne des paupières, une goulée d'air emplit si rapidement mes poumons que je m'étouffe, prise d'une quinte de toux. « Je ne suis pas cruelle, affirme-t-elle, mais je ne te permettrai pas de croire que ta force peut vaincre la mienne. » Elle s'assoit à côté de moi. Je voudrais m'enfuir en hurlant, mais je suis paralysée.

Elle ramasse une poignée de neige et la tasse. « Le printemps viendra plus tôt que l'année dernière. Si tu te concentres, tu le sentiras aussi. » De la tête, elle désigne ses mains. « La neige tombée hier soir était pareille à nos corps quand ils en arrivent à ce stade. Elle cède. Elle meurt. » Une main posée sur l'autre, elle continue à triturer la neige. « Ton frère, reprend-elle. Cet être à part. » Ses mains arrêtent de bouger. Elles tiennent une boule de neige. Je regarde, et le visage de mon frère, comme sculpté par le plus talentueux des artistes, me rend mon regard. Les coins de sa bouche sont affaissés et ses yeux, un peu enfoncés comme dans la vie réelle, sont rivés sur moi sans me voir.

La femme poursuit : « Si ton frère n'avait pas été tué par Oiseau et si vous aviez tous regagné votre village cet hiver, il se serait noyé dans deux étés au cours d'une mission de traite en compagnie de ton père aujourd'hui mort. »

Elle recouvre le visage de mon frère et recommence à modeler la neige. Je reste stupéfaite quand elle me montre alors ma mère, son petit nez, et jusqu'aux rides d'expression aux coins des yeux. « Ta mère avait encore douze ou treize hivers à vivre, puis elle aurait été emportée par la maladie de la toux. »

Ensuite, c'est mon père qui me sourit. Il a ce sourire qu'il me réservait toujours quand, au matin, je me glissais dans les couvertures de mes parents et que je lui tirais les cheveux pour le réveiller. « C'est la perte la plus dure de toutes, dit la femme. Ton père, s'il n'avait pas été tué, aurait vécu très long-temps. Il t'aurait vue te marier, il t'aurait vue accoucher de nombre de ses petits-enfants, il aurait vu tes cheveux grisonner. » Je sens qu'elle m'observe, mais je continue à regarder le visage de mon père entre ses mains. « Et le plus difficile à comprendre, enchaînet-elle, c'est que s'il avait vécu au-delà de cet hiver, il serait devenu assez fort pour prévenir le massacre qui s'annonce. »

Sans me laisser le loisir de protester, elle recouvre de sa paume la figure de mon père. Je voudrais lui demander de m'en dire plus, mais je demeure bouche cousue. Elle façonne rapidement la neige pour me montrer mes cousins tués en même temps que mes parents, tout en m'expliquant leurs autres morts, certains à la guerre, d'aucuns de maladie et un de vieillesse. « Le moment est enfin arrivé, conclut-elle. C'est le plus brutal que j'aie jamais connu. La mort de ton père l'a scellé. »

Assises dans la neige, toutes deux silencieuses, nous regardons la journée passer. Des mésanges se posent à côté de nous, clignent des yeux, ouvrent le bec comme pour dire quelque chose d'important, puis s'envolent. Le soleil monte dans le ciel presque assez vite pour que je puisse suivre sa course. Pendant des heures nous restons immobiles, sans parler, et la femme m'étudie sans avoir besoin de me regarder. Là, dans la neige, je ne sens ni le froid, ni l'humidité, ni les crampes.

Quand elle finit par se lever, le soleil décline déjà et l'ombre de la femme s'allonge. Je me lève à mon tour, et je sens alors que l'hiver qui s'est insinué dans mes os pèse sur moi de tout son poids.

« Ne t'inquiète pas, dit-elle. Le printemps est proche. » Elle se tourne vers moi. « Tu peux parler à présent.

— Fais revivre ma famille », je lâche étourdiment. Ma voix semble vieille et râpeuse.

Elle m'adresse de nouveau un regard vide, et je redoute qu'elle me prenne encore mon souffle, ou pire. « Je ne peux pas, dit-elle. Ce n'est pas mon monde. » Elle sourit, mais sans chaleur. Je ne sais pas si elle est capable de sourire avec chaleur. « Il paraît que le Corbeau affirme qu'il le peut. Il dit à tous ceux qui l'écoutent que l'homme qu'il admire le plus est revenu trois jours après avoir été tué. Il va falloir que j'aille l'écouter, moi aussi. »

Je dresse l'oreille. J'irai également écouter le Corbeau et ses tentatives maladroites pour s'exprimer dans la langue des Wendats.

« Retourne chez ton père maintenant, dit-elle. Il doit s'inquiéter pour toi.

— Ce n'est pas... » Je m'interromps, craignant sa réaction.

Elle me considère un instant et le coin de ses lèvres se retrousse légèrement. « Quand je parle de ton père, tu crois que je pense à Oiseau. » Elle détourne la tête. « Ce n'est pas de lui que je parle. » Je voudrais qu'elle me regarde, mais elle s'y refuse. Elle ajoute alors : « Je parle du Corbeau. »

Une idée me vient tandis que l'hiver fond et dégoutte, annonçant le printemps. Je fais chaque jour une longue marche après m'être glissée par une brèche que j'ai découverte dans les palissades, et je sais que cela rend Oiseau furieux. Il m'interdit de recommencer. Au-delà du village rôde le danger, dit-il. C'est un endroit que les hommes ne contrôlent pas. Je lui réponds que je me promènerai où je veux et que si cela ne lui plaît pas, il faudra qu'il m'attache, car ce serait la seule manière de m'obliger à rester dans sa maison puante.

Le village est situé au bord d'une rivière qui, si on la suit un moment, débouche sur un lac qui a l'air si vaste qu'il doit être impossible de le traverser. Je m'aventure sur la glace que j'entends gémir, s'adressant, je suppose, à la nouvelle saison proche. Je marche le plus vite que je peux avant que mes pieds se refusent à me porter plus loin, et je contemple la rivière d'eau noire qui serpente sur le lac, là où le courant est le plus fort. Elle s'élargit chaque jour, lèche la glace qui émet parfois un tel craquement qu'il me fait sursauter. Je parle à l'eau, je lui demande si elle désire que je la rejoigne. Quand j'étais petite, mon père me disait de ne jamais faire cela, parce que l'esprit qui vit dans l'eau m'entendra, voudra me rencontrer, et alors, c'en sera fini de moi. Néanmoins, je lui parle, en partie parce que si je dois quitter ce monde-ci pour un autre, je n'arrive pas à imaginer qu'il pourrait être pire. Je retrouverai peut-être ma famille. Je retrouverai peut-être le lieu où le sentier a pris la mauvaise direction.

Au cours de mes promenades, l'idée continue à prendre forme et, loin de la demeure de mon ennemi, je ressens quelque chose qui ressemble à la paix. Je le ferai souffrir, lui qui m'a tant fait souffrir. Aujourd'hui, plutôt que de longer la rivière jusqu'au lac, je coupe par la forêt où les femmes ramassent du bois. Je veux mémoriser les moindres détails de ce terrain pour que, le moment venu, quand les gens de mon peuple attaqueront, ils puissent également le connaître.

Devant moi, j'aperçois une neige rouge là où du

sang a coulé. Une fourrure brune se gonfle sous le vent qui forcit. À en juger par les traces, ce devait être un grand cerf et, à la vue du pelage et de tant de sang, je pense naturellement à vos morts à vous. Je fouille les alentours du regard, tâchant d'imaginer ce qui s'est passé il y a si peu de temps. Hier soir, peut-être ? Une meute de loups a dû pourchasser longue-ment un cerf de cette taille, le harceler, lui mordiller les tendons des pattes quand ils arrivaient assez près, lui planter leurs crocs dans le ventre tout en pre-nant garde aux coups de sabots capables de casser des côtes ou de fracasser un crâne. Les loups se sont relayés pour le traquer, deux ou trois d'entre eux obligeant l'animal à galoper pendant que les autres restaient en arrière pour se ménager. Mon père a pris soin de m'apprendre tout cela.

Tu m'as dit, père, que les loups pouvaient pour-suivre leur proie des jours durant, mener une guerre lente et patiente, et que s'ils sont si effrayants, ce n'est pas en raison de leurs crocs et de leurs griffes, mais à cause de leur intelligence, de leur faim. Je le vois à présent, ici même. Je vois dans la neige l'ins-tant où le cerf était à bout de forces et où les loups se sont rassemblés en une meute affamée à l'esprit aiguisé. Je vois le cerf qui sait que sa fin est proche mais qui se prépare à lutter pour sa vie bien que son instinct lui souffle qu'il n'a presque aucune chance de s'en sortir. Il est tellement épuisé que sa langue pend, et dans cette clairière baignée par la clarté de la demi-lune d'hier soir, les loups se glissent comme des ombres autour de lui, grognent pour se commu-niquer leurs instructions, et le chef de meute laisse d'abord les plus jeunes attirer l'attention du cerf. Puis le moment arrive. Après s'être avancé en rampant pendant que les autres continuaient à grogner et à essayer de mordre le cerf qui frappait la neige de ses sabots, coincé entre les loups et les sapins trop touffus pour lui permettre de passer, le chef de meute s'élance à l'instant précis où le cerf tourne la tête, et il plante ses dents dans le cuissot de l'animal, les sent pénétrer dans le pelage rêche du poil d'hiver. Le loup s'accroche à la boule de peau et de muscle qu'il mord, et les autres savent, autant qu'ils puissent savoir, que leur chef tient à sa merci le cerf qui tente encore de s'enfuir en brisant le cercle de la meute et qui hurle de terreur, et ils se précipitent sur lui, dénudent leurs crocs pointus et acérés comme des couteaux de silex. Le cerf est jeté à terre et, essayant de se relever, il expose son ventre, si bien que les plus forts des loups, avides et affamés, mordent dans la chair tendre, déchirant la peau, et le goût du sang les pousse à mordre et déchirer davantage.

La mort de cet animal n'a pas été douce. Mais je commence à comprendre qu'elle ne l'est sans doute jamais. Comment pourrait-il en être autrement ? Il faut bien que cela se fasse, non ? Tu m'entends, père ? Tu crois ce qu'a dit la femme appelée Petite Oie ? Que ta mort causera beaucoup d'autres morts ? Ce n'est pas juste. Ce monde n'est pas juste.

Les loups se repaissent, et quand ils sont gavés au point d'être presque incapables de bouger, ils traînent ce qui reste de la carcasse pour l'éloigner de cet endroit qui sent l'homme et le feu, n'abandonnant sur place que le pelage. S'il n'avait tenu qu'à eux, ils n'auraient pas mangé là, mais ils sont contents de bénéficier de quelques jours de vie supplémentaires. Les loups, après tout, ne peuvent pas se nourrir de baies et de rameaux, et c'est grâce à leur cruauté qu'ils réussissent à survivre, de même que ceux qui viendront après eux. Je me baisse pour prendre une touffe de poils que je renifle, et c'est alors que je sais que s'il n'était pas mort la veille, ç'aurait été quelque part avant le printemps, de manière tout aussi horrible, en passant à travers la glace tandis qu'il cherchait à gagner la rive opposée d'un lac, se débattant, paniqué, les yeux fous, pour tenter de se hisser hors du trou, jusqu'à ce que, épuisé, il se laisse couler et que, avant que l'eau glacée ne pénètre dans ses poumons, son dernier souffle fasse monter une bulle qui crève la surface. Non, ce n'est pas que la vie soit injuste.

Je brandis la fourrure pour que le vent l'emporte. Je comprends une chose importante. Une chose que tu tiens à ce que je voie. C'est un choix fondamental, non ? Je t'entends poser la question, père. Vais-je grandir pour devenir un cerf ? Ou pour devenir un loup ?

Ce matin, alors qu'Oiseau s'est encore réveillé de bonne heure pour se glisser hors de la maison-longue et faire ce qu'il fait si tôt tous les deux ou trois jours, je me suis extirpée de ma couche pour m'enfouir dans la sienne et respirer son odeur. J'avais envie de pisser, aussi je me suis relevée avant de m'accroupir au-dessus de son épaisse couverture de fourrure pour lâcher un long jet.

Maintenant j'attends qu'il revienne et découvre mon crime. Je me demande comment il va décider de me punir. Il ne dira probablement rien tant que la maison-longue ne sera pas réunie pour le repas, et il annoncera à tout le monde l'injure que je lui ai faite.

J'attends longtemps. Il doit être midi quand mes jambes se mettent à gigoter d'ennui. Je descends de ma plate-forme et je constate que la maison-longue est vide. C'est bizarre. Je ne me souviens pas d'un jour où il n'y ait pas eu au moins quelques personnes occupées à alimenter les feux, à préparer les repas, à parler ou à rire. Dehors, si j'en juge par la façon dont il perce les ombres ici, dans l'un des coins les plus sombres, le soleil brille.

Enfilant mon manteau, je sors et j'ai la surprise de constater que le sol autour de moi est tout brun et tout boueux, comme si l'hiver avait disparu durant la nuit. Aurais-je dormi plusieurs jours d'affilée ? Plusieurs semaines ? J'ai soudain les idées confuses et je sens la peur s'avancer à pas feutrés sur ses grosses pattes. Personne dehors, non plus. J'ai l'impression d'être le dernier être vivant sur terre. Je traverse le village désert où seuls de petits monticules de neige dans l'ombre des maisons-longues témoignent du passage de l'hiver.

Au moment où la panique va s'emparer de moi, je lève les yeux. Un filet de fumée serpente dans le ciel bleu au-dessus des maisons-longues. J'ai trop chaud dans mon manteau. Je l'ôte et me dirige vers la brèche dans les palissades par où je me faufile. J'entends enfin des bruits, des gens qui parlent, marchent et creusent la terre à l'aide de leurs outils. Partout dans les champs qui s'étendent sur les vallonnements, les habitants du village parcourent la terre noire, le sol boueux et fertile qui dégage une lourde odeur de printemps, d'anciennes récoltes, de vers, de semences et de sueur versée par ceux qui ont travaillé là. Je reste longtemps à les observer, ils sont des milliers, et la plupart ne font rien sinon offrir leur visage au soleil, regarder autour d'eux et profiter de ce premier jour de vrai printemps. L'atmosphère est imprégnée de leur bonheur, de leur soulagement d'avoir survécu à un nouvel hiver maintenant que le printemps est arrivé. Sans même le vouloir, j'offre à mon tour mon visage au soleil dont la chaleur pénètre en moi, de même que pénètrent en moi les effluves de terreau, si bien que, les yeux fermés, je m'accroupis pour prendre à pleines poignées l'humus que je respire profondément. Mon peuple est un peuple d'agriculteurs, tout comme ces Wendats. Nous appartenons à cette terre. Nous parlons des langues similaires, nous cultivons les mêmes plantes et nous chassons le même gibier. Pourtant, nous sommes ennemis et nous cherchons mutuellement à nous détruire. Je ne comprends pas. C'est alors que je pense à ma famille, à vous qui êtes morts, à la neige imbibée de votre sang, cette neige qui en ce moment fond et rougit de votre sang la terre noire, de sorte que la colère monte en moi et que maintenant je comprends. Je me redresse et, pivotant, je lance contre les palissades des poignées de boue qui éclaboussent quelques pieux pointus. Je tourne le dos à ces gens. Je ne leur permettrai pas de me changer. Je ne lui permettrai pas de devenir mon père. Le soleil sur mon crâne est chaud comme du sang dégoulinant sur ma nuque, et je frissonne dans la lumière éclatante.

Je me réveille une fois encore de bonne heure. Hier, ce premier jour de la saison nouvelle, me paraît bien loin. Après que tous étaient rentrés des champs pour le repas du soir, je me suis assise parmi eux et j'ai attendu qu'Oiseau annonce ce que j'avais fait dans sa fourrure de nuit. J'allais voir leurs réactions, les regards des adultes braqués sur moi, les rires des enfants qui me montreraient du doigt. Or, Oiseau n'a pas dit un mot, alors que je savais qu'il avait découvert mon méfait quand il était allé chercher un peu plus tôt une chemise propre sur sa plate-forme d'où il était redescendu en s'essuyant les mains sur ses jambes.

J'ai attendu jusqu'à la fin du repas, jusqu'à ce que le Corbeau se lève et parle avec ses mots d'enfant de son dieu qui est celui qui a apporté aujourd'hui le soleil à leur peuple. La majorité des habitants de la maison-longue ne lui prêtaient aucune attention et vaquaient à leurs occupations, leurs jeux et leurs histoires, pendant que les rares restés à côté de lui riaient à l'idée d'un dieu blanc comme un asticot apportant le soleil au monde des Wendats. Oiseau s'est levé en même temps que les autres et a quitté la maison-longue sans même m'accorder un regard.

Ce n'est qu'en me couchant que j'ai compris pourquoi il ne m'avait pas punie devant tout le monde. Me glissant dans mon lit, longtemps après qu'Oiseau s'était endormi, croyais-je, j'ai senti l'humidité puis l'odeur âcre de ma propre urine. Il avait échangé nos fourrures.

Aussi ce matin, me réveillant seule sur la plate-forme dans la couverture d'Oiseau encore mouillée, et prise du besoin de pisser, je me suis accroupie sur ma fourrure et j'ai recommencé.

Elle sait que je regarde

Le Corbeau n'est nulle part en vue, ce qui m'inquiète, non que je me soucie de sa sécurité, mais parce que les anciens du village ont décidé qu'il restera. L'autoriser à nous parler, ce sera bon pour le commerce avec ses semblables du Peuple du Fer, ont-ils dit. Les anciens m'ont demandé d'être son gardien et de veiller à ce qu'il ne lui arrive rien. Il en est donc ainsi. La magie de l'esprit malveillant opère déjà sur nous. Alors qu'il n'y a pas si longtemps, je me moquais de lui et le prenais en pitié, je sais à présent qu'on ne peut pas se fier à lui, que je dois l'avoir à l'œil et ne jamais le laisser seul avec la fille. Je l'ai surpris à user de sa magie sur elle, et si elle n'avait pas prononcé ces quelques mots, je l'aurais tué.

Elle n'est pas comme les autres. Elle a un don. Petite Oie me l'a confirmé au cours de notre dernière rencontre. Je sais que toi aussi, tu avais un don, mon amour. Tu guérissais, et ceux d'entre nous qui se souviennent de toi regrettent beaucoup ton absence. Les sages disent que l'an prochain, nous transporterons peut-être notre village ailleurs. Après les semailles de cette saison, le sol tout autour n'acceptera plus notre maïs, et nos éclaireurs sont en quête de nouvelles terres. Comme tu le sais, mon amour, nous organiserons alors un grand festin, et quand sera venu le temps du deuil et du souvenir, je te tiendrai une fois encore dans mes bras pour un moment. J'attends cela avec impatience, mon amour.

Le soir tombe et j'ai cherché le Corbeau dans toutes les maisons-longues. Il s'est mis à se promener en dehors de l'enceinte. La tête penchée, il parle tout seul en comptant les perles du bracelet étincelant qu'il tient entre ses doigts. C'est un drôle de personnage. Et stupide, qui plus est, à marcher ainsi les yeux baissés sans prêter attention à son environnement. Maintenant que la neige a fondu, l'époque des raids approche, et bien que ce soit encore tôt, je ne serais pas étonné d'apprendre que certains de leurs guerriers les plus affamés se sont déjà introduits dans notre pays pour enlever une chevelure ou deux. C'est un jeu que nous jouons les uns et les autres, une occasion pour nos jeunes de prouver leur valeur et de récolter un peu de butin. J'espère qu'ils s'empareront du Corbeau. À moins que je ne me charge moi-même de lui et que j'en rejette sur eux la responsabilité, mais si je permets ainsi qu'on lui fasse du mal, ma position dans le village s'en ressentira sans nul doute. Nous verrons. Pour l'instant, il faut que je le trouve avant qu'il fasse nuit.

Frustré, je me dirige vers chez Petite Oie. Je passe de plus en plus de temps avec elle, et nous avons tous deux l'air d'y prendre plaisir. Je ne pense pas que tu m'en veuilles. Je sais que tu désirais mon bonheur autant que j'aurais désiré le tien.

Sifflant doucement pour annoncer ma présence, je guette son signal. Rien. Puis je distingue un murmure de voix à l'intérieur, et je réalise qu'elle doit être en grande conversation, avec un homme à en juger par son timbre. Le serpent de la jalousie se faufile dans mes entrailles, s'enroule et se noue autour d'elles. Je serre les poings. Voilà ce qui se produit quand trop vite on se sent trop bien avec quelqu'un. Je n'aurais pas dû baisser ma garde si tôt. Naturellement, Petite Oie a plusieurs amants. Elle est différente. Mais être un parmi d'autres, cela ne me plaît pas. Le serpent resserre son étreinte à l'idée que je ne lui rendrai plus visite avant longtemps et que je n'accourrai plus, même quand elle m'appellera par l'esprit.

Alors que je m'apprête à partir, j'entends en réponse au mien son sifflement aigu et chevrotant. Je songe à m'éloigner, mais l'envie de savoir qui elle a invité chez elle me retient. J'entre et, avant même de la voir, je sens son odeur, cette odeur que, aimais-je à penser, elle avait créée rien que pour moi afin de provoquer aussitôt mon érection.

Et puis je le sens, lui, son odeur de pas lavé, et je ne parviens pas à croire qu'il soit là, dans ce wigwam. Mes yeux s'habituent à la pénombre. Le feu n'est plus que braises, et le soleil qui filtre par le trou dans le toit éclaire les minces volutes de fumée qui s'en échappent.

Je demande : « Qu'est-ce qu'il fait ici ?

— Assieds-toi, dit Petite Oie, désignant la place à côté d'elle, en face du Corbeau. Ce bois-charbon est extrêmement amusant. »

J'obéis, comme toujours, je m'en rends compte

à présent. J'observe le Corbeau à travers le voile de fumée. On a l'impression qu'il souffre du mal d'amour. Son front est criblé de gouttelettes de sueur, et quand il s'aperçoit enfin de ma présence, il fronce les sourcils, mécontent d'avoir été tiré de sa rêverie.

« Quel sort lui as-tu jeté ? » J'ai parlé vite pour éviter que le Corbeau comprenne.

« Il affirme que les autres bois-charbons et lui n'ont pas de rapports avec les femmes, répond Petite Oie. Je voulais savoir si c'était vrai. Si tu n'étais pas arrivé, je suis à peu près sûre que j'aurais prouvé qu'il ment. » Elle me sourit, puis elle me prend la main et la presse dans la sienne. Je ne suis pas persuadé que ce soit pour montrer qu'elle plaisantait. « Regarde-le, dit-elle en riant. Il n'a pas éprouvé ça depuis très longtemps. » Il doit saisir quelques mots par-ci, par-là, car il baisse les yeux et pose les mains sur ses genoux, apparemment mal à l'aise.

« Moi, parle, bafouille-t-il. Moi, parle à ça. » Il désigne Petite Oie. « Tu viens ici, moi, parle à toi. » Je le dévisage, me laissant presque aller à le plaindre devant les efforts qu'il fait pour communiquer avec nous, puis je me souviens de ce qu'il essaie de dire, et de la raison pour laquelle il a besoin de le dire. C'est parce qu'il veut nous changer. Je me hérisse. « Le Grand Génie, il t'aime, poursuit-il, le doigt pointé sur moi. Le Grand Génie et son fils Jésus-Christ. Jésus mort pour que toi deviennes lui. Jésus me tue. Mort. Mort pour toi. Le Christ. » Il s'essuie le front avec un bout d'étoffe et lance un regard implorant à Petite Oie.

« Ton Christ me semble fascinant, débite celle-ci

d'une seule haleine. Raconte-moi tout ce que tu sais sur lui et sur l'endroit d'où tu viens. » Elle sourit, se lèche le doigt et le porte à son oreille avant de commencer à lisser son épaisse natte. « Dis-moi tout. »

Le Corbeau est à l'évidence perdu. Il s'éponge encore une fois le front, puis repose les mains sur ses genoux. « Bois, dit-il. Long bois. Deux bois. » Je ris. Je me demande si Petite Oie ne lui a pas endommagé le cerveau. Le Corbeau fait le geste de trancher. « Mains, attachées. Pieds, attachés. Souffrir. Mourir, vous. » Il me désigne. « Toi. »

La rage m'étouffe. « S'il répète une fois de plus que je vais mourir, je le tue, dis-je à Petite Oie.

— Calme-toi. » Elle me presse de nouveau la main. « Il se débat avec le langage. Je l'ai perturbé. Il m'a expliqué que ce Jésus-Christ… » Elle s'interrompt, comme si ce monde étrange était par trop déplaisant. « … ce Jésus-Christ était le fils de leur plus puissant oki. Il paraît qu'il a été assassiné par un peuple qui, d'après le Corbeau, avait beaucoup de points communs avec nous. » Elle se tait, lui sourit une fois de plus, puis se passe la langue sur la lèvre supérieure. « Il m'a suppliée, reprend-elle d'un ton amusé. Il m'a suppliée de prier ses okis, sinon, prétend-il, j'irai dans un endroit terrible. »

Le Corbeau hoche vigoureusement la tête, et je me demande ce qu'il a saisi des paroles de Petite Oie.

« Qu'est-ce que tu en penses ? m'interroge-t-elle.

— J'en pense que je ne vais pas tarder à le tuer. »

Elle retire sa main. « Il semblerait que nous nous trouvions à la fourche de la rivière, dit-elle. D'importantes décisions doivent être prises, Oiseau. » Je ne me rappelle pas l'avoir jamais entendue prononcer mon nom à voix haute. « D'importantes décisions », répète-t-elle. Le Corbeau veut dire quelque chose mais, d'un geste, elle lui impose le silence, et il baisse les yeux sur ses mains croisées sur ses genoux. « Il n'a pas sur moi le pouvoir qu'il souhaiterait avoir, enchaîne Petite Oie. Je crains cependant qu'il l'ait sur certains quand il connaîtra mieux la langue. »

Je le désigne d'un air railleur. « C'est un homme ridicule. Il ne sait rien sur ce pays, il ne sait rien sur nous.

— Il n'est pas idiot, dit Petite Oie après un instant de réflexion. Ne confonds pas ses difficultés à s'exprimer et les plans qu'il nourrit en ce qui nous concerne. Tu as toi-même mis les autres au défi d'essayer de parler sa langue avant de se moquer de lui quand il s'efforce de parler la nôtre.

— Oui, mais c'était avant que je connaisse ses intentions. Je l'ai surpris à toucher ma fille, à tenter de l'obliger à faire quelque chose. J'aurais dû le tuer.

— Tu sais parfaitement que tu ne le peux pas, dit Petite Oie. Les anciens ne le toléreraient pas. » Elle se tourne vers le Corbeau, recommence à lisser délicatement sa tresse. Il gigote, et un petit gémissement s'échappe de ses lèvres.

« Ce n'est pas un homme », dis-je.

Petite Oie glisse un doigt dans sa bouche. « J'aime assez son allure, murmure-t-elle. La couleur de ses yeux m'intrigue. »

Je me lève pour partir. « Eh bien, prends-le. »

Alors que je me dirige vers la porte, elle me rappelle. « Je te taquine. Tu t'imagines vraiment que je pourrais être attirée par une créature aussi puante et maladroite ? Je ne t'ai pas choisi sans raison. Je voulais juste éprouver les forces de celui-là. » Elle considère un moment le Corbeau qui détourne le regard. « Ne te trompe pas, reprend-elle. Son pouvoir s'accroît, et même si je répugne à l'admettre, il gagnera bientôt à sa cause certains parmi les plus faibles. » Elle lève la tête vers les dernières lueurs du jour qui tombent par le trou de cheminée de son wigwam et illuminent son visage.

Elle a les paupières closes, les paumes plaquées sur ses cuisses. « Son pouvoir augmentera parce que, même si tu ne veux pas le croire, quelqu'un l'aidera malgré toi. »

Je scrute ses traits baignant dans la pâle lumière. Je désire qu'elle m'en dise davantage.

« La solution est simple. Lors de ton voyage de traite cet été, il demandera à t'accompagner. Emmène-le. Et la fille aussi. Prends le chemin qui longe la rivière du Serpent. »

Je veux lui dire que cette rivière est leur territoire, mais elle ne me laisse pas l'interrompre.

« Choisis les plus forts, poursuit-elle. Les Haudenosaunees attaqueront et tueront le Corbeau pour toi. » Elle marque une pause, ouvre les yeux et lui sourit. La bouche entrouverte, il la fixe du regard. « Ou mieux, laisse-les s'emparer de lui pour qu'ils le caressent avec leurs charbons ardents avant de le tuer. La nouvelle de sa mort ne manquera pas de parvenir alors à ce village, et tes problèmes seront résolus. »

Je souris pour la première fois depuis un long moment. Je m'apprête de nouveau à partir, puis je me ravise. « Je serais très contrarié si tu arrivais à prouver que c'est un menteur », dis-je, mais elle a de nouveau offert son visage aux ultimes rayons du soleil couchant, et si elle m'a entendu, elle n'en a rien manifesté.

Pourquoi ai-je perdu une famille, une famille que j'aimais tant pour aller m'encombrer de ces deux enfants exigeants et difficiles, ces deux êtres qui me rendent fou ? C'est ainsi que va notre monde, je suppose. Il y a d'abord le Corbeau qui se promène à l'extérieur du village, qui s'adresse comme un demeuré à ceux qui veulent bien l'écouter, à savoir ceux qui, surtout, ont envie de se tordre de rire. Et ensuite, la fille qui se faufile hors de la maison-longue à de curieuses heures et qui, elle aussi, vadrouille au-delà de l'enceinte où il est dangereux d'errer seul. Je commence à me rendre compte que c'est un animal sauvage, une jeune louve, peut-être, capturée par un homme, qui a trop peur du noir pour retourner au cœur de la forêt et qui, par colère et apitoiement sur son sort, mord la main de celui qui la nourrit. Je l'apprivoiserai. Ce n'est qu'une question de temps, ma tendre et chère. Je sais que tu n'aurais pas aimé que je la compare à un animal, mais c'est ce qu'elle est. Elle ne se lave pas. Elle n'obéit pas. Elle refuse de manger en ma présence et prend ses repas dans un coin sombre de la maison-longue. Elle ne dit pas un mot et se contente de grogner quand je lui ordonne quelque chose, ou pire, elle gémit et parle dans son sommeil. Je la regarde dormir, et même là, elle a l'air d'un animal qui rêve, ses jambes s'agitent comme si elle courait et ses mains se referment en griffes quand elle pousse un cri. Je ne la comprends pas encore. Mais je suis patient, j'attendrai.

Je n'ai pas rendu visite à Petite Oie depuis une semaine afin qu'elle sache que je n'apprécie pas son petit jeu. Elle peut avoir son Corbeau si elle veut. Je lui suis cependant reconnaissant de m'avoir montré le chemin à prendre. Il faut faire quelque chose. Tous les autres, anciens inclus, sont aveuglés par les promesses de richesses, et cela me rend triste. Le Corbeau ne nous les apportera pas, même s'il assure à certains qu'ils auront tout ce qu'ils désirent s'ils s'agenouillent et tendent les bras vers lui. Je ne serai pas de ceux-là.

Les guetteurs m'ont appris qu'elle se glissait dehors par une brèche dans les palissades. Ils la surveillent le plus longtemps possible, mais quand elle s'enfonce dans la forêt en direction de la rivière qui débouche sur le grand lac, ils haussent les épaules et disent qu'ils ne peuvent plus rien faire.

Aujourd'hui, j'ai décidé de la suivre. Je pars avant elle et je vais m'installer confortablement dans un bois de sapins au bord de la rivière, à l'endroit où on a construit des barrages en prévision de la pêche du printemps. Dans l'après-midi, le soleil a fini par dissiper les nuages. Pour combattre l'ennui, j'établis la liste de ceux que je souhaiterais emmener avec moi cet été pagayer pour aller rejoindre les hommes pâles et velus. Je n'aurai besoin que des meilleurs. Renard viendra certainement. Je ne lui ai pas encore demandé, mais je le sais. Il y a au village de nombreux jeunes pleins d'ardeur, et avant d'effectuer mon choix, je regarderai bien comment ils travaillent, comment ils débroussaillent les champs et se livrent aux autres travaux auxquels la plupart rechignent. On en apprend beaucoup en observant la manière dont les gens s'acquittent d'une tâche qui leur déplaît. C'est indispensable pour connaître leur caractère.

Au moment où je me dis qu'elle ne quittera pas le village aujourd'hui, j'entends des bruits de pas et le bourdonnement de mots prononcés à voix basse. J'étais occupé à examiner les traces laissées autour de moi par les dindons, comptant revenir bientôt ici pour chasser, et je vois de qui il s'agit, il marche lentement en parlant tout seul, coiffé d'un étrange chapeau à large bord couleur charbon de bois qui le protège du soleil et vêtu de sa robe de la même couleur qui balaie le sol. Il a les mains derrière le dos, comme prisonnier de son propre fait. Le collier du Corbeau miroite, et je me demande ce qu'il peut bien se raconter. Est-il fou ou s'entretient-il vraiment avec quelqu'un que je ne vois pas ? Chez cette créature de haute taille, émaciée, je devine un pouvoir que je ne veux pas reconnaître. Il n'a peur de rien de ce qui l'entoure, et c'est certes stupide, mais dans le même temps, cela montre, comme le formulerait Petite Oie, qu'il pense que ce qui doit arriver arrivera quoi qu'il fasse pour l'empêcher. Il avance à grandes enjambées, comme si le chemin était déjà tout tracé devant lui. Cet homme possède un pouvoir que nous ne comprenons pas encore. Je le perçois dans sa démarche et dans ses marmonnements.

Il me prend l'envie puérile de bondir et de jaillir

en hurlant du rideau de sapins pour lui causer une grande frayeur, mais je m'en abstiens. Il passe si près de moi qu'il me suffirait de tendre le bras, là où je suis assis jambes croisées, pour lui attraper le pied. Il ne se doute pas de ma présence. Je sais qu'il ne tiendra pas longtemps dans notre monde, et le tuer à la rivière du Serpent ainsi que l'a suggéré Petite Oie ne sera pas difficile. Je ressens pour lui une lueur de compassion vite éteinte, car ce que je dois faire de lui, je sais que je le fais pour mon peuple.

Je m'apprête à rentrer chez moi quand j'ai la surprise de voir Chutes-de-Neige marcher derrière le Corbeau et l'appeler de sa curieuse voix, laquelle a dû être endommagée au cours de toutes les épreuves que la jeune fille a subies. Sa voix paraît rauque, âgée, comme si, à la suite d'une tentative d'étranglement, ses cordes vocales n'avaient jamais guéri. Je n'aime pas l'entendre s'adresser ainsi à lui, une chose qu'elle n'a jamais faite avec moi. Il émerge de sa rêverie et se retourne. Je distingue l'éclair blanc de son sourire dans l'ombre projetée par son chapeau à large bord.

Elle lève vers lui son visage criblé de petites cicatrices laissées par une maladie étrangère apportée sur nos rivages par les Français, les Hollandais et les Anglais. Je m'interroge alors sur son passé, sur ce que j'ai effacé à jamais ce jour-là dans la neige. Sa famille était-elle très différente de la mienne ? Nous avons beaucoup de traits communs, certes, y compris le désir de châtier et de voir revenir ceux que nous aimions et que nous avons perdus.

Ils se regardent un long moment sans parler, et je dois avoir recours à toute ma volonté pour ne pas m'interposer. N'ai-je pas averti le Corbeau de ne plus jamais s'approcher d'elle ? Ne l'ai-je pas averti de ce qui lui arriverait dans ce cas ? La fille tend le bras pour poser un doigt hésitant sur le collier. Ne sachant pas s'il doit l'en empêcher, ou craignant peut-être qu'elle ne le lui arrache, le Corbeau se raidit. Elle finit par ouvrir la bouche pour lui demander quelque chose, trop doucement pour que j'entende. Le Corbeau, le visage plissé de concentration, répond lentement, laborieusement.

Je saisis quelques mots au passage. Faon. Mort. Poisson. Vivre. Manger. Colombe. Il semble buter sur beaucoup d'entre eux, et si je ne le connaissais pas mieux, je douterais de son intelligence. Il en a appris de nouveaux. Après quoi, il repart. Il est malin, le Corbeau. S'il avait continué, ceux de ma maison-longue, ayant entendu ce que je lui ai dit ce jour-là, se seraient chargés de lui, et je n'aurais pas besoin d'employer une ruse pour me débarrasser de lui. Les anciens savent que Chutes-de-Neige est ma fille, et ceux de ma maison-longue me soutiendraient si j'étais menacé de bannissement pour avoir tué le Corbeau. Alors pourquoi je ne le fais pas ? Pourquoi je ne le tue pas en raison de sa conduite avec ma fille ? J'entends Petite Oie me dire que je dois me montrer patient, que confier mon sort à tout autre que moi ne serait pas sage. Je suis le chasseur, non la proie. L'idée de la rivière du Serpent est une bonne idée, quoique j'ignore encore comment j'expliquerai avoir choisi une route aussi dangereuse. Petite Oie a dû voir quelque chose dans l'avenir. Elle m'a garanti que tout irait bien.

Il est temps de parler à Renard du voyage d'été. Je m'éloigne discrètement. La fille a les yeux rivés sur le Corbeau qui reprend le chemin des palissades, la tête baissée, marmonnant de nouveau. Je me rends compte à son attitude qu'elle est troublée, et je m'étonne qu'elle ne comprenne pas que le Corbeau agit ainsi parce qu'il n'ose pas me désobéir. Alors qu'il devrait être traité en prisonnier, les anciens ont décrété qu'il devait l'être en invité. Très bien. Et c'est visiblement un invité qui connaît ses limites. Il va falloir que la fille s'en accommode. Ce n'est pas toujours en obtenant ce qu'on veut qu'on tire la meilleure des leçons.

Tandis que je souris devant une réflexion si empreinte de sagesse, Chutes-de-Neige émet à l'intention du Corbeau l'appel plaintif d'une colombe. Il ralentit mais poursuit son chemin. Elle recommence et il s'arrête. Elle franchit en courant les quelques pas qui les séparent, et ils se tiennent face à face, chacun parlant à son tour. Puis elle tend la main vers lui, paume ouverte. Il hésite à la prendre. Je serre une motte de terre dans mon poing. Il s'agenouille pour se mettre à sa hauteur, lève la main. Elle ferme les yeux. Du pouce, il trace un signe sur son front. Elle ouvre les paupières. Ils se dévisagent pendant ce qui me paraît une éternité. Il se redresse et, main dans la main, ils font quelques pas ensemble.

C'est à ce moment-là que, un grand sourire aux lèvres, elle se tourne vers l'endroit où je suis accroupi. Je rougis. Elle sait que je suis là depuis le début. Elle sait que je regarde.

Les choses peuvent-elles être
aussi simples ?

Quand je lui annonce combien d'hommes je désire prendre pour notre voyage d'été, Renard a l'air perplexe. Assis devant son feu près de la porte de notre maison-longue, nous trempons des filets de poisson fumé dans notre ottet. C'est le début du printemps, après tout, et les poissons auxquels nous adressons des prières tout en les mangeant abonderont bientôt.

« Il s'agit d'un parti de guerre, mon ami, pas d'un parti de traite, me dit-il. Tu sais combien ça va te coûter ? Tu auras des dettes et, cet été, à toi personne ne devra rien. »

Je ne lui ai jamais caché quoi que ce soit, et pour la première fois, je vais le faire. Je ne suis pas certain de vouloir l'impliquer dans mon plan, en particulier s'il échoue. Mieux vaut qu'il l'ignore de sorte que, si les choses ne se passent pas comme prévu, il puisse affirmer en toute honnêteté aux anciens qu'il n'était pas au courant. Je lui parle du nombre de fourrures que les Anishinaabes ont récoltées cet hiver et qu'ils nous ont vendues pour que nous allions ensuite les négocier avec les Français. Renard se contente de hocher la tête et de me fixer droit dans les yeux. Je détourne le regard, et je me souviens alors du signe que le Corbeau a tracé sur le front de la fille. La colère m'envahit, et elle me fortifie dans ma résolution.

« Étant donné les relations entre eux et nous ces derniers temps, dis-je, je ne vois pas de différence entre un parti de guerre et un parti de traite.

— Quelle route emprunter, dans ce cas ? me demande-t-il. Surtout si nous devons réellement voyager avec une centaine d'hommes ? »

Pour la deuxième fois en l'espace de quelques instants, et pour seulement la deuxième fois de ma vie, je mens à mon ami. « Nous verrons. Le moment venu, nous aviserons. »

Nous mangeons en silence, et je réussis de nouveau à me convaincre que mettre Renard en danger, sans oublier les jeunes guerriers qui nous accompagneront, ce ne sera pas trop cher payer pour débarrasser notre communauté du fléau qui nous menace. Quand je pense que c'est moi qui l'ai amené, et que d'autres suivront ! Ce sont les anciens qui m'ont demandé de le faire après qu'ils avaient entendu dire l'automne dernier que les Français désiraient que nous l'acceptions parmi nous, mais peu importe. Ce jour d'hiver, j'aurais dû laisser nos poursuivants s'emparer de lui. Il était parvenu je ne sais comment à leur échapper tout en portant la fille.

« Il y a une chose, une faveur que je voudrais réclamer à ta femme », dis-je enfin.

Il lève le menton, m'engageant à continuer.

« Nos voyages d'été en canoë ne sont jamais très sûrs. » Je m'interromps, cherchant les mots justes. « Et compte tenu des périls que nous aurons probablement à affronter avant d'arriver chez les Français, je ne pense pas qu'il serait sage d'emmener ma nouvelle fille. » Je lui explique combien elle est difficile et que beaucoup pensent qu'elle ne mérite pas la peine qu'on se donne pour elle. Aussi, je sais que c'est un immense service que j'attends d'une femme qui sera déjà rongée d'inquiétude à l'idée de savoir son mari embarqué dans un voyage aussi long et aussi risqué. « Mais crois-tu que, malgré tout, elle voudra bien que la fille reste avec elle cet été ? Il y a tant de choses qu'elle pourra lui apprendre », conclus-je.

Renard sourit. « On ne peut pas nier que Chutes-de-Neige soit une fille bizarre. » Réalisant ce qu'il vient de dire, il me regarde, un peu gêné. « Je reconnais que ma femme se fait parfois du souci pour sa santé mentale. Et elle paraît te causer beaucoup d'insomnies. » Il hausse les épaules. « Je ne peux pas parler en son nom, mais je ne peux pas imaginer qu'elle refuse. » Il nettoie son bol d'ottet avec ses doigts puis les lèche. « Bien entendu, reprend-il quelques secondes plus tard, nous ne formons qu'une seule famille, non ? Et maintenant que nous avons décidé de déplacer le village cet été, ma femme aura bien besoin d'une aide supplémentaire. »

La vie me semble apparemment normale tandis que le printemps devient de plus en plus chaud. J'ai demandé à un autre foyer de garder le Corbeau pour quelques jours car, dans le secret de mon cœur, je crains de le tuer si jamais je le vois toucher de nouveau à ma fille. Leur maison-longue est située à l'autre bout du village, et ils ont été heureux d'accepter.

Ils sont patients et passent des journées entières en sa compagnie pour lui enseigner notre langue. Ils espèrent attirer ainsi plus de visiteurs qui apportent toujours des cadeaux pour écouter et jouir du spectacle. Je me suis rappelé que Petite Oie avait dit qu'il apprendrait vite, mais cela n'a plus d'importance. Bientôt, il sera mort.

J'envoie presque tous les jours Chutes-de-Neige dans les champs, et elle manie fort bien le plantoir. Elle arrose ensuite avec soin puis compte les grains de maïs à mettre dans chaque trou. Le manque de pluie me tracasse, cependant. À cette époque de l'année, il pleut d'habitude trop, mais aujourd'hui la terre est plus sèche que je n'aimerais. La chaleur est étouffante. À midi, je me surprends à ôter mes vêtements, ce que normalement je ne fais pas avant l'été. Mon travail aurait dû consister à abattre des arbres pour dégager davantage de terrain, mais comme nous nous apprêtons à nous installer ailleurs, ç'aurait été inutile. Je retourne donc à la maison-longue pour décider de ce que nous allons emporter et de ce que nous allons laisser.

Tant dans ces champs-là que dans les nouveaux à une journée de marche d'ici, nous semons les « trois sœurs » : maïs, courge et haricot. Quand je partirai cet été, le maïs, si la pluie tombe, nous arrivera à la taille, les feuilles des haricots seront luxuriantes et les fleurs de courge auront la couleur du soleil couchant. C'est ce que j'espère, mais je n'oserai jamais le dire à voix haute de crainte d'offenser l'un de leurs okis, ces esprits sensibles qui les habitent.

Pendant trois semaines, nous ne pêchons pratiquement aucun poisson, ce qui, ajouté à la pluie de printemps qui ne vient pas, alarme l'ensemble des maisons-longues. D'ordinaire, nous avons de l'un et de l'autre à foison. Chaque maison a demandé à celui qui comprend le mieux les poissons de prier avec nous tous pour leur retour. Cet homme-là, c'est Renard, et tous les soirs, je l'écoute attentivement chanter et parler aux poissons pour supplier nos frères de revenir. Est-ce que nous vous aurions offensés ? Si oui, dites-le-nous, et nous nous amenderons. Renard, un excellent pêcheur, entretient des rapports particuliers avec eux, et il a même sur le ventre un esturgeon que sa femme a mis un hiver entier à lui tatouer lors de leur première année de mariage. Chaque nuit durant une semaine, il nous enjoint à nous, les cinquante occupants de notre maison-longue, enfants et adultes réunis, de nous coucher comme lui sur le dos, tandis qu'il s'adresse à l'oki des poissons. Et chaque nuit, il nous supplie de ne jamais brûler leurs arêtes mais de les remettre à l'eau. Renard les implore, leur jure que nous les respectons beaucoup et que nous, le peuple, nous ne brûlerons jamais leurs arêtes.

Peut-être me suis-je accoutumé à l'étrange comportement de la fille. Elle n'est pas contente que le Corbeau ne soit plus là. Elle est devenue maussade et encore plus silencieuse. C'est néanmoins mieux que de pisser dans mon lit comme elle le faisait. Quand elle me surprend à la regarder, il lui arrive de porter le pouce à son front pour tracer le signe que le Corbeau lui a montré. Là, je tourne toujours la tête. Comme parfois pour la fièvre, ce n'est sans doute qu'un accès. Je continue à l'emmener tous les jours aux champs, et je suis étonné qu'elle ne refuse pas et que, au contraire, elle se jette à fond dans le travail.

Malgré le manque de pluie et le départ des poissons, je finis par éprouver un sentiment de paix tel que je n'en ai pas connu depuis longtemps. La fille ne veut pas me parler, mon amour, mais elle reste à mes côtés ainsi que le devrait une vraie fille, et j'ai l'impression que le vide au-dedans de moi se comble ne serait-ce qu'un tout petit peu. Je commence à rêver qu'elle s'accomplira en s'habituant à vivre avec notre clan et qu'elle traverse juste la période difficile de l'adolescence. Je suis disposé à attendre les quelques années qu'il faudra avant qu'elle puisse m'appeler père, avant qu'elle soit capable de s'asseoir, de discuter et de rire avec moi, ou de pleurer sur mon épaule quand elle aura le cœur brisé. J'attendrai, mon amour, parce qu'elle prendra place près de nos filles mortes, cette place qu'elles n'ont pas vécu assez longtemps pour occuper. Toi, entre tous, tu sais qu'en dépit de mon caractère passionné je suis le plus patient des hommes.

Cet après-midi, Renard vient me chercher au bord de la rivière pour me dire qu'on me demande autour du feu du conseil. Tout en parlant, il me regarde droit dans les yeux pour savoir, je crois, si j'ai fait quelque chose qui justifie qu'on me convoque ainsi. Cela signifie qu'on va sans doute me poser nombre de questions. Renard me connaît presque aussi bien que je me connais, et il n'ignore sûrement pas que je lui ai menti. Pour la première fois de ma vie d'adulte, j'ai l'impression d'être un enfant appelé devant ses maîtres.

Aussitôt, je pense que mon plan destiné à nous débarrasser du Corbeau a été découvert, or je n'en ai informé que Petite Oie. Pourquoi l'aurait-elle dévoilé ? Tandis que nous franchissons les palissades pour rentrer au village, je réfléchis : qu'aurait-elle eu à gagner en me poignardant ainsi dans le dos ?

Afin de m'accorder un peu de répit, je raconte à Renard que je dois passer à la maison-longue prendre du tabac pour les anciens. Il m'accompagne, et je me dis qu'on lui a peut-être confié pour mission de rester avec moi afin de veiller à ce que je ne m'esquive pas. Je n'ai pas l'habitude d'éprouver un pareil sentiment de peur, le sentiment d'avoir mal agi et d'être sur le point de subir ma punition.

Grimpant sur ma plate-forme, je songe que je ne suis pas comme ça, et même si Petite Oie m'a trahi, je continuerai à affirmer que tuer le Corbeau est le plus grand service que je puisse rendre à notre nation. Je sens mon échine se redresser cependant que je m'imagine déclarer qu'ils sont libres de m'infliger le châtiment qu'ils estiment juste, mais que je mourrai en sachant que j'ai raison. Je prends ma blague à tabac à côté de ma natte puis ressors avec Renard pour me diriger vers la grande maison-longue.

Les portes à chaque bout sont ouvertes pour permettre à l'air de circuler, et les rayons de soleil qui filtrent dans la vaste pièce éclairent les poissons qui flottent au-dessus de moi, réservés pour un futur festin commun, et qui sèchent, accrochés aux poutres près des épis de maïs choisis pour les plantations à venir. L'odeur ici est différente de celle des autres maisons-longues. Chacune parmi les dizaines qui composent le village a son odeur particulière, celle du brassage d'êtres humains qui ont vécu longtemps ensemble. Demandez à n'importe quel habitant du village de fermer les yeux et d'aller de maison en maison, et il saura immédiatement à qui elles appartiennent. Cette maison-longue, beaucoup plus vaste que les autres, est occupée uniquement par les okis, et les okis n'ont pas besoin d'odeurs ni ne s'en soucient, n'est-ce pas, mon amour ? La poussière me chatouille les narines, le maïs et le poisson font gargouiller mon estomac, et la vue des anciens assis autour du feu qui couve me donne une fois encore l'impression d'être un enfant ayant commis une faute.

Après m'être installé, jambes croisées, je les écoute parler et rire. Aujourd'hui, au lieu de tenir un conseil séparé, les femmes siègent aux côtés des hommes, ce qui veut dire qu'il est arrivé quelque chose de très important.

Je sors du tabac de ma blague et j'en saupoudre le feu en murmurant une courte prière, puis je passe le sac à la vieille femme, Femme-Terre que nous appelons Ata, l'invitant à en prendre une pincée en signe du respect que je lui porte, puis à le faire circuler parmi la dizaine d'autres anciens qui se sont tus et me considèrent un instant avant de détourner les yeux.

« Tu es content des semailles de printemps, Tsawenhohi ? » m'interroge-t-elle, utilisant mon nom de cérémonie, Balbuzard, tout en extrayant sa petite pipe en terre de son sac pour la bourrer. Elle a les mains à ce point brunes et ridées que je me demande si les champs en jachère leur ressembleraient si, telle une corneille, je les survolais.

« Je crains le manque de pluie, je réponds. C'est ma principale inquiétude. »

Elle acquiesce, prend une brindille dans le feu et allume sa pipe avec. Bientôt, sa tête disparaît au milieu d'un nuage de fumée.

Nous parlons longtemps de tout et de rien. Puis de notre départ proche pour un nouveau village, et je me rends compte des choses qu'il me reste à faire avant le voyage d'été. Il y aura beaucoup de travail, mais chacun attend ce moment avec impatience. Nous fumons jusqu'à ce que l'atmosphère autour de nous soit sillonnée de rayons de soleil, et le spectacle est si beau que je ne cesse de l'admirer, saisi du désir de tendre la main pour les attraper. Je suis pris d'étourdissements et dès que je sens que je risque d'être malade, je ne tire presque plus sur la pipe quand elle me parvient.

Finalement, comme une rivière sinueuse qui se rétrécit pour couler en ligne droite, la discussion se porte sur le Peuple du Fer, nos relations avec lui et la raison pour laquelle je désire autant d'hommes pour partir là-bas cet été. On ne me demande pas de défendre ma position, mais simplement d'exposer le pour et le contre. Plusieurs parmi les anciens font remarquer que le voyage pourrait me coûter davantage qu'il ne me rapportera.

Je prends alors la parole : « Les relations avec notre ennemi n'ont fait qu'empirer ces dernières années, et je redoute que dans l'avenir, il soit impossible de

voyager en toute sécurité sinon en groupes consé-
quents. C'est ainsi que je vois les choses. »

Les anciens réfléchissent, puis le plus âgé d'entre
eux, Aronhia, Homme-Ciel, déclare : « Notre commerce avec le Peuple du Fer nous a amenés à connaître
des bizarreries qui sont devenues des nécessités. »
De son bâton, il tapote la marmite de cuivre posée
sur le feu. « Les nôtres adorent ces objets-là. Nous
n'en avons jamais assez. » Les autres s'esclaffent. À
côté se trouve un panier en écorce de bouleau de
fabrication grossière, et je me demande s'il n'est pas
là pour prouver quelque chose. « Si nous voulons
garder notre première place dans les échanges avec
eux, continue Aronhia, nous avons tout intérêt à faire
le maximum pour contenter ces créatures velues. »
Ce qui déclenche de nouveaux rires. Le mien est
un peu forcé, car je sais ce qui va suivre. « C'est-
à-dire permettre au Corbeau de sautiller dans le village et de croasser à loisir. » Tous approuvent dans
un grognement, et l'idée que personne ne cherche à
comprendre le danger que cela représente me rend
furieux.

Après un long silence, c'est Couguar, le frère de ta
mère, mon amour, qui intervient enfin : « Allons-nous
laisser la soif de profit nous aveugler ? Le peuple au
sud de chez nous à qui les nouvelles maladies ont
fait payer un si lourd tribut sait très bien d'où elles
proviennent.

— Personne n'est tombé malade depuis l'arrivée du Corbeau », objecte Martre, le plus jeune du
cercle. Je le connais mal, mais sa famille jouit d'une
réputation d'intrépidité légendaire acquise dans les

104

voyages à travers les territoires ennemis pour aller commercer avec le Peuple du Fer. Grâce à quoi elle est devenue riche, mais de nombreux membres de son clan sont morts pendant les combats ou sous les pires tortures. Martre lui-même a été capturé et s'est évadé, non sans avoir perdu auparavant sa main droite et presque toute la peau de son dos.

« Peut-être qu'il y a autre chose derrière le fait que personne ne soit encore malade », dit Ata, la plus vieille des femmes. On attend qu'elle s'explique, mais c'est une fine mouche. Je devine où elle veut en venir. J'aimerais m'exprimer, mais je me pince les lèvres.

« Oui, peut-être qu'il y a autre chose », répète Aronhia.

Les autres prennent chacun leur tour la parole, certains se rangeant du côté de Martre pour dire que si nous voulons conserver notre prédominance dans la traite tant sur nos alliés que sur nos enne-mis, nous devons accepter ces Français et leurs sor-ciers, ce Peuple du Fer et ses bois-charbons. « Et s'ils sont aussi puissants que le Corbeau qui est chez nous, ajoute Martre, je ne crois pas que nous ayons beaucoup de souci à nous faire. » Ce qui entraîne quelques rires.

« C'est donc une potion amère qu'il nous faut boire ? » dit Couguar.

Je prends la pipe qu'on me tend et tire une petite bouffée, me demandant ce que Martre va répondre. Il se borne à hocher la tête.

« Les choses peuvent-elles être aussi simples ? » réplique Couguar.

Un long silence s'instaure. La nuit a succédé au

crépuscule quand Ata demande enfin qu'on remette du bois dans le feu. Il y a encore des affaires à discuter. Je voudrais me lever et m'étirer, mais cela devra attendre. On fait passer une gourde d'eau puis, une fois vide, on la remplit à nouveau pour la faire circuler.

« Parlons de nos plus récents ennuis », dit Aronhia. Il a l'air plutôt mécontent. Il me jette un coup d'œil et baisse aussitôt les yeux. « Va le chercher. » Il adresse un signe au jeune garde accroupi près de la porte ouest. Le guerrier bondit sur ses pieds et sort.

« L'un de nos partis de chasse est tombé dans une embuscade il y a quelques jours », dit Ata.

Tendue par qui, ai-je envie de demander, mais je le sais déjà. Mon estomac se noue.

« Les Haudenosaunees ont tué la plupart des nôtres sur place, ils en ont emmené quelques-uns pour les caresser avec des charbons, et ils nous en ont renvoyé un, porteur de leur message. »

Je me doute que le message ne doit pas être plaisant. Maintenant, j'ai hâte que le garde revienne avec l'homme en question. Tous se taisent. Ils contemplent le feu.

Le garde entre, accompagné d'un autre garde, et tous deux soutiennent une masse de chair qu'ils traînent jusqu'au feu. Ils l'installent sur une fourrure près de Couguar, le frère de ta mère, et c'est alors que je réalise que ce doit être un parent à toi, mon adorée. Il est à peine capable de tenir assis et ton oncle se penche pour l'aider.

J'ai beau être un guerrier, je tressaille à la vue de ses blessures. C'est sûrement un jeune homme très fort pour être revenu vivant. Sa crête qui courait au milieu de son crâne a été découpée au moyen d'un coquillage ou d'un couteau aiguisé, si bien que la peau de son front et au-dessus de ses oreilles réduites à deux trous sanglants pend, toute plissée. À la place des cheveux, il a de la résine de pin qu'on lui a appliquée brûlante pour cautériser la plaie et empêcher qu'il ne se vide de son sang, de sorte que le jeune homme aura pour toujours l'allure d'un pauvre oisillon affligé d'une horrible cicatrice séparant sa tête en deux. Ils lui ont manifestement arraché l'œil gauche, car ce n'est plus qu'une boursouflure d'où suinte un filet de sang. On lui a aussi tranché les trois plus longs doigts de la main gauche, et comme il est gaucher, il ne pourra plus jamais bander un arc pour lâcher une flèche en visant juste. À moins qu'il apprenne à se servir de la droite, me dis-je, mais quand il lève celle-ci pour essuyer la bave qui coule de sa bouche, je constate qu'on lui a aussi coupé ces trois doigts-là. Je ne tiens pas à voir son dos, car j'imagine qu'il n'y a pratiquement plus de peau dessus, de même que sur ses cuisses.

« Peux-tu nous répéter, lui demande Ata, parlant fort pour qu'il entende, le message que ceux qui t'ont fait ça veulent que tu partages avec nous ? »

Le jeune homme fixe son œil unique sur le feu, puis murmure que sa tête lui fait trop mal et qu'il veut s'asseoir dans la pénombre. Couguar se lève et le soutient pour que les deux guerriers puissent aller l'installer au-delà de la lueur projetée par les braises. En réalité, le feu est si bas et le cercle que nous formons en est si éloigné qu'il ne devrait pas ressentir de véritable douleur. Je comprends alors la nature de ce que nos ennemis lui ont infligé. Pendant tout le reste de sa vie, on murmurera sur son passage et il sera un objet de curiosité. Il en mourra de honte avant son heure. Comme toujours, ma colère contre les responsables de son état monte du plus profond de mes entrailles.

Dès qu'il en est capable, le jeune homme raconte, la voix engorgée de salive et de sang. Les ennemis ont agi comme s'ils savaient que sa bande, composée d'une douzaine de guerriers, s'était scindée en petits groupes pour se diriger vers différents lieux situés à une journée de marche de leur campement afin de chasser le cerf. Son frère et lui ont été capturés tout près de la piste où ils traquaient le gibier, et son frère a été tué devant lui à coups de casse-tête. Les Haudenosaunees l'ont ensuite emmené jusqu'à son campement où ils ont commencé à le torturer en attendant le retour des autres.

« Toute la journée, j'ai lutté pour demeurer en vie, dit-il. J'ai entonné mon chant de mort et j'ai essayé de ne pas crier quand ils me lacéraient ou me brûlaient. » Haletant, il s'interrompt pour reprendre sa respiration. « Dès qu'un membre de notre parti de chasse fait prisonnier arrivait, ils lui coupaient les deux oreilles qu'ils mettaient dans un panier en bouleau. » Mon regard se tourne vers celui posé à côté de la marmite en cuivre. « En partant, ils m'ont dit que c'était pour vous montrer combien il était important que vous les écoutiez. »

Après quoi, dans les quelques jours qui ont suivi, il les a vus tuer un à un ses compagnons de la manière la plus douloureuse qu'ils pouvaient inventer. Ils ont tous eu la peau de la poitrine et du dos arrachée avant d'être suspendus par des cordes au-dessus de charbons ardents. Lorsqu'ils s'évanouissaient, on leur versait de l'eau froide sur la tête pour les ranimer et on les nourrissait d'ottet pour qu'ils reprennent des forces avant de les mettre de nouveau à rôtir. À certains, on crevait les yeux avec des bâtons enflammés, à d'autres, on appliquait aux aisselles ou entre les jambes des lames de hachettes chauffées à blanc dans le feu. Sur les onze, cinq ont cédé et ont crié pitié, poursuit le jeune homme, mais six ont entonné leur chant de mort, capables encore de sourire et de regarder leurs ennemis dans les yeux.

« Alors, dis-nous, courageux guerrier, demande Ata. Qu'est-ce qu'ils veulent que tu partages avec nous ? »

Le jeune homme réclame de l'eau, et pendant qu'il boit à grand bruit à cause de son visage torturé, je réalise qu'il faudrait que je lui rende le service de l'achever si c'est ce qu'il désire.

« Nous détenons captive l'une des leurs, répond-il enfin. Ils tiennent beaucoup à elle. Ils veulent la récupérer. » On l'entend respirer difficilement dans la pénombre. « J'aimerais partir, maintenant, conclut-il. Je peux ?

— Bien sûr, cher enfant, dit Ata. Le jour le plus long de l'année, nous donnerons un grand festin pour célébrer ton courage. Tu es un exemple pour tous les jeunes. L'ennemi t'a choisi comme messager en raison de ta bravoure. »

Les autres approuvent de leurs ah-ho, et quand on

porte le jeune guerrier dehors, je baisse la tête, car je sais qu'il me regarde.

J'écoute longtemps les anciens délibérer. Ils envisagent d'envoyer un nouveau parti traquer et tuer les Haudenosaunees au cas où ils auraient eu la folie de rester dans les parages. Ils disent ensuite que la terre alentour ne peut plus nourrir une communauté aussi nombreuse. L'un d'eux propose que nous nous séparions en petits groupes qui s'établiraient sur tout le territoire, pas trop loin les uns des autres, cependant, mais on lui rétorque qu'un grand village, par sa seule existence, décourage les tentatives d'invasion. Ils reparlent des Français et des diverses tactiques à adopter pour traiter avec eux. Ils alimentent le feu et évoquent nos ennemis qui ont osé pénétrer si profondément dans notre pays alors que la saison des raids vient à peine de débuter, et en réalité, je m'en aperçois alors, tout cela est fait pour différer le moment d'aborder le sujet pour lequel on m'a convoqué.

Les premiers oiseaux du matin ont commencé à chanter pour annoncer que le soleil va bientôt se lever quand on prononce enfin à nouveau mon nom.

C'est Martre, le plus jeune d'entre eux, qui s'y résout : « Il est évident que Tsawenhohi a pris une fille à laquelle ils attachent beaucoup de prix. » Je m'attendais à cela. Maintenant que c'est dit, ils vont tous se pencher sur la question.

« Que ferait Martre ? demande Ata.

— Je la leur rendrais, répond l'intéressé. Et j'espérerais qu'ils me paient bien pour l'avoir maintenue en si bonne santé. »

Ce n'est pas si simple, mais cette nuit qui s'est prolongée jusqu'aux aurores, il me faut écouter et tenir ma langue.

Ils prennent de nouveau la parole l'un après l'autre, revigorés malgré le jour qui ne tardera pas à poindre. C'est Ata qui dit enfin nettement les choses : « Leur message est clair. S'ils se sont enfoncés au cœur de notre pays aussi tôt dans l'année, c'est qu'ils comptent mettre leur menace à exécution si nous ne la leur restituons pas. Vaut-elle la peine de courir ce risque ? »

Ils donnent chacun leur avis. Et même Couguar n'argumente pas. Après quoi Aronhia, le plus âgé des hommes, se tourne vers moi pour déclarer, au moment précis où dans une maison-longue voisine un bébé se réveille en pleurant pour réclamer son repas du matin : « Nous devons réfléchir à ce qui est le plus raisonnable non pas pour un seul mais pour l'ensemble de la communauté. » Il se tait, plonge son bâton dans les tisons. L'extrémité prend la couleur des canneberges puis s'enflamme. Quand il s'étire puis se lève lentement, nous l'imitons tous.

Je frotte un bout de bois émoussé contre un petit bloc de sapin évidé pour reproduire le cri de la dinde. Assise à côté de moi, Chutes-de-Neige, ainsi qu'il est dans sa nature, m'observe avec attention. Le bruit du bois sur le bois fait comme un gazouillis ressemblant à l'appel de la femelle en quête d'un mâle. Ce sont les traces fraîches d'un dindon à portée de flèche de l'endroit où nous sommes tapis qui expliquent ma présence depuis l'aube à l'orée de cette clairière. Je suis étonné que la fille ait accepté de venir lorsque, par pure politesse, je lui ai demandé si elle voulait m'accompagner.

Elle n'a toujours pas prononcé plus de quelques phrases au cours de ces dernières semaines, et je refuse de reconnaître qu'elle est en train de gagner cette bataille, car elle va m'avoir à l'usure. Je frotte les morceaux de bois, et l'appel de la femelle jaillit de nouveau. Je repose le tout à côté de mon arc où une flèche est déjà encochée.

Comme je l'espérais, le cri d'un mâle répond, venu de la lisière des arbres en face de nous. Son cri profond montre combien il a faim d'une femelle. J'empoigne les deux bouts de bois et je recommence pour l'amener à s'aventurer à découvert puis, le plus doucement possible, je prends mon arc. Je n'entends d'abord que la respiration égale de la fille qui s'est un peu accélérée. Je bande mon arc et vise l'endroit d'où le dindon va émerger.

Un grand mâle apparaît, hésitant, en alerte. Je sais que le désir va l'emporter sur ce que son instinct lui souffle. Il suffira qu'il s'avance jusque vers le milieu de la clairière pour que je puisse tirer. Il se rengorge et pousse de nouveau son cri. Aussi bonne que soit sa chair, c'est surtout ses plumes qui m'intéressent. Ce sont les seules que j'utilise pour l'empennage de mes flèches, et j'ai l'intention d'en préparer beaucoup pour le voyage d'été.

Il gratte la terre et agite la tête pour tenter de séduire la femelle qu'il croit proche. À la fois troublé et curieux, il s'avance de quelques pas, puis se ravise et entame sa retraite. C'est alors qu'un mâle encore plus gros débouche des taillis et déploie ses ailes

112

pour intimider l'autre. Je n'ai jamais vu un dindon aussi énorme. Glougloutant furieusement, il fonce vers son rival qui feint un bref instant de le défier avant de détaler du côté opposé, gloussant de colère.

Le gros oiseau, maintenant qu'il a la clairière pour lui tout seul, va se planter au centre pour lancer un autre appel à la femelle qu'il se figure avoir lui aussi entendue. Il fait la roue, et il est si imposant que je me vois le rapporter sur mon épaule pour l'exhiber fièrement devant Renard. Les plumes que ce dindon va me fournir ! Mon bras commence à fatiguer mais il ne tremble pas, et mes doigts sur la corde brûlent de la lâcher. Je vise la poitrine du volatile qui forme une cible si large que je ne peux pas la rater.

À l'instant où je tire, la fille me pousse le coude. La flèche part sur la droite du dindon et se plante dans un arbre de l'autre côté de la clairière avant de se briser. Aussi vite que possible, j'en prends une autre et bande mon arc pour voir l'oiseau disparaître dans les buissons. Je relâche la corde et laisse tomber la flèche.

Les jambes flageolantes, je me lève, luttant contre l'envie de la gifler. Je me baisse pour ramasser mes affaires, puis m'éloigne de quelques pas avant de me retourner. Le visage neutre, la fille me regarde. Elle sourit, mais il n'y a pas de lumière dans son sourire.

« D'ici quelques jours, nous irons tous nous installer ailleurs, dis-je. Nous quitterons cet endroit, mon village. Ce n'est pas le tien. Et ce ne le sera jamais. » Je m'interromps, je cherche mes mots. Je veux lui dire que j'ai décidé de l'échanger contre la paix. Qu'en plus d'elle, je donnerai mes biens les plus sacrés en guise de cadeaux, que je porterai le wampum du peuple des Wendats, des perles travaillées et cousues pour constituer l'une des plus belles ceintures à histoires que j'aie jamais vues, et que c'est cela que j'étais destiné à faire. Mais je ne réussis qu'à dire ceci : « Une fois le village déplacé, je t'emmènerai en canoë au lieu fixé et je te rendrai à ton peuple. »

Je m'attendais à un vrai sourire, mais c'est comme une ombre de tristesse qui passe dans ses yeux.

La Marmite a commencé

Des jours, des semaines durant, je regarde les Wendats, les ennemis de mon peuple, se livrer aux préparatifs qui vont leur prendre tout l'été. Je suis contente qu'Oiseau me rende à ma famille. On démolit petit à petit le village pour le transporter à dos de femmes, d'hommes et d'enfants à son nouveau site qui se trouve à une journée de marche. C'est une tâche difficile, cruelle, et je n'ai plus trop longtemps à les aider. Bientôt, Oiseau me ramènera en canoë au pays des miens, et j'espère qu'ils me vengeront.

Renard et lui, ainsi que les autres hommes de leur maison-longue, concentrent leur attention sur la construction de leur nouveau village, et je suis impressionnée de voir avec quelle rapidité il se bâtit. Demain, avant l'aube, nous retournerons à l'ancien pour rassembler certaines de nos possessions avant de revenir ici le lendemain. Des hommes creusent des trous pour planter les pieux des palissades pendant que d'autres s'occupent de leurs nouvelles maisons. Apparemment, ce village sera aussi grand que l'ancien, sinon plus. Je m'attache à noter le moindre détail, tout ce qui pourra servir aux guerriers de mon père quand ils viendront le détruire. Je repère les entrées et les faiblesses de l'enceinte, l'emplacement des maisons-longues les plus importantes. Oiseau ne me renverra pas à mon peuple sans avoir à le payer.

Ceux qui vont accomplir le voyage travaillent particulièrement dur, debout avant l'aurore et toujours en train de trimer jusque bien après la tombée de la nuit. Il faut qu'ils en fassent le maximum avant de partir, mais au lieu d'être épuisés et de mauvaise humeur, ils ont l'air satisfaits et même heureux. Peut-être parce que le nouvel endroit choisi est magnifique, je dois l'admettre, bordé par une rivière qui se jette dans la Mer d'eau douce. On a déjà dégagé de l'espace dans la forêt touffue pour les champs. Le bois ne manquera pas de sitôt, et je sais que les cerfs, les orignaux et le petit gibier abondent.

Ce matin, alors que nous quittons le nouveau village pour rejoindre l'ancien, Oiseau et Renard s'arrêtent devant un fossé creusé dans la terre. Je me demande ce que c'est. Bien qu'on soit encore au petit matin, des hommes dressent déjà un échafaudage à côté.

« Les autres villages sont prévenus ? » demande Renard.

Oiseau acquiesce. « Ils préparent le feu pour la Marmite. J'attends ce jour depuis que je les ai perdues.

— Cela t'apportera peut-être un peu de paix », dit Renard.

Sans répondre, Oiseau descend le sentier qui mène à la forêt, suivi par le reste d'entre nous.

Le début de l'été arrive et il y a encore beaucoup de travail à faire. Les anciens champs permettront d'attendre un dernier été avant que les autres soient ensemencés. Je me réveille en espérant que nous partirons aujourd'hui. Les gens paraissent anxieux. Ils doivent organiser une cérémonie, mais personne n'en parle et je suis trop en colère contre Oiseau pour l'interroger.

On continue à creuser le fossé qui est maintenant grand comme une maison-longue et assez profond pour qu'un homme debout à l'intérieur n'en atteigne pas le bord. L'échafaudage tout autour a l'air terminé. On y accède par des échelles, et il doit donc s'agir d'une espèce de scène. Je compte bien assister au spectacle, quel qu'il soit.

Entrant dans la nouvelle maison-longue, je constate qu'Oiseau et Renard portent leurs blagues à tabac ainsi qu'un petit sac d'ottet. Il est clair qu'ils se préparent à aller quelque part. Oiseau m'étudie un moment, puis il me sourit pour de bon. « Nous avons quelque chose d'important à faire dans les prochains jours », dit-il. Il s'apprête à sortir avec Renard, puis il se retourne vers moi pour ajouter : « Tout le village participera et si tu veux te joindre à nous, tu es la bienvenue. »

Je secoue la tête. Un bref instant, il semble blessé par mon refus, puis il quitte la maison-longue en compagnie de Renard. Debout sur le seuil, je les regarde s'éloigner, et une fois qu'ils sont presque hors de vue, je les suis.

Toute la journée, il y a tant de gens qui empruntent le chemin conduisant à l'ancien village que je n'ai pas besoin de me cacher d'Oiseau. Manifestement, il va se passer là-bas un grand événement. Il fait chaud et le soleil filtre au travers des arbres tandis que nous approchons de la Mer d'eau douce. J'éprouve un sentiment inconnu à marcher ainsi pour la première fois au milieu d'une telle foule. Presque personne ne parle et on entend juste le bruit des pas et des respirations. J'ai l'impression de faire partie de ce groupe. Et quand nous débouchons de la forêt sur la piste au sommet des falaises qui surplombent la Grande Eau étincelante, je me dis que non, je ne suis pas l'une d'eux. Je veux cependant savoir de quoi je fais partie à présent. Je veux savoir pourquoi nous regagnons tous comme un seul homme l'ancien village.

Du coin de l'œil, je vois une femme qui chemine à mes côtés depuis un moment. C'est Petite Oie. Je détourne la tête, mais trop tard.

« Je me demandais quand tu finirais par me remarquer », dit-elle.

Je suis obligée de la regarder. Je l'interroge : « Qu'est-ce qui se passe ?

— Au moins, tu poses franchement les questions, répond Petite Oie. La Marmite a commencé. Le Festin des Morts. Maintenant qu'ils ont installé ailleurs leur grand village, il faut qu'ils invitent leurs morts à les suivre. Ils ne peuvent pas abandonner les okis de ceux qu'ils ont aimés, tout comme nous ne pouvons pas abandonner ceux que nous aimons et qui sont toujours en vie. » Elle me regarde et je lui rends son regard. « Ce n'est pas la tradition de mon peuple, continue-t-elle, mais les Wendats qui décident de ces sujets m'ont autorisée à y assister. »

118

Nous demeurons longtemps silencieuses pendant que nous marchons en haut des falaises qui dominent l'eau verte et bleue parcourue de vagues qui projettent de l'écume lorsqu'elles se brisent sur les rochers. Je finis par prier Petite Oie de m'en apprendre davantage.

« Si tu te contentes d'observer ce qui va arriver au cours des prochains jours, dit-elle, je pourrai peut-être te raconter ce que j'ai vu mais ce ne sera jamais le reflet de la réalité, n'est-ce pas ? »

Le Festin des Morts

Je veux vous faire part, mon Révérend Père, ainsi qu'aux autres chers lecteurs français qui prendront connaissance de mon journal, de la chose la plus magnifique à laquelle il m'ait été donné d'assister en ces terres païennes. Il s'agit du Festin des Morts qui, à ce que l'on m'a dit, a lieu environ tous les douze ans quand le village doit aller s'installer ailleurs parce que les champs aux alentours sont épuisés.

Certes, déplacer ainsi une communauté de quelque deux mille âmes relève de l'exploit, mais c'est la cérémonie elle-même ainsi que le respect manifesté envers les morts qui m'ont vraiment stupéfié. Comme j'en ai été témoin, elle se déroule sur une dizaine de jours, et elle ne concerne pas uniquement le grand village des Attignawantans, le Peuple de l'Ours, qui m'ont accueilli, mais aussi les plus petits villages composant leur nation. Dans chacun d'eux, on se rend dans les cimetières pour exhumer les morts des tombes où ils sont ensevelis. Toutes les familles traitent leurs défunts avec tant d'égards, versant des pluies de larmes, qu'on imaginerait que leur deuil remonte à quelques jours, ce qui n'est que rarement le cas. Les cadavres sont à différents stades de décomposition. Ils se réduisent parfois à de simples ossements auxquels peuvent encore demeurer attachés des lambeaux de peau parcheminée. D'autres, qui ne montrent presque aucun signe de putréfaction, donnent l'impression d'avoir été boucanés, tandis que les plus récents grouillent de vers.

Une fois les morts déterrés, on les expose pour que les membres de la famille puissent de nouveau les pleurer, et c'est ce spectacle qui m'a le plus frappé, cette propension qu'ont les Sauvages à contempler ce qu'un jour ils deviendront. Il y a dans cette étrange pratique quelque chose dont nous, les chrétiens, pourrions tirer une sage leçon, à savoir que nous prendrions ainsi davantage conscience de notre malheureux état de mortel, et nous réaliserions alors que ce n'est pas ce monde que nous devrions chérir, mais la promesse de celui à venir. Et pourtant, nous n'en sommes qu'au début de la cérémonie.

Après que les familles ont eu suffisamment de temps pour pleurer encore leurs aimés, on couvre ceux-ci de magnifiques fourrures de castor qu'on ôte un peu plus tard pour gratter la chair et la peau qui restent, veillant à brûler le tout avec les pelisses et les nattes qu'on a trouvées dans la tombe. Les cadavres qui ne sont pas encore entièrement décomposés, on les place sur une natte d'écorce avant de les couvrir à leur tour d'une fourrure.

Cette coutume consistant à traiter ainsi les dépouilles pourrait sembler barbare, mais je dois vous avouer, mon Révérend Père, que je n'ai jamais été témoin d'un amour aussi pur et absolu pour un parent défunt. Une jeune mère pleurait tellement qu'elle baignait de ses larmes les ossements de son enfant pendant qu'elle les nettoyait. Personne ne manifestait la moindre répugnance en écharnant ainsi ses chers disparus, et ce devoir qu'ils rendent à leurs morts devrait servir d'exemple à tous les chrétiens. Quel acte de charité pourrait se comparer même de loin à un tel hommage ? Soigner les patients dans un hôpital ou laver à genoux les pieds d'un malade couvert de plaies paraîtrait presque banal à côté.

Les deux ou trois jours de deuil écoulés, on range les ossements dans de splendides sacs en peau de castor décorés que l'on porte sur le dos, recouverts d'une belle fourrure, et les familles quittent leurs maisons-longues pour entamer ensemble la marche entre leur ancien village et le nouveau, rejointes en cours de route avec une concordance saisissante par les autres communautés venues de plus petits villages. Pareils à des moineaux se perchant le soir sur un grand chêne pour se reposer, des milliers de ces Sauvages se regroupent autour du nouveau village, puis habitants comme visiteurs entrent dans leurs propres maisons-longues ou bien dans celles de leurs hôtes où chacune des familles prépare un festin pour ses morts.

Un capitaine de leur confédération m'a appris que ces Hurons étaient convaincus qu'un corps possède deux âmes, ou okis. L'une, plus spécialement attachée au corps, demeurera avec lui au cimetière, veillant sur lui pour l'éternité à moins que quelqu'un, un enfant, ne se l'approprie à nouveau. Quand j'ai demandé au chef en question pourquoi il croyait cela, il m'a fait remarquer, afin de me prouver l'existence de ce passage de l'âme d'un corps à un autre, combien certains ressemblaient de façon étonnante à une personne décédée. Pauvres idolâtres à l'esprit simple !

Selon lui, la seconde âme abandonne le corps pour entreprendre un voyage pénible vers un « village des âmes » très comparable à celui des vivants. Longeant la rive sud de ce que les Hurons appellent la Mer d'eau douce, elle passe devant une falaise sur laquelle sont peints d'anciens animaux, d'aucuns de forme humaine, certains moitié homme, moitié bête, et autres effrayantes créatures marines.

Au-delà de cette falaise, un esprit malveillant nommé Celui-qui-Perce-les-Têtes extirpe le cerveau des défunts qui doivent alors franchir une rivière en marchant sur un tronc d'arbre instable gardé par un chien qui bondit sur eux pour leur faire peur, de sorte qu'ils sont nombreux à tomber dans le courant dangereux. Seigneur, donnez-moi le courage et la résolution nécessaires pour éclairer ceux qui errent dans les ténèbres.

Revenons à la cérémonie que j'ai mentionnée, mon Révérend Père. Une fois que tout le monde est arrivé au nouveau village et a pleuré ses morts trois jours durant, on porte les sacs d'os, ou sacs d'esprits, dans les plus grandes habitations du clan où ils sont exposés à côté des cadeaux destinés aux défunts, colliers, marmites et fourrures. On donne un nouveau festin dans chacune de ces maisons-longues, et tous les membres de la famille chantent et pleurent leurs morts. Les invités ont le droit de manger tout ce qui leur plaît et même d'emporter un peu de nourriture, ce qui est normalement interdit. Quand ils finissent par partir, ils chantent à pleins poumons : « Haeey ! Haeey ! » pour apaiser et réconforter leurs parents décédés logés dans les sacs d'esprits. C'est quelque chose qu'il faut entendre, quelque chose d'aussi terrifiant que des loups qui hurlent au clair de lune.

Dans les jours qui suivent, l'humeur change et l'excitation gagne les gens des différentes communautés qui s'affrontent dans des jeux. J'ai vu de mes propres yeux des femmes tirer à l'arc aussi bien que les hommes pour essayer de remporter des ceintures en piquants de porc-épic, des colliers ou des perles. Les jeunes luttent férocement pour s'emparer d'un bâton, tandis que d'autres se livrent à des compétitions de jets de lances pour conquérir des haches, des couteaux ou des peaux de castor. Ces Sauvages sont physiquement doués et aussi sains et forts que toutes les races que j'ai eu l'occasion de rencontrer.

Ensuite, l'atmosphère redevient solennelle. Le jour prévu, les familles se rendent à l'endroit où leurs morts sont exposés et ils les sortent une dernière fois des sacs pour leur dire adieu. Les maisons-longues dégagent alors une odeur un peu plus puissante que celle du musc. Les larmes coulent de nouveau, et il est surprenant de voir les femmes peigner des parents récemment décédés, des mères poser des bracelets sur les ossements de leurs enfants ou des guerriers adultes bercer les restes de leur épouse. Puis, dans un même mouvement, tous se lèvent, forment une file et portent les dépouilles de leurs chers défunts jusqu'à la fosse qui a été creusée à l'extérieur des palissades.

Permettez-moi de décrire ce lieu de sépulture. Il a en gros la dimension d'un château, et au milieu se trouve une fosse qui mesure au moins deux brasses de profondeur sur quinze de large, entourée d'un solide et complexe échafaudage haut de plus de deux brasses et muni de poteaux entrecroisés auxquels les Hurons, selon leur clan, suspendront leurs sacs d'âmes. Les cadavres encore entiers, enveloppés dans des peaux de bêtes, sont placés sous l'échafaudage tout autour de la fosse, étendus sur des nattes d'écorce et attachés aux pieux à environ une brasse du sol, soit la taille d'un homme. On m'a précisé qu'ils seront les premiers à être enterrés.

Avant que les sacs d'esprits soient accrochés à l'échafaudage, les Sauvages, en fonction de leur clan et de leur village, les étalent sur le sol pour que les visiteurs curieux puissent les examiner au passage comme s'il s'agissait d'objets à vendre dans une foire de village. Ils sont ainsi offerts aux regards sur presque un kilomètre, près de poteaux plantés à côté, si bien que l'on peut aussi admirer les cadeaux apportés aux vivants. Ils se composent de toutes sortes de fourrures de castor, de ceintures en piquants de porc-épic, de colliers, de couteaux à dépouiller et d'amulettes. Je pense que chaque famille et chaque clan rivalisent de richesses. Les sacs d'esprits et les cadeaux demeurent exposés plusieurs heures, car des milliers de gens ont afflué au village pour participer à la cérémonie.

C'est alors que le Festin des Morts débute pour de bon. Au signal du capitaine de chaque clan, on grimpe le plus vite possible à l'échafaudage pour attacher les paquets d'âmes aux croisillons. Dès que les sacs sont en place, les chefs, maintenant que l'après-midi est entamé, distribuent en les désignant les cadeaux faits aux amis et aux parents vivants au nom des morts. J'ai vu ces Sauvages s'avancer pour les recevoir, certains pleuraient, d'autres souriaient, et d'autres encore affichaient une expression indéchiffrable.

Une fois la distribution achevée, un spectacle extraordinaire a lieu : les Sauvages déploient tout autour de la fosse les plus belles pelisses de castor sur plus d'un mètre de large. Des centaines et des centaines de peaux, singulière marque d'abondance, s'entassent ainsi autour de l'ossuaire. En Europe, les fourrures à elles seules équivaudraient à la rançon d'un roi, et je ne parle même pas de celles qui enveloppent les corps et qui finiront dans la fosse.

Le soir venu, les hommes affectés à cette tâche prennent les cadavres entiers qui se trouvent sous l'échafaudage pour les aligner au fond de la fosse, tandis que le vacarme tout autour ne cesse d'augmenter. Au centre ont été placées trois marmites, apparemment pour nourrir les morts dans l'autre monde. L'opération achevée, les gens allument de nombreux feux pour cuire les aliments, et ils passent là le reste de la nuit.

À l'aube, je suis réveillé par les murmures grandissants des Hurons pendant que les hommes influents escaladent de nouveau l'échafaudage puis entreprennent de vider les sacs d'ossements à l'intention de ceux qui attendent dans la fosse. À mesure que les os tombent, des Sauvages équipés de bâtons les mélangent soigneusement sans que je puisse y déceler un schéma quelconque. C'est à ce moment-là qu'ils se mettent tous à chanter de manière si lugubre que l'on comprend alors ce que signifie le désespoir total. Des centaines et même des milliers de voix s'élèvent, et on ne peut s'empêcher de pleurer pour les vivants dont les âmes connaîtront la damnation. C'est un son tel que je n'en avais encore jamais entendu et que j'espère ne plus jamais entendre, un son tel que je sens dans mon corps entier un immense frémissement de tristesse.

Il y a tant d'ossements que la fosse est bientôt quasiment comblée à l'exception d'un petit espace. Les derniers os versés, on replie les fourrures de castor disposées autour pour les placer sur le dessus, ainsi que les nattes, les poteaux et enfin une partie de l'échafaudage, sans doute pour éviter que les animaux ne s'attaquent aux dépouilles. Après quoi, on couvre le tout avec la terre dégagée en creusant, et pendant les jours qui suivront, les femmes viendront répandre sur le tumulus le contenu de plats de maïs.

La cérémonie terminée, on donne des cadeaux, et un important capitaine m'a même offert l'une de ses dix peaux de castor. J'ai refusé, expliquant que le seul cadeau que je désire, c'est que son peuple et lui commencent à croire en Lui, le Grand Génie, Celui-qui-fait-toutes-les-choses.

Je baigne vos ossements
de mes larmes

Je te serre dans mes bras, mon amour. Depuis que tu es partie il y a tant d'années au pays d'Aataentsic et de son fils Iouskeha, je n'ai jamais désiré rien d'autre, sinon étreindre une fois encore nos filles, et mon vœu est enfin exaucé. Nous sommes de nouveau réunis.

L'heure de la Marmite est venue, de même qu'est venue l'heure de déplacer le village. Je ne vous aurais jamais laissées derrière moi. Assis là, je pleure et je baigne vos ossements de mes larmes. Je vous serre contre moi. Cette nuit, je vous veille.

Vous trois ne pesez guère sur mes épaules tandis que je me dirige vers le lieu de la Marmite. En chemin, je m'arrête à quelques-uns de vos endroits favoris. Celui où la rivière se jette au milieu dans la Mer d'eau douce, provoquant des éclaboussures. La falaise surplombant les vagues qui se brisent à son pied. La prairie où les baies abondent à la fin de l'été. Je me souviens de notre vie dans le village que nous avons maintenant quitté pour toujours. Je ne me rendais pas compte à quel point j'étais devenu sentimental au fil de toutes ces saisons. Je me rappelle ce qu'était le retour à la maison après un long voyage, tes bras qui m'enlaçaient, ceux de nos filles qui encerclaient mes jambes. Je n'ai pas pu m'éloigner de toi sachant pourtant que tu le voulais.

On distribue de nombreux cadeaux en votre nom. Colliers de perles polies, fourrures, blagues à tabac décorées de piquants de porc-épic, mocassins, barrettes en poils d'orignal teintes de la couleur des fraises. Dans la mort, tu fais toujours naître des sourires sur le visage de tes amis, et tous me disent que tu leur manques, qu'ils rêvent encore de toi, qu'ils sont certains que tu attends tranquillement dans l'autre monde qu'eux et moi nous venions te retrouver.

De mes propres mains, je pose vos ossements dans la fosse, m'assurant qu'ils se mêlent bien aux autres afin que vous ne soyez jamais seules. J'entonne votre chant et les larmes ruissellent sur mes joues, qui se mélangent à celles des autres jusqu'à ce que nous ne formions plus qu'une grande voix. Je te sens près de moi, mon amour. Je sens tes mains sur mon visage et les bras de nos filles autour de ma taille. Nous ne sommes plus qu'un, maintenant du moins, et alors que nous vous couvrons de chaudes fourrures de castor, je te murmure qu'il n'est plus très loin le moment où nous serons enfin de nouveau réunis.

Ici, il n'y a pas d'entre les deux

C'est d'un cœur léger et joyeux que je vous écris aujourd'hui, mon Révérend Père, afin de vous informer de mes nombreux succès dans le cadre de ma mission présente. Ces Sauvages sont puérils et entêtés. Ils vivent dans le péché, dans le monde coupable de l'idolâtrie, et sans l'ombre d'un doute sous l'emprise de Satan, ce qui rend d'autant plus importante ma mission.

Et c'est pourquoi votre humble serviteur a le plaisir de vous annoncer qu'il est sur le point d'amener la totalité de ce village de trois ou quatre mille âmes à s'agenouiller enfin aux pieds de Jésus-Christ et à Le reconnaître comme le vrai Fils de Dieu.

Reposant ma plume, j'arrache cette page de mon journal et la déchire en menus morceaux. Il m'est impossible de mentir, et surtout à Vous, Seigneur. La fille, au moins, Vous a accepté, ou en tout cas je le pense, mais elle est très probablement folle, et les fous ne comptent pas en tant que convertis, n'est-ce pas ?

Quoi qu'il en soit, le pays est magnifique. Nous avons pagayé toute cette première journée qui, ai-je calculé, est celle du solstice d'été. Simple coïncidence ou bien possèdent-ils certaines des bases de l'astronomie ? Je suis assis sur un escarpement rocheux planté de pins couchés par le vent qui surplombe une grande étendue d'eau turquoise. Par cette belle et chaude soirée où souffle une légère brise, le visage conservant encore la trace de la chaleur du jour, j'aurais pu m'imaginer sur quelque archipel méditerranéen. À l'exemple des Sauvages, je me suis mis à appeler ce lac la Mer d'eau douce. Mes compagnons m'ont expliqué que la côte que nous longeons n'est qu'une baie faisant partie d'une succession de grands lacs qui s'étendent à l'ouest d'ici sur des centaines de lieues. Je ne suis pas sûr qu'il faille les croire. Quand ils n'ont pas la réponse à une question que je leur pose, ils ont tendance à en inventer une.

Si je ne me suis pas trompé, soixante-sept Hurons accomplissent avec moi ce voyage de retour vers la Nouvelle-France. Notre flottille de canots a quitté le village à l'aube. Je suis à la fois impressionné et déconcerté en pensant que, d'un côté, ils me jugent assez important pour m'attribuer une telle escorte afin de me protéger des Iroquois et que, d'un autre, je demeure l'objet constant de leurs moqueries et même de leur fureur.

Au printemps, ma vie a changé en mieux quand Oiseau m'a envoyé habiter une autre maison-longue dont les occupants ont l'air sérieusement décidés à m'enseigner leur langue. Sachez, Seigneur, que si on me parle lentement, je suis désormais à même de comprendre presque tout ce que l'on me dit. Et, chose extraordinaire, j'ai commencé à rêver dans leur langue, ce qui constitue, me semble-t-il, un signe indéniable de progrès. Je réalise toute la justesse de ce que l'on m'a dit avant mon départ pour cette région, à savoir que pour comprendre véritablement ces gens, il me faudra d'abord connaître leur langue. C'est la seule manière dont je pourrai les convertir et leur montrer le vrai chemin qui les conduira hors des ténèbres où ils résident. Satan paraît peut-être loin alors que, du haut de ces rochers, je regarde le soleil se coucher au-dessus de ce qu'ils nomment les eaux scintillantes, mais je ne dois pas oublier que les ténèbres ne sont qu'à une heure ou deux d'ici.

De retour après mes prières du soir, je m'aperçois qu'ils ont installé leurs abris pour la nuit et qu'ils ont dû manger pendant mon absence, car la plupart dorment déjà. Une poignée d'hommes discutent autour du feu, et dès que je m'approche, ils se taisent. Deux d'entre eux feignent de se signer puis éclatent de rire. Un troisième leur lance un regard mauvais et fait à mon intention le geste de manger. Hochant la tête, je m'assois à côté de lui et il me tend une assiette en écorce de bouleau contenant un mélange de sagamité et de poisson fumé. Malgré l'odeur rance qu'elle dégage, je prends une bouchée avec mes doigts.

« Tu aimes cet endroit ? » me demande-t-il, parlant lentement pour que je comprenne. C'est un jeune homme très beau avec des pommettes saillantes et un corps semblable à celui du *David* de Michel-Ange.

« Oui, dis-je. Beaucoup. »

Il hésite un instant, cherchant, je suppose, la façon de le formuler. « Tu dois choisir, commence-t-il. Pagayer ou ne pas pagayer. » Il contemple le feu, et j'ai le sentiment qu'il est aussi sincère que possible. À l'inverse du ton auquel je suis habitué chez tant d'autres, il n'y a pas trace de raillerie dans le sien.

D'un signe, je l'invite à continuer.

« On te respectera seulement si tu prends une décision ferme. Tu ne peux pas rester entre les deux. Demain, soit tu pagayes, soit tu ne pagayes pas. Si tu ne pagayes pas… (il me dévisage une seconde)… raconte peut-être à ceux de ton canoë une histoire sur ton dieu. Et si tu pagayes, tu te contentes de le faire et tu te tais. Pagaye jusqu'à ce qu'on arrête tous de pagayer. » Il me regarde pour voir si j'ai bien compris. « Ici, il n'y a pas d'entre les deux. » Il lève les bras comme pour appeler à lui le monde entier.

Rien dans ce monde, leur monde, n'est idyllique longtemps. Il a plu à verse toute la matinée, et de ma propre initiative j'ai entrepris d'écoper le canot avec mon assiette en écorce de bouleau. Frissonnant dans le vent qui soulève de grosses vagues, ballotté et à moitié malade comme si je me retrouvais à bord du bateau qui m'a amené sur ce continent, je m'efforce de me rendre utile. Plutôt que de se montrer agressifs ou moroses à l'image du temps, les huit hommes de mon canot baissent la tête et souquent dur, comme en transe et, de même que sous le soleil, ils courbent le dos et se consacrent à leur tâche, ramant à une cadence affolante dont la répétition provoque une espèce d'hypnose. Épuisé par l'énergie dont ils font preuve, je renonce à ma pauvre tentative de les aider.

J'écoute la pluie crépiter sur l'eau, les grognements des rameurs, les éclaboussements des pagaies frappant la surface du lac à l'unisson, les craquements émis par le canot, pareils à ceux de mon assiette en écorce, résine et tendons, et je sens l'odeur puissante des corps, aussi musquée et répugnante que celle de leur nourriture. Je ne comprends pas comment ils peuvent vivre ainsi une existence qui, à mes yeux, est comparable à l'enfer. Mon regard se pose sur les hommes effrayants qui occupent le canot à côté du nôtre et qui, illuminés par les éclairs, paraissent d'une beauté si dangereuse que je sais aussitôt que Satan règne sur ce pays. Que fais-je donc ici ?

Dans l'embarcation qui nous précède, à un jet de pierre de la nôtre, se trouvent la jeune fille et Oiseau. Devant nous, trop loin pour que je puisse les voir, il y a deux autres canots qui servent d'éclaireurs et de guides. Je sais que je suis dans le quatrième sur un total de dix. Alors que la pluie s'est réduite à un crachin glacial, je me livre à quelques réflexions, tremblant dans mes vêtements de laine trempés. Coincé comme je le suis au milieu des ballots de fourrures de castor, de martre et de lapin, on me considère comme une cargaison précieuse. Les embarcations sont si lourdement chargées qu'à chaque vague l'eau menace de déferler dedans. Ces gens-là savent à l'évidence comment survivre au sein de leur univers. Moi, je voudrais juste qu'il cesse de bruiner.

Aujourd'hui, nous sommes arrivés à ce qui me paraît être l'embouchure d'une rivière qui se déverse dans cette mer intérieure. Un à un, les canots ralentissent comme de grands oiseaux s'apprêtant à se poser. Personne ne dit mot ni n'échange le moindre signe apparent de communication. Comme si ces êtres ressemblaient plus à des animaux qu'à des humains. On croirait qu'ils possèdent quelque moyen de communication invisible.

Une fois tous les canots échoués au rivage, j'interroge le Sauvage qui m'a parlé hier soir, le nommé Grands Arbres que j'ai décidé d'appeler David : « Comment pouvez-vous savoir à l'avance ce que les autres vont faire ? Comment tout le monde a su qu'on devait s'arrêter ici ? »

Il a l'air étonné. « Tu n'as pas vu les signes ? »

Je fais non de la tête.

« Alors, sois plus attentif. » Il saisit un lourd ballot dans le canot, le balance sur son dos, puis ceint son front d'une lanière de cuir attachée au paquet afin d'en équilibrer le poids. Après quoi, il se retourne et part vers la forêt touffue qui borde la rivière.

J'essaie à mon tour d'empoigner un ballot, mais je parviens à peine à le soulever. Je le lâche pour en chercher un plus léger.

Le Sauvage à côté de moi me bouscule pour s'en emparer. « Abîme mon canoë, dit-il, et je te tue. » Je le suis des yeux tandis qu'il s'enfonce lui aussi dans les bois.

Ne sachant que faire, je sors mon rosaire pour réciter mes prières pendant que les hommes, leurs fardeaux sur le dos, pareils à une file de fourmis ouvrières, disparaissent au milieu des arbres dégouttant de pluie. Alors que je me dirige vers le canot d'Oiseau dans l'espoir que la fille soit aux alentours, je m'aperçois que si je traîne encore un moment ici, je ne vais pas tarder à me retrouver seul. À l'idée de rester à contempler cette mer grise en tâchant tant bien que mal de me protéger du froid et de voir apparaître au coude que forme la rivière un parti de guerre iroquois dans ses propres canots ou, pire, de le voir surgir de la forêt, j'éprouve une terreur affreuse et, repérant un paquet de peaux plus petit, appartenant manifestement à Oiseau, je le prends et j'emboîte le pas aux autres.

Au début, le sentier est facile à suivre mais, peu après, les feuillages absorbent toute la lumière jusqu'à ce que j'aie l'impression que la nuit est tombée. En proie à la panique, cerné par ces bois de plus en plus denses, ignorant si je dois continuer ou bien revenir en arrière, je m'arrête pour regarder autour de moi, et je me rends compte que je ne pourrai jamais retrouver mon chemin. Croyant entendre des voix proches, je m'enfonce davantage dans la forêt. Peut-être que les Sauvages, cachés derrière les arbres, s'amusent à me tourmenter et m'observent.

Certain à présent que ce sont bien des voix, je me hâte autant que je le peux. Tenant le ballot de fourrures devant moi pour éviter d'être griffé au visage par les branches, je débouche soudain à l'air libre et je perds l'équilibre. Je tente de me rattraper, mais c'est trop tard et je chute, je roule le long d'une pente qui doit être celle d'une falaise et je dévale ainsi jusqu'à ce que, étourdi, les côtes meurtries, j'atterrisse sur la berge d'un ruisseau.

Me redressant, j'examine la situation. Le talus est si abrupt que je serais incapable de remonter vers la forêt. Ce ne sont pas des voix que j'ai entendues, mais le murmure de l'eau.

La pluie tombe plus dru, si bien que je dois plisser les yeux pour m'en protéger. Ma soutane est maculée de boue, et son poids soudain m'empêche de me relever. Accablé, maudissant ma stupidité, je m'effondre et me prends la tête entre les mains. Je sais que je pleure parce que les gouttes qui coulent sur mes joues sont plus chaudes que la pluie. Couché en boule, sanglotant, tremblant de froid, je me dis que je ne pourrai pas en supporter plus alors que nous ne sommes partis que depuis quelques jours. Des semaines m'attendent encore, si toutefois le voyage pour moi ne s'achève pas là. Qu'arrivera-t-il s'ils ne remarquent pas mon absence et qu'ils partent sans moi ? Ou pire, s'ils me cherchent en vain ? Qui me trouvera ici ? J'ai dégringolé en bas de ce talus à pic et j'aurai beau m'époumoner, personne ne m'entendra dans ce vent et cette pluie.

Hoquetant, j'essaie de réfléchir. Dois-je escalader la berge pour tâcher de retourner sur mes pas ? Dois-je choisir une direction et longer le ruisseau dans l'espoir de tomber sur eux ? Ou bien dois-je rester là à attendre que quelqu'un vienne ? Mon Dieu, je Vous en prie, aidez-moi ! Je lève mon visage vers le ciel et je sens ruisseler la pluie. Seigneur, je Vous en supplie, adressez-moi un signe !

La foudre frappe si près que mes cheveux se dressent sur la tête et que la peau me picote. Sursautant comme si j'avais reçu un coup en pleine poitrine, je glisse soudain dans le ruisseau glacé, me cognant un genou contre une pierre. Le courant m'entraîne en aval, et la boue qui imprègne mes vêtements se dissout dans l'eau claire qui prend alors une teinte marron. Comme débarrassé d'une coque d'argile, je m'allège. Je réussis à me mettre debout et, frissonnant, je m'asperge d'eau pour nettoyer ma soutane. S'il me faut périr en ce pays cruel, je ne périrai pas comme un animal pouilleux. Je me frotte avec des gestes violents, furieux contre moi-même pour m'être stupidement fourré dans un tel pétrin, et ma colère m'apporte un peu de chaleur.

Je saisis le bas de ma lourde robe noire pour la passer par-dessus ma tête. Après que je m'en suis dégagé, je constate qu'elle est tellement sale, tellement incrustée de boue qu'elle pèse autant qu'un enfant. Je la brandis et, de toutes mes forces, je l'abats sur l'eau qu'elle heurte avec un claquement réjouissant. Je recommence à plusieurs reprises, me libérant de la frustration et de la dépression que ces Sauvages ont engendrées en moi. Je bats ainsi ma soutane jusqu'à ce qu'elle soit propre. Je suis si épuisé et j'ai les bras si moulus que je me sens incapable de les soulever une fois de plus.

Cramponné à mon habit, me heurtant parfois à des pierres, je me laisse porter par le lent courant du ruisseau. Je me demande jusqu'où il va m'entraîner. J'ai maintenant un peu plus chaud à la suite des efforts que j'ai faits. Je vois mon corps blanchâtre engoncé dans mon caleçon trempé, et je constate que je suis plus maigre que je ne l'ai jamais été. La longueur de mes jambes et de mon torse me surprend. Il y a longtemps que je ne me suis pas regardé. Je ressemble trop à un squelette et je décide alors, si je dois survivre à cette journée et à ma bêtise, de me contraindre à manger davantage. N'ai-je pas raison,

Seigneur ? Amener à Vous ces enfants perdus me sera peut-être un peu moins pénible si j'ai la force physique nécessaire.

Ma soutane se prend dans les branches d'un arbre submergé, et je songe soudain que ce ruisseau débouche sûrement quelque part, peut-être dans la grande rivière que, m'a-t-on dit, nous devons remonter. Oui, c'est sans doute cela. En longeant le petit cours d'eau, et s'il plaît à Dieu, j'arriverai à ce qu'ils appellent la rivière du Serpent où, avec un peu de chance, je les rejoindrai.

Frissonnant, je me relève et gagne la berge où j'essore de mon mieux ma soutane avant de l'enfiler par-dessus ma tête. La laine n'est pas le plus mauvais des textiles dans ce pays. Elle fascine les Sauvages qui m'interrogent tout le temps pour savoir de quel animal elle provient. J'essaie alors d'expliquer ce que sont les moutons, la domestication et l'élevage, et je réussis uniquement à dire que là d'où je viens, nous parquons pour notre consommation de grands troupeaux d'animaux qu'ils ne peuvent même pas imaginer. Dieu le veut ainsi. L'idée qu'on puisse avoir des troupeaux de gentils chevreuils ou d'orignaux qui vont gaiement au massacre quand les hommes désirent manger de la viande déclenche leur hilarité. Certains doutent franchement qu'il soit bon de mener une vie aussi facile. La question me passionne.

La pluie s'est enfin calmée, réduite à un fin crachin. Les bras serrés contre ma poitrine pour tenter de me réchauffer, claquant des dents et sentant peser sur mes épaules le poids de la laine mouillée, je me faufile parmi les broussailles qui bordent la berge. Je rêve que je suis de retour en Nouvelle-France, que je franchis enfin le seuil d'une vraie maison pour me diriger droit vers la cheminée. Je vois le chaudron en fonte suspendu au-dessus des flammes, je hume l'odeur du ragoût de mouton. Pourvu, Seigneur, que ce chemin soit le bon. Je m'en remets à Vous, mais si telle est Votre volonté, j'accepterai avec joie de mourir ainsi, seul en ces terres inhospitalières.

Les ronces s'accrochent à ma soutane comme des enfants nécessiteux, et je m'aperçois que je marche au milieu du plus fabuleux massif de framboisiers que la terre ait créé. Malheureusement, je suis une demi-saison trop tôt. Au lieu de fruits rouges, je n'ai droit qu'à des milliers de minuscules épines. Tant pis. Aujourd'hui, je subis une épreuve et, encore qu'elle soit inattendue, j'espère la passer à Votre satisfaction.

Aux instants de pure panique succèdent des instants d'euphorie à la pensée que ce jour sera peut-être celui de mon voyage entre le monde terrestre et le royaume éternel. Si ce ruisseau ne mène nulle part, ne mène pas à Oiseau et à ses hommes, il me mènera à Vous. Je me console de cette manière.

Tout à coup, je tombe sur un endroit où a sans doute dormi il y a peu quelque gros animal, un chevreuil ou peut-être l'une de ces bêtes de la taille d'un cheval qu'ils appellent des orignaux. Les hautes herbes couchées forment un rond qui, éclairé par le soleil perçant au travers des nuages, me paraît être un lieu idéal pour se reposer. Non, il me faut continuer.

J'égrène mon chapelet tout en marchant. Je crois soudain entendre le bruit d'un courant plus rapide, et je crois aussi sentir une odeur de fumée. Je me mets à courir. L'herbe a cédé la place à un sol rocheux, et je vois que le ruisseau se jette dans une large rivière. Je suis maintenant sûr que mon odorat ne m'a pas trompé.

Au confluent des deux cours d'eau, je prends à gauche, et quand je vois s'élever la fumée d'un feu autour duquel sont assis quelques hommes, je déborde tellement de joie que j'ai du mal à retenir un cri. Je m'apprête à me précipiter vers eux lorsque j'ai l'impression de recevoir une gifle : je me rends compte que j'ignore s'il s'agit de Hurons ou d'Iroquois. Et si c'était un campement ennemi ? Je m'aplatis sur les pierres, priant pour qu'on ne m'ait pas repéré.

Dressant la tête, je constate que les hommes sont installés à côté d'une pile de ballots. Ce doit donc être mes Sauvages. Je reste allongé là à les observer, mourant d'envie de me réchauffer à leur feu. Bientôt, d'autres hommes émergent de la forêt, certains portant un canot au-dessus de la tête et quelques-uns des paquets en écharpe. Et quand le splendide Huron que j'appelle David apparaît à son tour, je me lève et, les jambes tremblantes, je m'avance vers eux.

Ils me regardent approcher. Ils sont visiblement épuisés et ils ont l'air déconcertés. Ils se demandent sans doute comment j'ai fait pour arriver de la direction opposée. Je me pose la même question qu'eux.

« Je me suis égaré, dis-je. Par là. » Je désigne les bois derrière nous. Ils gardent le silence. Je reprends : « Mes affaires. À la Grande Eau. Aller les chercher. »

Accroupis près du feu, ils ne bougent pas et se contentent de hausser les épaules. Debout à quelques pas, je tâche de profiter un peu de la chaleur des flammes pendant qu'ils discutent entre eux. J'hésite. L'idée de retourner seul dans la forêt ténébreuse m'effraie au point que je préférerais perdre tous mes biens, mon calice, les hosties de sagamité, mon journal et ma plume, mes caleçons de rechange et le livre sur la vie des saints que le Père supérieur m'a donné avant mon départ. Si Dieu le permet, tout cela pourra être remplacé dès que nous atteindrons la Nouvelle-France. Mon bien le plus précieux, irremplaçable dans ce monde cruel, il est autour de mon cou et dans mon cœur. Je vais donc m'asseoir tranquillement et attendre que le reste des voyageurs nous rejoigne avant que nous n'embarquions de nouveau dans les canots pour remonter la rivière. Si l'un d'eux trouve mon sac et me le rapporte, tant mieux. Sinon, tant pis. Je ne m'aventurerai plus dans cette forêt.

Quand un nouveau groupe débouche des sombres taillis, un canot au-dessus de la tête, une pensée me glace le sang. Où est le paquet appartenant à Oiseau ? J'ai dû le laisser quelque part, mais où ? Tout en sachant que je ne l'avais pas en arrivant ici, je regarde autour de moi. Oui, c'est bien à Oiseau. Je l'ai pris dans son canot. Où l'ai-je donc perdu ?

Je me rappelle que je l'avais encore au moment où je me suis égaré pour la première fois, et également avant de dévaler la berge à pic. En fait, je m'en servais pour me protéger le visage des ronces, et c'est la raison pour laquelle je n'ai pas vu le talus. Ensuite, je ne me souviens plus. Je l'ai probablement perdu là, quand je suis tombé. Un autre groupe apparaît, un canot sur les épaules. Le portage est presque fini. J'ai longé le ruisseau durant au moins une heure. En me mettant en route tout de suite, et maintenant que je connais le chemin, je pourrais être revenu aussi vite. Je crains cependant qu'à mon retour, ils n'aient déjà chargé tous les canots et ne soient partis.

Alors, autant aller trouver Oiseau pour lui expliquer ce qui s'est passé, lui assurer que j'étais animé des meilleures intentions, que je cherchais à me rendre utile, et puis que je me suis perdu. Je le vois d'avance blêmir de colère quand il comprendra ce que j'ai fait, et que je les ralentis. Le paquet contient-il quelque chose d'important ? Oui, naturellement. Ces gens-là ne voyagent pas avec un gramme de plus que nécessaire. Oiseau sera furieux contre moi. Je n'ai pas oublié qu'il a été à deux doigts de me tuer ce matin-là. Je ne peux pas lui dire.

Ma décision est prise. Si Oiseau ou un autre déclarent qu'il leur manque un paquet, j'avouerai et je me confondrai en excuses dans l'espoir qu'ils ne s'imagineront pas que je commerce avec les démons, ce dont je sais qu'ils m'accusent souvent. Si personne n'en parle, je n'en parlerai pas non plus, et je Vous laisse le soin, Seigneur, de prouver que le contenu n'était pas trop important. Après tout, dans mon désir d'aider, j'ai sans doute perdu mes propres biens, alors est-ce que cela ne compense pas ?

À mesure qu'ils arrivent, les Sauvages posent doucement les canots sur l'eau pour les charger et, concentrés sur leur tâche, ils n'échangent pas un mot. Une première embarcation démarre, suivie d'une autre. Les hommes pagayent dur, penchés en avant. Ils avancent lentement et, émerveillé par leur puissance, leur courage, je les regarde ramer en cadence. Comment pourrons-nous gagner ainsi la Nouvelle-France, à pagayer pendant des semaines contre le courant ? Je compte sur eux pour se débrouiller. L'histoire du paquet perdu me travaille. Mon instinct me souffle que j'ai fait le mauvais choix.

Oiseau émerge de la forêt, la fille sur ses talons. Depuis le début du voyage, elle m'ignore, sur ses ordres, je présume. Il porte un gros ballot, la lanière ceinte autour de son front selon leur coutume. Il est en nage, et après s'en être débarrassé, il s'accroupit. Je suis incapable de lui donner un âge précis, mais il est probablement plus vieux que je ne le pense. Depuis que nous sommes partis, son visage s'est aminci et ses rides se sont creusées, tandis que presque tous ses cheveux sont encore noirs et que les muscles de ses épaules et de ses bras sont ceux d'un homme jeune. Pourtant, je note qu'il paraît exténué.

La fille pose à son tour son ballot, puis elle me regarde aussi intensément que j'ai regardé Oiseau. Après quoi, elle défait les cordons du paquet d'où elle tire mon sac en toile noire. Oiseau dresse la tête et, le front plissé, observe la scène pendant que la fille s'approche de moi en souriant. Elle me tend mon sac, puis elle me demande de la bénir. Spontanément, je lève la main droite.

Le second doigt est le mien

Allongée sur le dos, jouant à fixer le plus long-temps possible le soleil, je laisse ma main traîner dans l'eau. C'est ainsi que je ralentis le canoë, que j'oblige les hommes autour de moi à s'échiner à pagayer plus fort à contre-courant. J'aime l'odeur de leur transpi-ration. J'aime regarder les muscles de leurs bras et de leurs dos se gonfler à chaque coup de rame. Étendue sur un ballot de fourrures de castor, je m'imagine morte et je sors la main de l'eau pour la plaquer sur mon sein. Le soleil a bruni la peau de mon visage et caché mes cicatrices si bien que, morte, je suis la plus belle fille du monde, aussi dure qu'un coquil-lage. Ceux de ma famille qui sont encore en vie me pleurent. Les hommes se frappent la poitrine et les femmes s'arrachent des mèches de cheveux. On me regrette.

Nous pagayons pendant des jours, et je cherche sans cesse le moyen de provoquer la colère de ce vieil homme, Oiseau. Je me suis rendu compte que le plus facile, c'est simplement de passer du temps en compagnie du Corbeau, de le questionner sur son dieu et de lui demander de faire sur mon front cet étrange geste avec son pouce. Je sens la bile d'Oiseau s'échauffer quand je me permets de prendre la main du Corbeau. J'ai gagné, mais je continue malgré tout à essayer de rendre Oiseau furieux. Je désire le voir exploser. Je désire, je crois, qu'il soit pris d'une telle rage qu'il tue le Corbeau. Il a décidé qu'il ne me voulait pas, et je suis contente de retrouver mon peuple, mais je vous le dis, père et mère, je suis perplexe. Pourquoi ne veut-on plus de moi ? Comment ose-t-il ne plus vouloir de moi ?

À mesure que les jours passent à lutter contre le courant, les hommes deviennent plus minces, plus concentrés sur leur tâche, plus silencieux. De l'aube au crépuscule, nous remontons cette large rivière noire bordée de forêts touffues de bouleaux, d'érables et de peupliers. Il y a tant d'endroits où les frères de mon père peuvent tendre une embuscade à ces hommes dans leurs canoës. J'espère qu'ils sont venus avec cent, deux cents hommes. Assez pour massacrer Oiseau et ses guerriers. La nature est magnifique. Les rochers tombent à pic dans l'eau qui est plus noire que la plus noire des nuits, et quand on s'arrête pour se reposer, je m'étends sur ces rochers qui m'imprègnent de leur chaleur. Il souffle un vent d'est qui a dégagé le ciel, chassé les mouches et les moustiques. Ce sont peut-être les journées les plus ensoleillées que j'aie connues après les pluies de la semaine dernière. C'est le moment idéal, dans le plus beau des paysages, où je voudrais voir les frères de mon père tuer ces ennemis.

Aujourd'hui, après un portage particulièrement long, tous les hommes sont réunis au pied d'une cascade dégringolant d'une grande falaise. Un à un, ils prennent la blague qu'ils portent sur le dos pour en tirer une pincée de tabac, puis ils déposent leur offrande dans une fissure ou un trou sur la paroi de la falaise. Les plus jeunes rivalisent à celui qui montera le plus haut, et je suis malade de peur à la pensée des dangers qu'ils courent. D'autres se penchent au-dessus de l'eau tourbillonnante pour répandre encore quelques brins de tabac en guise d'offrande supplémentaire. Oiseau lève les bras et demande à l'esprit qui vit ici de veiller sur eux durant leur voyage. « Tu es Tsanhohi, dit-il, et je te conjure d'écouter ma petite voix et les petites voix de mes amis. Nous parlerons comme un seul pour que notre voix soit forte et que tu l'entendes tandis que tu voles au-dessus de nous sur les courants. Baisse les yeux sur nous et protège-nous pendant notre voyage, et laisse-nous vaincre l'ennemi s'il choisit de combattre. » Et tous les hommes de s'écrier : « Ah-ho ! » En voyant combien la face de la falaise est érodée, je sais que le peuple d'Oiseau vient ici depuis aussi longtemps qu'il existe pour demander de l'aide à l'esprit de l'aigle qui habite quelque part au milieu des rochers. Renard étouffe une exclamation et désigne un point dans le ciel bleu. Je surprends l'éclat de Tsanhohi, l'aigle doré, qui décrit des cercles au-dessus de nous. Les hommes poussent des cris de joie et s'étreignent parce qu'on a entendu leur prière. Pendant qu'ils contemplent le ciel, je m'approche de la falaise pour enlever le plus possible du tabac qu'ils ont glissé dans les anfractuosités et je le fourre dans ma bouche en demandant à Tsanhohi de leur chier sur le crâne. Même si manger tout ce tabac me rendra malade, je prie encore Tsanhohi de faire en sorte que ces hommes ne rentrent jamais chez eux.

Ce soir, ils sont si fatigués qu'ils n'ont même pas le courage d'allumer un feu ou de dresser leurs abris. Ils se contentent de couper des branches de pin sur lesquelles ils se couchent et s'endorment aussitôt. Les trois ou quatre guetteurs dodelinent de la tête, luttant contre le sommeil. L'un d'eux se lève et effectue quelques pas en se giflant. Un autre est assis, les bras encerclant ses genoux, et il tient un couteau sous son menton, si bien que si sa tête commence à tomber, la pointe le piquera et le réveillera. Tout à l'heure, je vais jouer un tour à Oiseau, un tour qu'il n'oubliera pas. Tout comme il ne m'oubliera pas, moi non plus.

Je suis allongée à côté de lui. Il dort, la respiration régulière, tandis que les moustiques bourdonnent à mes oreilles. J'examine son visage éclairé par la lune presque pleine. Le soleil lui a encore bruni la peau, et là, détendu, je le trouve beau malgré moi. Avant de partir, il s'est fait couper les cheveux par la femme-médecine nommée Petite Oie. Elle a demandé que je vienne pour qu'elle m'apprenne et que je puisse m'occuper de lui au cours du voyage. Je l'ai regardée procéder, cependant que les animaux tatoués sur ses bras semblaient animés d'une vie propre. Ensuite, elle m'a donné un épais coquillage, plus large que ma paume, dont le bord est aussi effilé et tranchant que la lame d'un poignard. Il provenait, m'a-t-elle dit, du rivage de la grande mer où les Français étaient apparus pour la première fois. Elle m'a recommandé d'en prendre soin et de l'utiliser avec précision.

J'ai fini par aimer la façon dont Oiseau porte ses cheveux : jusqu'à l'épaule d'un côté, et complètement rasés de l'autre. C'est la coiffure des guerriers, et il ne craint pas de montrer qu'il en est un. Ses cheveux sont graissés à l'huile de graines de tournesol dont l'odeur aiguise ma faim de quelque chose. C'est un homme fier, un homme fort, et il n'a pas peur de le faire savoir. Il se présente au monde entier tel qu'il est. Le chaume sur la partie rasée de son crâne a l'air piquant. Tous les hommes fixent leur attention sur la conduite du voyage et ne se soucient plus de leur apparence. Je sais néanmoins que dans les jours qui viennent, quand nous approcherons du lieu où l'on doit me rendre à ma famille, ils consacreront beaucoup de temps à se grimer les uns les autres et à se donner de nouveau une allure féroce en se peignant d'ocre. Mais avant, je vais m'occuper d'Oiseau pendant son sommeil.

Les guetteurs sont épuisés, mais ils ne dorment pas. Il faut que j'agisse en silence. Il faut que je sois prudente. Me glissant hors des fourrures, je me penche au-dessus d'Oiseau. Il semble dormir profondément, mais je sais qu'il le sent quand je ne suis pas à côté de lui. Je rampe sur le ventre, quelques pouces à la fois. Je résiste à l'envie de me redresser d'un bond et de m'élancer en courant, car je me rappelle que pour trouver ce dont j'ai besoin, il me suffit d'aller jusqu'à la berge de la rivière. J'ai la nuit devant moi.

L'une des sentinelles a dû se lever. J'entends ses

genoux craquer et un grognement jaillir de sa gorge en signe de soulagement. Le feu n'est plus que braises, mais la lune brille assez pour me trahir si je bouge. Les hommes éreintés ronflent légèrement, et je feins d'être l'un d'entre eux, le temps que le guetteur s'éloigne et que je puisse repartir en rampant vers la rivière que j'entends non loin.

Dès que j'estime pouvoir le faire sans risque, je me redresse. Des effilochures de nuages d'été masquent la lune et, profitant de l'ombre qu'elles jettent, j'avance de quelques pas. Lorsque la lune réapparaît, je tombe à genoux et je m'immobilise. Ainsi, j'arrive bientôt à la berge où, assise, les mains croisées sur les genoux, je lutte contre le désir de me lever et de retourner auprès d'Oiseau comme si je n'avais jamais eu cette sombre idée. Un autre nuage passe tandis que je regarde couler la rivière qui étincelle chaque fois que la lune brille de nouveau et se reflète dans ses eaux noires. Je me remets debout pour chercher les pierres qu'il me faut.

Je ramasse d'abord la plate. L'autre est plus difficile à trouver, et je longe un moment la berge. Celle que je cherche doit être lourde mais pas trop, afin que je puisse la soulever d'une seule main. Je finis par en découvrir une qui convient. Une pierre dans chaque main, je regagne discrètement le campement et je me niche à côté d'Oiseau.

Contemplant son visage, j'essaie de voir s'il dort vraiment. Avec précaution, je tends le bras vers la main posée près de sa tête, et je fais ce que je n'ai encore jamais fait : je la prends dans la mienne, tandis que de l'autre, je glisse la pierre plate entre nous.

Après quoi, je place nos deux mains dessus. Lentement, je dégage mes doigts des siens, puis je sors la coquille de clam de ma robe. Si je dois faire cela, si je dois vous venger ne serait-ce qu'un peu, mon père et ma mère, il ne faut pas que je réfléchisse. Il faut que j'agisse. Me mettant à genoux, je saisis de ma main la plus forte la deuxième pierre, et de l'autre, j'appuie la coquille sur son petit doigt tout en lui maintenant la main. Il esquisse un mouvement, secoue vaguement la tête, aussi, tremblante de peur, bandant tous mes muscles, je brandis la pierre et je l'abats. Je sens le cri monter dans ma gorge avant même de l'entendre. Le choc de la pierre s'écrasant sur la coquille qui dérape et se brise sous mes doigts se répercute dans tout mon bras. Oiseau se réveille avec un rugissement et roule sur lui-même, la main plaquée contre sa poitrine.

Une flaque de sang, noire dans le clair de lune, s'étale sur la pierre plate. Lorsqu'il se lève, je vois que j'ai fait du bon travail. Non pas un mais deux doigts gisent sur la pierre. Des éclats de coquillage luisent à côté d'eux. J'empoigne le plus grand pour me défendre contre Oiseau, et c'est alors que je m'aperçois que je saigne aussi. Il tend le bras pour m'attraper cependant qu'autour de nous les hommes se réveillent en sursaut. Levant ma main d'où le sang jaillit par saccades, je comprends alors : le second doigt est le mien.

Le wampum perdu

À chaque coup de pagaie, ma main hurle de douleur. La fille n'a pas toute sa tête, c'est la seule explication possible. Si je n'accomplis pas ma part de travail, on ne me respectera plus, et ce n'est pas mon genre de rester assis là comme un enfant ou un Corbeau et de me laisser porter par les autres. Il y a deux jours que j'ai perdu mon doigt, et le sang imbibe encore la mousse et le cuir entourant ma main. Heureusement, elle ne m'a coupé que le petit doigt, le moins utile. Et cette idiote s'est tranché en même temps son propre petit doigt, mais celui de la main opposée. La coquille de clam a dû déraper. Je ne la plains pas. Elle est couchée devant moi au fond du canoë, pieds et poings liés, autant pour l'empêcher de s'attaquer à elle-même qu'à quelqu'un d'autre. Elle est pâle mais elle ne mourra pas. La souffrance, et je peux en témoigner, ma chère épouse, est atroce. Elle nous interdit, à moi comme à elle, de penser à autre chose. Je voulais lui demander la raison de son geste, mais il m'a suffi de me rappeler ce que j'avais fait à ses parents. Peut-être qu'elle n'est pas folle, finalement. Peut-être qu'elle a un don. Qu'elle soit capable de cela malgré la crainte que ma réaction lui inspirait sans doute, voilà qui m'impressionne. Je la regarde et elle me rend mon regard. J'arrête de pagayer et je ris en trempant dans l'eau froide de la rivière ma main qui hurle de douleur.

Je n'ai pas seulement perdu mon doigt mais également le sac contenant le wampum que je comptais offrir à sa famille en gage de paix. Si ce n'était pas aussi sérieux, on pourrait croire à une plaisanterie. Personne ne l'a et personne ne l'a vu depuis le premier portage jusqu'à cette rivière. On en tient la fille pour responsable. Elle me veut manifestement plus de mal que je ne l'aurais imaginé. Son peuple considérera comme une grave offense que j'arrive sans wampum alors que c'est ce qui avait été demandé et ce que la coutume exige. Tant pis. Elle m'a causé assez de chagrin et j'attends avec impatience le moment où, d'ici quelques jours, je serai débarrassé d'elle. Voilà ce que je me dis au milieu de mes souffrances.

Hier, le Corbeau a essayé de la soigner, et une fois de plus j'ai bien failli le tuer en passant sur lui ma colère. Je ne tarderai pas à être débarrassé de celui-là aussi. Après, je ramerai avec mes hommes, je consacrerai l'été à faire la traite, et j'aurai l'impression que mon univers est redevenu presque normal.

Ce soir, nous nous sommes arrêtés de bonne heure pour préparer notre rencontre avec eux. Nous nous trouvons à courte distance en canoë de l'endroit choisi, là où la rivière du Serpent se déverse dans le grand lac. Je ne doute pas que les Haudenosaunees soient également arrivés et qu'ils fassent comme nous. Mes hommes, assis par groupes de deux ou trois, se rasent la tête avec des coquillages, huilent leurs cheveux, appliquent de l'ocre sur leur visage, leur poitrine et leurs bras. Sous leurs peintures et leurs bravades, les jeunes sont nerveux. Renard aussi l'a remarqué pendant qu'il me rasait un côté de la tête. « Si ça tourne mal, ils vont y goûter pour la première fois, dit-il. Ça les calmera.

— Tout ira bien, dis-je. Je suis pressé de me débarrasser du Corbeau. » Levant ma main blessée, je me sens soudain l'esprit léger à la pensée de perdre quelque chose dont je n'ai peut-être jamais eu besoin. « Et surtout de la fille. »

Il rit. « J'espère que demain tu ne porteras pas un bandage aussi ridicule autour de ta main. Et à propos du Corbeau, comment comptes-tu faire, exactement ?

— C'est simple. Quand ils demanderont réparation pour ceux que nous avons tués cet hiver, je leur donnerai le Corbeau. Il y a longtemps qu'ils en désirent un. » Je m'interromps pour réfléchir. « Toi et moi, nous dirons aux autres que les Haudenosaunees ont refusé de partir sans le Corbeau et que j'ai donc été obligé de le leur remettre, sinon nous aurions risqué de déclencher une guerre.

— Aux anciens, nous expliquerons qu'on pourra se procurer d'autres Corbeaux. Il n'en manque pas, ajoute Renard. Peut-être que ça marchera. Ou peut-être pas. Nous verrons. » Nous nous regardons.

Je l'encourage : « Dis ce que tu as sur le cœur.

— À ma connaissance, jusqu'à maintenant tu n'avais jamais menti. » Sur ce, il se lève et s'éloigne.

Le moment venu, nous embarquons dans les canoës à la faible lueur de la lune à son déclin pour remonter la rivière jusqu'au lac. Les oiseaux du matin ont commencé à chanter quand, le courant étant trop fort pour que nous puissions continuer, nous abordons le rivage où nous nous dissimulons parmi les broussailles. J'ai envoyé en éclaireurs Renard et quelques hommes qu'il a choisis. Devinant notre présence, les oiseaux se sont tus. Accroupis, nous tendons l'oreille. Nous sommes plus de cinquante disséminés sur les deux rives, et je suis fier de constater combien mes guerriers, ces jeunes sans expérience que j'ai sélectionnés à l'instinct, se montrent silencieux.

J'ignore si les parents de la fille respecteront leur parole. J'ai ôté des vies sans savoir qu'elles étaient si particulières, et cela change tout, mon amour. Tu le sais. Ils m'ont fait la même chose.

Assis sur les talons, à moitié endormi, attentif aux bruits du petit matin, j'entends Renard approcher. Il me sourit, désigne le lac et m'indique avec les doigts le nombre d'ennemis et leur position à l'embouchure de la rivière. Le groupe principal se trouve bien à l'endroit prévu, tandis que d'autres, en nombre moins important, sont déployés le long de chaque rive. Sauf s'ils excellent dans l'art de se cacher, leur parti devrait être deux fois plus petit que le nôtre. Je sais que certains sont perchés dans les arbres ou tapis dans l'herbe épaisse en haut des berges, prêts à intervenir en cas de flambée de violence. Ils ne sont pas différents de nous.

Pour l'instant, nous attendons. Près de moi, Renard, le cerveau jamais au repos, s'efforce de percer du regard la brume qui plane au-dessus de la rivière et du lac, cherchant à repérer ce que le reste d'entre nous ne voit pas. Tandis que mes genoux commencent à lancer leur chant de douleur qui m'aide à garder l'esprit vif, je tâche de revenir dans ma tête à ce jour-là. Je me rappelle que j'ai quitté ma maison un matin, il y a quelques semaines de cela, le Corbeau installé derrière moi dans le canoë qui se demandait s'il allait ou non prendre une pagaie, et qu'une femme à l'esprit un peu dérangé nous a chanté : « Au revoir ! Emportez la sécheresse avec vous ! Au revoir, au revoir, laissez le Corbeau mais ramenez la pluie. » J'ai songé à ses paroles toute la journée. Les déséquilibrés ont si souvent raison. Avant de partir, j'ai voulu voir Petite Oie, espérant qu'elle ferait plus que me préparer pour le voyage, mais depuis que nous avons déplacé le village, elle manifeste une certaine froideur à mon égard.

Le soleil a atteint le point dans le ciel où il ne procure nul avantage à aucun des groupes, et je murmure quelques mots à Renard pour lui demander de demeurer caché, mais de me suivre d'assez près pour surveiller mes arrières. Je me lève lentement et je m'étire en cette belle journée, une journée ensoleillée où la pluie ne tombera pas sur mon village pour nourrir les trois sœurs. Mes genoux craquent. Je ne pourrai plus continuer ainsi pendant beaucoup de saisons. Ce sont des jeux d'hommes jeunes et je suis entouré de ceux qui, bientôt, voudront ce que j'ai à présent.

Je marche vers le rivage en compagnie du Corbeau et de sept hommes, tous soigneusement choisis en fonction de leur âge qui combine sagesse et force. La fille attendra que je l'appelle. En échange du wampum et de la captive, l'ennemi devait épargner ma vie. Je suis impatient de voir leur réaction devant le Corbeau. Quant au wampum, il faudra que j'admette qu'il a été malheureusement perdu. Il ne fait pas de doute que l'ennemi réclamera sept de mes hommes en compensation des sept que nous avons tués en ce jour de l'hiver dernier, ce qui donnera lieu à de chaudes discussions. J'expliquerai simplement que ta mort, ma chère épouse, ainsi que celle de nos filles n'ont jamais été reconnues, et ma voix tremblera de cette colère qui leur fera comprendre combien il y a de dettes invisibles qui n'ont pas été payées. Ils comprendront ou ils ne comprendront pas. Il me reste à espérer que j'ai été plus malin qu'eux et que j'ai assez bien dissimulé mes guerriers sur les berges et dans les arbres. Nous le saurons bientôt.

Nous sommes l'un en face de l'autre. Il est mon égal, un chef, un homme d'un certain âge et d'une certaine importance, et nous sommes de la même taille, de la même stature. Par contre, sa chevelure lui descend jusqu'aux reins, et aussitôt je meurs d'envie de la lui enlever. Je le déteste spontanément. Ce doit être un parent de la fille.

Prenant tout notre temps, tandis que le soleil chasse les dernières vapeurs de brume, nous nous avançons vers eux.

« Je t'ai dit seulement sept hommes ! » crie-t-il.

Je m'arrête, regarde autour de moi en feignant la surprise, puis je réponds : « Mais nous sommes sept.

— Et le bois-charbon qui est avec vous ?

— Oh, lui, dis-je. Je ne l'ai jamais compté comme

un homme. » Derrière moi, mes guerriers éclatent de rire. Je serre mon casse-tête dans ma main valide et je lui souris.

« Pas de mauvais tours ! » aboie-t-il.

Je balaye le paysage de ma massue. « Tu es sur mes terres, dis-je. Il n'y aura pas de mauvais tours. »

Nous nous dévisageons. Oui, il a l'air farouche, ses cheveux étincellent dans le soleil, ses bras sont noueux et musclés après avoir pagayé si loin, et il a les épaules et le torse bien développés. Il est plus jeune que moi. L'ocre sur son visage ne cache pas qu'il n'a pas encore vu et fait tout ce que j'ai moi-même vu et fait. Je m'imagine me jeter sur lui et brandir mon casse-tête avec sa pierre et ses pointes de bois pour lui en fracasser le crâne.

« Dans ce cas, tu ne devrais pas nous infliger la présence de cet animal », déclare-t-il.

Je me tourne vers le Corbeau. « Je pensais te l'offrir en cadeau. » Le Corbeau écarquille les yeux. Il est clair qu'il a compris ce que je viens de dire. Il a accompli des progrès.

« Je ne vois pas ma parente, reprend l'ennemi. Et si tu as permis à ça… (il désigne le Corbeau d'un geste du menton) de l'approcher de si près qu'elle sente son souffle, tu es condamné à mourir.

— Il est inoffensif, dis-je. Parlons plutôt de ce qui nous intéresse. » Je cherche les mots justes. « Il n'y a pas de wampum pour toi. » J'abaisse mon casse-tête. « Nous l'avons perdu au cours du voyage, et je le regrette profondément. »

Je constate à son expression qu'il ne sait pas quoi répondre. Le wampum que nous devions lui donner avait exigé des semaines de travail à nos artisans les plus talenteux qui avaient enfilé nos histoires, nos espoirs, nos souhaits et surtout nos promesses après avoir taillé dans des coquillages étrangers des perles qu'ils avaient ensuite polies à la main et percées pour laisser passer le fil, et chacune d'elles était d'un beau brillant et d'un poids très léger mais d'une valeur inestimable une fois cousue au côté d'autres, de sorte que nos espoirs et notre histoire se fondaient en quelque chose que l'on pouvait tenir, soupeser dans la main, faire circuler et expliquer. Et ce wampum, notre histoire destinée à ceux-là qui sont nos ennemis, nous l'avons perdu. J'en suis l'unique responsable. Fixant cet homme du regard, je réalise que c'est ma faute. J'ai perdu l'histoire de mon peuple, le cadeau pour nos ennemis censé changer le cours des choses. À présent, je sais quel cours elles vont prendre. Entre l'autre chef et moi, ce sera la guerre. Et je sais, maintenant que je lui ai avoué avoir perdu le wampum, qu'un seul de nous deux verra la journée du lendemain.

« Ce n'est pas ce que nous avions convenu », déclare-t-il.

Je voudrais lui dire que s'il devait vivre encore des années, il se rendrait compte que bien des choses qu'il a convenues, qu'il a acceptées comme justes et bonnes lui apparaîtraient soudain différentes. À la place, je dis : « Honte. » À peine ce mot a-t-il franchi le seuil de mes lèvres que je sais où il va nous mener, et nous y mener vite. Je vois à la tension de ses épaules qu'il le sait aussi. De même que ceux qui nous entourent et nous écoutent, et chacun se jauge.

« Amène-moi l'enfant de mon frère, dit le Haude-nosaunee. Tout de suite.

— En temps voulu.

— Tu n'as pas bien saisi, reprend-il. C'est toi qui nous dois quelque chose.

— Non. » Je fais un pas vers lui. « C'est faux. »

Il me considère, persuadé que si je continue à avancer, je suis condamné. Il n'ignore pas que mon peuple ne veut pas la guerre et qu'il s'en prendra à moi si je la déclenche.

Je me tourne vers Grands Arbres, mon guerrier au physique le plus imposant. « Préviens Renard et les autres, dis-je. C'est commencé. » Je pivote pour faire face à mon jeune ennemi dont les yeux s'élargissent lorsqu'il comprend que je ne vais pas respecter les règles. À hauteur de hanche, je balance mon casse-tête qui décrit un arc de cercle et le frappe sous le menton. Sa tête tressaute et il tombe à la renverse. Ses guerriers se précipitent et, en effet, c'est commencé. Les hommes deviennent des chiens qui grognent, aboient et mordent, maniant couteaux et massues. J'entends Renard crier pour appeler les nôtres au combat. Je me dresse au-dessus de leur chef qui se tord de douleur par terre, pendant que leur Renard à eux pousse un hurlement et se rue sur moi, mais le mien bondit, qui lui plonge son poignard dans la poitrine. Les deux hommes roulent sur le sable et les pierres. Renard se met à califourchon sur le guerrier ennemi, arrache le couteau puis en tranche la gorge du mourant.

Le chef gît toujours sur le dos, et ses yeux sont pris de mouvements spasmodiques. Je lève mon casse-tête pour le lui abattre sur le front. Son corps se convulse, et je m'éloigne.

Alors que nos hommes jaillissent le long des berges pour engager le combat, Renard crie pour les prévenir que les archers ennemis s'apprêtent à tirer. Les flèches sifflent, et les guerriers à découvert courent se mettre à l'abri au milieu des arbres. Le Corbeau, penché au-dessus d'un Haudenosaunee agonisant, lui parle tandis que l'homme tend les bras comme pour l'écarter. Le Corbeau passe son doigt sur le front du guerrier.

Après avoir rejoint dans les bois le gros de notre troupe, Renard et moi leur exposons nos plans. Vu leur réaction devant mon geste meurtrier, nous avions sans doute raison de penser que les ennemis étaient en infériorité numérique. J'ai tué leur chef, et ils n'ont pas paru aussi combatifs qu'on aurait pu le croire. Mes hommes ont tué ou blessé tout son parti de guerriers, seuls deux des miens ont été touchés, et à priori ils devraient survivre. Renard et moi divisons nos hommes en groupes de quatre ou cinq que nous envoyons débusquer le reste des ennemis, alors que d'autres partent transmettre nos ordres à nos guerriers demeurés sur la rive opposée. Aujourd'hui, supérieurs en nombre, nous allons les pourchasser. Cela me rendrait presque triste. Il semblerait qu'ils aient sous-estimé notre force, et surtout notre résolution.

Pendant un moment, nous livrons une véritable bataille. Mes archers abattent de loin quelques-uns de leurs guerriers, tandis que la majorité d'entre nous progressent lentement au milieu de la forêt en tâchant de prendre l'ennemi par surprise. Les cris des combats résonnent à travers les bois et, tendus, nous en guettons l'issue. Renard et moi ne nous quittons pratiquement pas. La fille est en sécurité en compagnie de deux braves. Je leur ai ordonné de la tuer si jamais ils étaient attaqués, mais seulement s'ils étaient sûrs que les Haudenosaunees allaient s'emparer d'elle. Passant la main sur le moignon de mon petit doigt, j'ai réalisé que nos liens, à elle et moi, étaient trop forts, trop chargés de sang pour que je puisse laisser l'ennemi me la prendre. Quant au Corbeau, la dernière fois que je l'ai vu, il sautillait au milieu des morts et des blessés comme l'oiseau qu'il est, becquetant le front de ces pauvres hommes et essayant de soutirer quelque chose à ces corps agonisants.

L'après-midi venu, la forêt est calme. Renard me rejoint à l'endroit où un ruisseau se déverse dans le lac, à bonne distance de marche du lieu où j'ai déclenché les hostilités. « Nous avons trouvé leurs canoës, me glisse-t-il à l'oreille.

— Combien ? De quelle taille ? »

Cinq, indique-t-il avec les doigts, puis il explique par gestes qu'il y en a un grand, un moyen, puis trois petits et rapides. Renard en personne a coupé la gorge de la sentinelle censée les protéger. Ceux contre qui nous nous battons ne sont pas idiots, et ils ont au moins autant de canoës ailleurs. Ceux que nous avons repérés peuvent contenir une vingtaine d'hommes. À en juger par les combats d'aujourd'hui, ces cinq-là doivent représenter la moitié de leur flotte.

« Rassemble autant de guerriers que tu peux sans faire de bruit, ensuite nous patienterons », dis-je dans un murmure. Renard sourit puis s'éclipse. Si je ne me trompe pas, nous avons une bonne chance d'en terminer avec eux, ce dont ils sont sûrement conscients. Ils savent que s'ils se risquent de nouveau près de la frontière de notre territoire, ils en subiront les conséquences. Et devant une victoire totale face à un parti de guerre d'une aussi grande valeur, les anciens ne se demanderont plus si je suis ou non un chef digne de crédit. Toutes mes décisions à propos du Corbeau, et surtout celles à propos de la fille, seront, je l'espère, respectées. Il n'empêche que l'idée me démange de faire le contraire de ce qu'on attend de moi. J'imagine leur tête si je revenais avec la fille plutôt qu'avec le Corbeau.

En compagnie d'une poignée de mes hommes qui, tels des chiens de chasse, sont chargés de traquer leurs traînards qui s'aventureraient près de nos canoës, Renard et moi demeurons cachés. Une douzaine d'autres nous ont rejoints, et quelques-uns arrivent un peu plus tard. Je ne les entends pas mais je sens leur présence. On dirait que nous pouvons encore compter sur l'effet de surprise. Les oiseaux chantent dans la forêt en cette fin d'après-midi alors que nous sommes tapis au-dessus du ruisseau sur la berge duquel leurs canoës sont dissimulés au milieu des hautes herbes. Bientôt, au crépuscule, ils se regrouperont pour essayer de nous échapper à la faveur de la nuit. Aussi, nous patientons.

Je m'interroge au sujet de la fille. Je me demande ce qu'elle va faire maintenant que je m'apprête à bouleverser son avenir. Comprenant qu'en tuant son oncle je me la suis attachée par des liens impossibles à rompre, j'ai envie d'éclater de rire. Cette fille qui m'a mutilé, elle est devenue mienne. J'ai agi sans penser aux répercussions à long terme, et changer ainsi le cours des événements de manière irréfléchie, voilà qui est aussi puissant que les rêves. Il faut que je prenne tout cela en considération. Ou bien chercherais-je à m'abuser moi-même ? Réussirais-je à me convaincre que je n'ai pas, dès le départ, désiré voir arriver exactement ce qui est arrivé ? Heureusement, le Corbeau est sans doute mort à l'heure qu'il est.

Les nuages obscurcissent les derniers rayons du soleil et mes paupières s'alourdissent. Il va bientôt pleuvoir. Si j'étais plus jeune, la tension devant l'imminence du combat me rendrait presque fou. Mais j'ai vieilli, mon amour, et j'ai conscience que chaque jour qui passe me rapproche de toi.

Renard me tire de ma rêverie en posant une main sur mon dos. Il a entendu quelque chose. J'ouvre les yeux et, concentrant mon attention, je perçois le bruissement de l'herbe contre une jambe, le crissement des cailloux et du sable sous un pied, le gémissement étouffé qui s'échappe de la bouche d'un blessé. Nous ne nous servirons pas des arcs ce soir. Nous prendrons les couteaux, les casse-tête et les lances. Ainsi, nous les anéantirons.

La nuit est presque tombée et l'ennemi n'est plus qu'ombres. Je sens venir la fraîcheur et la pluie. L'orage s'annonce violent et j'espère qu'il ne durera pas. Dès que nous aurons la certitude que les ennemis se sont regroupés, il nous faudra agir sans perdre de temps afin qu'aucun ne s'échappe.

Dans la lumière déclinante, ils émergent de la

forêt un par un ou deux par deux puis prennent les canoës pour les descendre jusqu'au ruisseau. Nos guerriers sont postés sur les deux berges, et quand je me lèverai pour attaquer, ils m'imiteront tous. Des gouttes glacées s'écrasent soudain sur mon dos nu et je frissonne. Le premier de leurs canoës est à l'eau et les hommes à l'intérieur commencent à pagayer, cependant que les autres, de plus en plus nerveux, débouchent d'entre les arbres par crainte d'avoir trop attendu. Ils doivent être tous là. Le moment est venu.

À l'instant où je me dresse, les nuages crèvent, et dans la pluie battante apparaît un spectacle qui éveille en moi quelque chose ressemblant à de la jalousie. Deux guerriers ennemis poussent vers le ruisseau mon Corbeau ligoté et bâillonné, puis ils le balancent dans leur embarcation comme un ballot de fourrures avant de grimper dedans à leur tour.

Il y a cinq canoës à l'eau. Le premier, le plus grand, a déjà presque atteint le lac, et le dernier où ont pris place les deux guerriers et leur prisonnier est juste devant moi tandis que je dévale la berge, le poignard à la main. La pluie chante sur l'eau, et je saute sur l'homme à l'arrière avant même qu'il s'en rende compte. Un bras autour de son cou, l'autre encerclant sa poitrine, je le soulève et l'entraîne avec moi dans le lit du ruisseau. Le canoë chavire, projetant le Corbeau à l'eau pendant que Renard empoigne le Haudenosaunee qui pagaye à l'avant.

Dans l'obscurité croissante, je n'entends que le tambourinement de la pluie, mais je sais que mes hommes sont en train d'éventrer les ennemis. Prenant une grande inspiration, je m'enfonce dans l'eau avec mon adversaire qui se débat. Après avoir tâtonné de la main droite pour localiser sa nuque, je plonge mon couteau dedans. Il se débat plus fort, et je sens les rubans de sang chaud mêlés à l'eau froide. Plus il lutte, plus le sang jaillit de sa plaie jusqu'à ce que, dans le noir, j'imagine que tout le ruisseau autour de nous est rouge. Sa résistance faiblit et il est saisi de spasmes. Une fois certain qu'il est mort, je remonte à la surface. Renard a déjà fracassé le crâne de son ennemi et, à la lumière d'un éclair, je vois qu'il est prêt à me venir en aide en cas de besoin.

Le canoë renversé flotte un peu plus loin. Il continue à pleuvoir à torrents et des éclairs zèbrent la nuit. Je ne m'inquiète pas pour les autres. Nous avons l'avantage du nombre et mes jeunes guerriers ont soif de gloire, soif de combat. Ce soir, je suis content de ne pas être à la place de notre ennemi.

Nous redressons le canoë, et alors que nous le vidons de l'eau qui s'y est engouffrée, Renard me désigne à la lueur d'un éclair le Corbeau qui, en aval, lutte pour garder la tête hors de l'eau, et dont la bouche, illuminée l'espace d'un instant, est figée sur un cri.

« Tes problèmes sont résolus ! » me crie Renard pour couvrir le grondement de la rivière. Le Corbeau va se noyer, et on ne rejettera pas sur moi la responsabilité de sa mort survenue dans le feu de l'action.

Le canoë dont nous nous sommes emparés est d'excellente qualité. Il a été soit volé soit acheté à un Anishinaabe. Passant la paume sur l'écorce de bouleau, je note combien chaque bande a été soigneusement cousue et enduite de résine pour être bien imperméable. Il est très léger et sûrement très rapide. Là où vivent les Haudenosaunees, il n'y a pas de bouleaux de cette espèce, et ils voyagent dans de mauvais canoës en écorce d'orme qui durent rarement plus d'un été. « Celui-là, il est pour toi ! je crie à Renard. Il est parfaitement adapté à ta taille et à ta force ! » Il a un grand sourire. « Je reste sur la berge, poursuis-je. Va voir où en sont les autres et tiens-moi informé. » Renard acquiesce puis disparaît au milieu d'un rideau de pluie.

Assis sur la berge, encore sous le choc du combat, j'attends que cesse le tremblement de mes mains. Il fait froid, mais un bon feu flambe non loin. Alors que les éclairs continuent à sillonner le ciel, je regarde en direction de l'endroit où j'ai aperçu le Corbeau se débattre. Je ne le vois plus. Il a dû couler.

La curiosité l'emporte et je me lève tout en me disant que je le fais uniquement pour bouger et avoir chaud. Je longe la berge à la recherche du Corbeau. À la lumière d'un nouvel éclair, je distingue sa robe noire gonflée qui ondule dans le courant. Je descends dans la rivière et, de l'eau à hauteur de poitrine, je retourne le Corbeau. Il a l'air mort. Je le tire jusqu'à la rive où je l'allonge sur le dos. J'envisage de couper les liens de cuir qui entravent ses poignets. Je ne sais pas vraiment pourquoi. D'abord, je glisse la main sous sa nuque et je le soulève, de sorte que sa bouche s'ouvre. Je m'agenouille à côté de lui, plaque mes deux paumes sur sa poitrine et appuie. Rien. J'appuie plus fort. Toujours rien. Je me dis que c'est pour m'assurer que ce démon est bien mort. Et je recommence à appuyer. À chaque fois, je pense que s'il revient à la vie, il me prouvera que j'avais raison, qu'il n'est qu'un sorcier, et je lui trancherai la gorge. Puis je songe que si je le sauve, j'arriverai peut-être à contrôler son pouvoir et à me l'approprier.

Alors que je m'apprête à arrêter, il se met à tousser et une gerbe d'eau gicle de sa bouche. Je savais que c'était trop beau pour être vrai. S'étranglant à moitié, il crache encore de l'eau. Il tremble. Il avale des goulées d'air et son corps se réchauffe un peu. Il ne pleut plus et une lune voilée jette une lueur pâle dans laquelle le Corbeau paraît bleu. C'est réellement un démon. Pourtant, tandis qu'il respire mieux et ne suffoque plus, j'éprouve quelque chose comme du soulagement. Qu'est-ce que je viens de faire ? Qu'ai-je fait à mon peuple et à moi-même ?

Je Vous ai vu, Seigneur

Je Vous ai vu, Seigneur, quand je me suis noyé cette nuit-là. Vous êtes descendu vers moi et j'ai senti Votre main qui prenait la mienne. C'est alors que j'ai compris. Je n'ai plus à craindre ces contrées sauvages. Après tout, c'est Vous qui m'avez mené ici, et l'éclair qui a illuminé le ciel était Votre lumière. Je suis un homme changé. Je ne redoute plus rien dans ce monde tourmenté.

Nous avons pagayé pendant de nombreux jours depuis les combats sur la rive du lac, et maintenant que nous avons pénétré en territoire iroquois, les hommes autour de moi sont encore plus vigilants. Les vaincus doivent avoir la vengeance en tête. J'ai administré les derniers sacrements à au moins une douzaine de guerriers de la tribu ennemie. Comme il nous manque quatre hommes dans les canots, j'ai pris les rames en me souvenant des paroles de celui que j'appelle David : si j'accepte de le faire, il faut que je m'y consacre totalement. Cette rude tâche m'occupe l'esprit, et ces dernières nuits, j'ai si bien dormi d'un sommeil sans rêve que même les gémissements des blessés ne m'ont pas réveillé.

Le pays continue néanmoins de me hanter. J'en ai la certitude. Quand je suis arrivé dans cette région, et qu'après m'avoir promis de m'amener sain et sauf chez les Hurons, les Algonquins m'ont abandonné seul sur la rive pour s'enfuir comme des lâches à bord de leurs canots, c'est ici que je me suis terré, que j'ai prié et craint pour ma vie presque une semaine durant. Tandis que nous passons devant, il me semble reconnaître l'île où je me suis caché, celle où j'ai cru ma dernière heure venue. Je Vous ai alors supplié, Seigneur, de faire de moi ce que Vous jugeriez bon, et comme mes maigres provisions étaient épuisées et que ma vue se brouillait déjà, j'ai senti un soir la fumée d'un feu. Je pensais qu'il s'agissait du parti de guerre iroquois qui avait mis en fuite mes compagnons algonquins.

C'est à ce moment-là que j'ai pris ma décision. Mangé par les moustiques, j'ai choisi de mourir en martyr plutôt que de faim. Mon calice dans la main gauche et mon crucifix dans la droite, je me suis dirigé vers leur petit campement, récitant le *Notre Père* en latin d'une voix aussi ferme que possible. Dès qu'ils m'ont aperçu, les hommes se sont mis à crier et à détaler.

J'ai alors constaté qu'ils portaient les cheveux tressés en longues nattes à la manière des Kichesipirinis, lesquels sont les alliés des Hurons, et soulagé, à moitié mort de peur et de faim, j'ai failli m'évanouir. Dans l'état où j'étais, ces Kichesipirinis ont dû me prendre pour un fou ou une espèce de magicien. Toute la soirée, ils ont discuté de mon sort, du moins en suis-je persuadé, car leur langue ne ressemble en rien à celle des Hurons. Ils n'ont pas cessé de parler en me montrant du doigt.

Le lendemain matin, ils m'ont ménagé une place dans l'un de leurs canots et m'ont emmené à leur campement de chasse d'automne où je suis resté jusqu'à ce que, cet hiver, ils me conduisent en raquettes auprès d'Oiseau et de son petit parti de chasse. Bien qu'il se soit écoulé à peine un an depuis, j'ai l'impression, Seigneur, que cela fait une éternité.

Les deux canots partis en éclaireurs reviennent, faisant force de rames. Un nœud à l'estomac, je m'attends à voir surgir, lancés à leur poursuite, tous muscles tendus, les Iroquois avec leurs crânes luisants et leurs visages peints. Mais les hommes autour de moi poussent des exclamations en frappant de leurs pagaies les flancs des embarcations. Les deux canots de tête disparaissent à un coude de la large rivière, tandis que nous nous précipitons derrière eux. C'est seulement au débouché du méandre que je comprends. Je vois la fumée avant de sentir, portée par le vent, une odeur que je n'ai pas sentie depuis longtemps et que je ne peux que décrire comme celle de l'homme chrétien, celle de la civilisation. Tannerie, cabane de boucher, laine, coton et cuir du tailleur, fumier de l'écurie, je respire à pleins poumons tous ces effluves mêlés, et mes yeux se gonflent de larmes à l'idée que je suis de retour dans un endroit que je croyais ne jamais revoir, un îlot d'humanité au sein de ces terres sauvages.

L'Habitation de Québec. La Nouvelle-France. Mon salut est là, qui se dresse sur les berges de la grande rivière. Champlain a bien choisi l'emplacement. Une vue dégagée sur l'eau et la terre, une falaise assez à pic pour décourager les attaques de front, des palissades solides et soigneusement entretenues avec des bâtiments en pierre comme ancrés derrière. Cette enclave de vieux monde dans le nouveau est la première marche, le ventre d'où naîtra la prochaine grande civilisation. Je descends du canot que, dans mon impatience, je suis à deux doigts de faire chavirer.

Les gardes, casqués et cuirassés, me contemplent du haut de l'enceinte fortifiée pendant que je cours vers les portes. Ils sont armés de piques qui étincellent dans le soleil d'après-midi. L'un d'eux se tourne pour appeler. D'autres montent alors les rejoindre et on entend le fracas du métal qui s'entrechoque. Des visages surgissent le long des remparts. Jambes tremblantes, je lève les yeux vers eux. L'air troublé, et même un peu effrayé, les soldats me regardent.

« Allez-vous me laisser entrer ? » finis-je par crier, et ma voix rauque de fatigue, déshabituée de sa propre langue, rompt le charme.

Un jeune soldat, à peine sorti de l'enfance, sursaute et bredouille : « Bien sûr, mon père », et sa tête d'un blond sale disparaît aussitôt. On hurle des ordres, on entend piétiner le sol de terre battue pendant qu'on soulève les madriers pour ouvrir les portes. Mes Hurons sont restés au bord de la rivière à côté de leurs canots, et je me rends compte à quel point le spectacle d'un jésuite solitaire et échevelé débarquant des contrées sauvages a dû déconcerter ces hommes du peuple.

On me conduit à la maison des prêtres. J'ai les

genoux qui flageolent. J'ai tant de choses à raconter ! D'expériences à partager ! Je crains de fondre en larmes avant même de réussir à prononcer un mot. Le jeune soldat blond se couvre le nez et la bouche avec un bout de tissu crasseux, puis il cogne à la lourde porte et s'éclipse en marmonnant des paroles indistinctes. Je me retourne, mais il est déjà loin dans le chemin de terre menant aux palissades.

Rien ne bouge. Personne ne vient. À mon tour, je frappe, d'abord doucement, puis plus fort. J'entends enfin tousser et un bruit de pas traînants. J'ai envie de crier : c'est Christophe, je suis de retour, j'ai des histoires à raconter et le Verbe de Dieu dans mon cœur ! On ouvre et je ne reconnais pas tout de suite le vieil homme qui se tient devant moi, un mouchoir à la main et la peau si parcheminée qu'à la lumière elle paraît presque translucide. Il cligne des paupières et, tandis qu'il me fait signe d'entrer, il est pris d'une quinte de toux qui le plie en deux. Quand il se redresse, le mouchoir imbibé de sang, je le reconnais. C'est Xavier, un prêtre guère plus âgé que moi qui, lorsque je suis parti d'ici, était solide comme un roc. Maintenant il a l'air d'un vieillard à l'article de la mort.

« Je croyais avoir affaire à l'un d'eux », dit-il.

J'attends une explication, mais il se contente de me tourner le dos pour s'enfoncer dans la pénombre. Je le suis.

« D'autres vont arriver dans les jours qui viennent pour me remplacer, reprend-il. C'est la volonté de Dieu. »

Nous nous installons dans l'office où brûle un feu.

173

Enveloppé dans une couverture, Xavier frissonne malgré la chaleur des flammes et de l'été.

« Il y a beaucoup de malades, dit-il.

— Vous devriez être dehors au soleil, au grand air.

— Je ne supporte plus la lumière », répond-il en plaquant une main sur ses yeux, comme si l'idée seule du soleil lui était insoutenable.

Je comprends alors qu'il s'agit d'une épidémie. J'ai envie de me couvrir la bouche, la figure, de quitter cet endroit sur-le-champ, mais où irais-je ? Seigneur, Vous m'ordonnez d'être fort. Pour Vous, je le serai.

« Comment vont les autres ? » Je pense à François, au jeune Joseph, à ceux que j'ai laissés derrière moi.

Il secoue la tête. « La maladie a été terrible. Cet hiver, surtout. Un bateau est arrivé juste avant les glaces, ayant à son bord ceux qui devaient vous rejoindre. » Il se tamponne le nez avec son mouchoir sanguinolent. « Ils l'ont sans doute apportée avec eux. De plus, aucun légume vert de tout l'hiver. La moitié d'entre nous sont malades. Ou morts. »

J'ai écouté en silence. « Il paraît qu'un nouveau bateau doit bientôt venir », dis-je enfin.

Il acquiesce : « Oui, mais s'il n'est pas là avant les glaces, nous sommes tous perdus. »

Je voudrais lui dire que nous ne sommes qu'au cœur de l'été, qu'il reste encore de longues semaines de beau temps, mais je n'oublie pas combien l'hiver arrive vite dans ce pays et qu'un après-midi on peut se mettre à transpirer à la simple idée de mouvement, et le lendemain claquer des dents de froid. Aussi je me contente de dire : « Aujourd'hui est un bon jour. Un jour béni. »

Alors qu'il veut approuver d'un signe de tête, me semble-t-il, il crache du sang dans son mouchoir.

M. de Champlain m'a envoyé un courrier pour me prier ce soir à dîner. Il souhaiterait que certains de mes compagnons hurons se joignent à moi, en particulier celui nommé Oiseau. Il désire connaître le chef guerrier dont la réputation paraît l'avoir précédé. Après que le même pauvre enfant aux yeux bleus qui m'avait accueilli m'a ouvert les lourdes portes, je quitte l'abri des palissades. Étonné de le fasciner autant, je sens son regard rivé sur moi pendant que je descends vers la rivière et le campement des Hurons. Je demande à David où je peux trouver Oiseau. Il hausse les épaules et continue à tailler une branche pour en faire une flèche, je suppose.

Je cherche Oiseau dans tout le camp, interrogeant au passage les guerriers qui me traitent tous avec la même froideur. J'aperçois enfin Renard. Accroupi, il contemple la large rivière qui coule sous ses yeux. En dépit de sa petite taille, il est d'une force incroyable. Je l'ai vu de mes propres yeux tuer avec une rapidité et une agilité inouïes, et face à cet homme qui ne m'arrive même pas à l'épaule, j'ai les mains qui tremblent d'effroi et de révulsion. Pour me calmer, il suffit que je me souvienne de l'éclat et de la chaleur qui, je le sais, m'attendent quand Vous m'appellerez auprès de Vous.

« Pourquoi tes hommes sont-ils ainsi avec moi ? » je lui demande. Les Hurons, je le sais à présent, n'aiment pas les questions aussi directes, celles qui les obligent soit à donner la réponse voulue, soit à garder le silence. Entre eux, ils ne posent jamais de questions de ce genre. Ils estiment que c'est le comble de l'impolitesse. Je sais que les convenances exigeraient que je prenne des gants, que je concocte une phrase du genre : aurais-je fait quelque chose qui t'ait blessé ou offensé, mon cousin ? Mais si je me suis adressé ainsi à Renard, c'est en partie pour tâcher de vaincre la peur qu'il m'inspire. Ces gens-là tournent tout le temps autour du pot, et maintenant, je refuse de jouer à ce jeu-là.

Comme il ne répond pas, je tente une autre approche : « Mon Grand Chef donne un festin ce soir. Oiseau vient. Tu viens aussi. » À ces mots, je perçois un léger changement dans son attitude. Après tout, son orgueil, celui de son peuple, passe avant tout.

« Où a lieu ce festin ? » demande-t-il.

Désignant la colline, je réponds : « À la maison-longue du Grand Chef.

— Je vais en informer Oiseau, dit Renard. Nous viendrons. »

Ces paroles mettent un terme à la conversation. J'aimerais lui préciser à quelle heure, lui expliquer ce qu'il doit en attendre, ce qu'il faut qu'il apporte, comment il devra se comporter, mais les mots me manquent. J'ai beaucoup appris au cours de ces derniers mois, mais j'ai encore bien des lacunes.

À la maison des prêtres, je trouve une soutane neuve qui me va presque et de l'eau chaude pour me laver. En me voyant dans la glace pour la première fois depuis près d'un an, j'éprouve un choc. J'ai le visage si émacié que ma tête ressemble au crâne d'un squelette et quand, après m'être déshabillé, je verse de l'eau sur moi et je me regarde, j'ai l'impression d'être un cadavre. Pendant le peu de temps que je passerai en Nouvelle-France, il me faudra régénérer mon corps aussi bien que mon âme. À cause d'une alimentation inappropriée, j'imagine, j'ai perdu beaucoup de cheveux, et ceux qui me restent, formant une couronne, sont longs et emmêlés. J'ai une allure bizarre, et je comprends pourquoi les soldats ont eu cet air interdit devant mon apparition. Si j'étais vaniteux, j'aurais honte, mais je sais que la vanité n'a pas sa place dans ces régions reculées. Je la laisse aux Sauvages. À l'aide d'une paire de ciseaux, je taille ma barbe hirsute en une espèce de bouc en pointe. Je m'examine dans la glace et mes yeux, Seigneur, brûlent encore de Votre flamme. Vêtu d'une chemise de coton propre sous ma soutane, je me sens déjà redevenu humain et chrétien.

Xavier est impressionné à l'idée que j'aille dîner avec Champlain. « Il a de la sympathie pour nous, les jésuites », dit-il. Nous sommes dans la chapelle où nous venons d'entendre les autres en confession. « Il a compris que notre rôle dans ce pays était vital pour ses propres intérêts.

— Les nôtres ne sont-ils pas les mêmes ? »

Xavier veut me répondre, mais une quinte de toux l'en empêche. Posant la main sur son dos maigre, je perçois la chaleur que son corps dégage. Après avoir repris son souffle, il me dit : « Vous êtes bien naïf.

Champlain ne pense qu'à conquérir ce territoire, et à envoyer au diable les Hollandais et les Anglais. »

Le père se trompe. La maladie a affecté son cerveau. « Et nous, qu'à conquérir les âmes. La brutalité de l'homme doit parfois se manifester pour que nous comprenions ce qui est en jeu.

— Voilà qui est parler en vrai croyant », dit Xavier.

Je voudrais lui expliquer que ce dont j'ai été témoin au cours de cette année m'a appris que la vie n'était là que pour nous préparer à celle après la mort. Je le regarde et, me rendant compte qu'il n'est déjà presque plus de ce monde, je me tais.

« Allez, maintenant, me dit Xavier. Ne faites pas attendre un homme comme le gouverneur Champlain. »

Je n'ai jamais vu pareille tablée. Champlain préside, les cheveux longs soigneusement coiffés, les épaules drapées de son plus beau manteau de fourrure malgré la chaleur, et ses médaillons d'or autour du cou. On dirait un roi. En dépit de son allure majestueuse, je dois avouer qu'il est bouffi, pâle et qu'il semble bien fragile. Je réalise cependant que ce n'est pas de consomption qu'il souffre comme les autres, mais d'une maladie touchant ceux qui ne veulent pas admettre qu'ils vont mourir bientôt. Ils ne l'ignorent cependant pas, de sorte qu'ils hurlent comme des chiens. Champlain gagnera Votre royaume, Seigneur, avant la fin de l'année. Et que deviendra alors cette mission désespérée sans son noble chef ?

Il fait néanmoins encore bonne figure tandis qu'il accueille ses invités d'une voix forte. Son confesseur, le père Lalemant, est assis à sa gauche, et derrière eux se tiennent des gardes en plastron de cuir, armés pour la plupart de piques, et deux d'entre eux d'un mousquet qu'ils portent au côté, sans doute pour impressionner les Hurons et les dissuader de se livrer à quelque violence. Ayant vu ces Sauvages à l'œuvre, je sais que les gardes n'auraient pas le temps d'armer leur mousquet que leur gorge serait déjà tranchée ou leur tête fracassée.

Autour de la grande table en bois patinée par le temps sont installées douze personnes, en majorité des hommes d'Oiseau. Il a fallu en ajouter une autre, plus petite, pour asseoir quatre convives supplémentaires. Notre gouverneur connaît ces gens et leurs coutumes, après tout, et il sait que les inviter à un festin et devoir en refouler quelques-uns constituerait la plus grave des offenses. Pour les Hurons, il est aussi proche d'un chef qu'un Européen puisse l'être. Pendant sa jeunesse, il a vécu de courtes périodes avec eux, et il a combattu et tué des Iroquois à leurs côtés. Il a pris fait et cause pour les Hurons, car il a conscience que ce sont d'excellents hommes d'affaires. Il parle même un peu leur langue.

Je suis assis à quatre sièges de lui, une place réservée aux gens de moindre importance, mais qui lui permet encore de me poser directement des questions. Oiseau est à côté de lui, à sa droite. Comme les autres, il a ses habits de cérémonie, le visage peint de bandes de teintes vives. Certains ont opté pour le jaune, certains pour le rouge ou le noir. D'aucuns ont préféré utiliser plusieurs couleurs ou ont ajouté de l'ocre sur leurs lèvres ou sous leurs yeux, ce qui produit un effet à la fois magnifique et effrayant. Les cheveux noirs de ces guerriers, coupés et coiffés de manière très élaborée, brillent dans la lumière du début de soirée qui se déverse par les fenêtres. Champlain paraît heureux, parfaitement à l'aise.

Il lève son verre de cristal qui jette mille feux à l'exemple d'un diamant. Il a dû choisir cette place en fonction de l'angle des rayons du soleil. Oiseau contemple, émerveillé, l'arc-en-ciel de couleurs qui traverse le cristal, et son éclat l'oblige à plisser les yeux. Son visage baigne dans des nuances de vert, de jaune et de rouge qui dansent sur sa peau. Quelques-uns de ses guerriers étouffent un cri. Champlain sourit, fait tourner sa coupe. Je constate qu'elle est vide.

Un instant plus tard, le gouverneur demande au père Lalemant de prier pour le salut de notre âme. Les deux hommes se lèvent et je les imite. Dans le long silence gêné qui suit, les Sauvages se regardent jusqu'à ce que cessent le bruit des chaises et le tintement des couverts. Pendant que le père Lalemant entame sa prière en latin, je vois que les Indiens l'observent. Je me tourne vers Oiseau. Il a les yeux rivés sur moi. Je baisse la tête et ferme les paupières.

Quand le père a terminé, nous nous signons. Seuls deux ou trois jeunes guerriers essaient de faire comme nous. Je m'apprête à me rasseoir lorsque Oiseau tend les bras vers Champlain et lance un cri ressemblant à celui du faucon, aigu, obsédant, si fort que les soldats sursautent et empoignent leurs armes. Champlain affiche un large sourire.

« Tu es venu à nous, commence Oiseau dans sa langue, la tête haute, s'adressant au gouverneur. Tu

180

es venu à nous et nous sommes venus à toi. Nous sommes venus avec des cadeaux et nous sommes venus avec des fourrures de nos animaux, tout cela dans notre désir de faire une grande famille avec toi. » Il s'interrompt et attend que le père Lalemant se penche vers Champlain pour traduire ce que celui-ci n'a pas bien compris. « Je suis venu à toi, reprend-il, ouvrant grand les bras. Nous sommes venus à toi porteurs d'un message de nos anciens. Nos anciens souhaitent que tu fasses partie de notre famille, que tu nous aides à régler nos différends avec les Haude-nosaunees, que tu acceptes nos fourrures en échange de tes armes. » Il s'interrompt de nouveau, regarde les hommes autour de lui. « Nous voulons que vous soyez nos frères, nous voulons que vous nous rejoi-gniez et que vous formiez un grand village avec nous, un village assez puissant pour résister aux attaques de notre ennemi commun. Et ce jour-là, notez-le bien, approche plus vite que vous ne le croyez. »

Il se tait pour permettre à Lalemant de traduire. Une vague de plaisir déferle sur moi, car je m'aper-çois que presque rien ne m'a échappé.

Champlain se met debout et, le front perlé de sueur, rajuste son long manteau de fourrure. Oiseau s'assoit pour l'écouter. « Je t'ai entendu, mon frère, dit le gouverneur, englobant d'un geste le chef huron et ses hommes. Car nous sommes bien frères, n'est-ce pas ? » Il attend que Lalemant traduise à l'intention des guerriers, lesquels acquiescent d'un « Ah-ho ! » retentissant.

« Nous avons des amis communs, poursuit Cham-plain. Et nous avons des problèmes communs. Les

Hollandais au sud ne s'intéressent pas à vous et les Anglais seraient ravis que vous soyez rayés de la surface de la terre. » Lalemant traduit. Je songe qu'il est vraiment doué, et qu'un jour je le serai autant que lui. « Mais nous, les Français, nous avons montré que nous étions plus forts qu'eux. La preuve en est que nous sommes toujours ici malgré les efforts des Anglais pour nous en chasser et nous couper de vous que nous aimons. » Après que le père a fini de traduire, il se rassoit pour laisser Oiseau répondre.

« Les Anglais et les Hollandais ont donné des armes à notre ennemi commun, et ces armes ont causé à nos corps une grande peur. Si notre nation, les Wendats, ne fait qu'un seul corps, alors les armes que les Haudenosaunees ont reçues de leurs amis venus de l'autre côté de la mer ont effrayé le centre, le cœur de notre grand corps. » Oiseau marque une pause avant de prononcer les mots que nous sentions tous venir : « Vous êtes nos frères et nous vous demandons de nous faire cadeau de ceci. » Il désigne le mousquet porté par un soldat debout derrière Champlain. « Pour vaincre notre ennemi commun, nous devons le combattre à armes égales. »

Lalemant s'apprête à traduire, mais Champlain l'arrête d'un geste. Il se lève de nouveau et prend le mousquet. Le soldat a l'air abasourdi. Tenant l'arme des deux mains, le gouverneur s'avance vers Oiseau. « Tu es un grand guerrier, dit-il en lui présentant le mousquet. Je vois que tu portes les traces de rudes batailles. » Il indique la main mutilée du Huron. « Et les grands guerriers ont besoin de grandes armes. Aussi, moi qui suis ton frère et ton ami, je te donne celle-ci. Demain, mon plus grand guerrier te montrera comment t'en servir. » Il regagne alors sa place. Oiseau reste debout, le mousquet entre les mains. Il le contemple, regarde ses hommes, baisse de nouveau les yeux sur l'arme au long canon. Les Hurons échangent des paroles à voix basse, et j'entends celui que j'ai appelé David demander à Renard quand ils pourront en avoir un, eux aussi.

« Et maintenant, mangeons », annonce Champlain en tapant dans ses mains. Les serviteurs apportent alors des plats d'agneau et de bœuf, des poulets, des oies et des canards rôtis ainsi qu'une grande marmite de matelote de poissons. Il y a aussi des miches de pain encore fumantes, de même que des tas de légumes frais. Le gouverneur n'a pas lésiné ni hésité à piocher dans ses magasins. Il sait combien cette alliance est importante et combien il est nécessaire de la renforcer par un festin, afin de semer les graines qui ne manqueront pas de s'épanouir, car la nourriture est une chose que les Sauvages, dans leur simplicité, comprennent très bien. Les serviteurs ont si peur que leurs mains tremblent pendant qu'ils posent des monceaux d'aliments devant les guerriers affamés.

Un jeune Huron s'empare d'une cuisse de canard qu'il commence à manger avant d'être réprimandé par un guerrier plus âgé assis à côté de lui. Le jeune, les lèvres luisantes de graisse, repose la cuisse sur son assiette avec l'expression d'un enfant pris en faute. Les yeux de tous les guerriers sont fixés sur Champlain dans l'attente de voir ce qu'il va faire. Le gouverneur prend sa serviette et la rentre dans son col. Les autres essaient de l'imiter. Ceux qui portent leur plastron y parviennent plus ou moins, mais la plupart sont torse nu, si bien que la serviette glisse sur eux. Champlain saisit ensuite sa fourchette de la main gauche et son couteau de la droite. Tous les guerriers font comme lui. Plantant sa fourchette dans une grosse tranche de bœuf, le gouverneur en coupe délicatement un menu morceau. Les couverts tintent sur la porcelaine tandis que les Sauvages tentent de réaliser à leur tour ce petit exploit. Le gouverneur porte à sa bouche le morceau de viande qu'il entreprend de mâcher lentement tout en le savourant. Les autres veulent le singer, mais certains n'arrivent pas à faire tenir la viande sur leur fourchette, et d'autres coupent de si gros morceaux qu'ils ne réussissent même pas à les enfourner.

Le spectacle se prolonge quelques minutes pendant lesquelles les guerriers se battent avec la nourriture et les serviettes en murmurant, en proie à un sentiment de frustration. Aucun d'entre eux n'ose manger comme ils le font d'habitude, à savoir vite et avec les mains.

Au bout d'un moment, Champlain lève les yeux et sourit. « Nous sommes tous frères, n'est-ce pas ? dit-il. Alors, mangeons comme des frères. » Il repose sa fourchette et son couteau, prend un pilon d'oie et mord dedans sans façon. Je m'imagine presque entendre les Hurons pousser un soupir de soulagement tandis qu'ils se jettent sur les victuailles et liquident leurs assiettes avant de faire signe aux serviteurs débordés de les remplir. Je promène mon regard autour de moi, incapable de me souvenir de ce que je ressentais là-bas dans les terres sauvages, si lointaines et pourtant si proches, là, à quelques pas au-delà des palissades. Mon Dieu, pourrais-je jamais y retourner ? Non, je ne crois pas.

Seul Oiseau ne festoie pas. De sa main amputée du petit doigt, il tient le mousquet par le canon, la crosse plantée par terre à ses pieds. Fasciné, il ne quitte pas l'arme du regard. Le père Lalemant aussi a remarqué son attitude. Il se penche vers Champlain. « Avec tout votre respect, il me semble que vous avez mal compris ce que leur chef vous demandait », dit-il.

Champlain fait signe à un serviteur d'apporter du vin. « Vous me sous-estimez, je pense. » Il repose son pilon et reprend à l'intention de Lalemant. « Je suis persuadé, en effet, que le nommé Oiseau apprécierait de recevoir plus d'un mousquet. » Le serviteur revient et remplit le gobelet du gouverneur, puis celui du prêtre. Il s'apprête à me servir, mais je couvre mon verre de ma main. L'homme s'éloigne, mais Champlain le rappelle d'un ton bourru. « Et le reste de nos invités ? »

Lalemant fronce les sourcils. « Vous êtes sûr que c'est une bonne idée ? Ces Sauvages ne tiennent pas l'alcool.

— Ni plus ni moins que les paysans qui ont bâti cette Habitation de leurs propres mains calleuses », dit Champlain. D'un geste, il demande au serviteur de remplir les verres des guerriers, puis il enchaîne : « Pour ce qui est des armes, aujourd'hui, je n'en ai donné qu'une, et j'en donnerai peut-être encore une ou deux l'an prochain. Les Anglais sont fous de distribuer avec autant d'insouciance des cadeaux aussi dangereux. Vous verrez : leurs alliés, les Iroquois, dès

185

qu'ils auront le pouvoir de le faire, se retourneront contre leurs amis. » Dévisageant Lalemant, il crache ce dernier mot avant de se tourner brusquement vers moi, me prenant par surprise. Toute la soirée, j'ai eu l'impression d'être invisible. Sous le regard de Champlain, je baisse les yeux sur mes mains croisées sur mes genoux. « Pour nous, Français, afin de comprendre ce vaste continent et toutes ses richesses – et j'inclus celle des âmes, mes révérends pères –, il nous faut comprendre le rôle que joue la Confédération des Hurons. Ce sont manifestement eux qui contrôlent le commerce dans ce territoire sauvage, et c'est pourquoi il est impératif que nous les contrôlions. » Son regard demeure rivé sur moi. « Et c'est là que vous intervenez, mes chers amis. Il vous incombe de les amener à Notre-Seigneur Jésus-Christ. Et nous laisserons ensuite Jésus-Christ les amener à nous. » Il frappe dans ses mains et se met debout. « Écoutez attentivement, Lalemant, et traduisez toutes mes paroles. »

Champlain lève haut son verre de vin et commence : « Cette boisson est de la couleur du sang. C'est le sang de notre Dieu. Et ceux-ci… (il désigne d'abord le père Lalemant et ensuite moi)… sont nos pères. Et ce sont les fils de notre Dieu. Nous aimons plus nos pères que nous n'aimons nos enfants ou que nous ne nous aimons nous-mêmes. En France, nos pères jouissent d'une grande estime. Ce n'est ni la faim ni le besoin qui les ont conduits dans ce pays. Ils ne désirent ni vos terres ni vos fourrures. Et si, comme vous l'affirmez, vous aimez les Français, vous devez aimer ces pères. Honorez-les et ils vous montreront le chemin qui mène au Ciel. »

Sur ce, Champlain boit une longue gorgée, imité par les autres qui font la grimace, car ils doivent trouver le vin très amer. Certains, cependant, vident leur verre. Le père Lalemant traduit fidèlement le discours du gouverneur, et dès qu'il a terminé, les Sauvages s'écrient d'une seule voix : « Ah-ho ! Ah-ho ! » Champlain sourit et déclare : « Bientôt un de nos grands canots arrivera, et si vous êtes prêts à attendre, vous constaterez qu'il est chargé de cadeaux que vous pourrez emporter chez vous pour les distribuer à vos femmes, vos frères, vos oncles, vos tantes et vos enfants. » Il s'interrompt pour laisser Lalemant traduire. Les Sauvages sourient à leur tour en hochant la tête. Je me rends compte que le vin produit déjà son effet sur certains d'entre eux.

« Mais le plus beau cadeau que notre grand canot vous apportera, c'est plusieurs autres de nos pères. » Champlain marque une nouvelle pause. « Nos pères ont quitté ceux qu'ils aiment et une existence confortable pour venir vous délivrer d'importants messages. C'est pourquoi je vous demande de les ramener avec vous pour qu'ils puissent vous transmettre à vous, et surtout à vos enfants, leur savoir si considérable et si nécessaire. » Quand Lalemant a fini de traduire, le serviteur remplit de nouveau les verres. J'observe ces hommes qui connaissent l'ivresse pour la première fois de leur vie. Certains ont les yeux dans le vide, d'autres parlent entre eux avec animation sans plus se soucier de l'étiquette, et quelques-uns, dont Oiseau, restent silencieux, le visage de marbre.

Une heure plus tard, je me sens honteux et gêné pour mes Sauvages, et davantage encore pour mes compatriotes qui leur ont donné ce poison à boire. Les Hurons font circuler une longue pipe, et ils fument en se lançant dans des discours, l'élocution de plus en plus pâteuse, tandis qu'Oiseau contemple la scène, l'expression toujours aussi indéchiffrable. Il n'a pas lâché le mousquet qu'il tient par le canon. La pipe arrive à Champlain qui tire une bouffée d'un air pensif avant de la passer à son voisin. Un autre Sauvage se lève et, agitant les bras, entame un laïus d'une voix si indistincte que je n'en saisis pratiquement pas un mot.

Champlain finit par s'éclipser sans que personne le remarque sinon Oiseau. Dehors, on a allumé un grand feu vers lequel, pareils à des papillons de nuit, les Sauvages sont attirés. Un à un, ils quittent la salle jusqu'à ce qu'il ne reste plus que les os qui jonchent la table et le sol.

Laissant les chandelles brûler, je vais à la fenêtre regarder en bas les hommes danser et chanter autour du feu. La plupart titubent, alors que d'autres vont s'écrouler un peu plus loin. Les chants, les hurlements, les cris d'angoisse, les faces spectrales, peintes et contorsionnées, éclairées par la lueur tremblotante des flammes me rappellent quelque chose que j'ai déjà vu dans mon pays. Un tableau, peut-être ? Ou une gravure sur bois aperçue en Bretagne pendant mon enfance ?

J'entends derrière moi le raclement d'une chaise. Me retournant pour scruter la pénombre, je distingue une silhouette dans un coin, les épaules voûtées, qui semble être celle d'un vieil homme. Sa voix jaillit des ténèbres, juste assez forte pour couvrir le bruit des chants et des cris qui s'élèvent d'en bas : « Ce soir, le monde a changé. Ce soir, le monde a changé à jamais. »

Je reconnais alors la voix. C'est celle d'Oiseau.

Le « bois brillant »

Oiseau ne s'occupe plus de moi. Je peux me promener à ma guise, mais je ne m'éloigne pas trop du campement et de la rivière, car ma main me fait terriblement mal. J'ai pris l'habitude de la plonger dans l'eau froide pour soulager un peu la douleur. Accroupie sur une pierre plate, j'agite les doigts sous la surface transparente et, parfois, j'ai l'impression d'en avoir toujours cinq. Les guerriers ont tendance à m'éviter. On raconte que je suis une sorcière. Qu'ils pensent ce qu'ils veulent ! J'ai l'intention de rester ici avec les hommes velus venus d'un autre monde, et ainsi je pourrai retrouver le chemin qui me ramènera à ma famille. Aujourd'hui, quand je desserre le poing, un filet de sang serpente dans l'eau rougie. La plaie s'obstine à ne pas guérir.

Comme aucun d'eux ne tient à m'approcher, je soigne moi-même chaque jour ma blessure ; j'entoure le moignon de mon petit doigt avec de la mousse maintenue par une lanière de peau de cerf. Le Corbeau me cherche souvent, mais je me débrouille pour me cacher. Là, pourtant, la douleur est si intense que je me décide à aller réclamer son aide. Ce matin, en nettoyant la plaie, j'ai constaté qu'elle pleurait du jaune, et j'ai eu peur.

Hier, sachant qu'Oiseau n'était pas loin, j'ai gémi très fort pour attirer son attention, mais il n'est plus le même. Il se promène avec ce que l'un des guerriers appelle le bâton-tonnerre en parlant tout seul. On dirait qu'il porte un lourd fardeau. Il est peut-être possédé par quelque chose, un oki de la rivière au-dessus duquel nous serions passés en canoë ou un oki de la forêt.

Effectuant le tour de cet étrange village, j'essaie de repérer une ouverture, une brèche dans les palissades assez large pour me permettre de me glisser à l'intérieur. Elles sont solidement construites et leurs guerriers aux visages effrayants sous leurs coiffes étincelantes surveillent d'en haut. Je n'ai pas d'autre choix que de me présenter à la grande porte pour voir s'ils me laisseront entrer. Un homme immense au visage si couvert de poils qu'il ressemble à un ours se tient là, une longue lance au poing. Ses yeux brillent au milieu du noir de son visage et je n'aime pas du tout son expression. Sous sa barbe, il a les lèvres roses. Il n'arrête pas de me fixer du regard. Berçant ma main blessée, je montre la porte, puis je lève les yeux vers lui. Il lèche ses épaisses lèvres roses et me fait signe de passer.

Je m'empresse de franchir le seuil, puis je longe les palissades. En restant dans l'ombre, attentive, je finirai par trouver le Corbeau. Une cinquantaine ou une centaine de pas plus loin, j'arrive à une espèce de vaste construction en bois qui m'évoque un énorme piège à attraper les lynx. Je colle mon oreille contre la paroi, mais je n'entends rien. Jetant un coup d'œil à l'intérieur, je vois qu'il s'agit d'une sorte de pièce sombre, peut-être un endroit où les guerriers qui font le guet viennent se reposer du soleil. Mon regard s'habituant à la pénombre, je repère une table tout au fond sur laquelle il me semble que s'empile de la nourriture. Mon estomac gronde. Je m'avance d'un pas. La stridulation des sauterelles emplit mes oreilles. Je fais un pas de plus. Prudemment. Puis un autre. Je jette un regard par-dessus mon épaule, mais le soleil m'éblouit et je dois fermer les yeux. Un grattement s'élève d'un coin de la pièce. Je me fige sur place, puis je me tourne vers l'origine du bruit. Une souris détale. Il y a des pommes sauvages sur la table. Je m'imagine déjà mordre dans la chair froide, et je frissonne à cette idée. Je vais en prendre une ou deux, et personne n'en saura rien.

Me précipitant, je saisis une pomme dans chaque main. Au moment où je pivote pour partir en courant, la lumière se déversant par la porte ouverte s'obscurcit et je sens une odeur aigre. Une silhouette éclairée à contre-jour me bloque le passage. Je distingue d'abord les jambes, puis le torse large et enfin un visage poilu, celui de l'homme-ours.

Je me demande si je vais réussir à sortir, peut-être en feignant de vouloir passer d'un côté, puis en filant par l'autre. Il dit quelque chose que je ne comprends pas. Je le regarde. Je n'ose plus bouger. Il répète les mêmes mots et, cette fois, me fait signe de venir. Indécise, je m'approche et je lui tends les pommes. Sa tête est de la taille d'un rocher. Il a les jambes écartées. Je l'entends se lécher de nouveau les lèvres et, quand j'arrive près de lui, je me doute qu'il me veut du mal. Je le vois dans ses yeux, et il pue tellement que je suffoque.

« Je m'excuse d'avoir pris ça, dis-je, sachant cependant qu'il ne comprend pas. Mais j'avais faim. » Je lève haut la pomme que je tiens dans ma bonne main et la lui jette à la figure de toutes mes forces avant de bondir. Il pousse un grognement et détourne la pomme avec son bras au moment où je plonge entre ses jambes. Le soleil et la poussière me brûlent les yeux et, alors que je me mets à courir, il me rattrape par les cheveux et m'attire dans le noir de la pièce. Je crie parce que je sais qu'il va me tuer. Je crie et je hurle jusqu'à ce qu'il plaque sa lourde main sur ma bouche.

J'ai un goût de sang dans la gorge et l'homme monstrueux me jette sur la table, étouffant mes cris. J'écrase sous moi les pommes qui me rentrent dans le dos et les côtes. Je n'arrive plus à respirer. De sa main libre, il entreprend de m'arracher ma robe, puis il passe la paume sur ma poitrine, si rudement que j'ai l'impression qu'il veut m'écorcher. De mon poing intact, je parviens à le frapper sur l'oreille. Il retire sa main de ma bouche et me gifle, puis il presse son visage contre le mien et, haletante, sentant sur moi son haleine fétide et sa salive, je suis prise de nausées. Il m'écarte les jambes, tente d'introduire un doigt en moi. Il décolle sa figure de la mienne puis gémit. Alors je pousse de nouveau un cri, si fort que je crois qu'il va fendre le plafond et laisser le soleil entrer pour me libérer.

Il se relève afin de se débarrasser de ses jambières,

puis il crache dans sa paume avant de revenir se presser contre moi. Je distribue des coups de pied et je me débats pour l'empêcher de me toucher là. Je hurle, mais cette fois, je m'étrangle. Il plaque de nouveau sa main sur ma bouche et mon nez. Il pousse et sa chaleur me cuit entre les jambes. Je ne peux plus respirer. Je veux respirer. Je ne peux pas. La faible clarté de la pièce s'éteint avant d'exploser en un éclair blanc si violent que je dois fermer les yeux, et au même instant, se protégeant lui aussi de la lumière, l'ours prend un air effrayé.

Lorsque je rouvre les paupières, je ne sens plus le poids du soldat sur moi. J'avale une goulée d'air, puis je veux me redresser, mais je n'y arrive pas. Je tends le cou. La porte du piège est grande ouverte et le Corbeau, efflanqué, tremblant de toute sa haute taille, se tient sur le seuil. Il crie au point que son corps entier en frémit, mais je n'entends que les vibrations qui me déchirent les tympans. Celui qui m'a assaillie est debout à côté de la table, la tête baissée et les mains cachant le bas de son ventre tandis que le Corbeau s'approche. Il lui donne des claques et chaque fois qu'il hurle quelque chose à l'homme-ours, je jure que je vois le Corbeau se hérisser et se gonfler davantage. L'ours tombe à genoux et le Corbeau se campe au-dessus de lui. Maintenant, sa voix me parvient qui sonne d'abord creux, puis de plus en plus puissante à mesure qu'il gifle l'ours et que celui-ci se recroqueville.

D'autres soldats envahissent la pièce. Certains lancent un coup d'œil dans ma direction, d'autres s'arrêtent sur le seuil, tâchant de comprendre ce que dit le Corbeau. Deux hommes empoignent l'ours par les bras et le relèvent brutalement pour le conduire dehors. Il ne m'a pas regardée.

Le Corbeau vient vers moi, mains tendues. Il prend ma robe pour m'en recouvrir. Je reste étendue là, immobile, ainsi que je l'ai fait l'hiver dernier, désirant que tous ces hommes me croient transformée en glace ou morte et qu'ils me laissent à jamais tranquille. Je brûle là, en bas, et je glisse la main sous ma robe pour toucher, puis j'examine mes doigts. Il n'y a pas de sang. Il ne m'a pas pris ce que je craignais. Le Corbeau m'offre sa main pour m'aider à me relever, et je bondis, vive comme une hase, et je sors en courant pour rejoindre mon peuple et la rivière.

Après qu'Oiseau a appris ce qui était arrivé, je me cache. Sans savoir pourquoi, j'ai le sentiment d'en être responsable. Je passe le reste de l'après-midi dissimulée sous les fougères, couchée sur un lit de mousse dans un demi-sommeil d'où me tirent de temps en temps le léger bruit de pas des guerriers qui me cherchent ou le bourdonnement des moustiques. Lorsque le soir tombe et que les ombres commencent à s'allonger, j'ai trop peur pour demeurer là, et je m'approche furtivement d'un grand feu sur la berge. Tapie dans l'obscurité, j'entends Oiseau demander quel dédommagement ils doivent réclamer pour une offense aussi grave. La mort, répondent les guerriers les plus furieux.

« Dans ce cas, qu'allons-nous faire ? interroge Renard. Exiger de leur chef qu'il nous remette le coupable ? »

Une douzaine de guerriers crient leur approbation.

Oiseau lève la main : « Puisqu'il se dit notre ami, notre frère… (ce dernier mot, il le crache presque)… fournissons-lui l'occasion de le prouver. »

Les guerriers manifestent leur désaccord. Ils veulent du sang, je le perçois dans leurs voix.

« Écoutez-moi, reprend Oiseau, levant plus haut la main. Leur grand chef a une chance de montrer qu'il nous comprend, qu'il comprend nos coutumes. Attendons et voyons ce qu'il décidera. Voyons quel dédommagement il proposera. » Il s'interrompt et baisse la tête avant de regarder les hommes rassemblés autour de lui. « Nous jugerons alors s'il est vraiment notre frère. »

Nombre de guerriers acquiescent, mais la plupart ne sont visiblement pas contents.

« Et si nous estimons tous que le dédommagement est juste, nous aurons évité un conflit. » Oiseau marque une nouvelle pause. « Mais si nous estimons tous qu'il ne l'est pas, je demanderai plus. » Les hommes se taisent, et je sais ce qu'il en est. Oiseau ne leur a pas trop laissé le choix. Il a veillé à ce que, sous le coup de la colère, ils ne décident pas d'agir seuls et de se venger ce soir. Cet homme qui t'a tué, mon père, il te ressemble tant.

L'homme-ours est attaché, torse nu, à un grand morceau de bois qui lui barre la poitrine. Il a les bras si écartés qu'il ne peut que souffrir. Des soldats tapent sur des tambours avec des baguettes à un rythme rapide, et leur chef prononce des paroles que je ne comprends pas. Il transpire sous son col de fourrure et il a l'air très malade, comme s'il ne devait pas voir le printemps prochain en cas d'hiver trop rude. Un homme s'avance, qui porte une lanière de cuir se divisant à son extrémité en plusieurs autres, chacune terminée par un petit bout de métal coupant qui étincelle. Oiseau a demandé à tous les Wendats arrivés en canoës de venir. Il ne voulait pas que je sois là, si près de cet homme, si près que je distingue l'épaisse toison qui couvre son dos. Mais je ne pouvais pas supporter l'idée de rester seule au bord de la rivière. Accroupie entre les jambes des guerriers, je vois l'homme lever haut la lanière et la faire claquer.

L'ours rugit chaque fois que le métal brille dans le soleil. Sa toison devient de plus en plus foncée, et le sang coule de ses épaules. Celui qui le frappe sue et grogne à chaque coup, et les rugissements de l'ours se transforment en hurlements. J'observe ses pareils. Certains regardent, bouche bée. D'autres détournent la tête. L'homme à la lanière finit par arrêter de frapper. L'ours s'écroule et je l'entends sangloter. Les guerriers autour de moi marmonnent et piétinent sur place, gênés devant le spectacle de cet homme et de sa faiblesse. L'ours crie quelque chose, et ceux qui comprennent échangent des regards et des murmures. Leur chef lève la main, et le soldat à la lanière recommence à frapper. L'ours pousse de nouveaux hurlements et les Wendats autour de moi secouent la tête tandis que le dos de l'ours n'est plus qu'une masse de chair sanguinolente.

L'homme continue ainsi à abattre sa lanière de cuir jusqu'à ce que l'ours cesse de crier. Le chef lève encore la main, et les coups repartent. Maintenant, l'ours ne bouge plus, même quand le métal lui lacère la peau des jambes. À côté de moi, un guerrier souffle à son voisin qu'il lui paraît injuste qu'on ne ranime pas l'ours manifestement parti dans un autre monde. « À quoi bon le torturer ainsi, demande-t-il, s'il n'est pas là pour réaliser ce qui se passe ? »

Quand le soleil est assez bas dans le ciel pour éclairer les palissades qui projettent sur nous l'ombre allongée de leurs pieux, le Corbeau fend la foule pour se diriger vers l'homme à la lanière qui frappe maintenant sans grande conviction. Le mouvement a réveillé les spectateurs qui semblaient se lasser, et certains crient même ce qui sonne comme des paroles d'encouragement. Nos guerriers aussi, tirés de leur assoupissement, dressent la tête pour voir ce qui va arriver. Le soldat à la lanière paraît troublé, et mon Corbeau parle à son chef, mais dans le bruit je n'entends pas ce qu'il dit. Le chef en personne a l'air de sortir de sa torpeur.

Le Corbeau lève les bras et crie encore quelque chose que je ne comprends pas. Leur chef se dresse de toute sa taille. Le Corbeau parle toujours, puis il désigne les guerriers d'Oiseau. Le Français se tourne vers nous et prend à son tour la parole. Quand le Corbeau a fini de crier, le chef fait un geste de la main et un groupe de ses guerriers coupe les liens qui entravent les poignets de l'ours qui s'effondre sur le sol. Il a l'air mort. Je n'éprouve aucune tristesse.

Je me rends alors compte qu'Oiseau se tient à côté de moi. « C'était plutôt cruel, non ? » dit-il. Il crache par terre comme s'il voulait évacuer ce qu'il vient de voir. « Tu as entendu comment le Corbeau leur a dit

qu'ils se conduisaient de manière pire que nous ? »
Il baisse les yeux sur moi et je vois quelque chose
comme de la gentillesse dans son regard, quelque
chose comme l'expression que tu aurais prise, mon
père, quand tu espérais que je comprenne. Je voudrais
qu'Oiseau me prenne par la main et me conduise loin
d'ici, loin de cet endroit qui m'effraie. Or, il s'éloigne.

Aujourd'hui, bien qu'il s'efforce de le cacher,
Oiseau semble apeuré. Tenant le « bois brillant » des
deux mains, il le pointe devant lui. Un guerrier français debout à ses côtés lui dit d'appuyer. Un coup de
tonnerre éclate dans le ciel d'été pourtant tout bleu.
Les goélands s'envolent en criant et Oiseau, le visage
disparaissant sous un nuage de fumée, manque de
tomber en arrière. Le Français se moque des guerriers qui, les yeux écarquillés, contemplent la scène
en se bouchant les oreilles. Depuis le rideau d'arbres,
je regarde moi aussi, agrippant ma main meurtrie. Le
soldat français donne une tape dans le dos à Oiseau
qui a le regard fixé sur le bois sculpté qu'il serre dans
son poing et sur la fumée qui s'échappe de sa gueule.
J'ai vu comment il crachait des flammes. J'ai vu le
bois brillant depuis la berge d'en face où vivent les
autres. C'est l'arme qui, affirment-ils, peut tuer deux
ou même trois hommes à la fois rien qu'avec son
grondement. Et maintenant, Oiseau en possède une.

À plusieurs reprises, le soldat lui montre comment
la faire tonner. Après lui avoir appris à verser dans la
gorge de la chose du sable noir et des éclats de pierre
étincelants, il s'écarte pendant qu'Oiseau se prépare
à la faire aboyer. Les guerriers wendats attendent, les
mains prêtes à couvrir leurs oreilles. L'air déterminé,

Oiseau plaque le bois contre sa joue. Je vais tâcher de garder les yeux ouverts pour ne rien rater.

Au moment où Oiseau va appuyer, le plus terrible coup de tonnerre que j'aie jamais entendu déchire le ciel, si fort que les feuilles des arbres autour de moi tremblent et tombent en voletant sur le sol ébranlé. Les hommes, tous les guerriers d'où qu'ils viennent, se jettent à terre en se protégeant la tête. Je les imite, craignant que mes oreilles n'entendent plus jamais.

Dès que je l'ose, je me redresse et regarde en direction de la large rivière. Un monstre flotte dessus, si énorme que les hommes sur son dos paraissent minuscules. Ils crient et agitent les bras, tandis que de la fumée jaillit du flanc de la bête. Au lieu de s'enfuir, les Français sautent sur place et poussent des exclamations de joie. Nos guerriers, voyant combien les Français sont excités, restent plutôt que de partir en courant. Debout, ils observent la scène.

Dans leur vaste village aussi, les hommes se mettent à crier, et ils se précipitent pour descendre le long de la berge, hurlant et faisant de grands gestes. Tout un groupe s'entasse dans l'un de leurs lourds canoës au risque de tomber à l'eau, et ils rament à contre-courant de telle façon que je comprends que ces gens doivent être arriérés et qu'ils ne veulent peut-être pas aller de l'avant.

Je reporte mon attention sur le monstre. Personne ne remarque ma présence. Je me faufile entre les jambes des hommes qui manifestent bruyamment leur joie. Certains pleurent. Cette bête doit contenir quelque chose d'important, et je m'arrangerai pour savoir de quoi il s'agit. Tout ce que je vois pour le moment, alors que je me tiens sur la rive assez près d'Oiseau pour qu'on ne me pousse pas à l'eau ou qu'un Français ne m'attrape pas, ce sont quelques arbres tout droits qui se dressent à l'arrière du monstre et en haut desquels claquent sous la brise de grandes robes blanches que des hommes s'efforcent d'attacher.

Oiseau appelle Renard et, me découvrant à côté de lui, il sourit et me tend sa main blessée. Malgré moi, je la prends, et nous nous dirigeons ensemble vers Renard qui maintient le canoë pendant que nous grimpons dedans. Je m'installe au milieu, et nous filons sur la rivière, dépassant facilement les pesantes embarcations des Français. À mesure que nous approchons, le monstre paraît de plus en plus énorme, et je m'étonne que l'eau de la rivière puisse supporter son poids. Je me demande comment c'est possible, et je me demande si ces barbares velus ne sont pas réellement des sorciers. Quand nous arrivons à côté de la bête, les hommes sur son dos se taisent et nous regardent en ouvrant de grands yeux. Je réalise alors qu'ils ont autant peur de nous que j'ai peur d'eux. Ils ont la figure étroite et poilue, et certains, la peau jaunâtre. Percevant leur odeur, je résiste à l'envie de me boucher le nez.

Oiseau se lève à l'avant du canoë et écarte les bras. Il dit aux hommes au-dessus de lui qu'il se sent honoré qu'ils soient venus de si loin nous rendre visite et qu'il espère que leur séjour dans ce pays sera agréable mais pas trop long. Renard s'esclaffe. Je sais à leurs visages que ces hommes n'ont pas saisi le moindre mot de son discours. Mais l'attitude d'Oiseau, son geste leur disent tout ce qu'ils ont besoin de savoir.

L'un d'eux laisse tomber une corde pour qu'Oiseau puisse s'y accrocher et Renard cesser de pagayer. Les Français sont de plus en plus nombreux à nous contempler de là-haut, et pour la première fois, j'imagine à quoi nous devons ressembler à leurs yeux. Oiseau avec sa large carrure, ses cheveux soigneusement rasés sur un côté de la tête, ses pommettes hautes, ses épaules, ses bras et son torse si musclés qu'on y réfléchirait à deux fois avant de s'en prendre à lui, et Renard à l'arrière, petit et puissant, ses bras noueux sillonnés de veines et ses yeux noirs et perçants comme ceux d'une corneille. Nous sommes le peuple né de ce pays. Et pour la première fois aussi, je comprends ce que je n'avais pas entièrement compris avant de voir ces créatures pâles venues d'ailleurs nous regarder avec stupéfaction en s'interrogeant sur notre présence. Nous sommes ce pays. Et ce pays est nous.

Cela ne vous préparerait pas

Pour la première fois depuis plus d'un an, Seigneur, je peux enfin célébrer la messe en compagnie de mes pairs, et pour mieux Vous servir, Seigneur, la célébrer en latin sans craindre que mes mots ne soient mal interprétés. Les nouveaux arrivants m'ont instamment prié de dire la messe, et j'ai alors éprouvé dans mon cœur une chaleur telle que je n'en avais plus éprouvée depuis mon départ de Bretagne. Ceux qui viennent de débarquer brûlent d'impatience d'entendre le récit de mes aventures dans ce nouveau monde, mais je ne m'étendrai pas dessus. Je pourrais leur décrire ce sinistre univers de Sauvages jusqu'à en perdre haleine, mais ils ne le comprendront vraiment qu'en en faisant eux-mêmes l'expérience. J'ai l'intention de demander à Champlain la permission de rester l'an prochain ici, en Nouvelle-France, afin d'y achever ma chronique avant de l'envoyer en France pendant que les autres parcourront le pays des Hurons pour accroître leurs connaissances. J'ai besoin de repos, Seigneur, de même que j'ai besoin de restaurer mes forces physiques et surtout spirituelles. À l'idée de retourner dans ces terribles contrées, je me sens près de pleurer. Je ne doute pas que Vous me comprendrez.

Le zèle de ces nouveaux venus me frappe profondément. Il y a parmi eux deux pères jésuites et quatre laïcs qui les assisteront dans leurs périples ainsi que dans leurs enseignements et dans les éventuelles conversions. Ils sont tous si jeunes. Je suis impressionné et un peu envieux, car je n'ai jamais bénéficié d'un tel appui. Il est clair que ceux qui, en France, tiennent les cordons de la bourse ont pris dans une certaine mesure conscience de l'importance de cette mission. Je dois néanmoins admettre que ces derniers jours, je me réveille avant l'aube, rongé d'inquiétude à la pensée que notre œuvre risque d'être exploitée non par ceux qui cherchent le salut des âmes des Sauvages mais par ceux qui cherchent à accaparer les richesses du pays, et que, à cette fin, ils se servent de nous comme fer de lance. J'ai cependant puisé quelque consolation en songeant qu'en effet, nous sommes le fer de lance. Nous sommes Vos soldats, Seigneur. Nous sommes les soldats du Christ. Et ceux-là, les fous qui espèrent tirer profit non des âmes mais de la fourrure des animaux, ils seront l'objet de Votre courroux. J'ai la conviction que Votre grand dessein est depuis longtemps gravé dans une matière plus dure que la pierre.

Ce matin après la messe, j'ai conduit Gabriel et Isaac, les deux nouveaux jésuites, sur les remparts pour les leur montrer. Je me suis de nouveau réveillé en sursaut aux aurores. Je me disais qu'il serait injuste de laisser partir ainsi ces deux hommes courageux alors qu'ils ne savent rien de ceux qui voudront les dévorer.

Nous regardons en contrebas la large rivière sur la berge de laquelle est établi le camp des Hurons qui paressent devant les feux tenant à distance les hordes d'insectes. Même de l'endroit où nous nous trouvons, nous voyons étinceler dans le soleil le sourire des hommes qui bavardent en riant.

« Un spectacle plutôt idyllique, non ? dit Isaac. Ils ressemblent assez à ce que j'ai lu à leur sujet. » Il sourit de toutes ses dents blanches. C'est un beau jeune homme, mais sa tête blonde commence déjà à se dégarnir. Après une année en enfer, il sera comme moi et il ne lui restera plus beaucoup de cheveux.

« Les idolâtres sont toujours aussi détendus ? » demande Gabriel. Il a l'air un peu plus âgé qu'Isaac, et au contraire de celui-ci il n'a pas le sourire facile. Ses cheveux noirs indisciplinés et sa barbe noire ne font qu'accentuer l'intensité de son expression et de son regard que je ressens chaque fois qu'il se tourne vers moi.

« Dans l'ensemble, ils sont incroyablement feignants, dis-je. Mais quand il s'agit de pagayer, de chasser ou de cultiver le maïs, ils travaillent avec une ardeur que je n'avais encore jamais vue. Vous le constaterez par vous-mêmes quand vous vous rendrez dans leur pays en canot avec eux.

— Heureusement que vous serez là pour nous faire bénéficier de votre expérience », dit Isaac, tout sourire. Pauvre Isaac, il ne s'écoulera pas longtemps avant qu'il ne perde de son optimisme.

Je m'empresse de le détromper : « Non, mon jeune

ami. J'ai demandé au père Lalemant l'autorisation de rester ici une année pour récupérer et terminer ma chronique.

— Oh non ! » s'exclame Isaac, au bord des larmes.

Gabriel se contente de fixer sur moi ses yeux noirs empreints de sérieux.

« Je crains bien que si, dis-je.

— Dans ce cas, intervient Gabriel, il faut que vous nous disiez sans tarder tout ce que nous avons besoin de savoir afin que notre mission soit un succès. »

Je soutiens son regard avant de me tourner de nouveau vers les Sauvages qui se prélassent sur la berge de la rivière. « D'abord, dis-je, me lissant la barbe pour marquer mes paroles, vous devez absolument comprendre qu'il n'y aura pas de succès avant un long moment. Et peut-être n'y en aura-t-il même jamais. »

Isaac étouffe un cri. Gabriel agrippe si fort la balustrade des remparts que ses jointures en blanchissent.

« Vous ne me croyez pas ? dis-je. Comprenez-moi, je ne veux rien vous cacher, car je ne tiens pas à ce que vous arriviez dans cet endroit de ténèbres où règne Satan en étant aussi naïfs que je l'étais. » Je m'interromps un instant. L'image de Petite Oie, cette sorcière, surgit dans mon esprit et, malgré moi, je ressens un frémissement dans mes entrailles. « Vous devez partir comme si vous alliez au combat. Sachez que je pourrais vous parler des journées entières de ce dont j'ai été témoin, mais que cela ne vous préparerait pas à ce que vous découvrirez bientôt par vous-mêmes.

— Vous n'avez donc rien d'autre à nous apprendre

qui serait susceptible de nous éclairer ? » s'enquiert Isaac. Il semble réellement sur le point de pleurer, et à peine s'est-il tu que la fille apparaît soudain sur la rive, non loin d'Oiseau et de Renard. Elle devait être tapie au bord de la rivière. Elle serre contre elle sa main blessée. C'est alors que Vous me parlez, Seigneur, que la lumière brille plus fort et que le soleil perce à travers les nuages. Comme si des écailles me tombaient des yeux, je vois d'un seul coup beaucoup plus clairement : la main de la fille est infectée, Oiseau donne à Renard du tabac pour la pipe posée à côté d'eux, un cerf se dresse sur la berge opposée, si immobile que les Sauvages eux-mêmes ne l'ont pas repéré.

« C'est là qu'est la clé de la réussite de notre mission. » J'ai la voix qui tremble. Isaac sourit. Gabriel plante ses yeux noirs dans les miens. Mon regard va de l'un à l'autre. « Vous voyez cette fille, là-bas ? » dis-je en la désignant. Ils suivent la direction que je leur indique puis acquiescent. « Un soir, il n'y a pas si longtemps, elle a tendu un piège à leur chef et elle lui a coupé le doigt au moyen d'une pierre et d'un coquillage aiguisé. » Isaac étouffe un nouveau cri pendant que je montre Oiseau qui rit à quelque chose que Renard lui dit. « Et à elle aussi, il manque un doigt. » Je laisse une seconde aux deux jeunes jésuites pour qu'ils digèrent l'information.

« À titre de punition ? demande Gabriel. Œil pour œil ? »

Je souris tristement. « Non. Quand elle a coupé le doigt du chef, le coquillage a dérapé, lui tranchant en même temps le petit doigt.

— Elle a l'esprit dérangé ? » La question émane d'Isaac.

« Non, elle est… (j'hésite) … différente. » Je me reprends. « Mais c'est aussi la première à avoir manifesté un véritable intérêt pour notre foi. Un intérêt si vif que je sais au fond de mon cœur qu'elle sera ma première convertie. »

Les deux jeunes jésuites boivent mes paroles, désireux d'entendre la suite.

« Et vous savez quel châtiment elle a reçu pour avoir mutilé cet homme devenu son père adoptif ? »

Ils font signe que non.

« Aucun. » J'attends un instant pour qu'ils réalisent bien. « Absolument aucun. Pas de châtiment corporel, pas même le moindre reproche. » Les deux jeunes révérends pères semblent de plus en plus incrédules. « Ces nations indiennes sont toutes pareilles. Elles ne punissent jamais ni même ne réprimandent leurs enfants. » Gabriel a les yeux rivés sur moi. « Et c'est la grande énigme. Les enfants sont la porte qui ouvre sur leur conversion. Mais si nous ne possédons pas la clé, voyez à quelles difficultés nous nous heurterons avant d'amener ces enfants à Dieu. »

Je me tourne vers Oiseau qui est assis sur la berge, la fille maintenant installée à côté de lui. Il lui frotte sa main infectée avec quelque onguent qu'il a sorti de son sac de peau. « Ils ont une potion pour toutes les maladies, dis-je. C'est de la sorcellerie. J'ai même vu un sorcier prétendre aspirer le mal du ventre d'un vieillard. Penché au-dessus de lui, il a fait comme s'il buvait à grand bruit, puis il a craché par terre ce qui avait l'air d'être comme du jus de chique. » Isaac et Gabriel écoutent, les yeux écarquillés. « Ceux qui assistaient à la scène ont été pris de frénésie et de folie, au point que le vieil homme a fini par se redresser, souriant comme un idiot. Pas un seul d'entre eux n'était assez intelligent pour se rendre compte que c'était simple supercherie de la part du sorcier qui, selon toute évidence, avait dissimulé du tabac dans sa bouche avant d'arriver. Vous serez tous les jours confrontés à ce genre d'inepties. »

Oiseau a dû dire quelque chose de drôle à la fille car, les yeux levés sur lui, elle affiche un large sourire. Elle laisse sa main dans la sienne, et j'éprouve un pincement de jalousie.

Courant rapide

Le Corbeau n'a pas l'air content, c'est sûr. Et moi non plus, je ne suis pas content. Apparemment, il avait espéré rester avec les siens dans cette forteresse de cauchemar qu'ils ont bâtie sur les falaises au-dessus de la large rivière, mais Champlain, leur grand chef, avait d'autres projets pour lui, et il m'a dit en personne qu'ils avaient besoin que le Corbeau aide les nouveaux à nous comprendre. Il est dans le canoë de devant, et il pagaye mollement. Mon plan, vois-tu mon amour, a volé en éclats. Il n'y a pas longtemps, je croyais avoir tout bien combiné. Le Corbeau devait mourir ou être fait prisonnier par les Haudenosaunees qui auraient récupéré la fille. Au lieu de cela, je les ai encore tous les deux, plus six autres de ces créatures qu'il me faut traîner jusque chez nous. Renard appelle les nouveaux des bois-charbons. « Ils sont tellement lourds et tellement bêtes », dit-il en regardant deux d'entre eux essayer sans conviction de ramer dans le canoë qui les a accueillis. Avec leurs robes noires toutes neuves, si noires qu'elles absorbent la lumière de cette fin d'été, je trouve parfait le surnom que Renard leur a donné.

Pourtant, je continuerai à les appeler des Corbeaux en raison de la façon dont ils sautillent et becquettent les choses mortes ou agonisantes.

« Si on les brûlait, tu crois qu'ils dégageraient autant de chaleur que du charbon de bois ? »

Renard rit. « On le saura bientôt. » Il tire sur sa pagaie et me dépasse dans son nouveau canoë léger.

Après quatre jours de voyage sur la rivière depuis notre départ du camp fortifié des hommes velus, nous sommes de bonne humeur mais nous demeurons sur nos gardes. L'automne s'annonce déjà dans les petits matins où je frissonne en sortant de sous ma couverture. Les premiers frimas de l'hiver ne sont pas loin. Nous jetons tous les soirs nos filets pour attraper des poissons et nous recherchons des traces de cerfs ou d'orignaux. La lune qui change la couleur des feuilles approche, et elle nous en apprendra beaucoup sur ce que sera l'hiver. Nous sommes arrivés près du pays des Haudenosaunees, et nous ne dormons que d'un œil pendant le bref temps de repos que nous nous accordons. Nous restons vigilants, même dans nos rêves, et nous guettons le bruit étouffé des pas de nos ennemis chaussés de fourrure.

Renard se doute depuis deux jours qu'il se trame quelque chose. Son canoë ne s'éloigne pratiquement jamais du mien, et nous sommes guidés par nos meilleurs éclaireurs. Bientôt, là où la grande rivière des Outaouais se divise, nous devrons prendre une décision importante. Retourner chez nous par la rivière du Serpent où nous avons massacré leurs émissaires serait la voie la plus directe et la plus normale, mais les Haudenosaunees à qui nous avons infligé une cuisante défaite ont eu tout le loisir de préparer leur revanche. À chaque coude de la rivière, je m'attends à entendre leurs flèches siffler à mes oreilles. Le cadeau que m'ont fait les hommes velus est posé devant moi sur un ballot de peaux. Je sais maintenant le faire tonner, et le temps de quelques respirations, fourrer dans sa gorge un autre morceau de plomb pour le faire tonner de nouveau. Je n'ignore pas, mon amour, qu'une fois de plus je vais être mis à l'épreuve.

Mon sang

Mon sang. Je le sens. Je laisse ma main traîner dans l'eau, la main qu'Oiseau a entrepris de soigner avec ses racines. Je n'avais pas besoin de ce doigt-là. Je le sais maintenant. Chaque jour que nous pagayons, chaque fois que nous mettons pied à terre pour porter les canoës à cause des rapides, je sens la présence de mon sang, de ma famille de plus en plus proche.

Les derniers huards de l'été appellent quand vient l'heure de dormir pour les voyageurs épuisés. Moi, je ne dors plus, car je sais que les frères de mon père sont tout près.

Je commence à aimer Oiseau presque comme j'aimerais l'un d'eux, et peut-être même toi, mon père. Est-ce mal ? Il faut alors que je me souvienne de ce qu'il vous a fait à vous tous, père, mère, sœur, frère bien-aimé. Je sais que nous passons à l'endroit où ils nous ont trouvés l'hiver dernier. C'est là qu'ils vous ont arrachés à moi. Et ils osent y revenir si peu de temps après ! Je me détourne avec révulsion et je me prends à haïr l'homme en qui je m'étais mise à avoir confiance.

Ce soir, nous campons sans avoir allumé de feu. Les hommes mangent vite leur ottet, mais aucun d'eux ne semble capable de dormir. Ils sentent aussi sûrement que moi que ceux de mon sang ne sont pas loin. Je ferme les paupières. Je suis la seule à dormir profondément au bord de la rivière murmurante. Je rêve que ma famille est autour de moi. Ma mère me tient dans ses bras, mon frère me chatouille, ma sœur me câline, mon père me nourrit. Il me sourit et me glisse dans la bouche un morceau de viande de cerf chaude. Le sang de la viande est fort. Il est frais. *Demain*, me chuchote-t-il en s'évanouissant comme la brume matinale au-dessus de la rivière. *Demain*. J'ouvre les yeux sur les premières lueurs du jour, je retire de ma bouche le moignon de mon petit doigt puis j'essuie le sang sur mes lèvres.

Horreur

Je ne parviens pas tout à fait à croire à ce qui arrive. Sur les deux berges de cette large rivière que les Hurons appellent Serpent, des dizaines et des dizaines d'Iroquois se précipitent dans des canots jusque-là soigneusement dissimulés parmi les hautes herbes. Certains sont déjà à l'eau et foncent sur ceux des nôtres qui se trouvent à l'arrière-garde. Devant, leurs archers bandent leurs arcs et lâchent des flèches qui fendent l'air et atteignent nos rameurs les plus proches. Quelques instants plus tard, les Iroquois cernent les canots ralentis à cause des blessures infligées à leurs pagayeurs et attaquent à coups de hachette. Les cris résonnent au-dessus de la rivière.

C'est alors que je me tourne vers le canot où ont pris place les quatre jeunes « donnés » dont les cheveux blonds brillent dans le soleil. Leur embarcation, percée par des flèches iroquoises, est en train de couler. Presque tous les rameurs hurons sont morts ou blessés, et les donnés s'efforcent désespérément de pagayer pour échapper aux démons qui s'apprêtent à les aborder. Je leur crie de souquer plus dur et, au son de ma voix, ils lèvent les yeux. L'un d'eux

215

tend sa pagaie comme si je pouvais la saisir pour le tirer à l'abri du danger au moment où un canot iroquois l'accoste et où un guerrier l'empoigne par les cheveux pour l'entraîner avec lui. Il hurle pendant que les autres Iroquois massacrent les occupants de l'embarcation qui finit par sombrer. Les cadavres sont emportés par le courant.

Recevant un coup sur l'épaule, je crains d'avoir été touché par une flèche mais, pivotant, je m'aperçois que c'est David qui me frappe avec sa rame en me criant de les aider à pagayer, sinon nous allons tous mourir. Je jette un coup d'œil vers la rive la plus proche. D'autres canots iroquois émergent des hautes herbes. Il doit y avoir des centaines d'hommes. Ils vont nous tuer tous.

Plié en deux comme j'ai vu mes Sauvages le faire, grognant sous l'effort, j'essaie de suivre leur rythme. Je me rends compte alors que je retiens mon souffle. Le jour est-il venu, Seigneur ? Reprenant ma respiration, je sais que je ne mourrai pas aujourd'hui. Le soleil chauffe et j'ai le visage éclaboussé par l'eau froide de la rivière que m'envoie l'homme devant moi qui pagaye de toutes ses forces. Des volées de flèches sifflent autour de nous. Derrière moi, David gémit. Une flèche est fichée dans son épaule. Il me hurle de ramer sans m'occuper de lui.

Le canot à bord duquel se trouvent Oiseau et la fille est sur notre gauche, à un jet de pierre. Oiseau crie quelque chose à Renard qui est tout près dans son propre canot. Renard répond que c'est le moment. Oiseau pose sa pagaie devant lui, prend le mousquet et se penche par-dessus le plat-bord pendant que les autres continuent à ramer ferme. Comme s'il n'avait fait que cela toute sa vie, Oiseau vise et tire. Sa tête disparaît sous un nuage de fumée, et l'embarcation tangue si violemment que j'ai peur qu'elle chavire. Regardant dans la direction où il a fait feu, je vois un groupe d'Iroquois qui, paniqués, ont cessé de ramer. Le flanc de leur canot est déchiqueté et des hommes hurlent de douleur.

Les Iroquois avaient déjà rattrapé les canots derrière nous quand la détonation et les bruits du combat mortel ont retenti. La moitié de nos embarcations sont néanmoins encore devant. Oiseau a fini de recharger son arme, mais il ne tire pas tout de suite. Nos poursuivants ont ralenti et, pareils à un essaim d'abeilles, ils s'abattent sur ceux de notre groupe qui n'ont pas été assez rapides. Ces pauvres guerriers vont connaître une mort brutale. Nous, les autres, nous avançons de notre mieux. Épuisé, je m'arrête un instant de pagayer pour reprendre mon souffle et jeter un coup d'œil derrière moi.

À ma grande horreur, je vois une flottille de canots iroquois se détacher de la scène du carnage pour se lancer à notre poursuite.

DEUX

La réussite se mesure de différentes manières. Il y a la chasse réussie. La moisson réussie. Et pour certains, la moisson des âmes réussie. Nous observons tout cela, fascinés et effrayés. Oui, nous avons vu tout cela arriver et, oui, nous avons souri parfois, mais le plus souvent nous étions remplis d'inquiétude. Le monde cependant doit changer. Ce n'est pas un secret. Les choses ne peuvent pas rester longtemps les mêmes. À chaque fille née dans sa maison-longue et dans son clan, à chaque festin de mort d'un vieil homme et ses funérailles dans l'ossuaire, de nouveaux mondes se bâtissent tandis que d'anciens s'écroulent. Et parfois, ce changement dont nous parlons se produit là, sous nos yeux, sous forme de détails minuscules, sans que nous nous en apercevions. Et alors, oui, alors il est simplement trop tard.

Les Corbeaux ont continué de croasser comme les corbeaux sont enclins à le faire, et au bout d'un moment nous nous sommes habitués à leur voix, même quand ils nous réprimandaient à cause du mode de vie que nous avions choisi. Certains d'entre nous les laissaient jacasser parce que nous trouvions cela amusant, certains parce que nous pensions ne pas avoir d'autre choix pour apprendre nous-mêmes à croasser. Et certains, aussi, voulaient les garder près de nous en raison des trésors de ce monde que leurs maîtres promettaient.

Il serait néanmoins injuste, n'est-ce pas, de ne blâmer que les Corbeaux. Nous devons accepter notre part de responsabilité dans toute cette affaire. Aussi, nous regardons l'histoire se dérouler et nous prions Aataentsic, Femme-Ciel, qui est assise à côté de nous près du feu, d'intervenir si jamais ce à quoi nous croyions devait se liquéfier. Mais il suffit à Aataentsic de nous rappeler que les humains, sous tous leurs divers aspects, sont une bande indisciplinée, sujets à des accès de grande générosité et, plus encore, à des accès de grande cruauté.

Ils viennent

Ils viennent à moi. J'ai appris leur voix, Seigneur.
Et ils commencent à écouter.

Une dizaine d'entre eux sont assis ou affalés dans la
maison-longue tandis que je brandis une hostie dans
la lumière qui se déverse par le trou de cheminée au-
dessus de nous. Maussade, Gabriel est debout à côté
de moi, un calice cabossé à la main. Le gentil Isaac
est réduit à un rôle mineur en raison des doigts qui
lui manquent. Il a du mal à tenir quoi que ce soit, et il
lui faut coincer entre le moignon de son pouce gauche
et la paume de sa main droite sans doigts l'hostie qu'il
présente aux bouches grandes ouvertes des convertis.

La plupart sont vieux, près de la fin. Les quelques
jeunes portent les traces de la catastrophe qui a
décimé le village au cours de ces dernières années,
le visage criblé des lésions laissées par la maladie ou,
s'ils luttent encore contre celle-ci, la peau parsemée
de pustules. Je me réveille parfois à l'aube, tenaillé
par la peur, Seigneur, que ce soit nous qui la leur
ayons apportée, mais Vous me replongez dans le
sommeil en me rappelant qu'à l'instar de Pharaon,
ils doivent confesser leurs péchés.

Grâce à la langue des Hurons que j'ai apprise au fil des ans, je leur parle en Votre nom : « Le Grand Génie est un seul corps, dis-je cependant que ces pauvres hères m'écoutent, enveloppés dans leurs couvertures en peau de castor élimées. Et Il est trois corps réunis en un seul. » De deux doigts d'une main j'encercle un doigt de l'autre. « Mais Il n'est pas simplement trois corps réunis. » Je baisse les yeux sur eux tandis que je détache mes doigts, et je lis dans leurs regards la confusion, l'effort pour comprendre. Je serre le poing. « Il est ce que vous nommez un oki et ce que nous nommons un *esprit*. » Je prononce le mot lentement pour faciliter la tâche de ceux qui voudraient le répéter. « Il est le plus authentique des okis, le plus authentique des esprits. Et de loin le plus puissant. Il est le seul capable d'être à la fois le père, l'enfant et le véritable esprit. Il est trois, mais Il est un. »

Une vieille femme qui me pose tout le temps des questions lève une main décharnée. Je l'ai baptisée Dalila car elle se plaît à me tenter, à m'entraîner dans des débats. « J'ai vu beaucoup d'okis dans ma vie. » Elle s'interrompt comme si elle ne savait pas encore si elle doit ou non poursuivre. « Quand j'étais jeune, un puissant oki est entré en moi. Il m'a fait très mal. Il m'a pris ma virginité. » Dalila sourit. « Il m'a fait mal, mais il m'a fait du bien aussi. » Ce qui déclenche quelques rires.

Je tâche de ne pas lui prêter attention. Elle me rappelle cette autre, Petite Oie. Ces Indiennes sont souvent de vieilles fripouilles.

« Quel âge a ton Jésus oki ? » demande avec sérieux

un jeune homme, le visage et la poitrine ravagés par la maladie. Celui-là, je l'ai baptisé Aaron, d'après le frère aîné de Moïse qui employait des arguments si persuasifs. Aaron est encore hésitant et, comme un oiseau qu'on essaierait d'apprivoiser, il s'envole au moindre geste un peu brusque.

Je réfléchis à la meilleure réponse à lui fournir. « On ne le connaît pas. On ne connaît que les nombreuses choses qu'Il a faites. N'oublie pas qu'Il existait alors que le ciel, la terre et toutes les choses n'existaient pas encore.

— Et c'est lui qui les a toutes faites ? »

J'acquiesce.

« Et quels outils a-t-il utilisés pour ça ? demande Aaron. Et où les a-t-il trouvés ? S'il est le premier oki, il n'a pas pu donner un oki en échange, si ? »

Je vois où est le piège. « Il n'avait rien pour faire quoi que ce soit. Il s'est contenté de parler et tel est Son pouvoir que quelque chose s'est produit. »

Les Hurons se regardent et se mettent à débattre entre eux. Il faut que je retienne encore un moment leur intérêt. Levant les bras, je hausse la voix : « Le Grand Génie a créé toutes sortes de choses, trop nombreuses pour qu'on les compte. Il a créé les choses qu'on voit autour de soi, mais aussi beaucoup d'autres qu'on ne voit pas. »

Ils se taisent puis lèvent les yeux vers Gabriel qui se tient à côté de moi, les bras croisés. Isaac, très affaibli depuis que les Iroquois nous l'ont rendu mutilé, ne peut pas rester debout plus de quelques minutes, et il est assis par terre à mes pieds. Je reprends : « Certaines des choses qu'Il a faites, comme la pierre, le sable et le métal, ne sont pas vivantes. Par contre, les arbres, les animaux et les êtres humains sont vivants, eux. »

Il faut que je décide de la ligne de conduite à adopter. Je veux qu'ils comprennent et qu'ils acceptent, mais je ne dois pas continuer longtemps, sinon ils vont se remettre à discuter entre eux et je ne bénéficierai plus de leur attention. « Écoutez bien, dis-je. Il y a trois familles parmi ce qui vit. Les arbres, les herbes et les buissons en sont une. Les poissons et les animaux en sont une deuxième. Et les humains et les esprits sont une autre forme de vie. »

Le jeune et sérieux Aaron prend de nouveau la parole : « Tu veux dire que les pierres, l'eau, les arbres et les animaux n'ont pas d'oki ? Que seuls les humains possèdent ce que tu appelles un es... un esprit ? » Il bute sur ce dernier mot de manière presque comique.

Je fais signe que oui.

« Mais nous... » Aaron englobe d'un geste ceux qui l'entourent. « Nous, et pendant notre vie entière, on nous apprend que tout possède un esprit. Que tout renferme la possibilité de vivre. »

Je fixe le jeune Huron du regard jusqu'à ce qu'il baisse les yeux. « Tu as déjà vu un arbre s'enfuir quand tu t'approches de lui avec une hache pour l'abattre ? Tu as déjà entendu un cerf demander grâce avant que tu ne lâches ta flèche ? »

Un vieil homme à qui je n'ai pas encore donné de nom intervient : « Quand je tue un animal, je remercie son oki pour me permettre ainsi de manger, de vivre. » Les autres approuvent de la tête. « Quand j'utilise une pierre pour faire un cercle autour du feu, je remercie son oki pour la chaleur qu'elle m'apportera. »

Je lève la main pour réclamer le silence. « Je reconnais qu'il y a des pouvoirs mystérieux dans notre monde, dis-je. Et ces pouvoirs mystérieux excellent dans l'art de se présenter tels qu'ils ne sont pas. Un animal, un arbre ou une pierre ne peuvent pas avoir d'oki…

— Comment tu le sais ? me coupe Dalila.

— Je le sais parce qu'un arbre, un cerf ou une pierre ne peuvent pas passer de cette vie à l'autre, le monde après la mort qui existe très haut au-dessus de nous. »

La vieille femme ne s'avoue pas vaincue : « Là aussi, comment tu le sais ?

— Je le sais parce que le Grand Génie, la voix la plus puissante, l'a dit, réponds-je. Sa voix est là-dedans. » Je me tourne vers Isaac qui parvient à prendre ma bible entre les moignons que sont maintenant ses mains. Il la tient devant moi, et mon cerveau bouillonne comme les fois où, il y a tant d'années, je jouais aux échecs en prévoyant plusieurs coups à l'avance. J'ouvre le livre tout abîmé, et après avoir trouvé le passage que je cherchais dans la Genèse, je commence à lire d'une voix forte, et dans ma propre langue : « "Il dit ensuite : Faisons l'homme à notre image et à notre ressemblance, et qu'il commande aux poissons de la mer, aux oiseaux du ciel, aux bêtes, à toute la terre, et à tous les reptiles qui se remuent sous le ciel." » Je rends la bible à Isaac.

« Qu'est-ce que tu as raconté ? s'enquiert Aaron.

— Ce wampum sur lequel j'ai posé les yeux, dis-je en désignant la bible, est le seul vrai wampum, et si vous voulez que je le partage avec vous, il faudra m'écouter attentivement. » Je marque une pause en me rendant compte qu'ils attendent que je leur fournisse davantage d'explications. « Non, vous n'êtes pas encore prêts. » Ils murmurent en chœur.

« Traduis-nous ce que tu as dit, demande Dalila, tendant le bras vers moi.

— Oui, tu dois nous le dire, approuve le vieil homme.

— Je ne pense pas que vous soyez encore prêts à entendre ce que dit ce wampum, je leur répète.

— Arrête ! s'écrie Dalila, et certains rient sous cape en voyant combien le vieil homme et elle s'énervent. Arrête de nous traiter comme des enfants. Si tu cherches à ce qu'on s'en aille, c'est la meilleure façon d'y parvenir. » Elle fait mine de se lever pour partir, et Aaron se précipite afin de l'aider à se mettre debout.

« Je ne désire pas vous traiter comme des enfants. » Je lève la main, paume ouverte. « Mais le Grand Génie dit que vous devez renoncer à prier vos okis, car ce sont de fausses idoles. Ils ne pourront que vous conduire vers le mal. Il m'est impossible de partager mon wampum avec vous avant que vous ne me promettiez de ne plus écouter que le Grand Génie. » Je suis rarement aussi direct avec eux, aussi exigeant. Dans le passé, cela s'est avéré inutile et les incitait plutôt à s'éloigner qu'à se rapprocher. Mais je reconnais, Seigneur, que même moi, il m'arrive de me sentir frustré.

L'assemblée devient de plus en plus agitée, et je m'aperçois une fois encore qu'on ne me prête plus attention, mais j'ai parlé durant des heures et nous avons tous besoin d'une pause. Je sais par expérience qu'ils ne s'en iront pas avant que je ne leur distribue leur repas. D'un autre côté, je n'ignore pas que je ne pourrai plus très longtemps les garder dans la maison-longue toute la journée du dimanche. Ce printemps est le premier depuis trois ans où il a assez plu pour que les cultures prennent racine. L'été, semble-t-il, sera aussi le premier été d'abondance depuis les quelques années que Gabriel et Isaac sont là. Avec une bonne moisson, je redoute que mes ouailles ne s'égaillent pour aller rejoindre leurs clans.

« Voilà qui est exaspérant, murmure Gabriel en se penchant vers moi. Après tout ce temps, ils s'effarouchent encore comme une harde de cerfs.

— Je vous ai conseillé il y a longtemps, cher Gabriel, de vous préparer en vue de la plus grande épreuve de votre existence, dis-je. Notre patience est enfin récompensée, non ? Combien en avons-nous baptisés ?

— Trente-huit », répond Isaac. Il lève les yeux et me sourit. Quand les Iroquois l'ont torturé, j'ai craint que quelque chose ne se soit brisé dans son esprit, mais il demeure un brave jeune homme. Je note qu'il faudra que je lui coupe bientôt ce qui lui reste de longs cheveux emmêlés. Il a l'air d'un fou.

« C'est exact, dit Gabriel. Mais la plupart étaient sur leur lit de mort.

— Cela importe peu, dis-je fermement. Ce qui importe, c'est combien ont accepté le Christ avant que leurs yeux ne se ferment pour l'éternité. Et ce qui importe aussi, c'est que nous en informions l'Église pour qu'elle réalise que nous n'œuvrons pas dans le désert. »

L'expression de Gabriel suggère qu'il estime que c'est pourtant le cas. Avec la mort de Champlain survenue peu après notre départ de la Nouvelle-France, j'ai peur que notre petite mission n'ait été oubliée.

« Bon, dis-je en tapant dans mes mains, et si nous nous remettions au travail ? »

Pareils à des enfants dans une salle de classe, ceux de devant bavardent en riant comme si de rien n'était. Avec le printemps et la chaleur, la majorité d'entre eux sont à peine vêtus. La poignée d'hommes réunis dans la maison-longue portent des jambières en peau qui leur montent jusqu'aux cuisses et des pagnes cachant le bas de leur corps ainsi que des peaux de cerf ou de castor drapées sur une épaule, de sorte que je suis parfois frappé de constater combien ils ressemblent à des sénateurs romains de l'Antiquité tandis que, debout, l'allure impériale, ils parlent entre eux en fumant leurs longues pipes. Les femmes, y compris Dalila, trouvent tout naturel de me laisser voir leurs jambes nues sous leurs amples robes. Et parfois, comme pour me mettre à l'épreuve, elles me laissent même voir davantage.

Maintenant qu'ils ont commencé à s'installer, je leur demande : « Acceptez-vous mon wampum ?

— Peut-être, répond le jeune Aaron toujours prêt à argumenter. Mais nous ne te croyons pas quand tu dis que les okis n'existent que chez les humains.

Nous les avons tous vus à différentes époques chez d'autres êtres.

— Permettez-moi alors de m'expliquer plus clairement. Il y a en effet des okis partout, mais le seul à qui se fier, c'est le Grand Oki, le Grand Génie.

— Tu te contredis, intervient le vieil homme. Aujourd'hui même, tu as affirmé que seuls les humains avaient des okis, et là, tu affirmes qu'il y en a partout. »

Je me rends compte qu'il faut que je me fasse mieux comprendre : « Nous les humains, nous avons des okis en nous, et ces okis nous sont donnés par le Grand Génie. C'est à nous de décider si nous laissons ou non nos okis pousser droits et forts comme un beau chêne ou tordus et noueux comme un buisson épineux. Le Grand Génie désire que nous soyons comme le chêne, mais le Grand Génie a un ennemi plus puissant que même vos Iroquois détestés. » Je m'interromps. Ils m'écoutent avec attention. J'ai trouvé une piste sur laquelle ils me suivront peut-être.

« Dans ma langue, ce grand ennemi se nomme Satan, dis-je, prononçant le mot lentement. Satan est le pire des okis. Je crains que quand vous priez ce que vous croyez être l'oki d'un animal, vous ne priiez en réalité Satan.

— Mais comment puis-je savoir si l'oki à qui je réclame de l'aide n'est pas corrompu et ne va pas entrer en moi pour me faire du mal ? demande le vieil homme, l'air soudain découragé. Est-ce que j'ai prié celui qu'il ne fallait pas, l'oki qui a laissé entrer la maladie en moi ?

— Il n'y a qu'un oki assez puissant pour te pro-téger, et c'est le Grand Génie, réponds-je. Si tu demandes encore quoi que ce soit à un oki, sache-le. Par contre, si tu demandes l'aide du Grand Génie, il ne te fera jamais de mal.

— Mais j'ai essayé ! s'écrie Dalila avec feu. J'ai demandé à ton Grand Génie que mon mari survive à la maladie, mais il est quand même mort. » Elle gémit longuement et, toute tremblante, se tord les mains. Quelle comédienne elle fait ! Elle lève les yeux. « Alors je ne vois pas en quoi ton grand oki pourrait être utile. »

À côté de moi, Gabriel soupire. Je sais quelle ques-tion il aimerait lui poser : « Dans ce cas, pourquoi es-tu venue ici ? » Il l'a déjà fait, et la réponse de Dalila a provoqué l'hilarité : « Parce que je m'ennuyais. »

« Le Grand Génie prend souvent des décisions que nous ne pouvons pas comprendre, dis-je. Mais le Grand Génie a toujours un but. Et Il m'a dit… (je plonge mon regard dans celui de Dalila)… que si tu acceptais mon wampum comme ton mari l'a accepté sur son lit de mort, tu le reverrais dans la vie d'après.

— Et si elle ne le revoit pas ? » La voix a jailli juste devant moi. Je baisse la tête. Derrière Isaac tout souriant, les paupières closes, comme en extase, est assise Petite Oie qui lui démêle les cheveux. Je me tourne vers Gabriel dont le visage affiche la même stupéfaction que moi. « Vous l'avez vue arriver ? » je lui demande rapidement en français. Il fait signe que non.

« Et si elle ne le revoit pas ? répète Petite Oie.

— Comment es-tu entrée ? dis-je.

— Eh bien, par la porte, comme tout le monde », répond-elle.

Les rires fusent.

« Mais une seconde avant, tu n'étais pas là !

— Je suis toute petite, dit Petite Oie prenant un air modeste. Je passe souvent inaperçue.

— Tu es une sorcière », dis-je, tâchant de me remettre du choc que j'ai éprouvé. M'adressant aux autres en la désignant, je reprends : « Voici un de ces mauvais okis dont je vous parlais, de ceux qu'on trouve partout dans le monde.

— Ne sois pas si cruel », dit-elle, feignant de se sentir blessée.

Plusieurs personnes réagissent, dont des femmes et des hommes âgés qui n'avaient pas prononcé le moindre mot depuis des mois.

« Mais Petite Oie n'a jamais fait que nous aider !

— Elle a vu en rêve l'ennemi approcher et elle a averti nos guerriers.

— Elle guérit nombre de maladies.

— Certains croient, déclare Petite Oie, que les autres Robes noires et toi êtes les okis malveillants qui nous ont apporté la famine, l'épidémie et la sécheresse.

— Nous sommes venus avec la bonté dans le cœur et la parole du Grand Génie sur la langue, dis-je. Ta présence ici est indésirable. »

Isaac, toujours comme en transe pendant que Petite Oie continue à lui démêler les cheveux, murmure : « J'aimerais qu'elle reste.

— Si sa présence est indésirable, dit le vieil homme,

commençant à se lever, nous souhaitons nous aussi partir. »

Je me tourne vers Petite Oie pour lui demander : « Tu penses vraiment que nous sommes responsables des fléaux qui se sont abattus sur ce pays au cours des dernières années ?

— Tu espères une réponse claire, un simple oui, car cela te permettrait de t'innocenter puisque tu ne crois pas en être la cause, répond-elle. Vous êtes arrivés ici il y a longtemps, et tu considères qu'il ne s'agit que d'une coïncidence regrettable. » Elle sourit et entreprend de tresser les longues mèches d'Isaac. « Moi, je pense que l'endroit où nous nous trouvons est une chose plus importante, plus grave que n'importe quelle question ou réponse simple. »

Les autres écoutent de toutes leurs oreilles. Petite Oie se lèche les doigts et lisse l'extrémité de la natte d'Isaac. Quand elle me regarde dans les yeux en souriant, je ressens de nouveau ce frémissement dans mes entrailles.

« Laisse-le tranquille ! dis-je d'un ton aussi ferme que possible.

— Non, proteste Isaac.

— Elle lui a jeté un sort, dit Gabriel.

— Tu essaies de les convaincre que ce qu'ils savent avec certitude est en réalité faux, dit Petite Oie.

— Je leur montre juste une meilleure voie, une chance de vivre différemment.

— En voulant faire cela, tu détruis l'équilibre des générations, réplique-t-elle. Tu vas diviser ce village, affaiblir tous les Wendats. Alors, les Haudenosaunees le sauront et ils passeront à l'action.

— Tu m'accordes trop de pouvoir. Je n'ai pas celui de diviser une nation.

— Les paroles de ton wampum sont à l'opposé de nos croyances, déclare Petite Oie comme si elle ne m'avait pas entendu.

— Qu'est-ce que tu veux dire ?

— Ton wampum affirme que tout dans le monde a été créé pour le bénéfice de l'homme. Ton wampum affirme que l'homme est le maître et que tous les animaux sont nés pour le servir.

— Et ce n'est pas vrai ? »

Elle secoue la tête, sourit. « Notre monde n'est pas le même que le tien. Les animaux de la forêt ne se donnent à nous que s'ils jugent bon de le faire.

— Tu prétends donc que les animaux sont capables de raison ? Qu'ils ont une conscience ?

— Je dis que les humains sont les seuls dans ce monde à avoir besoin de tout ce qu'il contient. » Petite Oie lâche la natte d'Isaac. « Or, ce monde ne contient rien qui ait besoin de nous pour survivre. Nous ne sommes pas les maîtres de la terre. Nous en sommes les serviteurs.

— Et moi, je suis ici pour être leur serviteur. » Je lève les bras en me tournant vers l'assistance. Je sais que je n'aurai pas le dessus dans cette discussion avec Petite Oie. Il faut de l'habileté et du temps pour vaincre le Démon. « Disons une prière avant notre repas. »

Je n'en veux pas

Tant de maisons-longues laissées à l'abandon, tant de feux qui ne brûleront plus jamais.

Quand Oiseau m'a ramenée il y a trois étés, la maladie a frappé, et elle a frappé brutalement. Des centaines sont morts cet hiver-là. Chaque famille a été touchée. Pas assez de guérisseurs, pas assez d'orenda, pas assez de force pour sauver les agonisants, pas le temps d'enterrer les morts. Nombre d'okis mécontents hantent désormais cet endroit. Trop. Ils m'empêchent de dormir.

Lorsque je suis revenue en ce lointain été, j'étais encore une enfant. Et pour la troisième fois de l'année, j'ai vu Oiseau et ses hommes tuer ma famille. C'est alors que quelque chose s'est brisé en moi. C'est alors que j'ai décidé que je ne pouvais plus rentrer chez les miens. Oiseau a gagné. Il m'a gagnée. Maintenant, quand des étrangers viennent commercer dans notre village, je leur dis que je suis la fille d'Oiseau. Ce qui ne signifie pas qu'une fille ne puisse pas haïr son père, n'est-ce pas ? Je crois, mes vrais parents, que vous m'entendez encore. Je l'accepte à titre de remplaçant, ce qui ne signifie pas non plus que je ne mettrai pas un jour fin à sa vie comme il a mis fin à la vôtre.

Les vieilles femmes ont crié comme des mouettes pour me dire qu'il était temps de me préparer à devenir femme. Elles supposent que les lunes me sont venues, et bien que ce ne soit pas le cas, j'ai menti, de sorte qu'on me conduit à l'extérieur des palissades, là où l'on trouve la mousse la plus épaisse au fond des sombres ravins. Des nuées de minuscules mouches qui piquent nous enveloppent, pareilles à des Robes noires, cependant que nous longeons la rivière qui se décharge dans la grande baie. On me montre comment choisir la mousse la plus fraîche. L'odeur suave de la vie nouvelle qui pousse sur l'humus emplit mes narines. Ce n'est pas tout. Il ne s'agit que d'une petite partie de ce que ces vieilles taupes désirent m'apprendre. Nous nous écartons de la berge puis, espacées de quelques pas, les yeux baissés, nous recherchons de jeunes fougères encore enroulées si serrées que quand je passe le doigt sur la tige, il suffit d'un léger pincement pour en détacher la pointe. Nous les cueillons d'une main, l'autre tenant nos robes de peau remontées sur nos cuisses pour nous servir de paniers. J'aimerais dire que je suis malheureuse, mais je ne le suis pas. Le soleil me chauffe le dos.

De retour au bord de la rivière, munies cette fois de couteaux, nous marchons au milieu des nouvelles pousses d'épinette dont nous coupons le haut pour en faire des infusions. On me montre ensuite comment construire un barrage avec des pierres, destiné à leurrer les brochets qui passent pour frayer et les attirer vers la berge. On rétrécit ainsi le lit de la rivière jusqu'à ce qu'on puisse l'enjamber et, armées de branches d'érable à l'extrémité taillée comme des lances, on attend patiemment d'apercevoir l'éclat des écailles pour frapper aussi vivement que des serpents avant d'amener les gros poissons sur la rive sans leur laisser le temps de s'échapper pour filer en amont, tandis que l'eau se teinte des rubans de sang qui s'échappent de leurs corps éventrés.

Après, les vieilles femmes m'amènent dans les champs travailler la terre pour la venue des trois sœurs. Nous nouons nos robes haut sur nos jambes afin que l'air nous rafraîchisse pendant que nous érigeons des monticules dans lesquels nous creusons des trous où nous semons des poignées de graines de maïs gorgées d'eau que nous avions mises à tremper, espérant que la terre que nous tassons les acceptera. Les nouveaux champs sont encore petits, et l'atmosphère est envahie de l'odeur des souches qui brûlent. Compte tenu du nombre de malades et de morts, les hommes doivent travailler dur pour compenser et rattraper le temps perdu, et chaque jour, la surface cultivable augmente et la forêt cède la place à des rangs de courges, de haricots et de maïs. C'est le premier printemps depuis trois ou quatre ans où les gens du village sortent en foule. Je constate avec inquiétude que beaucoup ont été emportés dans l'autre monde. Pourtant, ces gens-là ont le sourire en contemplant le travail accompli.

Aujourd'hui, les vieilles femmes m'ont envoyée sillonner le village en quête de quelque chose qui, m'ont-elles dit, n'attirera que mon seul regard. Personne ne sait de quoi il s'agit, mais elles m'ont assuré que moi, je le saurai. Dès que j'aurai trouvé l'objet en question, il faudra que je le rapporte à la maison-longue des femmes située au milieu des champs, et la cérémonie pourra alors commencer. Les semaines suivantes, je serai censée m'asseoir en leur compagnie pendant qu'elles me parleront de ce que je peux attendre de la vie. Je n'aurai pas la permission de quitter cette maison-longue spéciale, sauf pour aller avec elles dans les champs, et je n'aurai droit qu'à certaines nourritures basées sur ce que nous aurons moissonné ensemble et qui, m'ont-elles affirmé, me donneront la force et la sagesse nécessaires pour survivre dans ce monde. Tandis que j'erre dans le village, je songe que c'est par des matins comme celui-là que je regrette de ne pas être un garçon.

Je me dirige d'abord vers le tas d'ordures où les femmes jettent les déchets. Là s'empilent des monceaux de cendres, de vieux seaux en bouleau tout abîmés, de morceaux de fourrure pourrissants ainsi que des éclats de poterie, et j'espère que quelqu'un, dans sa hâte, se sera débarrassé par erreur de perles de verre, d'une amulette, d'une sculpture en bois ou en pierre. Donnant des coups de pied dans la terre, je veux trouver quelque chose, n'importe quoi que je pourrai rapporter aux femmes pour que le rituel débute et qu'on en finisse. Je ne trouve rien, mais je suis pénétrée par l'odeur âcre des feux des maisons.

Ensuite, je fais le tour du village, laissant ma main traîner sur les pieux des palissades, et je note qu'il y a beaucoup d'endroits par où il serait facile à un guerrier haudenosaunee de se glisser. Maintenant que le printemps est là et que nous avons commencé à semer, nous pourrons nous occuper aussi de cette question. Ces dernières semaines, on a eu l'impression que les gens se réveillaient d'un long cauchemar. Il y a eu tant de morts au cours des hivers passés que certains jours les pleurs semblent provenir de toutes les directions. J'ai souvent écouté Oiseau et Renard parler la nuit devant le feu. La première année, ils ont surtout exprimé leur inquiétude à l'idée que la nouvelle de la maladie parvienne jusqu'à mon peuple et que ses guerriers attaquent pour anéantir les Wendats. La deuxième année, ils ont évoqué le fait que les Haudenosaunees étaient eux aussi gravement touchés par l'épidémie, raison pour laquelle ils n'étaient pas venus nous massacrer. Et la dernière année, leur discours s'est résumé à savoir laquelle des deux nations ennemies se remettra le plus vite et gagnera ainsi la bataille du commerce, et donc la guerre.

Je coupe par un sentier, guettant des signes de vie dans la rangée de maisons-longues. La plupart des habitants du village sont dans les champs aujourd'hui. Tandis que je tâte les parois au passage pour essayer de sentir quelque chose à leur contact, j'entends un bébé pleurer et sa mère le calmer doucement. Un peu plus loin, des voix me parviennent au travers, et alors que je m'approche sur la pointe des pieds, je distingue des mots. *Tu seras à moi*. Un rire. *Si*. Un gémissement. *Pas ici*. Mon ventre se contracte. J'ai envie de m'asseoir pour écouter encore un moment, mais entendant des adolescents arriver de l'autre côté, je reprends mon chemin.

Contournant la maison-longue, je me dirige vers l'endroit d'où proviennent les voix. Au coin, je jette un coup d'œil et je reconnais ceux qui se vantaient si bruyamment de devenir les prochains grands guerriers d'Oiseau. Ce sont eux qui, quand on leur a demandé d'aller chercher de l'eau, de désherber les champs ou de ramasser du bois, ont craché par terre en disant que c'était un travail de femme. Ils seront bientôt de jeunes hommes et ils méprisent presque tout le monde. De plus, ils sont paresseux. Ils ignorent encore qu'Oiseau ne tolérerait jamais un tel comportement au cours de ses voyages.

Ils sont trois. Leurs cheveux lissés à l'huile de tournesol brillent, et ils ont le côté du crâne soigneusement rasé. Ils ne portent que des pagnes et des mocassins. Le centre du pagne de l'un d'eux est décoré de piquants de porc-épic, et bien que je n'aime pas ces garçons, je dois reconnaître que les muscles de leurs dos et de leurs jambes sont très beaux. Le garçon du milieu, celui aux piquants de porc-épic, est armé d'un arc. Le garçon à sa gauche, d'un casse-tête, et celui à sa droite, d'une lance. Quand ils se tournent pour parler et rire, je vois qu'ils ont le visage peint comme s'ils partaient pour la guerre. Mais ce ne sont pas des guerriers. Ils ne se doutent pas que je les observe.

Une corneille perchée sur le toit d'une maison-longue, la tête penchée vers les garçons comme si elle s'interrogeait sur leur présence, fixe sur eux ses yeux noirs. C'est une grosse corneille dont le plumage a des reflets bleu-noir dans le soleil. Le garçon à la lance la désigne. Celui aux piquants de porc-épic prend une flèche dans son carquois, l'encoche, bande son arc. Le bras tendu, il vise la corneille, tire. La flèche fend l'air en sifflant, manque l'oiseau de quelques pouces puis passe par-dessus les palissades et va se perdre quelque part dans les champs. Le garçon au casse-tête donne une petite poussée à son ami et lui dit en se moquant que sa flèche s'est peut-être plantée dans le cul d'une vieille femme occupée à désherber. Sans lui prêter attention, le garçon à l'arc prend une deuxième flèche, mais la corneille s'envole avec un croassement retentissant et, attrapant un courant ascendant, s'élève aussitôt très haut au-dessus d'eux. Puis, riant, elle décrit une courbe et va se poser sur une autre maison-longue. Au relâchement des épaules du garçon à l'arc, je me rends compte qu'il estime la cible trop lointaine à présent. Ils repartent et je leur emboîte le pas.

Arrivés à une maison-longue abandonnée, ils se mettent au défi d'entrer. Le garçon à la lance tend la main vers la porte, puis il suspend son geste. Ils craignent la colère des occupants défunts. Le garçon se contente de se baisser pour cueillir quelques minces pousses de tabac vertes qui ont germé à l'endroit où, l'année dernière, les occupants ont semé les graines.

Il dit : « Je parie qu'il y a des feuilles de tabac séchées dans les chevrons.

— Alors, va voir, dit le garçon à l'arc.

— Toi le premier », dit celui à la massue.

L'adolescent à l'arc pousse la porte. Il hésite, mais je sais qu'il ne peut plus reculer. Un plan se forme dans ma tête. Je me faufile de l'autre côté de la maison-longue vide. Je les entends qui discutent encore sur le seuil, et tout en n'ignorant pas que je ne devrais pas prendre ainsi le risque d'offenser les morts, j'ouvre la porte de derrière et, comme un lynx, je vais me tapir sous la plus proche plate-forme.

La couche de poussière est si épaisse qu'il faut que je me bouche le nez et que je retienne ma respiration pour ne pas éternuer. Mes yeux mettent du temps à s'habituer à la pénombre, et je finis par distinguer les silhouettes des trois garçons au milieu des rais de lumière et des grains de poussière qui flottent dans l'air. Aux aguets, prêts à s'enfuir, ils lèvent la tête vers les chevrons. Pas de tabac et, pour autant que je puisse en juger, les lieux sont déserts.

Piquants-de-Porc-épic fait quelques pas à l'intérieur. Qu'est-ce que je vais faire ? Et s'ils me voient ? Je ravale ma peur. Il sera toujours temps d'agir.

« Où tu vas ? demande le garçon à la lance.

— Il n'y a rien là-dedans, murmure celui au casse-tête. Partons. Je ne tiens pas à ce que les okis viennent me hanter pendant mon sommeil. »

Piquants-de-Porc-épic leur jette un coup d'œil par-dessus son épaule, puis crache par terre. « Quel genre de guerriers êtes-vous, tous les deux ? »

Il s'avance encore. Le regard maintenant accoutumé à la semi-obscurité, il tapote avec son arc les plates-formes de part et d'autre de lui, comme s'il les comptait.

« Vous vous souvenez de celle qu'on appelait Bonds-dans-l'Eau ? » demande-t-il à ses amis derrière lui. Ils ne répondent pas. « Mais si, vous vous souvenez d'elle. La fille aux gros seins. » Il rit, mais les deux autres restent aussi silencieux que les murs autour d'eux. « Elle dormait là, dit-il, donnant un petit coup sur la plate-forme. Elle aimait bien m'embrasser ici. » Il se tourne vers les deux garçons et soulève son pagne.

« Ne parle pas comme ça des morts, dit celui à la lance. Je m'en vais avant qu'il nous arrive quelque chose de mal. »

Piquants-de-Porc-épic effectue deux ou trois pas dans ma direction. « Qu'est-ce que je vois là ? » dit-il, et je crois qu'il m'a repérée, bien que je me sois aplatie le plus possible contre la paroi. Je distingue ses mocassins. Ils sont superbes. Il s'écarte pour prendre quelque chose sur la plate-forme de l'autre côté.

« Ne touche pas ! s'écrie le garçon au casse-tête. Tu es fou ou quoi ?

— Qu'est-ce que c'est ? » demande celui à la lance.

Les pieds de Piquants-de-Porc-épic pivotent. Il a des mollets bien musclés. « Juste une flèche brisée. J'espérais qu'elle remplacerait celle que j'ai perdue en tirant sur la corneille. »

Ses pieds, cette fois, se dirigent droit sur moi. J'inspire à fond et, la gorgée serrée, au moment où il va taper sur la plate-forme sous laquelle je me cache, je pousse le hurlement le plus fort que j'aie jamais poussé. À mon grand étonnement, il sonne comme le cri de fureur d'une corneille géante.

Le garçon tombe sur les fesses et recule ainsi, paniqué, les mains et les pieds soulevant des nuages de poussière. Lorsque je lâche un deuxième cri tout aussi perçant, il se relève d'un bond et se précipite vers la porte pour disparaître à la suite de ses amis. La flèche brisée gît à côté de moi dans la poussière.

Dehors, sous le soleil éblouissant, je continue ma quête, riant chaque fois que je pense à l'effroi des garçons. J'espère que les okis de la maison me pardonneront. J'espère qu'ils ne se méprendront pas sur mes intentions.

Quelques personnes sont revenues des champs pour se reposer et boire un peu d'eau. Installés en cercle devant les maisons-longues, les hommes, couverture sur l'épaule, fument la pipe et discutent entre eux. À l'intérieur, les femmes et les petits enfants rient, bavardent et jouent. Quand je passe, certains me saluent, mais je conserve les yeux fixés droit devant moi. Bien que la plupart de ces gens ne m'aiment pas parce que j'appartiens à Oiseau, ils me traitent plutôt gentiment.

Je me sens parfois, mes chers parents, aussi contagieuse que les trois Corbeaux qui sautillent dans le village. Je suppose qu'on me garde pour les mêmes raisons qu'eux. Le désir d'une minorité l'a emporté sur celui de la majorité. Même moi, je le sais. Après tout, j'entends les discussions qu'Oiseau a le soir avec ses partisans. Il est devenu plus puissant maintenant que nombre d'anciens sont passés dans l'autre monde à cause de la maladie ou de leur grand âge. Lui et son fidèle Renard. C'est celui-ci qui a avancé l'argument décisif, à savoir que si le village bannissait les Corbeaux, un autre les accueillerait sans hésiter malgré le danger. Ensuite, le commerce avec le Peuple du Fer nous échapperait pour aller où les Corbeaux se seraient posés. Seulement, leur présence continuelle ici et le fait qu'ils commencent à gagner certains Wendats à leur croyance auront sûrement des conséquences. Il y avait un équilibre qui semble rompu, et il en résultera obligatoirement quelque chose. Je tiens à être là quand cela se produira.

Empruntant l'allée principale du village, je me dirige vers le wigwam de Petite Oie. Les hommes et les chiens marchent, entourés de nuages de poussière. Nous avons de nouveau besoin de pluie. Le début du printemps a été humide, prometteur, mais le ciel s'est depuis tari. Et à présent que la maladie a reculé, la sécheresse menace. Tout le monde peste. Nous ne pourrons pas subir un été sec. Les trois sœurs vont se flétrir et mourir, et nous ne tarderons pas à suivre. Un été sans pluie sera notre fin à tous. Les gens du village doués de pouvoirs spéciaux nous ont pressés de faire le nécessaire. Nous avons distribué nos biens les plus précieux, nous avons dansé des jours durant, et certains, quand cela est apparu dans les rêves, ont organisé un festin en utilisant toutes leurs provisions. Le soleil, pourtant, brille toujours avec autant d'éclat en cette fin de printemps et ne montre aucun signe de changement. Nous prions pour que les nuages noirs filent au-dessus de la grande baie et viennent vers nous.

Devant moi, dans un concert d'aboiements et de jappements, une meute de chiens tourne autour d'une maison-longue, semblant s'attaquer à quelque chose que je n'arrive pas à voir tellement ils sont nombreux. Craignant qu'ils soient en train de déchiqueter un chien de petite taille ou un chiot, je me précipite au milieu d'eux après avoir ramassé un bâton avec lequel je fais des moulinets. Les premiers que j'atteins poussent des gémissements et s'éloignent, la queue entre les pattes. Une fois que la plupart d'entre eux se sont écartés, je me retrouve face à un ourson aussi grand que le plus grand des chiens, mais beaucoup plus gros. Attaché à la maison-longue, il a l'écume à la bouche et montre les dents aux chiens les plus proches qui continuent à essayer de lui sauter dessus. J'en frappe un sur la truffe. Il glapit de douleur et les autres s'égaillent.

Le cou et le dos de l'ourson sont couverts de la bave des chiens. Il me regarde de ses yeux bordés de rouge et grogne, mais quand je m'assois juste hors de sa portée pour lui indiquer que je ne lui veux pas de mal, il commence à se calmer. Il arpente le sol sur la courte distance que lui permet sa laisse, puis il s'assoit sur son arrière-train et contemple au loin ce que j'imagine être son pays. Je suis tentée de le libérer, mais j'ai trop peur de m'approcher de sa gueule. Ceux qui habitent ici sont connus pour recueillir des animaux orphelins. Ils ont eu des bébés moufettes et des faons, des lapereaux, des petits ratons laveurs, des renardeaux et même de jeunes faucons qui tous, à une époque ou une autre, ont vécu ici en compagnie des familles. En fait, ils ne restent pas longtemps, car une fois qu'ils sont assez grands pour retourner à la vie sauvage, ils disparaissent. Je suppose qu'ils finissent soit par être relâchés dans la forêt, soit dans les marmites des familles.

Grognant encore, l'écume à la bouche, l'ourson regarde toujours droit devant lui comme s'il ne me

voyait pas. On me tape soudain sur l'épaule. Je sursaute. Les trois garçons se sont glissés silencieusement derrière moi et c'est celui à la lance qui m'a
donné un petit coup avec son arme. Je suis étonnée
qu'ils aient réussi ainsi à me surprendre. Je me glori-
fie de l'acuité de mes sens.

« C'est ton ours ? me demande Piquants-de-Porc-
épic.

— Est-ce que ça a l'air d'être le mien ? » je
réplique.

Il a une longue flèche sur l'épaule, et quand il se
retourne pour murmurer quelque chose à ses amis, je
vois qu'elle ploie sous le poids de la grosse corneille
fichée à son extrémité. Ses plumes noires luisent dans
le soleil, son bec entrouvert pointe vers le sol et l'en-
vergure de ses ailes déployées équivaut presque à ma
propre taille.

« Ça te portera malheur, dis-je, pinçant les lèvres
en désignant l'oiseau.

— Comment tu peux le savoir ? demande-t-il,
baissant les yeux sur moi, les hanches en avant à
hauteur de mon visage.

— Parce que je suis une sorcière.

— Oui, tu en as les marques sur la figure et les
épaules, dit le garçon au casse-tête. Tu as attrapé la
maladie, mais elle ne t'a pas pris la vie.

— Je suis trop forte pour la maladie. En me
voyant, elle s'est enfuie en hurlant alors que j'étais
encore une petite fille.

— Tu serais jolie, dit Piquants-de-Porc-épic, si tu
n'avais pas toutes ces cicatrices. »

Furieuse, je bondis sur mes pieds.

248

L'un de ses amis remarque ma main. « Regarde, dit-il. Il lui manque un doigt.

— Tu as été torturée par les Haudenosaunees ? demande Piquants-de-Porc-épic.

— Oui. » Je ris, me moquant de moi-même. « Mais j'ai survécu pour le raconter.

— Tu as un beau corps », ajoute l'insolent. Il se tourne vers ses amis. « Vous avez vu, elle commence déjà à avoir des seins. »

Je le pousse légèrement. « Tu veux jouer avec moi ? »

Son sourire me prend de court. J'espérais de la colère.

« Avec plaisir, répond-il, mais j'attendrai encore un an que tu sois en âge. »

Derrière moi, l'ourson souffle comme si le ton de nos échanges l'amusait. Les trois garçons, eux, s'esclaffent.

« Tuer cette corneille est un crime aussi grave que de franchir le seuil de la maison d'une famille morte sans sa permission », dis-je.

Le rire s'étouffe dans la gorge des garçons. Piquants-de-Porc-épic a soudain l'air un peu pâle.

« Tu as… ? commence celui à la lance, mais son ami lui fait signe de se taire.

— Tiens, c'est pour toi, dit Piquants-de-Porc-épic, soulevant sa flèche pour me la tendre.

— Je n'en veux pas. »

Il me met la corneille presque sous le nez. « Peut-être que si je t'en fais cadeau, j'échapperai à la malédiction.

— Pour qu'elle retombe sur moi ?

— Tu as avoué être une sorcière. Ça ne pourra rien te faire. »

Je regarde la corneille. Ses yeux sont devenus d'un blanc laiteux, ce qui me rend triste. Ils étaient si noirs que, quelques instants auparavant, ils n'arrivaient pas à réfléchir la lumière. Ses serres se contractent déjà dans la mort. Malgré moi, je la prends. Toute grosse qu'elle soit, elle n'est pas aussi lourde que je l'aurais cru.

« Le grand guerrier Oiseau est ton père », dit Piquants-de-Porc-épic.

J'acquiesce.

« N'oublie pas de lui faire savoir que je suis adroit avec mon arc, que je sais me débrouiller seul et que je suis bon chasseur.

— Parce que tuer un animal sans défense fait de toi un bon chasseur ? dis-je, sarcastique. Je peux t'affirmer que ça ne l'impressionnera pas.

— Si », réplique le garçon. Je m'apprête à lui répéter que non, mais il reprend, me devançant : « Et dis-lui aussi que je compte que toi et moi, très bientôt nous nous connaissions mieux. »

Je veux lui dire qu'il n'en sera jamais rien, mais il s'éloigne, et ses amis le suivent comme des chiens. J'ai envie de lui crier dessus. J'ai envie de hurler. Seulement, je reste plantée là, écarlate, tenant entre mes mains une corneille morte, tandis qu'un ourson souffle derrière moi.

Le Jeu du Créateur

Renard me fait signe de regarder par-dessus les hautes herbes parmi lesquelles nous sommes cachés. Cinq de leurs guerriers ont émergé de la forêt en face de nous, exactement à l'endroit que Renard avait prévu. Ils sont grands et forts, et il semblerait que celui qui tient son bâton muni d'un filet avec plus de précaution que ceux qui l'encadrent ait ce que nous convoitons. Ils ont contourné sans être repérés nos hommes beaucoup plus nombreux qu'eux restés dans la forêt. Seul notre groupe de cinq guerriers les empêche de traverser le champ pour revendiquer la victoire.

Le bruit des combats éclate dans les bois derrière nos ennemis qui, accroupis, scrutent le champ devant eux. Ils se doutent que nous sommes là, que nous ne laisserions jamais sans défense cette ultime bande de terrain. Dans un bourdonnement de ruche, les gens de notre village qui ont fait tout ce chemin pour assister au spectacle crient et rient dans notre dos, se moquant des cinq hommes et les mettant au défi de venir chercher leur récompense. Ceux de notre peuple savent où nous sommes, mais ils se garderaient bien de trahir notre position.

Deux guerriers s'avancent dans le champ en zigza-guant pour essayer de nous obliger à nous montrer, mais nous attendons encore. Quand ils ont franchi la moitié de la distance, les cris de la foule s'amplifient sous l'effet de la tension, tandis que les trois autres hommes s'engagent à leur tour dans le champ, les deux de devant protégeant celui qui porte la pierre sacrée enveloppée de peau. Renard et moi savons que dès qu'ils auront rejoint les leurs, ils se livreront à une charge désespérée en direction du grand poteau planté dans le sol. Et s'ils arrivent à le toucher avec la pierre, ils auront gagné.

Tous les cinq sont maintenant tapis au milieu du champ, et celui qui a la pierre communique ses ins-tructions à voix basse. Ils devinent que nous sommes tout près, mais ils ne se doutent probablement pas que nous le sommes à ce point. Au moment où ils vont se redresser, Renard et moi jaillissons des hautes herbes pour nous précipiter sur eux, tandis que trois de nos plus jeunes et plus forts guerriers nous imitent et nous dépassent aussitôt, faisant tournoyer leurs bâtons au-dessus de leurs têtes. Les cinq hommes se lèvent et se préparent au combat. On entend les cris et le choc des bâtons qui visent les bras, les jambes et le torse, accompagnés par les rugissements des spectateurs qui se tiennent à quelques centaines de pas derrière nous, et j'ai l'impression d'entendre le grondement d'une cascade. Deux de leurs hommes rompent le combat. Renard et moi, nous nous lan-çons à leur poursuite. Renard saute sur celui qui tient la pierre dans le filet de son bâton, tandis que j'évite le coup que me décoche l'autre et que je le frappe sur les tibias, le faisant tomber. À cet instant, avec l'air qui emplit mes poumons et le sang qui me bat aux tempes, je me sens de nouveau jeune, aussi jeune que celui qui, étendu par terre, me regarde avec des yeux écarquillés alors qu'une espèce de plainte s'échappe de sa bouche et que je lui enfonce dans le ventre le bout de mon bâton, si bien que, le souffle coupé, il ne peut plus se relever.

Pendant ce temps-là, nos trois jeunes guerriers continuent à lutter. J'ai la tristesse de voir un de mes hommes, le nommé Grands Arbres, qui gît au sol, apparemment inconscient. Même moi, il me domine de toute sa taille, et par sa seule carrure il sème la terreur chez nos ennemis. Il est évident que nos deux guerriers risquent de bientôt succomber, aussi faut-il que j'agisse rapidement. L'adversaire de Renard, beaucoup plus lourd que lui, est assis à califourchon sur sa poitrine et le frappe au visage. Je lui assène un coup assez fort pour le renverser et envoyer rouler la pierre couverte de peau contenue dans le filet. Je m'en empare. Le pouvoir du précieux objet fait vibrer mes bras, et dans ma tête dansent des éclairs. Renard se remet debout en vacillant. Il a le nez et un œil en sang, lequel œil est déjà presque fermé. De mon bâton, je lui indique les arbres. Il comprend et part en courant.

Tournant le dos à la forêt, je reviens au trot vers les miens qui se tiennent juste derrière le poteau. Les deux ennemis encore debout foncent sur moi puis ralentissent un instant, étonnés par mon comportement. Balançant doucement la pierre dans le filet de mon bâton, je me moque d'eux, les invitant à venir me chercher. J'entends ceux de mon peuple me hurler de me dépêcher de rejoindre Renard qui attend à la lisière des arbres.

Les deux guerriers se ruent vers moi, et quand ils se trouvent à une dizaine de pas, je brandis le bâton, ramène mon bras en arrière puis le détend de toutes mes forces, envoyant voler au-dessus de leurs têtes la pierre enveloppée de peau en direction de Renard. Les deux hommes s'arrêtent net et, comprenant leur sottise, ils me regardent en grondant au moment où Renard saute pour attraper la pierre dans le filet de son bâton. Il lève bien haut le trophée à mon intention avant de disparaître dans les profondeurs de la forêt. Mon peuple pousse un rugissement.

La foule se presse dans la vaste maison-longue, mes villageois d'un côté, nos hôtes de l'autre. Une rangée de feux flambe entre nous, sur lesquels chauffent les marmites remplies de ragoûts de toutes sortes. Les guerriers blessés sont installés par terre aux places d'honneur, près des feux. Grands Arbres est étendu là, la tête posée sur son bras. Il a repris connaissance peu après que Renard a disparu dans la forêt avec la pierre sacrée, et je l'ai renvoyé au village de nos hôtes, même s'il aurait souhaité continuer le Jeu du Créateur. Il a trop de valeur pour moi, et j'aurai besoin de lui dans quelques semaines quand nous retournerons auprès du Peuple du Fer. Ce sera, mon amour, le premier voyage de traite important depuis plusieurs étés. C'est vital pour le commerce, mais surtout, il faut que nous montrions à nos ennemis que nous en avons toujours le contrôle. À ce que je sais, les Haudenosaunees demeurent encore affaiblis par la maladie. Nous devons absolument partir cet été malgré mes inquiétudes à l'idée de laisser si peu d'hommes pour assurer la protection de notre village. L'épidémie a particulièrement touché ceux qui paraissaient les plus forts, et leur perte a été cruelle. Nombre de garçons qui désirent devenir des hommes vont devoir faire leurs preuves cet été, car ce seront eux les défenseurs de notre village.

L'ancien qui s'exprime au nom de nos hôtes parle bien mais trop longtemps. Les ragoûts ne vont pas tarder à brûler. C'est la troisième fois qu'il nous remercie d'avoir amené le Corbeau pour qu'il puisse l'étudier et tâcher de le comprendre. Je crains que le vieil homme n'ait le cerveau un peu ramolli, car je peux presque deviner mot pour mot ce qu'il va dire.

Je jette un coup d'œil au Corbeau qui, conscient d'être l'objet de son discours, observe attentivement l'ancien. Comment est-ce arrivé, mon amour ? J'ai l'impression d'avoir relâché mon attention durant le plus bref des instants au cours duquel notre visiteur aurait réussi à pratiquement maîtriser notre langue. Ce qui m'effraie surtout, c'est le nombre d'entre nous qu'il a gagné à ses étranges croyances pendant le pic de la maladie. Ceux qui pensent que ce n'est pas le Corbeau en personne qui nous a apporté ce fléau se sont mis soudain à écouter ses mensonges à propos de ce paradis où nous sommes censés aller en quittant cette terre. Je vois très bien en quoi cela peut séduire les simples d'esprit, et c'est peut-être une bonne chose qu'il attire ainsi dans son camp les plus faibles des nôtres. Non, j'ai tort. Pardonne-moi, mon amour. Je suis affamé et irrité. Mes pensées s'égarent et il faut que je mange.

« Nous souhaitons la bienvenue aux Attignawantans, le Peuple de l'Ours, répète l'ancien, arpentant l'allée entre les feux. Vous êtes nos grands frères et nous admirons votre sagesse et vos prouesses physiques. Sur le champ de bataille, vous triomphez de vos ennemis et vous ouvrez des chemins vers ceux venus d'au-delà de la Grande Eau afin que nous puissions en retour vivre dans le confort et l'abondance. Vous avez amené ce bois-charbon pour qu'il nous explique comment son peuple voit la terre et le ciel et, l'accueillant parmi vous, malgré les protestations de ceux qui le considèrent comme un oki dangereux déguisé en bête horrible, malade et velue, vous le laissez aller librement et vous nous permettez d'échanger les fourrures de nos animaux contre leurs marchandises. Soyez-en remerciés. »

Le vieil homme s'accroupit comme pour examiner la terre, et je suppose qu'il a enfin terminé. La foule s'agite à la perspective du festin qui s'annonce. Or, il se relève et poursuit :

« Vous, les Attignawantans, vous avez parcouru une grande distance pour nous défier au Jeu du Créateur. Et aujourd'hui, Femme-Ciel nous a souri de là-haut. Aataentsic nous a beaucoup vus souffrir ces dernières années et j'ai rêvé qu'elle était triste pour nous et qu'elle était prête à nous prendre en pitié, et c'est pourquoi je vous ai appelés ici pour participer à son jeu. Dans mon rêve, elle m'a dit que nous devons jouer en son honneur pendant deux jours encore et traiter nos frères aussi férocement que s'ils étaient de véritables ennemis afin que le flot de sang coulant de nos plaies nourrisse les champs et que les trois sœurs poussent vigoureusement cette année. Femme-Ciel souhaite aussi qu'à la fin du jeu, quand vous, le Peuple de l'Ours, vous repartirez, nous ne soyons plus comme des cousins, mais comme des frères. Et les blessures dont souffriront vos jeunes guerriers seront le signe du profond attachement que nous avons les uns pour les autres.

— Ah-ho ! Ah-ho ! » approuve l'assemblée, tandis que l'ancien s'est enflammé, comme s'il avait retrouvé toute sa vigueur. Et même moi, en dépit de mon estomac qui gronde, je commence à être pris par son discours.

« J'ai rêvé également que les Haudenosaunees, encore affaiblis par la maladie de la toux, n'interféreront pas cet été dans vos affaires de traite. J'ai cependant rêvé que dans les années à venir, ils deviendront de plus en plus furieux devant votre refus d'arrêter de traverser leur territoire pour aller commercer avec les hommes velus, et furieux aussi parce que vous accueillez leurs bois-charbons dans votre village, et c'est pourquoi nous devons continuer à agir non pas en simples cousins mais en frères, car nous ne vaincrons l'ennemi que si nous nous allions les uns aux autres. Aussi, je vous encourage, jeunes guerriers qui vous tenez devant moi, à jouer aussi durement que vous le pourrez pendant ces deux jours et à ne pas vous ménager, car vos blessures vous uniront et vous rendront plus forts, de sorte que vous ne craindrez plus les cris de votre ennemi pendant le combat. Le Jeu du Créateur vous apprendra tout cela et nos deux communautés deviendront aussi soudées qu'une famille. C'est seulement ainsi que nous serons assez puissants pour résister à notre ennemi commun. »

Sur ce, le vieil homme se rassoit enfin et lève les bras à l'intention des femmes en face de lui qui patientent, une louche à la main, et nous sommes invités à partager le contenu des marmites.

Nos hôtes n'ont reculé devant aucune dépense pour ce festin, et sur nos plats en écorce de bouleau s'empilent filets de truite, d'esturgeon et de brochet à côté de la viande de cerf, d'ours et d'orignal, le tout accompagné de maïs aromatisé de baies ainsi que de sirop d'érable et de bouleau. Dès que les plats sont vides, on nous presse d'aller nous resservir, car nous devons manger jusqu'à ce qu'il ne reste plus rien dans les marmites. Mon estomac qui grondait de faim gémit à présent car trop rempli, tandis que les conversations détendues, les soupirs des guerriers repus et les craquements du bois sec qui finit de se consumer envahissent tranquillement la vaste maison-longue. Nos cousins ont été généreux avec nous, en effet, et demain nous combattrons les uns contre les autres aussi férocement que si nous étions des ennemis mortels, car le vieil homme a raison lorsqu'il dit que ce jeu apprendra à nos jeunes guerriers à penser avec lucidité durant le combat, et il endurcira leur corps et leur esprit en perspective de ce qui les attend bientôt.

Ma tête est tombée sur ma poitrine et j'ai mon plat posé sur mes genoux quand une main me secoue par l'épaule pour me réveiller. Renard, l'œil enflé et presque fermé, m'adresse ce sourire qu'il réserve pour m'annoncer une nouvelle que je ne tiens pas à entendre. « Lève-toi, Oiseau, murmure-t-il d'une voix rauque. Allez, debout. Leur chef te demande de prendre la parole. »

D'un revers de main, j'essuie la bave qui a coulé sur mon menton, espérant que personne ne l'a remarquée.

« Lève-toi ! répète Renard, me prenant le bras. Dis quelque chose. Quelque chose de brillant. »

Je me mets debout en titubant et, voyant combien ils sont à attendre mon discours, je parviens malgré mon épuisement à afficher un semblant d'autorité.

« Oui, vous les Arendahronnons, vous le peuple de ce grand rocher dénudé sur lequel vous avez décidé de mener une existence prospère… » Je m'interromps. Ayant voulu être drôle, je redoute maintenant que mes paroles ne sonnent plutôt comme une insulte, et je reprends : « Oui, vous les Arendahronnons, le Peuple du Rocher, vous avez trouvé un monde idyllique où passer vos journées, près de nos amis, grands chasseurs et peuple-médecine, les Anishinaabes au nord, et vous êtes entourés et protégés des trois autres côtés par l'eau. Pourtant, vos champs sont aussi étendus et aussi riches que tous ceux du pays des Wendats. Mais n'allez pas croire que cela empêchera vos frères Ours, nous les Attignawantans, de vous écraser demain et après-demain au Jeu du Créateur, tout comme nous vous avons écrasés aujourd'hui. »

La foule qui m'a écouté attentivement rit juste assez pour que ma langue se délie : « Mes cousins, vous les Arendahronnons, non, mes frères, nous devenons en effet plus proches les uns des autres en participant à cette petite guerre entre frères. »

Et chacun d'approuver d'un « Ah-ho ! »

« Ainsi que votre ancien l'a souligné à juste titre, nous devons nous allier et ne plus faire qu'un si nous voulons continuer à dominer les Haudenosaunees. » Je me demande ce que je pourrais ajouter pour les impressionner, et sans même prendre le temps de réfléchir, je lâche : « Voici ce que je vous propose, mes frères : venez avec nous cet été au pays des hommes velus. Nous formerons une grande armée, une armée invincible. Nous irons ensemble pour montrer aux Haudenosaunees qu'ils ne peuvent pas triompher de nous. »

Alors que nos hôtes manifestent leur enthousiasme, je sens le regard de Renard rivé sur moi. Il sait qu'un groupe aussi important traversant le territoire des Haudenosaunees passera pour davantage qu'un affront. Ce sera une déclaration de guerre. De plus, quand il verra autant de fourrures arriver avec autant de gens, le Peuple du Fer en profitera pour faire baisser les prix. Je me tourne vers Renard qui secoue la tête d'un air navré, mais j'ai gagné à ma cause nos hôtes qui acclament mon nom. Nous accompagner au pays du Peuple du Fer, ils en rêvaient depuis longtemps.

Une fois qu'ils se sont calmés, je me rends compte que j'ai oublié quelque chose et qu'il y a encore un sujet qu'il me faut aborder : « Ce n'est un secret pour personne qu'il y a un étranger avec nous, un homme qui, pour plusieurs raisons, ne peut pas se cacher parmi nous, en particulier parce qu'il est de la couleur du ventre d'un poisson. » Les gens rient de bon cœur. Je regarde le Corbeau qui a un sourire pincé. Je poursuis : « C'est une créature bizarre. Vous ne pouvez pas ignorer de qui je parle, car c'est celui dont les cheveux ont quitté sa tête pour se coller sur son visage. » Les rires redoublent. « C'est un homme fort, cependant, et je l'ai vu devenir petit à petit plus fort encore au cours de ces dernières années. Il a fait des adeptes dans mon village, et ils affirment qu'il est capable de se charger d'un lourd fardeau. » Les occupants de la maison-longue le scrutent, discutent entre eux et semblent l'évaluer comme pour décider s'il s'agit d'une marchandise susceptible ou non d'être échangée.

Je les avertis : « Méfiez-vous de ce bois-charbon, mes frères. En dépit de sa curieuse allure, il est très intelligent et il s'est accoutumé à notre mode de vie. Il s'attaque spécialement à ceux qui sont faibles d'esprit ou de corps. » La foule se penche pour m'écouter. « Il attend que ses proies soient sur leur lit de mort pour chuchoter ses incantations. Il promet de grandes richesses dans la vie d'après si on accepte son oki. Seulement, il ne dit pas que le prix en est que vous serez à jamais séparés de ceux que vous aimez et qui sont partis avant vous.

— Alors pourquoi vous le gardez ? demande quelqu'un. Ne vaudrait-il pas mieux le caresser avec les charbons ? »

L'air pensif, je porte la main à mon menton. J'avais prévu que j'aurais à défendre ma position tout comme j'ai dû quelque temps le faire dans mon propre village. « Parce que, dis-je, il n'est que le premier parmi beaucoup d'autres qui ont commencé à arriver dans notre pays. Et malgré la menace réelle qu'il représente – car n'est-ce qu'une coïncidence si la maladie s'est déclarée lors de sa venue ? –, malgré la menace que les gens de sa sorte et lui font peser sur nous, il faut que nous puissions les étudier pour les comprendre. Nous, les Attignawantans, nous avons pris cela sur nous, quelles qu'en aient été les terribles conséquences, afin d'apprendre comment protéger la nation wendat de leurs manœuvres. » Certains hochent la tête en signe d'approbation. « Et je vous promets, mes frères, que nous partagerons avec vous tout ce que nous aurons appris. »

Je me rassois. La maison-longue bruit du murmure des conversations. J'ai le sentiment d'avoir bien parlé, tout en me reprochant de les avoir stupidement invités à nous accompagner. Comme pour remuer le couteau dans la plaie, Renard me glisse à l'oreille : « Tu as saboté mon année de traite. J'espère que tu offriras à tes guerriers une part de tes bénéfices pour compenser le mal qu'ont fait les mots que tu t'es permis de prononcer.

— Tu es peut-être fâché, dis-je, mais imagine les Haudenosaunees quand ils sauront combien nous sommes à envisager de traverser leur pays cet été. »

Renard sourit. « Ils penseront certainement que nous affûtons nos armes. Il est peut-être temps que nous frappions les premiers.

— Ne te berce pas d'illusions, dis-je. Nous sommes en guerre depuis bien avant que je leur aie enlevé la fille. Si la maladie n'avait pas touché tout le monde, nous en aurions sans doute déjà fini. »

Renard me dévisage un instant. Ses yeux brillent à la lueur des feux. « Je crois que pour une fois tu as raison », dit-il en plaisantant.

Leur ancien se lève de nouveau et le silence s'installe dans la maison-longue. « Il paraît que ce bois-charbon connaît la langue des Wendats, dit-il. J'aimerais beaucoup l'entendre parler. » Les gens applaudissent à cette idée. Le vieil homme tend le bras vers le Corbeau qui, après un instant d'hésitation, se met debout et se racle la gorge.

Je le fixe du regard pour essayer d'attirer son attention. Il a intérêt à surveiller ses paroles.

De sa main droite, il fait ce geste auquel je me suis habitué : il se touche le front, puis la poitrine et enfin les épaules à gauche et à droite. On se demandait s'il ne nous jetait pas un sort, mais pour autant que je le sache, et bien qu'il prétende que cela est destiné à le protéger, je crois qu'il s'agit surtout d'un tic nerveux.

« Je viens de très loin, commence-t-il, vous apporter un message du plus puissant des okis, le Grand Génie, le Créateur du monde. Si vous l'acceptez dans votre cœur, vous vivrez éternellement.

— Alors pourquoi tant de ceux qui t'écoutent meurent ? le coupe un jeune guerrier.

— La vie dont je parle débute après la mort », continue le Corbeau sans vraiment se soucier de répondre à la question.

Sa propension à se livrer à des déclarations absurdes et offensantes qui engendrent si souvent la colère ne cesse de m'étonner.

« Le cadeau que je vous offre dure éternellement.

— Et qu'est-ce que tu exiges en retour ? » demande le même guerrier. Décidément, il me plaît, celui-là.

« Le Grand Génie vous dit qu'au moment où la médecine, l'oki que vous avez dans le corps, quitte votre corps, il ne va pas toujours au même endroit. Quand votre corps arrête de respirer, cette médecine, la même que chacun de nous possède dans son corps, va quelque part. » Le Corbeau joint les mains avant de poursuivre : « La médecine dans votre corps a la possibilité de monter au ciel. » Il dresse les deux bras en l'air et désigne le trou de cheminée. « Je vous offre la possibilité de devenir le Peuple du Ciel. » Il fait fi des nombreux murmures qui s'élèvent dans l'assistance. « Je vous offre la possibilité d'acquérir des richesses après que votre corps ne fonctionnera plus et que votre médecine l'aura quitté, une possibilité d'avoir tout ce que vous désirez, bien au-delà des plus belles étoffes, des plus belles fourrures et de tous les wampums dont vous pouvez rêver. » Le Corbeau marque une pause pour permettre à ses paroles de s'imprégner dans les esprits.

« En écoutant attentivement, vous entendrez le Grand Génie le dire, reprend-il. "Jamais ne viendra le jour où je vous abandonnerai. Toujours, vous verrez mon visage. Toujours, je vous aimerai. Toujours, vous aussi, vous m'aimerez. Jamais vous ne vous sentirez fatigués quand je vous bâtirai une palissade. Toutes les souffrances que vous aurez éprouvées sur cette terre, vous ne les éprouverez plus. L'hiver, vous avez eu froid. L'été, vous avez transpiré. Vous n'aurez jamais plus ni faim ni soif, car je vous épargnerai tout cela."

« Voilà ce qu'Il dit. » Le Corbeau parle si bas qu'il nous faut tendre l'oreille pour l'entendre. « Il dit que si vous L'acceptez, que si vous laissez votre oki monter vers Lui dans le ciel, vous n'aurez plus jamais besoin de demander quoi que ce soit d'autre, car toutes les choses que vous pourrez désirer, vous les aurez là où Il vit. »

Il se tait, inspire profondément et promène son regard sur les visages tournés vers lui. Ce discours me rend mal à l'aise à cause de la fascination avec laquelle beaucoup de gens dans l'assemblée paraissent l'écouter.

Comme pour relever le défi à ma place, le même jeune guerrier reprend : « Ah, vraiment ? C'est donc si facile d'obtenir tout ce qu'on peut désirer ? Et où devrais-je m'adresser pour avoir tout ce que je veux une fois que mon corps ne respirera plus ? » Ses amis étouffent un rire. « Je trouve cela si formidable que je te demande d'arrêter sur-le-champ la respiration de mon corps. » D'autres rires fusent, rompant le charme sous lequel était tombée l'assistance.

« Les seuls qui iront au pays dans le ciel, dit le Corbeau, haussant le ton pour couvrir le bruit, sont ceux qui se seront abstenus de faire le mal pendant qu'ils vivaient.

— Et comment tu jugeras si ce que j'ai fait est mal ? » interroge le jeune guerrier.

Je me penche vers Renard. « Arrange-toi pour savoir qui est ce garçon, lui dis-je à voix basse. Il ira loin.

— Tu devras te poser toi-même la question, répond le Corbeau. Ai-je eu pitié des pauvres ? Ai-je volé, tué, commis l'adultère, me suis-je mis en colère ? Ai-je fait cela ?

— Ce que tu demandes est impossible, rétorque l'adolescent. Tout le monde, y compris toi, j'en suis sûr, a fait au moins l'une de ces choses. La plupart de ceux qui sont ici, rien qu'aujourd'hui, ont même fait tout cela à plusieurs reprises. » Ce qui déclenche de nouveau l'hilarité.

Le Corbeau reste imperturbable. « Le Grand Génie nous offre bien davantage que ce que j'ai déjà mentionné. Écoutez-Le : "Vous aviez peur, dit-Il, quand vous étiez sur terre. Vous craigniez ceux que vous avez tués." »

Je sens l'irritation monter chez les jeunes guerriers qui m'entourent. Je suis soulagé en songeant que la prochaine fois que je m'inquiéterai à l'idée que le Corbeau pourrait gagner à sa cause certains d'entre nous, il me suffira de le laisser parler.

« Le Grand Génie dit : "Vous n'aurez plus jamais peur qu'on vous prenne vos cheveux, car ceux qui vous veulent du mal ne vous trouveront jamais là-bas. Au ciel, il n'y a pas de querelles. Pas de jalousie. Pas de colère. Si vous vous conduisez bien sur terre et si vous devenez un habitant du ciel, vous continuerez à être beau dans votre corps et vous serez comblé d'autres bienfaits. Vous jouirez d'une demeure splendide, de toutes les richesses, des mets les plus délicieux." »

Le Corbeau promet certes beaucoup, mais en examinant les gens autour de moi, je constate que la plupart ne semblent pas tentés. Des voix se font entendre, tandis qu'il se tient immobile, les bras levés.

Il a manifestement encore des choses à dire. Entretemps, tout le monde débat, dissèque ses paroles, discute de ses promesses et se demande ce qu'il faut faire pour devenir un habitant du ciel.

« Eh bien, dit Renard, avec lui on retrouve l'atmosphère de nos soirées estivales.

— Tout cela est trop beau, dis-je. Pour acquérir tant de choses, imagine tout ce à quoi on doit renoncer. » J'englobe d'un geste les guerriers, le feu, les marmites, les femmes et les enfants. « Il nous cache quelque chose. » Nous éclatons tous deux de rire.

Le Corbeau, les bras retombés le long de ses flancs, attend patiemment. Il sait que le silence reviendra et qu'il pourra terminer. Au bout d'un moment, on n'entend plus que quelques murmures, les craquements des feux et deux ou trois ronflements. Il est tard et s'il ne finit pas bientôt, nous serons tous trop fatigués pour le jeu de demain.

« Je n'ignore pas que vous vous interrogez. Vous pensez que ce que je vous offre est trop séduisant, que j'essaie de vous tromper ou de vous ensorceler. Vous croyez peut-être même que j'ai inventé cette histoire. Mais pourquoi, dans ce cas, serais-je venu de si loin, pourquoi aurais-je traversé la Grande Eau et affronté tant de périls ? Pourquoi aurais-je quitté ma belle maison, ceux que j'aime, la nourriture à laquelle je suis attaché et les vêtements propres pour habiller mon corps ? Pourquoi aurais-je abandonné tout cela au profit d'une histoire inventée ? » Le Corbeau sourit. « Demandez-moi pourquoi j'aurais accepté le commandement du Grand Génie qui m'interdit d'avoir des relations physiques avec une femme si ce que je vous dis n'était pas la vérité ?

— Parce que tu préfères les hommes ! » crie quelqu'un, et tout le monde s'esclaffe.

Le Corbeau continue comme si de rien n'était : « Nous, les bois-charbons, nous avons renoncé à notre univers, à tout ce que nous savons, à tout notre confort afin de vous apporter le message suivant : le monde après celui-ci est le vrai monde, le monde que vous devez chaque jour faire en sorte de mériter. » Bien que la foule boive ses paroles, il feint d'hésiter pour savoir s'il doit ou non poursuivre. « Les bois-charbons sont venus de si loin pour vous dire que ce que vous faites maintenant, la façon dont vous vivez, vous empêchera de gagner le beau pays que j'ai mentionné, le pays idéal qui est au ciel. »

Il sait très bien nous offenser sans le vouloir. À ces mots, tous se mettent à parler en même temps, et certains des jeunes guerriers se hérissent comme des porcs-épics, prêts à le percer de leurs piquants. Et il n'est pas douteux que, sans la présence des anciens, ils l'auraient fait.

Renard et moi écoutons jusqu'à ce que le calme se rétablisse. Nous nous contentons de laisser aller les discussions dans la direction qu'elles prendront. La même que celle qu'elles prenaient autrefois dans notre village.

« Et si nous choisissons de ne pas accepter la vie que tu nous décris ? » demande une vieille femme qui se penche pour rajouter du bois dans le feu.

La question redonne de l'énergie au Corbeau. Chez nous, on se lassait souvent de ses discours, et son auditoire décroissait ou croissait selon la quantité de nourriture qu'il était en mesure d'offrir.

« Il y a un feu qui brûle au sein de la terre, répond-il. Il est très puissant, plus puissant que celui que vous connaissez, celui dont vous vous servez de temps en temps pour caresser vos prisonniers. » Le crâne luisant de transpiration, les yeux brillants, il contemple les foyers rougeoyants. Son visage est toujours mince, mais non plus émacié comme naguère. Les cheveux qui le couvrent sont par endroits de la couleur de la neige, et dans sa longue robe noire il semble se fondre à la terre sur laquelle il se tient et aux ombres qui l'environnent. Il a appris les tours des sorciers, me dis-je. Au cours de ces dernières saisons, il a acquis des pouvoirs à notre contact, auprès de l'un d'entre nous. Au début, j'étais pourtant persuadé qu'il ne tarderait pas à se flétrir comme une tige de maïs pendant la sécheresse.

« Vos feux brûlent d'abord la peau qui se détache alors facilement de la chair. Vos feux, quand vous en êtes trop près, vous obligent à éloigner vos mains, vos pieds. Vos feux vous infligent de grandes douleurs, et en l'espace d'un jour ou deux ils font mourir vos prisonniers. » Le regard fixé dessus comme s'il en comptait chaque petit os, il tend ses longs doigts blancs vers les flammes qui dansent devant lui. « Mais le feu au sein de la terre est d'une autre nature. Le feu qui attend ceux qui ne souhaitent pas vivre de manière à gagner le ciel émet une chaleur différente. L'eau elle-même ne peut pas l'éteindre. Ce feu-là vous dit : "Abandonnez tout espoir. Ici, même la neige brûlera. Ici, même les lacs brûleront." »

J'observe ceux qui l'écoutent. On ne peut pas nier que nous aimions notre feu, que nous en comprenions les forces délicates comme les forces brutes.

« Mais le feu au sein de la terre ne consume pas les êtres humains. » Le Corbeau s'interrompt pour réfléchir. « Pensez à la lame d'une hache que vous mettriez dans les flammes. Vous pourriez l'y laisser aussi longtemps que vous voulez, elle deviendra rouge puis blanche sous l'effet de la chaleur, mais elle gardera sa forme. Eh bien, le feu au sein de la terre fait pareil avec les corps de ceux qui ont vécu dans le mal. »

Des voix s'élèvent de nouveau pour discuter de ce point, puis le silence revient.

Le Corbeau parle maintenant plus fort : « Allez-vous glorifier le feu effrayant qui brûle au sein de la terre ? Votre médecine, ainsi que je vous vois l'utiliser, vous y mène tout droit. »

Là, les anciens eux-mêmes expriment leur révolte. Quelques jeunes gens se dressent jusqu'à ce que le vieil homme les calme. « Laissez-le parler, dit-il aux guerriers. Il est notre invité, après tout. »

Le Corbeau enchaîne comme s'il n'avait pas remarqué les mouvements de colère parmi la foule : « Croyez-vous que tous les actes préjudiciables que vous avez commis seront oubliés ? Le Grand Génie, Lui, n'oublie rien. Qui peut se haïr tant pour penser : "Je veux que les flammes dévorent mon corps pour l'éternité ?" Serez-vous encore assez courageux pour ne pas crier quand elles vous brûleront ? Vous montrez du courage quand votre ennemi vous brûle, j'en ai été témoin, et si vous ne criez pas, votre nom se verra à jamais honoré. Peut-être que votre corps brûlera un, deux ou trois jours avant que vos tortionnaires se lassent de vous caresser, mais au sein de la terre vous devrez renoncer à tout espoir, car le feu ne s'éteint jamais. »

Sur ce, il s'arrête, et je souhaite pour lui qu'il ait fini. Nos jeunes tremblent de fureur, ce dont il ne s'aperçoit apparemment pas. Ils alimentent cette colère à une source qu'il ne pourra jamais comprendre, celle qui leur permet de participer au Jeu du Créateur où ils apprendront à ne pas avoir peur et à s'épanouir. Le discours que tient le Corbeau ne sert qu'à exciter leur rage.

Il lève de nouveau le visage vers l'assemblée. « Si vous persistez à emprunter ce chemin, plus personne ne vous aimera. Le Grand Génie vous détestera. Votre mauvaise conduite provoquera le mécontentement de tous. "Oh, s'écrieront ceux que vous laissez derrière vous, il est effrayant. Qu'il disparaisse. Qu'il se putréfie." Et les okis auront plaisir à vous ligoter. Vous aurez honte de souffrir. Au sein de la terre, vous ne pourrez pas leur échapper. Ils vous attacheront et vous tortureront pour l'éternité. » La voix du Corbeau enfle et il crie presque : « Craignez-les ! Craignez les feux qui brûlent au sein de la terre ! »

Il se recule dans l'ombre et, dans ses habits noirs, il donne l'impression de disparaître si ce n'est sa tête pâle qui luit comme une lune. Je réalise soudain qu'il sait très bien ce qu'il fait. Il sait qu'il nous pousse à la colère, parce qu'il n'ignore pas que nous la reléguerons alors dans un coin de notre esprit pour l'étudier. Il veut que ses paroles nous offusquent pour que nous soyons contraints d'y réfléchir longuement.

Ceux qui dormaient se sont réveillés, et ils discutent en gesticulant, car le Corbeau n'a pas respecté la règle voulant que les visiteurs n'offensent pas par des paroles blessantes ceux qui les accueillent avec gentillesse.

« Mais peut-être qu'il ne le fait pas exprès, dit un homme à sa femme. Après tout, il vient d'un endroit qu'on n'arrive même pas à concevoir. »

Le Corbeau émerge de nouveau de l'ombre et tout le monde se tait. « J'ai encore une petite chose à ajouter. Personne ne m'a obligé à venir ici. Avant de franchir la Grande Eau, je connaissais déjà votre coutume consistant à brûler et à manger la chair. Cette habitude que vous avez de tuer d'autres êtres humains n'a pas engendré la peur en moi. Je connaissais votre nature, je savais que vous vous couvriez les uns les autres de feu. Pourtant, quand j'ai quitté mon pays, je me suis dit : "Ceux qui me couvriront de feu, ceux qui me mangeront, je ne les crains pas." Parce que je sais que je ne sentirai pas longtemps la douleur. Mais au sein de la terre, c'est différent, et là, j'aurais peur. Car là, on ne s'évanouit jamais. »

Il lève les bras et reprend dans un souffle : « Et j'ai peur pour vous. Je suis venu vous mettre en garde contre ce feu-là. »

Comme pour appuyer ses paroles, une bûche éclate sous l'une des marmites et envoie voler une pluie de braises, faisant sursauter les enfants qui se trouvent à côté.

« J'ai fait tout ce chemin pour vous avertir de ce danger. Je ne souhaite pas que ce feu vous consume. »

Après quoi, ayant terminé pour ce soir, le Corbeau

se fond de nouveau dans les ténèbres. Je ne suis pas content qu'il ait eu le dernier mot et que nous nous endormions tous avec ses paroles en tête. Cette même créature dont je me moquais autrefois est devenue quelque chose que je n'aurais jamais imaginé.

Les yeux brillants

La corneille commence à puer. Ça ne me dérange pas trop, mais maintenant, les femmes de la maison-longue se plaignent. Elles ne comprennent pas pourquoi je tiens à la conserver telle quelle. Est-ce que, père, son cerveau et ses entrailles ne vont pas enfin refuser de se putréfier davantage ? J'étudie ses yeux de près depuis les premiers jours de notre retour après que nous avons préparé la terre pour les semailles, tandis que les femmes m'apprennent à coudre et à chanter leurs chants. Les mouches bourdonnent autour des yeux qui ont déjà pris la couleur des nuages avant la pluie et se sont enfoncés dans le crâne. Je saupoudre les orbites de cendres du foyer et j'observe les griffes des pattes qui, leurs tendons exposés à la sécheresse du feu que les femmes font brûler pour moi, se resserrent comme des poings. Les ailes de l'oiseau sont déployées, aussi larges que mes deux bras écartés, comme s'il volait. Son bec, noir et légèrement recourbé, est plus gros que mon doigt, et les plumes épaisses de son cou prennent une teinte bleu-noir quand la lumière du trou de cheminée tombe sur elles. Il dort à côté de moi. Je n'ai rien découvert d'autre quand les femmes m'ont ordonné de partir à la recherche de je ne sais quoi que je serais la seule à reconnaître, et je crois qu'elles ont été surprises de me voir revenir avec la corneille. J'ai d'ailleurs été aussi surprise qu'elles.

Une semaine s'est écoulée, et on me dit qu'il est temps de faire quelque chose. Les femmes, rassemblées en groupes, semblent trouver bizarre que j'aie rapporté une corneille transpercée d'une flèche. Elles se sont réunies dans cette maison-longue pour me guider vers la condition de femme, mais je ne m'y sens pas prête. Je n'ignore pas qu'elles voudraient me demander d'où vient l'oiseau, si c'est moi ou quelqu'un d'autre qui l'a tué, mais je ne le dirai pas. Des images du dos de ce garçon, de ses jambes musclées m'ont réveillée les premières nuits. Piquants-de-Porc-épic. Je ne connais pas son nom, mais c'est ainsi que je l'appellerai. Je le déteste à cause de son assurance, de sa morgue. Je désire effleurer son corps du bout des doigts, des neuf doigts qui me restent. Je désire goûter sa peau.

À l'aide d'un coquillage aiguisé, écartant les plumes au fur et à mesure, j'éventre l'oiseau, offrant ses chairs à la lumière. Réprimant une envie de vomir, je plonge la main à l'intérieur pour couper les poumons, le cœur et l'estomac avec le coquillage. Les vieilles femmes ont raison. Je n'aurais pas dû attendre autant.

Les viscères mis de côté, et une fois la cavité bien nettoyée, je prends de la cendre pour l'en frotter, percevant la chaleur que la corneille dégage encore, puis je la pose sur le dos ainsi ouverte au monde afin qu'elle puisse guérir. Je ramasse les intestins et, décidant qu'ils doivent être brûlés, je tisonne le feu jusqu'à ce que les braises rougeoient, puis je jette dedans les intestins, le cœur et les poumons qui, dans le feu dévorant, rôtissent, noircissent puis se réduisent en cendres cependant que je murmure des prières à l'orenda de cette créature, lui demandant de me protéger et de me dispenser son enseignement. Je sens les yeux des femmes qui m'observent. Elles peuvent m'apprendre certaines choses mais pas toutes.

Aujourd'hui, en rentrant des travaux des champs, nous avons fabriqué des nattes avec des enveloppes de maïs. Les femmes m'ont montré comment les tresser serré et nouer les extrémités pour qu'elles ne se défassent pas. Elles m'ont également montré comment teiller et rouler le chanvre sur mes cuisses afin de confectionner de la ficelle que les hommes utiliseront pour les pièges et les filets, et aussi comment moudre l'excédent de maïs que nous troquerons cet automne avec les Anishinaabes contre des fourrures et de la viande. Après avoir bien regardé comment elles procédaient, j'ai appris à tailler des alênes dans des os, à détacher les ligaments des muscles de cerf et d'orignal. Grâce à ces outils, on peut coudre l'écorce de bouleau pour en faire des bols à boire et à manger.

Il y a une femme, Dort-Longtemps, celle qui est la plus proche de moi en âge tout en étant sans doute bien plus vieille. C'est une femme très belle, dont chaque poignet s'orne de jolis tatouages bleus et gris, que je regarde coudre minutieusement, à l'aide d'une fine aiguille faite d'un pénis de martre, des piquants de porc-épic qui, au fil des jours, s'épanouissent en un bouquet de fleurs, cadeau destiné à son mari, dit-elle. C'est seulement l'après-midi où, son long cou tendu de fierté, elle me montre le pagne achevé que je reconnais le dessin et que je sais où je l'ai déjà vu.

Le soir, toujours éveillée sur ma natte, entourée des légers ronflements des femmes, je me représente le garçon qui a tué la corneille, celui que j'ai sur-nommé Piquants-de-Porc-épic. Il est tapi dans un champ de maïs, et comme si une partie de moi-même était un oiseau, je me vois le regarder d'en haut et ouvrir les bras, et aussitôt le vent forcit, si violent qu'il couche les tiges de maïs de sorte que le garçon n'a plus d'endroit où se cacher, si violent qu'il efface les cicatrices de la maladie sur mon visage et mon corps, si violent qu'il ressoude mon doigt coupé. Et c'est alors que Piquants-de-Porc-épic se redresse et marche vers moi en ouvrant à son tour les bras.

Ce matin, je prends dans les miennes les mains de Dort-Longtemps pour admirer ses poignets tatoués. Deux serpents entrelacés autour de l'un, et un oiseau chanteur perché sur une branche autour de l'autre.

« J'ai rêvé des deux, dit Dort-Longtemps. Les ser-pents, je crois, sont censés être mon mari et moi. Et l'oiseau, mon fils.

— Tu as un fils ? »

Elle acquiesce.

« Quel âge a-t-il ?

— Il est dans son quinzième printemps, répond-elle.

— Tu as dû l'avoir très jeune. » Elle sourit à ce

compliment. « Comment s'appelle-t-il ? » Avant qu'elle ait eu le temps de répondre, je lâche : « J'aimerais avoir un tatouage.

— Qui figurerait quoi ? demande-t-elle.

— Le motif en piquants de porc-épic que tu as cousu. »

Elle rit. « Tu es vraiment une fille bizarre. »

Je ne m'offusque pas. Elle ne l'a pas dit en pensant à mal. Je suis habituée.

« Et où voudrais-tu avoir ce tatouage ? »

Je désigne mon cou puis, à la réflexion, je laisse mon doigt descendre vers ma poitrine.

Elle rit de nouveau. « Alors peut-être quand tu seras un peu plus âgée. Je te conseille d'attendre au moins jusqu'après ta première lune. » Elle me lance un regard. « Ce sera pour bientôt, il me semble. Et pour le moment, au lieu de nous occuper de toi, si nous nous occupions de ta corneille ? »

Dort-Longtemps propose de combler la cavité de l'oiseau avec des enveloppes de maïs. Mon idée lui plaît qui consiste à le conserver comme il est plutôt que de prendre ses ailes pour en faire des éventails ainsi que certaines des femmes l'ont suggéré. « À quoi bon avoir un oiseau mort entier ? a demandé l'une des vieilles femmes. Au lieu qu'il ne serve à rien, pourquoi ne pas récupérer les parties qui peuvent être utiles ? » Mais quelque chose en moi désire que mon oiseau reste tel que je l'ai vu la première fois, entier, et qu'il me protège pendant mon sommeil, qu'il garde ma place quand je suis absente, qu'il oblige les étrangers à reculer, les yeux écarquillés. Ainsi, il aura du pouvoir.

Après lui avoir bourré le ventre d'enveloppes de maïs, Dort-Longtemps recoud l'oiseau à l'aide d'un ligament et du pénis de martre tout en racontant à titre de plaisanterie qu'elle avait connu naguère un garçon qui en avait un pas beaucoup plus gros. « Ça me faisait comme une petite piqûre, et ce n'était pas du tout agréable. » Pour la première fois de ma vie, je crois, j'éclate de rire. Elle me considère comme si j'étais un animal qu'elle n'aurait encore jamais rencontré, puis son regard pétille et nous rions de concert.

« Il faut lui enlever la cervelle », dit-elle, son travail terminé. Elle se bouche le nez en montrant la tête et les yeux enfoncés. « Tu ne sens pas ? »

Je fais signe que non. « Je ne sens plus la mort. »

Le regard de Dort-Longtemps ne pétille plus. « Tu n'es pas la seule à avoir perdu quelqu'un », dit-elle. Elle prend la corneille posée sur ses genoux, la met à côté d'elle. « Ceux qui étaient les tiens ont tué mon père et mon frère quand j'avais ton âge. »

Je hausse les épaules. Je voudrais lui demander si elle était présente ce jour-là.

« Ce que les hommes font, ce que nous faisons, c'est comme une boucle, dit-elle. Une boucle qui existe depuis bien des lunes. » Je l'observe du coin de l'œil. « Jadis, nous ne formions qu'un seul peuple, mais ce n'est plus le cas.

— Je ne suis pas comme toi. » Cette fois, je la regarde dans les yeux. Votre colère, mon père et ma mère, brûle dans mes veines. On vous a arrachés à moi, on ne vous a pas permis d'être près de moi lorsque j'avais le plus besoin de vous.

« Comment expliquer ce chagrin ? demande Dort-Longtemps. Comment l'endurer ? Je n'ai jamais trouvé la réponse. » Elle s'assure qu'aucune des vieilles femmes ne peut entendre, puis elle ajoute dans un murmure : « Nous faisons du mal aux autres parce qu'on nous en a fait. Nous tuons les autres parce que nous avons été tués. Nous continuerons à nous manger les uns les autres jusqu'à ce que l'un d'entre nous soit entièrement dévoré. »

Elle se redresse, reprend la corneille sur ses genoux. « Enlevons-lui la cervelle et remplaçons les yeux par quelque chose de spécial. »

Elle fend le cou de l'oiseau et, à l'aide d'une alêne, tire et tranche jusqu'à ce que pende sa longue langue noire. Après quoi, elle enfonce avec précaution l'alêne dans la tête tout en grattant et coupant pour ôter la langue et les muscles qui la maintenaient, puis les yeux et les nerfs, et enfin elle pose devant moi un petit tas jaunâtre, le cerveau de l'animal.

« Tu veux l'enterrer ou le brûler ? » demande Dort-Longtemps qui a donc sûrement remarqué ce que j'ai fait avec les autres viscères.

Je prends la matière gluante pour aller la jeter dans le feu. C'est fini. Tout ce qui allait se putréfier a disparu. Le reste de l'animal, ses tendons et ses muscles, ne fera que durcir. Je m'arrange pour qu'il demeure debout sur ses pattes, les ailes déployées, le cou et la tête dressés dans une attitude de défi.

Je demande à Dort-Longtemps : « Tu crois qu'on peut faire en sorte qu'elle garde le bec ouvert, comme si elle poussait son cri ? »

Enfilant un fin ligament sur son alêne, elle répond :

« Oui, mais il faudra que tu fasses très attention pendant que les tendons se racorniront. Des jours et des jours, tu y penseras, tu t'assureras que ta corneille demeure dans la position voulue, et puis tu finiras par oublier, et avant même que tu t'en sois rendu compte, tu te lèveras un matin pour découvrir qu'elle est pareille à une vieille femme ratatinée, une aile dressée vers le ciel et l'autre inclinée vers le bas, ses griffes réduites à deux boules, si bien qu'elle ne pourra plus jamais tenir sur ses pattes.

— Je ne serai pas paresseuse. Je sais déjà de quoi elle aura l'air. »

Dort-Longtemps saisit l'oiseau des deux mains et le lève au-dessus de sa tête. « Elle est très grosse. Je ne crois pas en avoir encore vu de cette taille. Où l'as-tu eue ? »

Plutôt que de lui raconter que c'est son fils qui me l'a donnée, je réponds : « Tu as mentionné quelque chose à propos des yeux. » Je pointe le doigt sur les orbites qui ne sont plus que deux trous noirs qui confèrent à la corneille une allure effrayante, et je ne veux pas de cela. « Regarde, ça fait peur », dis-je.

Dort-Longtemps fouille dans sa trousse de couture d'où elle sort des morceaux de peau tannée, des piquants de porc-épic et, enfin, des petits coquillages luisants et polis. J'ignorais qu'elle était une faiseuse de wampums. Elle examine les coquillages jusqu'à ce qu'elle en trouve deux qui ne soient pas plus grands que l'ongle de mon pouce. « Qu'est-ce que tu en penses ? » me demande-t-elle, les plaçant dans la lumière qui se déverse par la cheminée. Les coquillages paraissent briller de l'intérieur, comme la couleur du ciel juste avant le lever du soleil, et alors que Dort-Longtemps les tourne, ils changent de couleur pour prendre celle du ciel juste après le coucher du soleil. Je ne sais pas quoi dire. Elle le voit et elle sourit tandis qu'elle entreprend de glisser un coquillage dans le cou de la corneille en remontant vers la tête jusqu'à ce que, strié d'un filet de sang, il étincelle dans l'orbite comme pour m'adresser un signe.

Je m'inquiète : « Mais comment ça va tenir ? » L'œil est trop beau, plus beau que tout ce que j'aurais pu rêver. Il faut qu'il reste là.

« Je vais bourrer la tête avec quelque chose, peut-être des soies de maïs. Ça les empêchera de bouger, et en séchant, le sang contribuera à les fixer. »

Je saute de joie pendant qu'elle installe le second coquillage, après quoi elle m'envoie chercher des soies de maïs. Lorsque je reviens avec une pleine poignée, Dort-Longtemps braque sur moi la corneille qui me regarde, les yeux étincelants comme s'ils étaient en feu, si bien que j'ai l'impression d'être moi aussi en feu.

« J'ai eu une idée pour que ton oiseau garde la position que tu veux », dit Dort-Longtemps. Elle m'explique comment l'accrocher par les pattes au-dessus de ma plate-forme, la tête en bas, pour que les ailes se déploient, ce qui permettra au cou de prendre la forme arquée désirée. Dort-Longtemps tient l'oiseau entre ses mains, et comme son haleine lui ébouriffe les plumes de la tête, il a l'air tellement vivant tandis qu'il me contemple de ses yeux brillants que je comprends à peine ce que dit cette belle femme.

Ensuite, pendant de nombreux matins, j'ouvre les yeux sur ma corneille qui, suspendue la tête en bas, m'observe. Je vérifie soigneusement qu'elle conserve la position voulue et qu'elle serre toujours dans ses griffes, des griffes aussi grandes que mes mains, les pierres que j'ai trouvées, ce qui leur évitera de se rétracter. Quand je suis entrée pour la première fois dans cette maison-longue, deux vieilles femmes m'ont accueillie et expliqué que les jours à venir n'allaient pas être faciles pour moi, car elles savaient que j'aurais souhaité ne pas être là, mais que, ont-elles ajouté, je finirais par m'y plaire. L'une des deux a dit qu'elle l'avait rêvé. Dans ma tête, je les ai traitées de folles, de vieilles sorcières ratatinées. Je ne leur montrerai pas qu'elles avaient raison.

Quelque chose a changé aujourd'hui. Les femmes bavardent entre elles en prenant leur repas du matin sans faire attention à moi contrairement à l'habitude qu'elles avaient de m'expliquer d'où chaque aliment provient, comment on le prépare et comment, grâce aux prières appropriées et au tabac qu'on brûle à l'intention d'Aataentsic, Femme-Ciel, et d'Iouskeha, son gentil fils, tout cela existe. On ne me répète pas qu'à la fin de l'hiver il faut mettre des graines de courge dans des plateaux en écorce remplis de sciure qu'on place près du feu pour qu'elles germent et qu'on puisse ensuite les planter à côté du maïs. On ne me raconte pas comment Aataentsic est tombée par un trou dans le ciel et comment la tortue a fait surface de sorte que le monde est né sur son dos, pas plus qu'on ne discute des rituels que pratiquent les différentes sociétés de guérison en fonction du clan auquel elles appartiennent. Quand on a terminé de manger, Dort-Longtemps se dirige vers l'endroit près de la porte où sont entreposés les outils à planter. Les autres femmes l'imitent. Certaines prennent comme elle un outil, d'autres des paniers de grains de maïs qu'on a mis à tremper pendant des jours afin de pouvoir les semer. C'est seulement quand elles quittent la maison-longue que je comprends que je suis censée les suivre.

Le soleil est si aveuglant que je dois protéger mes yeux tandis que je marche à travers champs en soulevant de la poussière. La pluie n'est toujours pas venue, alors que normalement elle ne manque pas durant la lune des plantations. Cela fera l'objet de toutes les inquiétudes aujourd'hui. Je cherche Piquants-de-Porc-épic du regard. La plupart des hommes sont partis dans un autre village défier leurs cousins au Jeu du Créateur, et je me demande s'il est avec eux. Je l'imagine courant si vite que personne ne peut l'attraper, si bien qu'il remporte pour nous victoire sur victoire.

Tout autour, dans la forêt, les hommes restés pour nous protéger contre d'éventuels envahisseurs abattent des arbres afin de lentement, péniblement, dégager davantage de terrain. Pendant que nous élevons de petits monticules pour y planter les semences, les femmes, comme je m'y attendais, ne cessent de piailler et de se plaindre de la sécheresse en se demandant si quelqu'un ici n'est pas responsable de ce fléau, si ce ne sont pas ceux venus de l'autre côté de la Grande Eau qui l'ont apporté de même qu'ils ont apporté la maladie qui a frappé et tué tant de gens avant de disparaître. Tandis que je creuse et sème, tour à tour me penchant et me redressant, je pense distraitement au Corbeau qui semble avoir perdu tout intérêt pour moi maintenant que d'autres l'écoutent. Le matin passe et, comme l'après-midi s'annonce, je commence à sentir la brûlure du soleil sur ma nuque et mon dos et, à l'idée que le Corbeau ait choisi de m'ignorer, je décide de ne pas me laisser oublier. Non, il ne m'oubliera pas aussi facilement.

Les journées s'écoulent désormais ainsi : les femmes dans les champs, les hommes dans la forêt à abattre des arbres, sur l'eau à pêcher ou à se préparer dans leurs têtes en prévision du premier voyage depuis longtemps vers le pays des hommes velus. Oiseau et les autres sont revenus d'excellente humeur avec plein de cadeaux et davantage encore de promesses. Ils ont vaincu nos cousins, les Arendahronnons, et se sont une fois de plus montrés les meilleurs. Il n'y a qu'un seul sujet de conversation : l'offre que, après la victoire, Oiseau a faite à nos cousins de les accompagner, lui et ses hommes, pour aller commercer avec le peuple du Corbeau, ce qui, en raison du nombre accru de guerriers qui traverseront leur territoire, provoquera sans aucun doute la fureur des Haudenosaunees, leurs grands ennemis, et équivaudra à une déclaration de guerre alors que la maladie paraît à peine nous avoir quittés. Certains chantent pour cela les louanges d'Oiseau, d'autres jugent qu'il ne pense qu'au pouvoir qui lui est monté à la tête et qu'il veut parler au nom de trop de gens. Dans les champs, les femmes autour de moi disent qu'il est prévu d'en discuter devant les feux du conseil. Quelques mots inconsidérément prononcés pourraient fort bien allumer un incendie que même des trombes d'eau seraient incapables d'éteindre. Oiseau, mon père adoptif. Est-il comme toi, mon vrai père ? Je me souviens que notre peuple t'estimait beaucoup. Je me souviens qu'on t'aimait beaucoup. Tu ressemblais à Oiseau, non ?

Au village, Renard et lui veillent tous les soirs tard pour organiser leur voyage d'été. Et maintenant que je suis revenue, je les écoute de ma plate-forme pendant qu'ils décident quels sont les jeunes guerriers dignes de les accompagner, quel itinéraire n'est pas seulement le plus pratique mais aussi le plus sûr, et en combien de petits groupes ils devront se scinder pour que le monde environnant les accepte malgré leur nombre. Je prête l'oreille pendant qu'ils citent des noms en me demandant si l'un, et lequel, est celui de Piquants-de-Porc-épic. À présent, je regrette de ne pas avoir laissé Dort-Longtemps me dire comment elle l'avait appelé. Partira-t-il avec Oiseau ? Je voudrais qu'il reste avec ceux qui nous protégeront, ceux qui, d'après Renard, sont indispensables pour assurer la sécurité de sa famille, de toutes les familles.

Je note aussi que de nouveau, Oiseau se lève très tôt, bien avant l'aube, et descend sans bruit l'échelle pour se glisser hors de la maison-longue. Je sais pourquoi. Je sais qu'il va rejoindre Petite Oie pour qu'ils puissent chuchoter entre eux. Il ne se rend pas compte que je le suis. Par contre, je crains que Petite Oie ne s'en aperçoive. Je me dis qu'elle a beau être voyante, elle ne doit pas voir grand-chose d'autre qu'Oiseau une fois qu'elle est dans ses bras. Je demeure néanmoins à bonne distance quand il entre dans son wigwam. Je suis tentée d'approcher pour entendre ce qu'ils racontent, pour savoir comment ils sont tous les deux ensemble, mais je n'ose pas prendre ce risque.

Je veux ce pouvoir

Je guette le garçon qui me plaît, le fils de Dort-Longtemps que j'ai surnommé Piquants-de-Porc-épic. Nous sommes tous rassemblés sur la berge pendant que les hommes chargent les canoës. Le soleil brille, et il chauffe trop alors que nous ne sommes encore qu'au début de l'été. Il n'a toujours pas plu, et je sais que cela inquiète Oiseau. Les gens grognent, affirment que c'est le Corbeau et ses aides qui nous ont apporté la sécheresse, qui nous ont jeté un nouveau sort. La colère grandit au point qu'hier soir Oiseau a dit à Renard qu'il craignait qu'au retour de leur voyage de traite les Corbeaux ne soient plus de ce monde. « Il faudrait qu'on en ramène quelques-uns de là-bas, au cas où, a plaisanté Renard.

— Il ne manquerait plus que ça, a dit Oiseau. D'autres Corbeaux dans le village. » Il s'est tu un instant, puis il a ajouté : « Finalement, ce n'est peut-être pas une si mauvaise idée. Une relève pourrait constituer une excellente garantie. »

Les hommes sont en pagne et mocassins, la peau luisante, enduite d'huile de tournesol, la tête rasée à l'exception d'une touffe au milieu qui luit pareillement. Ils se sont peints pour le voyage et pour leur rendez-vous avec les Arendahronnons au bord de la rivière qui coule de la grande baie vers le pays du Peuple du Fer. Des traits de sang ou d'ocre de fleur de courge soulignent les yeux de nombre d'entre eux ou strient leurs joues. Certains ont demandé à leur femme de leur peindre sur le corps leur animal sacré et d'autres portent sur la poitrine les empreintes des mains de leur femme ou de leurs enfants afin qu'ils demeurent proches du cœur du voyageur.

Je n'ai jamais vu autant de canoës réunis. Presque tous les hommes en âge de partir désiraient être de l'expédition. Les saisons difficiles se sont succédé, et le village est devenu notre domaine à nous, les femmes. Celui des hommes est la forêt où ils peuvent opérer sans crainte de nous mécontenter, où ils ont leur destin en main – dans une certaine mesure, du moins – et où ils se sentent libres. Finalement, on a eu recours au tirage au sort. La plupart des perdants sont occupés à déboiser, mais d'autres, dont Piquants-de-Porc-épic et ses deux amis ainsi que je le constate à présent, se tiennent à côté des canoës dans l'espoir qu'Oiseau changera d'avis au dernier moment et les invitera à les accompagner. Je suis au milieu de la foule, et je n'arrive même pas à me faire remarquer par le garçon.

Oiseau est à bord de son canoë avec Renard et six autres membres de notre maison-longue. Ils sont les premiers à partir. Pas d'au revoir ni de témoignages d'affection, car cela ne ferait qu'attirer l'attention d'un oki malveillant qui rôderait par là, un oki qui chercherait à infliger des souffrances en volant la vie d'êtres aimés. Par groupes de deux ou trois, les autres canoës suivent, et c'est seulement quand le dernier a disparu derrière un méandre de la rivière menant à la Grande Eau que les gens regagnent le village en silence. Quelque chose est tombé qu'on ne voit pas mais qu'on peut sentir aussi sûrement que l'air s'est soudain rafraîchi. C'est le froid qui nous prend quand on se sait vulnérable aux attaques de ceux qui nous veulent du mal maintenant que les plus forts d'entre nous ne sont plus là. Ce n'est pas uniquement la vie des voyageurs qui est en danger, mais aussi la nôtre.

Je surveille Piquants-de-Porc-épic qui, de même que ses deux amis, est parmi les derniers à s'en aller. Ils parlent et gesticulent en montrant le Corbeau et ses deux aides. L'un est livide, maladif, il lui manque presque tous les doigts depuis qu'il a été prisonnier des Haudenosaunees, et l'autre, le visage couvert de poils noirs, a des yeux noirs de balbuzard qui voient tout. Ils sont entourés de quelques Wendats qui les écoutent, deux vieilles femmes, un vieil homme et un garçon qui ne doit pas être beaucoup plus âgé que Piquants-de-Porc-épic. Ils font sur leur corps le signe que le Corbeau m'a appris il y a si longtemps, se touchant le front, puis la poitrine et les deux épaules avant d'incliner la tête et de murmurer entre eux.

Piquants-de-Porc-épic crie aux bois-charbons d'arrêter de jeter des sorts. Ils ne lui prêtent pas attention, mais à la crispation de leurs dos, je sais qu'ils ont peur. Piquants-de-Porc-épic crie de nouveau, et ils continuent à faire comme si de rien n'était. Serrant son casse-tête dans son poing, il se précipite vers eux et le brandit pour l'abattre sur le crâne de celui à l'air malade qui s'écroule au sol. Les trois vieux se recroquevillent. Le jeune Wendat qui est de la taille de Piquants-de-Porc-épic veut se ruer sur lui, mais le Corbeau le retient. Piquants-de-Porc-épic lève de nouveau son arme dont il menace le Corbeau qui, immobile, les yeux fermés, semble prêt à recevoir le coup sans se défendre. La massue s'arrête à quelques pouces de son front. Piquants-de-Porc-épic lui hurle quelque chose à la figure, si fort que le Corbeau recule en vacillant. Le jeune guerrier pivote alors sur ses talons et, riant, va rejoindre ses amis.

« Toi ! je lui crie. Dis-moi ton nom. »

Il se retourne et me regarde. Ses amis, fascinés, observent la scène.

« Tu n'as pas à connaître mon nom, répond-il. Maintenant que ton père est parti, tu ne me sers plus à rien. Et surtout, avec tes cicatrices et tout ce qui te manque, tu es bien trop laide. »

Ses amis et lui s'éloignent en s'esclaffant.

Prise de vertiges, craignant de tomber, je m'assois lourdement par terre. Levant les yeux vers le soleil, j'en distingue plusieurs, et je me rends compte que je pleure. Il y a une éternité que je n'avais pas versé de larmes.

Derrière moi, une voix me demande si je me sens mal. Je ne tournerai pas la tête. « Ce garçon est pourri de l'intérieur. Si tu tiens à savoir son nom, c'est Porte-une-Hache, et il est le fils de Dort-Longtemps. »

Une autre voix, celle du Corbeau, s'élève alors : « Viens, Aaron, aide-moi à m'occuper du frère. »

J'entends le bruit de leurs pas. Regardant autour

de moi, je vois que ce garçon est celui qui voulait se battre contre Piquants-de-Porc-épic. Avec le Corbeau et son aide au poil noir, ils portent vers le haut de la colline le blessé dont les pieds traînent par terre et dont le sang goutte sur le sol desséché.

Dès que je rentre, la femme de Renard s'avance vers moi. Elle a quelque chose entre les mains et, dans la pénombre de la maison-longue, je ne parviens pas à voir de quoi il s'agit. Une fois qu'elle est tout près de moi, je distingue une tête duveteuse et des yeux cerclés de noir.

« Oiseau m'a demandé de te donner ça, déclare-t-elle, me tendant le raton laveur. Il a dit qu'il te tiendra compagnie jusqu'à son retour, et qu'à ce moment-là on pourra le relâcher dans la forêt. »

Je prends le petit animal au corps tout chaud. Il ouvre la bouche et pousse un cri plaintif.

« Tu devras le nourrir souvent, sinon il ne survivra pas. Trempe ton doigt dans de l'ottet chaud et laisse le bébé le lécher.

— Je ne sais pas si j'y arriverai, dis-je.

— C'est facile. Il suffira de le mettre à l'abri du danger le temps qu'il soit assez grand pour se débrouiller tout seul. »

Cette nuit-là, redoutant d'écraser en me retournant le petit animal niché au creux de mon aisselle, je dors par à-coups. La corneille est toujours suspendue au-dessus de moi la tête en bas. Ses tendons ont durci et elle a maintenant la forme qu'elle conservera à jamais. Demain, je la détacherai et je trouverai un endroit où l'accrocher pour qu'elle veille sur nous.

Je finis par glisser dans un lieu sombre et profond où je me sens en sécurité, enveloppée et habitée par le sommeil. Je rêve que des éclairs de soleil pénètrent dans la forêt, j'entends de l'eau cascader sur les rochers, des enfants rire. Le raton laveur, devenu adulte, me suit partout comme un chien, et ma corneille, ma gardienne aux yeux brillants, s'envole de branche en branche au-dessus de nous et nous parle :

« Tu dors à poings fermés », dit-elle. Je ne suis pas d'accord. J'ai appris à ne dormir que d'un œil pour guetter le moindre bruit. « Peut-être, mais tu ne m'as pas entendue arriver », réplique-t-elle, et je lui réponds que c'est parce qu'elle a des ailes et qu'elle connaît la magie du silence. « Ouvre les paupières et regarde-moi », dit-elle.

Je sursaute, soudain bien éveillée. La terreur me glace le sang. Il y a quelqu'un à côté de moi, mais je suis incapable de tourner la tête pour voir qui. Le raton laveur bâille et ses pattes me rentrent dans les côtes pendant qu'il s'étire dans son sommeil. Oui, quelqu'un est bien là. J'entends sa légère respiration. Mon corps, cependant, ne m'obéit pas. Il refuse de bouger.

« C'est un bel oiseau », murmure alors une voix de femme. C'est elle. Elle est couchée près de moi, sur le dos, et nous avons toutes deux les yeux grands ouverts dans le noir. Je sens son odeur. C'est elle. Est-elle venue me tuer maintenant qu'Oiseau est parti ? J'aimerais lui demander comment elle a fait pour entrer dans la maison-longue sans que les chiens aboient, et pourquoi elle est là, allongée à mes côtés, mais j'ai la gorge paralysée.

« Pour l'instant, tu n'as pas besoin de parler, dit Petite Oie. Trop de gens parlent trop alors qu'ils n'ont rien à dire, tu ne penses pas ? »

Je voudrais hocher la tête, réagir, mais je ne peux pas.

« Une violente tempête approche, dit-elle en chuchotant. Elle arrive. La plupart le savent, je suppose, mais ils préfèrent ne pas le savoir. Pourtant, elle sera bientôt là. » Je l'entends qui se gratte, peut-être qu'un moustique l'a piquée au bras. « Ils se voilent la face parce qu'ils ne croient pas pouvoir emprunter un autre chemin que celui sur lequel ils se sont engagés. Ils s'imaginent que la rivière coule en ligne droite. »

Elle rit comme si nous n'étions pas seules, comme s'il y avait d'autres personnes ici qui approuvaient ses paroles en riant de concert avec elle. « Aucune rivière ne coule en ligne droite. Et nous devons parfois nous représenter ce qu'il y a au-delà afin de prendre tout le paysage en considération. » Elle se gratte de nouveau. « Tu sembles désorientée. Je vais être plus claire : nous sommes tous tellement pressés de vivre notre vie, tu ne crois pas ? Mettons que nous descendions une rivière, une rivière sur laquelle nous n'aurions jamais navigué. S'il y a des signes indiquant la présence de rapides, n'est-il pas sage d'amarrer le canoë, de tendre l'oreille puis de longer la berge pour voir ce qu'il en est au débouché du méandre ? » Je l'entends se gratter encore. « Ou bien est-il sage de continuer à pagayer en dépit du courant devenu plus fort, preuve qu'il y a peut-être du danger devant ? La réponse est simple, non ? »

Petite Oie recommence à rire, toujours comme si elle s'adressait également à d'autres gens. « Ce qu'il y a de merveilleux, reprend-elle, c'est que certains d'entre nous pressentent ce qui va arriver. » Mes yeux se sont maintenant habitués à l'obscurité, et je distingue la large silhouette de ma corneille, ses fines plumes, son bec recourbé. « Nous savons ce qui va arriver parce que nous voyons dans le noir, nous voyons dans l'avenir comme si nous avions un petit feu. Et toi, dit-elle, toi, tu as quelque chose de spécial. Tu as peut-être le don de la femme-médecine. Seulement, il faut que tu apprennes à le cultiver comme on cultive les trois sœurs. Et quand il croîtra, tu devras apprendre à le contrôler. » Nous sommes allongées sur le dos, l'une à côté de l'autre, la corneille au-dessus de nous. Petite Oie finit par dire : « Tu peux parler à présent. »

Mes muscles se détendent et la peur me quitte un peu. L'étau qui me bloquait les mâchoires se desserre soudain, et je parviens à murmurer : « Je ne veux pas de ce pouvoir.

— Tu ne veux pas que ce garçon qui t'a fait du mal aujourd'hui te désire ? »

La question me déconcerte. Au bout d'un moment, je dis : « Il ne me mérite pas.

— Belle réponse. Mais ça ne t'empêche pas de le désirer. »

Dans la lumière qui commence tout juste à filtrer par le trou de cheminée, Petite Oie décrit un cercle avec un doigt tendu, et la corneille, comme sous l'effet d'un courant d'air, se met à suivre son mouvement. « Une fois qu'on a appris, ce n'est pas compliqué à faire. »

Elle lève les deux mains, les joint, puis elle les ouvre et les referme comme un enfant qui imite le vol d'un oiseau. Bouche bée, à la fois sous le coup de la surprise et de l'effroi, je vois au-dessus de nous la corneille battre des ailes. Petite Oie accélère la cadence et la corneille se redresse pour voler en décrivant des cercles aussi grands que le lui permet la corde attachée à ses pattes.

« Elle a des yeux magnifiques, dit Petite Oie. C'est toi qui les as faits ? »

Je secoue la tête.

Elle continue avec ses mains, et la corneille tourne, tourne, tandis que le vent soulevé par ses ailes fait couler des larmes le long de mes joues. C'est si terrifiant, si beau, qu'en cet instant, moi aussi, je veux ce pouvoir.

Toutes choses pour tous

Ils nous ont obligés, Gabriel, Isaac et moi, à travailler dans les champs avec les femmes, ce qui est considéré comme un affront majeur. Le pauvre Isaac qui a déjà si longuement et si durement souffert dans ce monde cruel vient de subir une commotion et n'a plus tout à fait son bon sens. Le dos courbé, le soleil tapant sur nos soutanes, nous nous échinons non loin des femmes qui nous évitent, jusqu'à ce que nous soyons près de nous évanouir de soif. Des heures durant, nous arrachons les mauvaises herbes, la seule chose qui paraît pousser sur ce sol ingrat. Elles surgissent en l'espace d'une nuit, et si on ne s'en occupait pas, elles étoufferaient les maigres espoirs de récolte. Nous avons tous trois pris l'habitude de nous agenouiller plusieurs fois le matin et l'après-midi pour prier que la pluie vienne arroser les tiges de maïs qui se flétrissent et agonisent comme des enfants mourant de faim. Chaque jour, la terre s'incruste plus profondément sous nos ongles qui menacent de se décoller, de sorte que nous avons tous les soirs les doigts douloureux et enflés.

Lorsque nous tombons à genoux, les femmes s'arrêtent de travailler pour nous regarder, non pas avec curiosité, mais avec quelque chose qui ressemble à de la haine. Je sens la brûlure de leur colère, Seigneur, et je Vous demande d'adoucir leur cœur pour qu'elles comprennent que nous désirons la pluie pour leur propre bien davantage que pour le nôtre. J'accepte de connaître une mort brutale dans ce pays idolâtre et hostile, et je l'accepte avec humilité et avec joie, car je mourrai pour Vous, Seigneur, dans ma tentative de moissonner ne serait-ce que quelques âmes.

Comme moi, Isaac sait que notre temps ici est sans doute compté. Avec le peu de doigts qui lui restent, il ne peut pas faire grand-chose. Il se contente souvent de rester assis et de divaguer. « Ce garçon m'a frappé avec son casse-tête parce qu'il voulait ma mort, répète-t-il fréquemment. Ils veulent tous ma mort. Ils nous tueront tous les trois cet été parce qu'ils croient que nous avons jeté un sort sur ce pays. Est-ce vrai, père Christophe ? »

Gabriel s'emporte contre lui et je dois souvent le calmer alors que dans ses yeux brille une lueur qui, même moi, m'effraie. De fait, il faut que je les calme tous les deux, leur rappelant que nous ne sommes pas là pour nous mais pour nos Sauvages, et c'est un fardeau de plus que je suis contraint de porter sur mes épaules qui deviennent plus solides après chaque épreuve. J'ai découvert au cours de ces dernières années un aliment qui me nourrit tant sur le plan spirituel que physique. Chaque épreuve qu'on m'inflige ainsi me rend plus fort. Pendant les voyages, les Hurons eux-mêmes apprécient que je pagaye comme eux sans relâche du matin au soir et que je porte ma part de chargement quand nous devons mettre pied à terre pour longer des berges rocheuses. Je Vous remercie, Seigneur, pour cette vigueur nouvelle qui anime mon corps. Et, tandis que je me baisse pour sarcler les mauvaises herbes, je me dis qu'il s'agit non d'un affront, mais d'une bénédiction.

Le soir, quand nous regagnons notre petite et modeste habitation, je dois monter sur le toit pour enlever les flèches que de jeunes guerriers furieux ont tirées sur la croix au-dessus de l'entrée, destinée à accueillir les visiteurs. Et chaque fois que je retire une flèche fichée dans le bois, je m'attends à ce qu'une autre se plante dans mon dos. Il est clair qu'on ne veut plus de nous ici. La sécheresse est telle que nous ne nous soucions plus des mauvaises herbes et que, pareils à des fourmis, nous formons toute la journée une colonne qui va et vient, portant des outres ou des seaux en écorce de bouleau remplis d'eau pour arroser les cultures dans l'espoir qu'elles ne meurent pas. Du lever du jour à la tombée de la nuit, nous effectuons l'aller et retour entre les champs et la rivière, une tâche qui semble aussi vaine que de chercher à éteindre un immense brasier au moyen de dés à coudre. Nous ne pouvons rien faire de plus.

Des rumeurs circulent selon lesquelles un parti de guerre iroquois aurait pénétré sur notre territoire et serait sur le point d'attaquer. Un jeune homme d'un village voisin a été surpris à rôder près du nôtre, et certains de nos guerriers les plus jeunes et les plus excités l'ont accusé d'espionner pour le compte de l'ennemi. Depuis, il a disparu et on pense qu'ils l'ont tué. C'est devenu un été de profond et de terrible mécontentement, l'anarchie est tapie derrière chaque arbre, la violence et l'horreur approchent en rampant, dissimulées au milieu des ombres de la fin de journée. Le soleil d'été est haut dans le ciel et il continue à chauffer bien après les dernières prières et l'heure du sommeil qui ne vient pas. Inquiets, les jeunes patrouillent le long des palissades jusqu'à l'aube, allumant de grands feux et poussant toute la nuit des cris effrayants pour montrer à l'ennemi qui pourrait se cacher non loin dans la forêt que les Hurons demeurent forts et vigilants. Tout le monde dans le village est à cran, les femmes craignent de se rendre seules dans les champs, les hommes sont tellement épuisés et énervés que Gabriel, Isaac et moi n'osons plus sortir de peur d'être aussitôt massacrés. Même les convertis nous évitent, redoutant d'être eux aussi frappés. Nous restons blottis dans notre cabane, et nous prions pour l'âme de ceux qui nous entourent et pour que vienne la pluie. N'ayant rien d'autre pour m'occuper, je reprends ma plume pour griffonner des mots susceptibles de donner un sens à la folie qui gagne partout.

Les cris d'Isaac me réveillent. Gabriel et moi, nous nous levons d'un bond pour l'apaiser à la suite de ce que j'imagine être un cauchemar mais, assis dans la lumière du petit matin, il berce quelque chose dans ses bras.

« Vous vous êtes blessé ? je demande. Que tenez-vous là ? »

Gabriel s'agenouille pour forcer Isaac à lui montrer, puis il sursaute et se recule en hâte comme un crabe. Isaac brandit une main humaine coupée encore sanguinolente.

« C'est un signe, dit-il. Quelqu'un a dû se glisser ici cette nuit pour la poser sur ma poitrine pendant que je dormais.

— Il ne s'agit pas d'un signe, mais de l'œuvre du Diable, dis-je. Une façon ridicule et simpliste d'essayer de nous intimider, rien de plus. »

Rassemblant tout mon calme et mon courage, je m'avance vers le pauvre Isaac, la paume offerte. Il se borne à me dévisager. D'un geste, je lui demande de me la donner. Il baisse les yeux sur la petite masse d'os et de chairs mutilée, lève un instant le regard, puis la met dans ma paume.

Je vais dans le coin où sont les vêtements sacerdotaux, le calice et l'autel. Je pose la main tranchée par terre, puis je prends une pelle en bois et commence à creuser. Je sens Gabriel et Isaac qui m'observent. Une fois le trou assez grand, je fouille parmi mes maigres possessions jusqu'à ce que je trouve un vieux morceau de tissu dans lequel j'enveloppe la main que je place ensuite dans le trou avant de le refermer.

Après quoi, j'appelle les deux révérends pères à mes côtés. « Prions, dis-je, pour ce jeune homme qui a été accusé d'espionnage et qui a disparu. Nous présumons qu'il s'agit de sa main, et nous l'enterrons dans notre demeure, car il est mort en martyr, victime de la folie qui s'est emparée de tous. Nous regrettons de n'avoir pu lui offrir le salut et sauver son âme avant qu'il ne connaisse cette horrible fin. Mais nous avons ici une partie de son corps que nous pouvons présenter à Dieu. » J'incline la tête, imité

301

par les deux autres. « Encore une victime de Lucifer dans ce monde impitoyable. Il n'est pas le premier, et il ne sera pas le dernier. Mais que cette mort nous fortifie dans notre mission, que ce geste destiné à nous effrayer au contraire nous renforce. Et que cette mort nous aide à apporter la vie éternelle aux Sauvages qui nous entourent. »

Je presse Gabriel de prendre à son tour la plume pour qu'il écrive en son nom et également en celui du pauvre Isaac. Nous avons promis à nos supérieurs que, quelles que soient les circonstances, nous tiendrions un journal afin que notre récit parvienne à ceux qui souhaitent financer notre mission de même qu'à ceux qui, en France, m'a-t-on dit, se passionnent pour nos aventures en ce pays funeste. Et surtout, cela rappellera à nos supérieurs l'importance de la tâche qu'ils nous ont confiée. Il y a là un compte rendu au jour le jour, puis nos prières et nos réflexions, notre recension de ces tribus et de leurs coutumes et un dictionnaire de leur langue qui s'étoffe petit à petit, ainsi que, finalement, mes dernières volontés et mon testament. Je réalise que je n'ai rien d'autre à exposer au monde que mon œuvre et ma vie. Est-ce le péché d'orgueil, Seigneur, qui me consume comme une fièvre cependant qu'au cœur de la nuit les mots coulent de ma plume comme une rivière sans fin ?

Ce matin, quand je lève les yeux de mon journal pour demander à Gabriel pourquoi il n'écrit pas, il se met en colère, sans doute à cause du manque de sommeil et de la tension qui règne dans le village.

« Vous êtes stupide ! crache-t-il, les yeux étincelants. Vous vous imaginez sérieusement que toutes ces sornettes que vous couchez tous les soirs sur le papier vont arriver un jour en France ? »

Je baisse la tête dans l'espoir qu'il continuera sa diatribe et se débarrassera ainsi du poison qui le ronge.

« À quand remonte la dernière fois que nous avons reçu des nouvelles de nos supérieurs ? Deux ans, c'est ça ? Deux ans ! Pour ce que nous en savons, l'Église nous croit morts. Ou pire, elle se désintéresse de notre sort. On nous a oubliés, père Christophe. Pour eux, nous sommes morts, et bientôt nous le serons pour de bon, tués par ces idolâtres. » Il désigne la mince paroi devant lui. « L'heure n'est pas loin où les guerriers entreront ici et se mettront à nous torturer lentement. »

Isaac gémit, recroquevillé dans l'ombre. « S'ils viennent nous chercher, mes chers révérends pères, jurez-moi de me tuer tout de suite. J'ai subi une fois leurs tortures, et je ne pourrais plus le supporter. Je vous en prie, je vous en supplie, tuez-moi tout de suite.

— Et vous vous souvenez de ce qu'ils ont promis dans leur dernière lettre ? reprend Gabriel. Celle que nous ont apportée les Algonquins il y a près de deux ans ? Davantage de prêtres, davantage de donnés, notre propre mission ici, à Ihonitiria, notre propre fort protégé par des soldats, un endroit où les Sauvages viendront en se prosternant au lieu de… de… » Il n'achève pas sa phrase et lève les bras en signe de défaite. « À qui croyez-vous donc écrire ? reprend-il d'un ton plus calme. Qui, croyez-vous, va lire les

phrases que vous gribouillez à longueur de nuit ?
N'est-ce pas folie de votre part ? N'êtes-vous pas
comme Néron jouant de la lyre pendant que votre
empire de Sauvages brûle autour de vous ? »

Je reste longtemps silencieux. Isaac pleure doucement, allongé sur sa mince couverture.

« C'est pour vous que j'écris, mon cher père, dis-je
quelques instants plus tard. C'est pour Isaac. C'est
pour moi dans l'espoir que ces mots ne seront pas
perdus. J'écris, car j'ai foi en l'Église et en notre
patrie qui ne nous ont pas oubliés. J'écris pour plaire
à Dieu, car ces récits sont mes prières. »

Les flammes dans le regard de Gabriel semblent
diminuer d'intensité.

« Nous n'avons plus que l'espoir, poursuis-je dans
un murmure. Nous n'avons plus que ce moyen de
communiquer que les Sauvages n'ont pas. C'est le
seul acte d'écrire qui nous place au-dessus de ces
pauvres diables. Et n'est-ce pas une raison suffisante
pour le faire ? » Tandis que je prononce ces paroles,
une idée germe dans mon esprit. « Il est temps que
nous cessions de nous terrer ici. Il est temps que nous
mettions en jeu notre existence physique et plus
encore notre âme. Nous devons nous lever, nous les
soldats du Christ. Il est temps que nous sortions de
cette cabane puante pour nous tenir bravement en
pleine lumière. Nous allons célébrer une messe, une
messe qui apportera la pluie. Sinon, elle nous apportera le martyre. Dans tous les cas, il vaut toujours
mieux décider qu'attendre que d'autres décident
pour vous. »

Gabriel s'agenouille alors devant moi, pose la tête sur mes genoux et me supplie de le pardonner.

« Allons, allons, dis-je, ma main sur ses cheveux. Nous ne sommes que de simples mortels et on nous a envoyés dans un endroit qui briserait jusqu'à nos saints et nos guerriers les plus glorieux. L'heure est venue, gentil Gabriel, de prendre la Croix et de marcher avec courage. »

Le cœur libéré de la peur, nous nous promenons de nouveau tous trois dans le village sans plus nous inquiéter de la menace qui pèse sur nos têtes depuis cet été. Nous parlons à tous ceux qui veulent bien nous écouter pour leur expliquer que nous allons célébrer chaque jour une messe dans l'espoir que la pluie vienne. Dalila, l'une de mes premières converties, ne craint pas de se tenir devant sa maison-longue en notre compagnie et de nous poser des questions.

« Pourquoi tu ne demandes pas tout bonnement à ton grand oki de faire pleuvoir ? D'abord, ça vous sauverait, et ensuite, ça vous gagnerait beaucoup de monde. » La vieille femme sourit, tandis que derrière elle, des enfants curieux passent la tête dans l'embrasure de la porte. « Il n'existe pas de moyen plus rapide d'amener des gens à croire que de leur offrir à l'instant voulu la chose dont ils ont le plus cruellement besoin.

— Les voies du Grand Génie sont impénétrables, lui réponds-je. Il écoute quand on baisse la tête, quand on se touche de la main droite le front, la poitrine et les épaules. » Je fais le signe de croix. « Si vous confessez vos péchés et que vous Lui demandez de vous accepter dans Son cœur, si vous prenez la résolution de Le servir toujours, nous Le prierons pendant neuf jours. Et si vous croyez vraiment en Lui, le dixième jour il pleuvra.

— Tu comprends bien que si tu nous fais cette promesse et que tu ne la tiens pas, ton sort sera scellé, dit Dalila.

— Cela ne dépend pas de moi, ni de toi, en l'occurrence. Le Grand Génie a déjà décidé de ce que sera le reste de ma vie, et je Le rejoindrai au pays nommé paradis. Mais toi et ceux de ta maison-longue… (je désigne les enfants derrière elle qui, pareils à de petites marmottes, s'empressent de rentrer la tête à l'intérieur)… c'est à toi et à ceux dont tu es responsable d'accepter Son commandement, de l'observer et de renoncer à vos pratiques sacrilèges. C'est uniquement à ce moment-là que vous serez sauvés. Et peut-être que, si le Grand Génie le juge bon, vos corps de chair aussi seront sauvés par la pluie. Et même si cela n'est pas, vous devrez vous réjouir, car la partie de vous-mêmes qui est la plus importante, votre oki, ce que nous appelons âme, montera tout droit vers Lui et vous vivrez éternellement au ciel. »

Je laisse Dalila réfléchir à mes paroles et nous demeurons un long moment silencieux.

« Bon, déclare-t-elle enfin. Je vais essayer de faire comme toi, de vivre comme tu me dis de vivre. » Elle jette un regard derrière elle où les visages des enfants sont réapparus à la lumière. « Je le fais parce que nous souffrons et que la famine nous guette. Je le fais pour ma famille. » Elle a l'air au bord des larmes. « Cela me rend triste, pourtant, car je serai seule dans la mort, séparée à jamais de tous ceux que j'aime. Mais si je peux contribuer ainsi à les sauver, j'en accepte le prix. »

Je voudrais la corriger, lui dire que si elle persuade les autres de recevoir le baptême, ils la rejoindront au paradis, mais elle est déjà rentrée dans sa maison-longue.

Isaac, Gabriel et moi entamons notre neuvaine. Chaque matin, nous célébrons la messe et, le regard levé vers le bout de ciel bleu visible par le trou de cheminée de notre cabane, nous prions avec ferveur la Vierge Marie de nous apporter la pluie. Dalila se joint à nous tous les jours et nous imite consciencieusement, s'agenouillant, se relevant et se signant quand nous le faisons. Je lui offre régulièrement le corps du Christ qu'elle prend sur sa langue. Durant cinq jours, Dalila est notre unique apôtre.

Gabriel n'est pas d'accord et maugrée, mais je lui dis qu'il faut être patient, que Dalila est une ancienne très respectée et que le fait qu'elle vienne prier avec nous ne passe pas inaperçu. « Ne sentez-vous pas la force de notre action ? je demande. C'est comme si l'atmosphère elle-même avait changé autour de nous. Avez-vous éprouvé le moindre frisson de peur depuis la fin de ces jours sombres ?

— En effet, mon père, dit Gabriel. Je sens la différence. »

Nous courbons la tête, de même qu'Isaac, tandis que Dalila nous regarde et, comme un enfant explorant pour la première fois le jardin, essaie de répéter les paroles en latin de nos prières.

Le septième jour, alors que tous les quatre, nous murmurons nos neuvaines, je sens que quelqu'un est entré dans notre cabane. Je fais mon possible pour garder ma concentration et achever la prière avant de dresser la tête. Je crains de voir apparaître le visage à la fois irrité et moqueur de Petite Oie. Le ciel est toujours aussi bleu et limpide que depuis le début de l'été.

Lorsque nous avons terminé, nous levons tous ensemble les yeux vers celui qui vient d'arriver. Mon cœur se gonfle de joie quand je constate qu'il s'agit du jeune Aaron que je croyais une fois de plus perdu pour nous et retourné dans les ténèbres. Il reste immobile, planté devant nous. Personne ne parle.

Je finis par rompre le silence : « Que nous veux-tu ?

— On raconte dans le village que vous pratiquez votre magie dans l'espoir de faire tomber la pluie. » Voyant que j'ai tiqué au mot « magie », il marque une pause avant de reprendre : « Il paraît que vous n'allez pas dormir, ni boire ni manger pendant neuf jours et qu'au dixième, selon votre promesse, il pleuvra. » Il se tait. Je lui fais signe de continuer. « Les jeunes guerriers ont dit que si la pluie ne vient pas, c'est que votre pouvoir est si faible qu'ils pourront vous tuer sans crainte des représailles.

— Ces jeunes fous s'attaquent tout le temps à moi quand Oiseau n'est pas dans les parages.

— Ils pensent ce qu'ils disent, poursuit Aaron. Ceux d'entre nous qui connaissent le monde des esprits proclament que la magie que vous pratiquez est destinée uniquement à nous apporter la mort.

— Ce que nous pratiquons n'est pas de la magie, réplique Gabriel avec violence. Et les maladies qui vous déciment, nous n'en sommes pas non plus responsables. Vous n'avez qu'à vous en prendre à la crasse dans laquelle vous vivez. »

Je lève la main pour le calmer. « Ce n'est pas le moment de céder à la colère. Ne détruisons pas ce que nous avons eu tant de mal à construire. » Je me tourne vers Aaron : « Le grand wampum que nous appelons la Bible parle de fléaux qui se sont abattus sur de lointains pays quand leurs habitants refusaient d'accepter le Grand Génie. Va dire à tes guerriers qu'il en est de même ici. »

Aaron réfléchit quelques instants. « Je n'ai pas été envoyé par eux, dit-il. S'ils apprenaient que je suis venu vous prévenir de leurs intentions, ils seraient furieux. Demain, il ne vous restera plus que deux jours, et le ciel ne montre aucun changement. Certains des anciens préparent déjà leur festin de mort. La plupart des gens du village ne croient pas qu'il s'agit d'une simple coïncidence si nous souffrons et de la maladie et de la sécheresse depuis votre arrivée. Ils ne peuvent plus le supporter.

— Donc, dit Gabriel, si nous ne faisons pas pleuvoir, on nous tuera parce que nous avons perdu nos pouvoirs. Et si nous faisons pleuvoir, nous serons considérés comme des sorciers, c'est bien cela ? »

Le silence d'Aaron est éloquent.

« Et toi, Aaron, qu'est-ce que tu penses ? je lui demande.

— Je m'appelle Trouve-les-Villages, répond-il.

— Tu rejettes ton nom chrétien ? » Je vois qu'il hésite.

« Je suis là, intervient soudain Dalila, parce que j'espère sauver mes enfants et mes petits-enfants de la famine. Je ne suis pas bien ici, et mon peuple me manquera dans le monde d'après, mais j'ai décidé de courir ce risque dans l'intérêt de tous. » Je crois qu'elle a terminé, mais elle enchaîne : « Si tu te joins à moi, Trouve-les-Villages, je ne serai peut-être pas aussi seule dans le monde au-delà de celui-ci. »

Avant que je n'aie eu le temps de la reprendre, Aaron déclare : « Je n'aime pas avoir à prendre trop vite une décision. Vous savez que si j'incline maintenant la tête avec vous, on me tuera probablement en même temps que vous si la pluie ne tombe pas.

— La décision t'appartient à toi seul », dit Gabriel.

Isaac regarde tour à tour chacun de nous, comme s'il voulait dire quelque chose.

« Je me joindrai à vous…, commence Aaron, si Chutes-de-Neige, la fille d'Oiseau, vient aussi. »

Interloqué, je lui dis : « C'est dans ton cœur que tu dois prendre ta décision.

— Mais c'est mon cœur qui parle », rétorque le jeune Huron.

Dalila sourit.

« Il faut que tu fasses cela pour toi, dis-je.

— Je veux le faire pour elle aussi. N'est-ce pas ce que tu enseignes ? Que nous devons vivre pour les autres ?

— C'est vrai », dit Isaac.

Je le fusille du regard. « Je ne peux pas obliger la

fille à prier avec nous. Comme pour toi, c'est dans son cœur qu'elle doit prendre sa décision.

— Me promettez-vous d'au moins lui demander si elle veut se joindre à nous ? insiste Aaron.

— Bien sûr ! » s'écrie Isaac.

Gabriel a l'air navré devant tant de folie.

« C'est pour toi seul que tu dois prendre ta décision », je répète d'un ton ferme.

Isaac hoche vigoureusement la tête. « Nous devons tous agir par amour ! s'exclame-t-il. Tu dois le faire par amour. Existe-t-il d'autres raisons ? » Le pauvre père a perdu l'esprit.

Aaron se tourne vers Dalila, puis vers Isaac qui tous deux sourient et l'encouragent. « Alors, je vais me joindre à vous, dit-il. Expliquez-moi ce que je dois faire. »

Néanmoins frustré, j'incline la tête. Je songe que sauver une âme n'est pas toujours une entreprise évidente. Nous n'avons pas le temps de penser aux moyens, juste à la fin.

« Prions », dis-je à voix haute.

Aujourd'hui, écris-je dans mon journal, nous sommes le dixième jour, le Corpus Christi. Cette nuit, je n'ai pas dormi, non pas à cause de la peur, mais parce que, Seigneur, je m'interrogeais sur Vos voies. Vous avez déjà décidé de l'issue de ce jour, et Votre volonté sera faite. Je l'accepte les bras ouverts.

Il reste une heure avant l'aube et, autour de moi, les autres dorment d'un sommeil agité, sans doute inconsciemment angoissés à l'idée que ce jour sera peut-être leur dernier sur cette terre. À la lueur des braises agonisantes, je continue à coucher mes pensées sur le papier.

Peu avant le lever du soleil, entendant les bruits de pas d'un cortège qui s'approche, je saute sur mes pieds. « Debout ! » je crie, et mes frères ainsi que Dalila et Aaron descendent de leurs nattes pour se placer à côté de moi. La foule, nombreuse à en juger par les voix, n'a cure de discrétion. Je perçois son excitation, sa rage. Ils viennent réclamer leur dû.

« Joignons-nous les mains et prions, dis-je. Seigneur, que ceux qui nous veulent du mal nous trouvent sereins et en prières. Affrontons cette journée et ses épreuves en état de grâce et d'humilité. »

La paume de Gabriel est moite, mais sa poigne est ferme. Je tiens le moignon d'Isaac qui tremble de peur et gémit comme un chiot. « S'il vous plaît, s'il vous plaît, murmure-t-il. Tuez-moi tout de suite.

— Chut. Ayez foi en Dieu. Ayez foi en Sa bonté. »

La foule cerne maintenant notre cabane, les voix se font plus pressantes, des cris de colère jaillissent. Je sens leur fureur à travers les minces parois. Soudain, une marée humaine entre et nous submerge. Une plainte aiguë me déchire les tympans. Levant les yeux, je vois Dalila qui, la bouche grande ouverte, la tête rejetée en arrière, entonne son chant de mort. On nous bouscule, on nous sépare brutalement les uns des autres. Des mains me saisissent, tirent sur ma soutane. Gabriel, Isaac, Aaron et Dalila disparaissent au milieu de la cohue. Puis, à mon tour, on me traîne dehors.

La cabane des Corbeaux

Ouvrant les yeux, j'entends au-dehors des bruits de pas précipités et des gens qui crient à leurs amis de les suivre. Ma corneille qui se balance paresseusement au bout de son fil me contemple avec ses yeux brillants. Des semaines durant, j'ai essayé en vain, la fixant du regard ou la suppliant à voix basse, de l'inciter à voler de sa propre volonté. Petite Oie m'a promis, si elle m'en juge digne, de m'apprendre, parmi bien d'autres choses, comment faire. Il faut d'abord qu'elle s'assure que je le mérite. Quels seront ses critères ? Je n'en ai aucune idée.

Nouveaux cris. Nouveaux bruits de pas. Mon raton laveur se niche dans mes cheveux qu'il tire avec ses petites mains. « Pas si fort, lui dis-je. Allons voir ce que c'est. »

Je le prends et je me lève pour descendre de ma natte. Il a beaucoup grandi au cours de ces dernières semaines et il commence à faire des bêtises comme voler de la nourriture ou importuner les vieilles femmes. Une fois de plus, presque tout le monde a quitté la maison-longue. Ceux qui restent se moquent de moi qui dormais si profondément, mais ça m'est égal. Je suis le mouvement.

Dès que je franchis le seuil, je sens quelque chose dans l'air, quelque chose qui ressemble au bonheur, comme si chacun se trouvait allégé d'un poids. Nombre de gens se sont rassemblés près des palissades, à côté de la cabane des Corbeaux. À cette vue, je crains qu'on ne soit passé de la parole aux actes. Ces temps-ci, la colère contre les trois hommes bizarres est devenue si terrible que je n'ai pas pu m'approcher d'eux. Le raton laveur sur l'épaule, accroché à mes cheveux, je presse l'allure. Des grappes de gens tournent autour de la maison des Corbeaux, et je les aperçois alors qui, dans leurs robes couleur de charbon de bois, se détachent au milieu de la foule.

Le climat, cependant, n'est pas à la violence. On crie, on applaudit et on montre l'horizon où des nuages sont apparus, poussés par le vent qui, soufflant de cette direction, ne peut annoncer qu'une seule chose. Ceux qui entourent les Corbeaux ne se préparent pas à les tuer mais à célébrer leur magie. Je vois bien que les Corbeaux ne le comprennent pas ainsi. Me frayant un chemin parmi la foule, je constate que le nommé Isaac tremble et pleure comme un petit enfant. Christophe et Gabriel, la tête inclinée, prient leur grand génie. La vieille femme, Point-du-Jour, qui est avec eux depuis quelque temps, semble se rendre compte du changement intervenu, et elle se met à rire et à battre des mains. Elle écarte les gens pour se placer à côté de Christophe qu'elle secoue en désignant le ciel. Il la regarde un instant, lève les yeux, puis son visage s'illumine. Il dresse les deux bras en l'air et joint les mains pour saluer la pluie qui arrive.

J'offre mon visage aux premières gouttes. Imitée par tous. Les nuages crèvent et je remercie les okis, Aataentsic, Femme-Ciel, et même le grand génie des Corbeaux pour nous avoir sauvés. Bien qu'il pleuve maintenant à verse, les femmes, après avoir brièvement manifesté leur joie, se dirigent vers les champs pour aller retrouver les trois sœurs toutes desséchées, réclamer leur pardon pour les avoir négligées ces derniers temps et leur demander si elles vont pousser vigoureusement à présent que la pluie est revenue. Je suis les femmes à distance, absorbant tout ce que je vois et entends comme le sol absorbe la pluie.

Les lourdes pluies ont calmé la colère des jeunes guerriers. Je me suis mise à suivre les Corbeaux à travers le village tandis qu'ils s'efforcent d'amener les gens à eux. Point-du-Jour et le jeune appelé Trouve-les-Villages les accompagnent. Je connais les noms que Christophe leur a donnés. Point-du-Jour, il l'appelle d'un nom que j'ai du mal à prononcer : Dalila. J'aime la façon dont ma langue claque quand je le dis : Dalila. Néanmoins, je n'ai pas l'impression d'avoir appris à le dire correctement. Le nom corbeau de Trouve-les-Villages est Aaron, ce qui paraît plus facile. C'est compact, solide comme un mot wendat. Je l'ai surpris à me fixer du regard quand je m'approche d'eux. Ses yeux me mettent mal à l'aise, comme si je devais détourner les miens. Il y a quelque chose de fort en lui. De trop fort, comme s'il se consumait de l'intérieur. En dépit de ses cicatrices causées par la même maladie que moi, il n'est pas désagréable à regarder.

Toute la semaine, le soleil brille le matin et la pluie tombe l'après-midi. Je travaille dans les champs avec les autres à désherber cependant que les trois sœurs poussent. Si le ciel reste ainsi, la moisson sera bonne. Personne n'exprime ce souhait à voix haute de crainte qu'il ne se réalise pas. Mon raton laveur est lové dans les plis de ma robe que je noue autour de ma taille quand il fait trop chaud. Fatigué par ses expéditions, il aime dormir là. C'est, comme moi, une créature de la nuit. Les seins me brûlent au soleil. Ils sont douloureux, et quand je tâte les mamelons, j'ai l'impression que de petits cailloux sont logés sous la peau.

L'après-midi, je peux me promener à loisir. Parfois, je suis Porte-une-Hache et ses deux amis, veillant à ce qu'ils ne me repèrent pas. Le nouveau nom que je lui ai donné, Merde-de-Raton-Laveur, lui convient mieux. Je ne l'appellerai pas par son vrai nom maintenant qu'il m'a fait bien comprendre ce qu'il pense de moi.

Il est clair que ses amis et lui s'ennuient terriblement, et ils n'ont rien trouvé de plus intéressant à faire que de tourmenter les Corbeaux. Ils tirent des flèches sur les morceaux de bois en forme de croix plantés au-dessus de la porte de leur cabane et chaque soir, quand Christophe Corbeau rentre, il relève sa robe comme une femme pour grimper sur le toit afin de les arracher. Le soir, je rêve de vengeance et je la prépare. Mon père, ma mère, je vais montrer à ce garçon ce qu'on récolte à blesser ainsi votre fille. Je me vengerai, mes chers parents, et cela d'une manière qui vous plaira. Je hais ce garçon au corps parfait et ses stupides amis.

Lassée de les espionner, je vais rendre visite à Dort-Longtemps pour lui montrer combien mon raton laveur a grandi. Dès que je pénètre dans la maison-longue, je sens qu'il manque quelque chose. C'est l'odeur, les voix étouffées des adultes, et aussi l'absence d'enfants et de chiens qui jouent bruyamment. Je m'avance sur la pointe des pieds vers le feu de la famille de Dort-Longtemps. Elle est seule et elle frissonne, allongée sur sa natte sous une couverture malgré la chaleur. Je m'agenouille à ses côtés. Elle a les yeux fermés, mais quand je prononce son nom, elle les ouvre. Elle a la peau grise, et son beau visage paraît beaucoup plus âgé qu'il ne l'est.

« Dort-Longtemps, dis-je. Qu'est-ce que tu as ? »

Mon raton laveur babille, comme si lui aussi s'inquiétait pour elle.

Elle sourit à ce petit visage qui émerge du nid de mes cheveux.

« Il y a ceux qui te veulent du mal, dit-elle, le regard perdu dans le lointain tandis que son sourire s'est effacé. J'ai beaucoup rêvé ces derniers temps.

— Tu as de la fièvre, dis-je, énonçant une évidence, mais troublée par ce qu'elle vient de dire.

— Il y a ceux qui te veulent du mal parce qu'ils devinent que tu possèdes un pouvoir dont ils sont jaloux. Des gens que tu ne connais même pas, d'autres que tu connais.

— Ne parle pas par énigmes, Dort-Longtemps,

dis-je. Est-ce que tu as quelqu'un qui s'occupe de toi ?

— Tu sais que Grands Arbres, mon mari, est parti vendre nos peaux avec Oiseau. Ma mère fait ce qu'elle peut.

— Il faut qu'on te soigne.

— Personne ne s'est proposé, dit-elle. Et de toute façon, je n'ai rien à offrir en échange.

— Je connais quelqu'un. Elle a un grand pouvoir. Je vais aller la chercher. » Je me relève. « Je reviens le plus vite possible. »

Je cours à travers le village, zigzaguant entre les enfants, les adultes et les chiens qui rentrent des champs. Il s'est remis à pleuvoir. Arrivée à la maison de Petite Oie, une construction ronde selon la manière des Anishinaabes, je l'appelle, mais je ne reçois pas de réponse. Je fais le tour en continuant à appeler. Rien. Sans y réfléchir, j'entre.

Le feu est froid, et comme il ne sent plus rien, j'en déduis qu'il n'a pas été allumé depuis des jours. Je m'avance. Il y a des flaques d'eau sous le trou de la cheminée. Petite Oie ne s'est pas donné la peine de le boucher, ce qui signifie qu'elle ne pensait peut-être pas s'absenter si longtemps. Je réalise alors que je ne l'ai pas revue pratiquement depuis qu'elle a ramené ma corneille à la vie. Je m'assois sur sa natte. Au-dessus de moi, des herbes et des racines sèchent, suspendues à un échafaudage. Une pile de petit bois est posée à côté du foyer. À portée de ma main, il y a une paire de superbes mocassins cousus différemment des nôtres, plissés au bout au lieu d'être lisses. Je les prends et passe le doigt sur le magnifique travail de perles. Je n'ai jamais rien vu de pareil : des fleurs sur le dessus et un serpent qui s'enroule sur toute la longueur des flancs, un ouvrage aussi délicat et sans doute aussi long à confectionner qu'une ceinture-wampum. Je sais que c'est l'œuvre de Petite Oie, et j'éprouve l'envie irrésistible de m'en emparer. Je me contrains néanmoins à les replacer avec précaution à l'endroit où ils étaient.

Me redressant, je me demande où elle est. Elle disparaît parfois dans la forêt pendant de si nombreux jours qu'on se dit qu'elle ne reviendra peut-être jamais. Si elle avait eu l'intention de partir long-temps, elle n'aurait pas laissé tant de choses derrière elle. J'en profite pour explorer sa maison. Petite Oie est une femme qui se satisfait de peu. Quelques bols et quelques pipes sont alignés contre un mur à côté de quatre ou cinq petits sacs de cuir vides. En face de moi, adossé à la paroi, se trouve un grand coffre en écorce de bouleau. J'hésite à l'ouvrir. Il est muni de sangles de peau, si bien qu'on peut le porter sur le dos. Je soulève lentement le couvercle du coffre qui, large comme mes deux bras écartés, m'arrive à la taille. Un parfum de cèdre, de tabac et de sauge s'en échappe, accompagné d'une odeur plus forte. Celle de la peau d'orignal fumée.

Je jette un coup d'œil en direction de la porte, mais l'odeur m'attire. Je ne résiste pas et je plonge les mains à l'intérieur. Le coffre, fabriqué en épaisse écorce de bouleau, est tapissé de fines lamelles de cèdre destinées à éloigner les mites et autres insectes. C'est donc là qu'elle range ses affaires d'hiver. Je sors une robe en orignal douce comme la peau et qui dégage de lourds effluves fumés. Elle est soigneusement cousue et décorée sur le devant de perles qui dessinent des motifs de fleurs. Malgré la chaleur, je l'enfile. Au-dessous, il y a des moufles, des jambières et des mocassins montants que je ne peux me retenir de mettre aussi. En un instant, je me retrouve habillée comme pour la plus froide des journées d'hiver, en nage, respirant l'odeur fumée de la peau tannée.

Des enfants qui passent en courant et en riant me font sursauter. Dehors, la pluie s'est arrêtée et j'ignore combien de temps je suis restée là dans les vêtements de Petite Oie. Je les ôte et je m'apprête à les ranger quand, en me penchant, j'aperçois une boîte brodée de piquants de porc-épic recouverte en partie par une natte de jonc. La soulevant, je vois qu'il y a d'autres boîtes serrées au fond du coffre. Elles sont très belles, ornées de fleurs séchées en piquants ou encore d'étoiles, de cerfs ou d'oiseaux.

Du bout des doigts, j'effleure la broderie de l'une d'elles qui tiendrait dans ma paume. Sentant le pouvoir qui émane de ces boîtes, je sais qu'elles contiennent les médecines de Petite Oie. J'en ai la certitude. Un jour, moi aussi j'aurai mes boîtes en piquants. Je vais lui demander de m'apprendre à coudre et à décorer de perles des mocassins comme les siens et à fabriquer ces superbes coffrets brodés de porc-épic. Puis je lui demanderai de me montrer quelle magie placer dans chacun d'eux ainsi que la façon de les utiliser. Il faut que je lui montre que je suis digne d'acquérir son savoir. Mais d'abord, il faut que je la trouve pour qu'elle soigne Dort-Longtemps.

Je me glisse hors de chez elle. Ne sachant où la chercher, je retourne dans la maison de Dort-Longtemps. Elle est immobile sur sa natte. J'ai peur qu'il ne soit déjà trop tard, mais lorsque je m'accroupis à côté d'elle, elle ouvre les yeux.

« Je suis allée chez celle qui guérit, mais elle n'était pas là, dis-je. Elle est partie depuis un long moment. » Pour la première fois, j'ai envie de dire à voix haute que je regrette qu'Oiseau non plus ne soit pas là. Il aurait su quoi faire. Il aurait su où trouver Petite Oie. « Qu'est-ce que je peux faire ? » je demande.

Dort-Longtemps m'adresse un pâle sourire. « Peut-être que si tu penses très fort à elle, que si tu rêves d'elle ce soir, ton rêve lui parviendra. Murmure à ta corneille ce que tu veux lui dire et demande-lui de s'envoler vers elle. » Sur ce, elle ferme les paupières.

Le soir, allongée sur mon lit, je fais ce qu'elle m'a suggéré de faire. Je supplie à plusieurs reprises la corneille d'aller trouver Petite Oie pour lui dire de revenir afin de guérir Dort-Longtemps. À la lueur du feu, ses yeux ont l'air vivant. Je lui murmure ma prière jusqu'à ce que mes paupières s'alourdissent, puis je me réveille en sursaut pour l'implorer de nouveau. Je vais jusqu'à lui promettre que si elle exauce mon vœu, elle ne sera pas obligée de revenir. Je serai prête à la laisser partir.

Toute la nuit, je vois des éclairs sous mes paupières. Je vois d'en haut, comme en plein jour, une chute d'eau au crépuscule qui cascade sur des rochers aux angles vifs, une forêt sombre où des hardes de cerfs se faufilent parmi les arbres, une large étendue d'eau de la couleur d'un œuf de rouge-gorge, si limpide qu'on distingue de gros poissons qui nagent juste sous la surface. Je suis la corneille qui survole le pays de rochers et de pins séparant son peuple du nôtre, à la recherche de Petite Oie.

Au matin, je vais m'asseoir devant chez elle dans l'espoir qu'elle ait reçu mon message. Je devrais être aux champs, mais Dort-Longtemps a besoin de moi. Mon raton laveur bavarde, me raconte qu'il s'ennuie pendant qu'on attend au soleil. Il se met à flâner, et je lui recommande de ne pas trop s'éloigner.

Entendant un rire proche, j'ouvre les yeux. Ce n'est pas un rire gentil. Mon raton laveur ! Je me relève d'un bond. Porte-une-Hache le tient par la queue et le balance tandis que ses deux amis essaient de lui flanquer des tapes.

Je me précipite vers lui en hurlant : « Lâche-le ! Rends-le-moi tout de suite ! » Je le gifle de toutes mes forces. Il titube, lâche mon raton laveur qui file se réfugier chez Petite Oie.

Le garçon se redresse, et ses deux amis m'observent en silence. Il fonce sur moi et mon corps se raidit en prévision du choc du sien contre le mien. Je ferme les yeux.

Rien.

« Ouvre les yeux. » Il sourit, le visage si près du mien que je sens son haleine. « Tu pensais que j'allais te frapper ?

— Tu devrais avoir honte de te conduire comme ça alors que ta mère est si malade qu'elle risque de mourir.

— Je regrette d'avoir effrayé et maltraité cet animal, dit-il. Je ne savais pas qu'il était à toi. »

Il veut que je lui pardonne, que je m'excuse. Il a un sourire de petit garçon. « Je ne te crois pas, dis-je.

— Et je regrette les mots cruels que je t'ai lancés le jour où ton père est parti, reprend-il. J'étais vexé qu'il ne m'ait pas choisi pour l'accompagner, et je me suis vengé sur toi. »

Je regarde ses amis pour voir s'il ne ment pas. Ils s'écartent et se mettent à chuchoter entre eux. « Je t'interdis de me parler, dis-je. Et si tu t'avises de toucher encore à mon raton laveur, mon père te tuera. »

Leur tournant le dos et ne sachant où aller, j'entre à grandes enjambées chez Petite Oie. J'entends leurs rires à tous les trois mais pas leurs paroles. Je le déteste, je les déteste tous. J'aurai ma revanche.

Tandis que j'appelle mon raton laveur d'un claquement de langue, je perçois une autre présence dans la pièce, et j'ai peur que Porte-une-Hache n'ait réussi je ne sais comment à s'introduire dans la maison. Une voix de femme s'élève alors : « Il est là, en sécurité auprès de moi. » Je la distingue à présent à la lumière qui filtre par le trou de cheminée, frêle silhouette penchée à côté du feu éteint. « J'ai voyagé vite et longtemps pour revenir, dit Petite Oie. Je suis fatiguée. »

Comme si elle m'appelait, je m'avance vers elle. Installé sur ses genoux, le raton laveur mange quelque chose dans sa main, des glands peut-être.

« Il aime l'ottet. » Je ne trouve rien d'autre à dire.

« L'ottet est bon pour les Wendats, mais les animaux sauvages ont besoin de nourriture sauvage. » Elle me regarde avec un sourire qui manque de chaleur. « Bientôt, tu ne pourras plus le garder. Quand son activité sexuelle s'éveillera, il deviendra coléreux et méchant. Il faut t'y préparer.

— Une corneille t'a rendu visite cette nuit ? » je demande.

Surprise, elle me considère un instant. « Qu'est-ce que tu veux dire ? »

Je me sens soudain stupide. « J'ai rêvé que j'envoyais une corneille te chercher. Je… » Je suis à court de mots.

« Tu es une drôle de fille », dit-elle. Je baisse les yeux. « Et apparemment, tu te plais à fouiller dans les affaires des autres. » Les joues me brûlent. « Ce n'est pas grave, reprend-elle. Il n'y a rien chez moi que je craigne de perdre. »

Je voudrais l'interroger au sujet des coffrets en piquants de porc-épic, mais je n'ose pas. « Je suis venue te demander ton aide, dis-je. Pardonne-moi d'être entrée chez toi sans ton autorisation. Je te cherchais. » Au lieu de me regarder, elle s'intéresse au raton laveur qui continue à lui manger dans la main. « Comment savais-tu que c'était moi qui m'étais introduite chez toi ?

— Les araignées qui habitent ici m'ont dit que tu avais dérangé leurs toiles. C'est ma maison qui est maintenant ta cachette ? »

Je fais signe que non. « Je ne suis venue ici qu'une seule fois. Tu peux vraiment communiquer avec les araignées ? »

Petite Oie éclate de rire. « Tu es donc prête à croire tout ce que je raconte ? Il faut que tu apprennes à te détendre quand tu es avec moi. C'est ta première leçon.

— Comment savais-tu que j'étais déjà venue chez toi ?

— C'est simple, explique-t-elle. À la manière dont tu es entrée à l'instant, il était clair que tu connaissais les lieux. Tu ignorais que j'étais là, non ? » Sans me laisser le temps de répondre, elle poursuit : « Mes mocassins ont été bougés. Je m'en suis aperçue tout de suite. »

Je jette un coup d'œil à l'endroit où ils étaient hier, mais ils n'y sont plus.

« Et si j'avais eu besoin d'une preuve supplémentaire, il m'aurait suffi de suivre la direction de ton regard. » Elle rit tandis que je rougis jusqu'aux oreilles. « Et je constate que tu as ouvert mon coffre en écorce. Les empreintes de tes pas sont petites et facilement identifiables.

— Tu es furieuse contre moi ? » je demande.

Petite Oie me tend le raton laveur. Je le prends et elle se lève. « Aide-moi à allumer un feu, dit-elle. Les moustiques ne vont pas tarder à arriver et je voudrais chasser l'humidité. »

Je vais ramasser de l'herbe sèche, puis nous plaçons dessus le petit bois. Elle sort ses silex de son sac et les frotte l'un contre l'autre. Elle se penche pour souffler et, entre deux respirations, elle me parle : « Tu dois observer. » Des volutes de fumée frôlent ses lèvres. « C'est ce que les animaux nous enseignent et c'est ce qui nous lie à eux. » Elle continue à souffler. « Les animaux observent tout le temps. Regarde ton raton laveur. »

Je me tourne vers lui. Comme fasciné, il suit tous nos mouvements.

« Pourquoi observent-ils ainsi ? demande Petite Oie. Pourquoi le faucon dans le ciel guette-t-il ainsi ? Pourquoi le cerf se tient-il absolument immobile, le regard fixe au point qu'il ne cligne même pas des yeux ? »

Je réfléchis un instant. « Pour repérer leur proie ? dis-je, pensant au faucon. Ou peut-être pour éviter d'en devenir une ? » j'ajoute, pensant au cerf.

Petite Oie rit. « Tu apprends. Et si tu observes avec assez d'attention, tu survivras. Et si tu t'instruis de tout ce que tu vois, tu acquerras du pouvoir. »

Je suis désorientée. Elle s'en rend compte, car elle reprend : « Il y a une leçon à tirer de tout ce dont tu seras témoin aujourd'hui. De même que de tout ce dont tu seras chaque jour témoin. Ce garçon effronté désire faire amende honorable parce qu'il a compris que ce qu'il a dit lors du départ de ton père était idiot et ne lui permettra pas d'obtenir ce qu'il veut. »

Je hoche la tête.

« Donc, observe tout. Tu dois remarquer ce que les gens ne remarquent en général pas quand ils l'ont sous les yeux. » La tête inclinée comme un oiseau, elle lève le regard vers moi qui me tiens debout au-dessus d'elle. « On ne devient pas quelqu'un qui guérit. On naît avec ce don, tout comme un bon chasseur naît avec ce don-là. »

Je devine ce qu'elle attend de moi. « J'ai ce don, dis-je. Tu es ici parce que je t'ai suppliée de venir. »

Elle rit et agite la main comme pour écarter une mouche. « Le hasard et la chance jouent un grand rôle dans ce monde.

« — Mon amie a besoin d'aide, dis-je. Elle est gravement malade. Elle doit vivre. »

Petite Oie tend la main, et je mets une seconde à réaliser qu'elle veut que je lui redonne le raton laveur. Elle le câline et il se met à babiller. « Ce Corbeau est né avec quelque chose. Je l'ai senti dès que je l'ai rencontré. Il sait observer, mais il n'aime pas cela. Son sort parmi nous dépendra des observations qu'il parviendra à faire. » Elle rit intérieurement. « Il maîtrise fort bien la parole, mais que voit-il vraiment ? »

Elle se lève, pose le raton laveur sur son épaule et prend son sac de peau. « Allons chez Dort-Longtemps. »

En sortant, elle s'arrête devant le coffre en écorce de bouleau. « Mes vêtements d'hiver sont bien chauds. » Elle ne se retourne pas pour me voir de nouveau rougir. Ce n'est pas nécessaire. « Je range dedans les boîtes en piquants que j'ai fabriquées au fil des années. Elles ne sont pas aussi belles que celles de ma mère. » Cette fois, Petite Oie se retourne. « Ma mère était réellement douée. Elle a essayé de m'apprendre, mais j'ai le sentiment que je n'aurai jamais autant de talent qu'elle. » Elle sourit. « Le jour où je penserai avoir fait une boîte en piquants valant celles de ma mère, j'estimerai qu'elle sera digne de contenir quelque chose de spécial. Pour le moment, conclut-elle en haussant les épaules, elles restent vides. »

J'observe Petite Oie agenouillée près de Dort-Longtemps qui paraît inconsciente. Deux vieilles femmes assises dans l'ombre de l'autre côté observent elles aussi. Petite Oie place une main au-dessus du ventre de Dort-Longtemps, puis sa main descend, passe sur la jambe gauche, remonte le long de la droite, se pose sur le ventre, sur la poitrine et enfin, hésitante, va vers la tête. Elle renouvelle ces gestes à trois reprises.

Après quoi, elle se lève et sort. Je m'attends à ce qu'elle revienne, mais lorsqu'il s'est écoulé tellement de temps que je me sens sur le point de m'endormir, je me lève à mon tour pour partir à sa recherche. Arrivée devant chez elle, je l'appelle, et elle m'invite à entrer.

Son feu flambe. Assise à côté, elle transpire tandis qu'elle enlève l'écorce de branches d'épinette rouge pour la jeter dans sa bouilloire. « Il y a trois types de maladies, dit-elle sans me regarder. Il y a celles provoquées par des causes naturelles. Celles apportées par quelqu'un doué de pouvoir qui te veut du mal. Et celles qui naissent de désirs intenses non satisfaits.

— Et de quel type souffre Dort-Longtemps ?

— À ton avis ? » demande Petite Oie.

Je réfléchis un instant. « Je crains qu'elle soit victime de la malédiction lancée par quelqu'un qui lui veut du mal, finis-je par répondre.

— Et pourquoi crois-tu cela ?

— Parce que Dort-Longtemps m'a dit qu'elle avait rêvé de ceux qui lui voulaient du mal.

— Qui *te* voulaient du mal, corrige Petite Oie. Dort-Longtemps est belle, et beaucoup d'hommes la désirent, mais elle, elle ne désire que voir son mari revenir sain et sauf, et au fond de son cœur, elle sait qu'il sera bientôt de retour. Dans ce cas, qu'est-ce qui nous reste ?

— Les causes naturelles », dis-je.

Petite Oie retire les bouts d'écorce d'épinette avec sa louche et les met à refroidir sur une pierre plate, puis elle lève les yeux vers moi. « Va dire à tous que je célébrerai ce soir une cérémonie de guérison. Veille bien à ce que le Corbeau et ses disciples soient invités. »

Elle retourne à sa tâche, tandis que je débouche dans la lumière de l'après-midi, prête à annoncer la nouvelle.

La maison de Dort-Longtemps est pleine de gens qui tiennent à s'assurer un bon poste d'observation. Étendue au même endroit à côté de son feu, la malade sourit faiblement à ceux qui l'entourent et lui murmurent leurs vœux de prompt rétablissement. « Petite Oie te soigne, dit l'un. Courage ! Elle te guérira, c'est sûr ! »

Tout le monde se tait quand Christophe Corbeau accompagné de ses disciples entre, la tête haute, se touchant le front, la poitrine et les épaules en regardant autour de lui. Deux ou trois personnes rient. D'autres s'écartent ou se contentent d'observer la scène. Les deux Wendats aux noms bois-charbons d'Aaron et de Dalila n'ont cependant pas l'air si fiers. Ils gardent la tête baissée et évitent les regards. Je crois qu'ils regrettent d'être là où on se demande quoi penser d'eux. Depuis que la pluie est revenue, la cabane de Christophe Corbeau ne désemplit pas de Wendats intéressés par sa magie, mais Aaron et Dalila demeurent les seuls à s'agenouiller chaque jour avec lui.

Christophe Corbeau s'avance vers Dort-Longtemps et s'accroupit à côté d'elle. Au moment où il lève la main, la malade détourne la tête. « Si tu acceptes maintenant le Grand Génie, tu vivras pour toujours dans la joie », dit-il. La foule est silencieuse.

« Si j'avais la certitude d'avoir mon mari auprès de moi, je préférerais vivre dans les flammes dont tu as parlé », murmure-t-elle.

Il prononce alors des mots dans la langue que seuls ses aides comprennent. Ils se joignent à lui, et quand ils ont terminé, ils refont ce même geste qu'en entrant. Regardant autour de moi, je constate que toutes les personnes présentes ont les yeux fixés sur eux.

Lorsque Christophe Corbeau se relève, une voix lance : « Tu as fini, maintenant ? » C'est Petite Oie. Des rires jaillissent. Elle émerge de l'ombre tout près du Corbeau qui sursaute. Les rires redoublent. « Tu n'avais pas vu que j'étais à côté de toi ? » demande Petite Oie.

Il refait son geste étrange. « Tu es une créature du Diable », dit-il.

Elle sourit. « Je ne suis pas certaine de connaître l'ami que tu mentionnes.

— Ce n'est pas un ami », réplique Christophe Corbeau.

Agitant la main comme pour le chasser, Petite Oie s'agenouille au chevet de Dort-Longtemps et sort du sac en peau qu'elle porte en bandoulière une crécelle constituée d'une carapace de tortue. Elle la secoue au-dessus du corps de la malade puis entonne un chant dans la langue de son peuple. Quand elle se tait, elle se tourne vers moi. Ses yeux m'ordonnent d'approcher.

« Fais boire ce breuvage sacré à ton amie, dit-elle. Aide-la à recouvrer ses forces. » Malgré moi, je m'avance et prends dans son sac une petite outre renfermant un liquide chaud. Je sens le regard de Christophe Corbeau posé sur moi, qui me transperce. Je me refuse à lever la tête. Assise sur mes talons, je retire le bouchon de l'outre que je porte aux lèvres de mon amie. Son contenu dégage l'odeur puissante de la forêt, de l'herbe mouillée, de la mousse et du terreau noir. Elle boit gorgée après gorgée.

Petite Oie recommence à secouer sa crécelle et à chanter de son étrange voix aiguë. Il règne un tel silence qu'on pourrait se croire seules. Sans cesser de chanter, agitant plus lentement sa crécelle, Petite Oie plaque son oreille contre la poitrine de Dort-Longtemps.

Elle écoute ensuite le ventre de la malade et reste un long moment ainsi, cependant que sa voix se fait de plus en plus douce jusqu'à ce que nous nous penchions tous en avant pour l'entendre. Elle redresse la tête puis, juste à la hauteur de la hanche de Dort-Longtemps, elle imprime à la crécelle des mouvements si rapides que la carapace de tortue devient floue. Quand elle arrête, on n'entend plus que le crépitement du feu. Petite Oie décrit alors avec la crécelle des cercles au-dessus du corps de la malade. Celle-ci gémit, non pas de douleur mais comme si elle en était libérée.

Petite Oie pose ensuite sa bouche sur la peau de mon amie. Fascinée, je la regarde aspirer de toutes ses forces tandis que Dort-Longtemps pousse un cri. Petite Oie lâche sa crécelle pour maintenir les bras de la malade. Toutes deux tremblent. Dort-Longtemps se débat, puis après un dernier hurlement, elle s'arque et retombe, toute flasque. Petite Oie continue à aspirer, moins fort à présent. Quelques instants plus tard, elle retire sa bouche couverte de sang de la hanche de la malade. Des murmures s'élèvent autour de moi, suivis des marmonnements des Corbeaux.

Après s'être essuyé les lèvres d'un revers de main, Petite Oie crache dans sa paume ce qui ressemble à de minuscules cailloux. Elle les brandit au-dessus du feu. Le sang et la salive luisent sur sa main, et les cailloux évoquent des perles de wampum qui étincellent à la lueur des flammes. Tout le monde a les yeux rivés dessus et nombreux sont ceux qui s'exclament « Ah-ho ! Ah-ho ! » quand ils voient ce qu'elle tient ainsi.

« Les pierres étaient en partie la cause de sa maladie, explique Petite Oie. Elles étaient incrustées dans ses organes et occasionnaient de grandes souffrances. Son corps ne pouvait pas les évacuer. »

Quelqu'un laisse échapper un cri d'incrédulité. Je reconnais la voix de Christophe Corbeau.

Sans plus lui prêter attention, Petite Oie dit : « Faites-les circuler parmi vous. » Dort-Longtemps repose tranquillement. La peau de sa hanche est marbrée, passant de la couleur du sang à celle de la campanule. « Étudiez ces cailloux de près, reprend Petite Oie. Mais n'oubliez pas de les jeter dans le feu lorsque vous aurez fini. Débarrassez-vous du mal comme il convient.

— Le mal, en effet », intervient Christophe d'une voix forte. La foule se tourne vers lui. « Tu n'es qu'une illusionniste, une magicienne. Oui, débarrassez-vous des cailloux comme il convient, ces mêmes cailloux que tu as glissés dans ta bouche quand personne ne regardait. »

Je pensais que Petite Oie allait réagir avec colère, mais elle se contente de sourire et de hausser les épaules. « J'ai été démasquée », dit-elle. Des rires nerveux fusent. « Au moins, cette femme peut maintenant dormir en paix. » Elle prend sa crécelle en carapace de tortue et l'agite au-dessus du corps de Dort-Longtemps qui gémit. « Et toi, ce que tu as à offrir, est-ce une supercherie ou quelque chose de mieux ?

— J'offre la vérité, rétorque le Corbeau. Je n'offre ni supercherie ni sorcellerie.

— Nous verrons, dit Petite Oie. Sorcellerie est un mot que tu emploies à la légère. Et que tu emploies aussi comme arme quand tu cherches à blesser. »

Je regarde alors Christophe à la dérobée. Il me décoche un coup d'œil furieux. L'effrayant bois-charbon nommé Gabriel semble prêt à bondir sur Petite Oie pour la frapper. Il est pareil à un chien au bout de sa chaîne. Quant à l'autre, Isaac, il se borne à cligner des paupières et à lui sourire, main tendue comme s'il voulait lui aussi voir les cailloux.

« Il y a encore des soins à donner, dit Petite Oie en se redressant. Aïe, mes genoux me font mal, je vieillis. Je vais avoir besoin de ton aide, mon enfant. » Elle lève le bras. Les Corbeaux ont les yeux fixés sur moi. Je suis déchirée.

Je lui tends la main. Pour la première fois, je m'aperçois que nous sommes de la même taille. Je la dévisage un instant.

« Aide-moi à relever cette femme », dit-elle en se penchant pour tourner la malade sur le côté. Je suis surprise de constater qu'elle ne pèse presque rien tandis que nous la mettons debout. Elle est encore à moitié inconsciente. Petite Oie se glisse derrière elle et la reçoit dans ses bras. « Fais encore boire ton amie », dit-elle. Et quand je porte l'outre à ses lèvres, Dort-Longtemps entrouvre les yeux et sourit en me reconnaissant. Je lui rends son sourire et verse un peu de liquide dans sa bouche.

Petite Oie recommence à chanter, doucement d'abord puis de plus en plus fort. Le silence se fait de nouveau dans la maison-longue et je sais que les Corbeaux nous observent, moi en particulier. Petite Oie entreprend de soulever Dort-Longtemps dans ses bras comme une mère qui jouerait avec son enfant. À la fois pour échapper aux regards posés sur moi et par peur, je m'écarte d'elles. La voix de Petite Oie monte tandis qu'elle berce cette belle femme comme un bébé, et je me demande où elle puise sa force. On a l'impression qu'elle grandit sous nos yeux, et maintenant elle secoue Dort-Longtemps dont le visage devient tout rouge. Elle ouvre la bouche et bat des bras comme un oisillon essayant de voler. Le chant de Petite Oie se transforme en une plainte telle qu'elle paraît sortir de plusieurs gosiers.

Soudain, nous nous reculons tous en même temps, femmes gémissantes et hommes bras tendus. Quelque chose comme du sable tombe des cheveux de Dort-

Longtemps. Petite Oie la secoue avec tant de frénésie que je crains qu'elle ne lui brise la nuque. Le sable s'échappe maintenant de son nez, de sa bouche et de ses oreilles, si bien que je sens les grains cribler mon visage et mes bras comme si je me trouvais au bord de la Grande Eau pendant que souffle un vent de tempête. Les gens retiennent leur respiration. Certains s'écrient de nouveau « Ah-ho ! », certains se mettent à hurler, et moi, je tremble comme Dort-Longtemps. Et comme les autres, j'en suis persuadée, jusqu'à ce que, épuisés, nous nous effondrions tous ensemble. Petite Oie, couchée sur mon amie, la serre dans ses bras et lui essuie les yeux, le nez, la bouche.

Je risque un regard en direction des Corbeaux. Ils sont plus pâles que je ne les ai jamais vus. Petite Oie berce Dort-Longtemps comme si elle était son enfant, et dès que je vois les couleurs revenir sur le visage des deux femmes, je m'empare de l'outre pour la leur tendre. M'entendant prononcer son nom, Dort-Longtemps ouvre les paupières, a un sourire hésitant et prend l'outre pour boire à grands traits. Petite Oie contemple le feu, et moi, je ne peux que contempler Petite Oie.

Il faut faire quelque chose

Vile supercherie. Rien de plus. Un de ces tours de passe-passe tels qu'on les enseigne aux prestidigitateurs. Pourtant, Gabriel et Isaac refusent de me croire.

« Père Gabriel, père Isaac, écoutez-moi », leur dis-je ce matin après la vigile. Nous sommes installés autour de notre table grossièrement équarrie, laquelle à la fois impressionne et amuse les Hurons qui viennent nous voir. Ils préfèrent de beaucoup manger accroupis ou assis par terre. « Cette maudite sorcière de Petite Oie n'est qu'une mystificatrice. L'autre soir, elle nous a gratifiés d'un excellent numéro, je le reconnais. Mais ce n'est qu'un numéro.

— Ces cailloux pleins de sang qu'elle a extraits du ventre de la femme, c'était peut-être un tour de passe-passe, dit Gabriel. Mais je n'en suis pas sûr. Avez-vous vu la marque que cela a laissée sur sa peau ? Et avez-vous touché ce qu'elle a fait circuler ? Ce n'étaient pas vraiment des cailloux mais des espèces de dépôts organiques.

— Et la tempête de sable qui a jailli de tout son

corps ? ajoute Isaac. Comment pourrait-on réussir un tour pareil ? »

Je me rends compte que je suis incapable d'en fournir l'explication, car je ne connais pas moi-même les réponses. « Considérons le problème comme il convient, dis-je. Nous sommes dans un pays où règnent les ténèbres, un pays qui est sous la coupe de Satan. Et si cette sorcière possède en effet des pouvoirs démoniaques, alors nous représentons la lumière, et notre mission est de chasser le mal. » Seigneur, je ne céderai pas devant elle, ni devant le Malin. « Je réaffirme avec force qu'elle n'est qu'une talentueuse magicienne et rien d'autre. Mais si cela doit vous faciliter les choses, mes révérends pères, libre à vous de croire qu'elle détient quelque pouvoir plus mystérieux, et préparez-vous à un combat que nous n'avons pas d'autre choix que de gagner. »

Nous consacrons le reste de la matinée à parcourir le village pour tenter de mesurer les dommages consécutifs aux événements de la veille. Juste au moment où je commençais à faire des progrès, je me retrouve de nouveau jeté à terre. Cette sorcière a repris l'avantage, il suffit pour le constater de voir comment les gens m'ignorent ou se moquent ouvertement de moi. Quelques soirées plus tôt, tant de Sauvages traînaient encore autour de notre cabane dans l'espoir de recevoir de la nourriture ou des cadeaux que nous devions leur demander de partir pour pouvoir dormir. Et maintenant, même Aaron et Dalila sont gênés d'être aperçus en ma compagnie. Il y a seulement un mois, nos prières ont amené la pluie et sauvé ces ingrats de la famine, et voilà qu'aujourd'hui ces trois garçons qui m'ont empoisonné la vie durant tout cet été ne cessent de me couvrir d'insultes et de me bombarder de pierres.

Leur chef, celui qui est si bien bâti, s'approche de moi, tenant à la main ce même redoutable casse-tête avec lequel il a frappé le pauvre Isaac. Je m'arrête et je me retourne pour le toiser. Il n'est pas question que je me laisse envahir par la peur.

« Le pouvoir de Petite Oie est aussi fort que le tien, dit-il. En réalité, il est même beaucoup plus fort.

— Dans ce cas, pourquoi a-t-elle été incapable de faire venir la pluie ? »

Voilà qui semble le déstabiliser. Il finit par répliquer : « Comment savoir si ce n'est pas elle qui l'a amenée ? »

C'est un argument assez faible, et je ne manque pas de le lui faire remarquer.

Sa mine s'assombrit et le rouge de la colère lui monte au cou puis aux joues. Il serre convulsivement sa massue dans son poing.

« Réfléchis bien avant de frapper un homme doué d'un pouvoir comme le mien », dis-je. Je pivote alors sur mes talons, la tête baissée que protège du soleil mon chapeau à large bord, et je me dirige vers les champs en tâchant de ne pas trahir la raideur de mon dos dans l'attente du coup fatal.

Les femmes ne me prêtent pas attention. Occupées à désherber, à tailler et à traiter chacune des plantes avec autant de soin qu'elles en accorderaient à leurs enfants, elles bavardent et se refusent à me regarder. Les plantes ont considérablement poussé au cours de ce dernier mois, et elles m'arrivent à mi-corps, et d'ici une ou deux quinzaines, elles seront plus hautes que le plus grand des Hurons. La moisson débutera à ce moment-là et les hommes seront alors de retour pour une courte période avant de repartir, cette fois pour la pêche et la chasse d'automne. Le Huron ne se sent entièrement lui-même qu'en dehors de son village qui, lui, est le domaine de la femme.

Dalila travaille aux côtés de plusieurs de ses sœurs. Je m'avance, un sourire aux lèvres. « Viendras-tu avec moi ce soir parler au Grand Génie ? » je lui demande.

Elle fait comme si je n'étais pas là.

« Dalila, qu'est-ce qui a changé ? »

Elle se redresse. Le soleil tape et elle a les seins nus. Je détourne les yeux. « J'ai eu honte ce soir-là, répond-elle. Et je ne devrais pas ressentir de la honte devant ma famille. »

Je suis déconcerté. « De la honte ? Pourquoi as-tu éprouvé de la honte ? »

Elle se remet à son travail. Les femmes autour d'elle se comportent comme si je n'existais pas. Pendant de longues minutes, je reste là, mal à l'aise, sans savoir quoi faire, puis en désespoir de cause il me vient une idée. Je songe aux provisions que nous destinons à l'hiver prochain.

Je relève la tête pour annoncer à Dalila et à ses sœurs : « Je vais donner un grand festin. Un festin avec de très nombreuses marmites. » Les Hurons seront obligés d'accepter, car pour eux la générosité est sacrée. « Il y aura tout ce qu'il faut à ce festin, poursuis-je. J'utiliserai toutes mes réserves. » Sur ce, je m'éloigne, exalté à la perspective de remettre mon sort entre Vos mains, mais redoutant un peu, Seigneur, la réaction de Gabriel et d'Isaac lorsque je les informerai de mon projet.

« Qu'est-ce qui vous a pris ? » me lance Gabriel.

J'avais préparé ma réponse à l'avance. « Vous savez bien, cher père Gabriel, qu'ils ne refuseront jamais une occasion de se gaver. Nous regagnerons leurs cœurs en passant par leurs ventres. »

Nous nous tenons devant le petit tabernacle que nous avons méticuleusement construit au moyen de morceaux de bois et de petites plaques de cuivre. Il est surmonté d'une grosse croix dorée.

« Je ne vous ai jamais vu faire preuve d'un tel aveuglement », rétorque-t-il.

Je suis tenté de lui rappeler que je suis son supérieur et que son ton est inacceptable, mais je préfère le laisser exprimer sa frustration jusqu'à ce qu'il se lasse.

« Et qu'allons-nous faire cet hiver quand nos stocks seront épuisés ? continue-t-il.

— On nous a promis qu'Oiseau et ses hommes rapporteraient des provisions.

— Ha ! On nous en promet, des choses, depuis trois ans. On dirait que nos *frères*… (Gabriel crache ce dernier mot)… ont oublié jusqu'à notre existence. Mais inutile de revenir là-dessus, n'est-ce pas ? »

Je tends la main en signe d'apaisement. « Ayez confiance en Lui, et Il vous donnera tout ce dont vous avez besoin et même davantage. Pensez à la plus fondamentale de nos règles, mon révérend père. »

Résigné, Gabriel hausse les épaules. « Vous êtes notre supérieur, dit-il. Je vais aller trouver le père Isaac et l'aider à ramasser du bois.

— Je viens avec vous », dis-je.

Il marche à grandes enjambées, comme s'il voulait me semer, mais je n'ai aucun mal à le suivre. De petite taille, Gabriel est maigre et il brûle d'un véritable feu intérieur. Dans notre précipitation, nous n'avons pas pris nos chapeaux et le soleil nous chauffe le crâne. Depuis quelques jours la pluie a cessé, et j'appréhende la tension qui naîtra si elle ne tombe pas d'ici une semaine.

Une fois les palissades franchies, le sentiment de vulnérabilité que je ressens, l'impression que quelqu'un ou quelque chose nous observe, dissimulé dans la forêt touffue, m'est presque insupportable. Nous nous dirigeons vers le lieu qui nous a été alloué pour y chercher du bois. Les Hurons, ai-je remarqué, bien que si généreux sur tant d'autres aspects, sont très sourcilleux en ce qui concerne le bois. En nage même à l'ombre des arbres, je comprends pourquoi. La tâche de fournir tout au long de l'année le bois pour la cuisine et le chauffage est d'une telle ampleur qu'elle rebuterait le plus solide de nos paysans français.

Isaac ne nous entend pas approcher, et lorsque Gabriel lui effleure l'épaule, il pousse un cri. « Je vous en prie, mon père, prévenez-moi quand vous arrivez », dit-il à Gabriel. J'ai envisagé de renvoyer Isaac en Nouvelle-France, car je crains pour sa santé mentale et physique. Le spectacle qu'il offre est pathétique tandis que, de ses mains mutilées, il s'efforce de ramasser des branches mortes et de les casser pour les réunir en fagots. Néanmoins, je sais qu'il refuserait si je lui proposais de rentrer chez lui. Après que les Iroquois l'ont capturé et torturé, et qu'ils lui ont ordonné de ne jamais remettre les pieds dans ce pays, Dieu lui a parlé à l'oreille. Tu es revenu ici de ta propre volonté, gentil Isaac, et c'est ici que tu t'évertueras à sauver des âmes pour le restant de tes jours.

« Nous allons offrir un festin, père Isaac, annonce Gabriel, l'air sombre. Alors, continuez à ramasser du bois. Nous en aurons besoin de beaucoup, sans doute plus que nous n'en avons brûlé durant la plus froide semaine d'hiver. »

Gabriel jette un coup d'œil dans ma direction, mais je souris en voyant s'illuminer le visage d'Isaac. « Un festin ! s'exclame-t-il. Oui, c'est ce qu'il faut faire pour ces adorables gens. » Il frappe dans ses mains réduites à des moignons. « Que devons-nous préparer ?

— Tout », marmonne Gabriel.

Je les interromps : « Le moment est venu d'exploiter leur…, comment dirais-je, leur point faible, leur propension à dilapider tous leurs biens rien que pour impressionner les autres. » Je choisis mes mots avec soin. « Oui, leur esprit de générosité égale celui du Christ. Nous en avons tous été témoins. Nous devons cependant nous interroger sur la raison de leur générosité ainsi que sur le profit qu'ils espèrent en tirer. »

Je me tourne vers Gabriel qui semble moins renfrogné maintenant qu'il commence à comprendre où je veux en venir.

Isaac a l'air simplement perdu. « Regardez, dit-il avec excitation. J'ai trouvé un formidable accompagnement pour le festin. » Il se baisse pour prendre son chapeau rempli à ras bord de champignons qu'il a dû cueillir tout au long de la journée. « Je n'en ai pas mangé depuis que nous avons quitté notre chère France, dit-il. Ne vont-ils pas composer une délicieuse garniture ?

— Si, bien sûr, réponds-je distraitement. Vous avez très bien fait, père Isaac. » Puis je m'adresse à Gabriel : « Nous n'avons pas abandonné notre patrie, nos familles, notre confort spartiate qui, comparativement à ici, nous apparaît digne d'un roi, pour subir le mépris, les tortures et, il faut le dire, la générosité fallacieuse de ces Sauvages. Nous sommes venus de si loin au péril de notre être physique et spirituel pour ramener au troupeau ces brebis égarées. » Je cherche quelque chose à ajouter, mais je pense que cela suffira. Nous organiserons un festin, les gens viendront et nous les guiderons de nouveau vers le salut.

À en croire la rumeur, Petite Oie l'illusionniste y assistera, et j'en suis ravi. J'ai préparé quelques tours à ma façon pour la contrer si elle décide de venir ce soir. Promenant mon regard autour de moi, je réalise trop tard que notre maison risque d'être trop petite. Alors que le soleil est encore loin de se coucher, des dizaines de Hurons en grande tenue sont déjà là, le visage peint en rouge, bleu et ocre jaune, les hommes avec leurs cheveux huilés fièrement dressés, les femmes avec leurs longues nattes. Tous portent leurs plus belles peaux de cerf décorées d'ouvrages

343

de perles. Il est indéniable, Seigneur, que les gens de ce peuple sont beaux, plus beaux que tous ceux que j'ai jamais vus. Les hommes feraient honte à nos plus brillants athlètes, et les femmes au corps souple et plantureux sont capables de rivaliser avec n'importe quelle altesse européenne. Si seulement ils voulaient bien écouter et renoncer au monde des ténèbres dans lequel ils vivent ! Ma mission ne consiste-t-elle pas justement à les conduire vers la lumière ?

Comme promis, nous avons utilisé la totalité de nos réserves. J'ai donné pour instruction de ne rien garder. De sa propre initiative, Isaac a mis des miches de pain à cuire dans notre four en pierre, et quelques-uns de ces pauvres diables se sont groupés autour pour regarder, fascinés. Des enfants et des chiens courent partout, se roulent ensemble dans la poussière. S'il y a une chose à laquelle je ne me ferai jamais, c'est l'incapacité de punir leurs enfants qu'ont ces Sauvages. Pendant toutes les années que j'ai passées parmi eux, je n'ai jamais vu un adulte seulement lever la main avec colère sur un enfant. C'est l'un des premiers comportements que nous devrons nous efforcer de modifier. Et cela, Seigneur, ne sera pas possible tant que nous ne les aurons pas convertis. Dites-moi, donnez-moi un signe comme quoi nous y parviendrons !

Plutôt que de broyer du noir à la fête que j'ai organisée, je vais trouver les femmes qui nous ont aidés à préparer le repas. Gabriel, Isaac et moi n'aurions jamais pu nous en charger seuls. Les feux qu'elles ont allumés dégagent une chaleur étouffante de même qu'une atroce fumée qui, au moins, repousse les moustiques. Et je dois avouer que l'odeur qui émane des marmites est plus qu'appétissante. Tandis que je regarde dans celle que Dalila remue, je me demande ce qui peut mijoter ainsi dans le roux brun. J'ai fini par m'habituer à la façon dont ils mélangent apparemment au hasard toutes sortes de viandes, et j'ai mangé des ragoûts composés à la fois d'ours, de castor, de gibier à plumes et de poisson. Pendant les longs voyages, ils se nourrissent surtout d'ottet, une espèce de bouillie de maïs au goût de colle, mais sinon, ils font de grands festins de marmites qui ne cessent de m'impressionner. Si je peux Vous promettre une chose, Seigneur, c'est qu'à la fin de la nuit, il ne restera plus rien dans les marmites que les chiens auront léchées jusqu'à la dernière miette.

J'aimerais interroger Dalila à propos de ce sentiment de honte qu'elle reconnaît avoir ressenti quelques jours auparavant mais, absorbée dans sa tâche, elle ne lève même pas les yeux.

Isaac s'approche, portant un seau en écorce de bouleau rempli des champignons qu'il a cueillis. « Tiens, Dalila, dit-il en le lui tendant. Pour ta marmite. »

Elle se tourne vers lui et un sourire éclaire son visage. Sa simplicité ne manque jamais de lui gagner la sympathie. Elle prend le seau et jette un coup d'œil à l'intérieur. « Ou tu te moques de moi, dit-elle, ou tu ne connais rien aux champignons. »

Isaac paraît déconcerté. « Qu'est-ce que j'ai fait ? s'étonne-t-il.

— Ces champignons tueraient en un rien de temps quiconque les mangerait, explique-t-elle. Où les as-tu trouvés ?

— Dans notre parcelle de bois, répond Isaac.

— Je me demande si c'est juste un hasard, dit Dalila, lui rendant le seau. Tu me conduiras là-bas demain. En attendant, débarrasse-toi de ça. Ne traîne pas et brûle-les dans le feu de la maison-longue… ou plutôt, non, car la fumée te ferait vomir pendant des jours. Va allumer un feu à l'extérieur des palissades, loin de nous, et brûle-les là-bas, mais veille à ne pas respirer la fumée. »

Isaac regarde les champignons, puis Dalila. Il a une curieuse expression, comme s'il comprenait quelque chose qui m'échapperait. « Je ne serai pas long, dit-il à la femme. Je vais me dépêcher. Je ne tiens pas à rater la fête. »

Ne désirant pas parler davantage, Dalila reporte son attention sur la marmite. Je vais la laisser tranquille pour l'instant, et je tâcherai de la ramener plus tard dans la voie du Seigneur par des actes généreux plutôt que par des mots. Ce soir, je m'ouvrirai peut-être un chemin vers leur cœur.

Entendant du bruit près de la porte, je me tourne pour voir arriver les trois sales garçons qui m'ont terrorisé cet été, l'air effrayant tant par leur tenue que par leurs manières et leurs peintures. Des femmes plus âgées feignent de se pâmer d'admiration, imitées par quelques jeunes filles dont Chutes-de-Neige, ma nouvelle fidèle, mais qui, elles, paraissent sincèrement éblouies. Il faut faire quelque chose. La sexualité débridée de ces gens est plus qu'embarrassante. Elle est grotesque. J'ai envie de leur demander de partir, mais je crains de provoquer du désordre. De surcroît, ce festin est destiné à tous et je ne peux pas me permettre de choisir qui a le droit ou non d'entrer.

Le festin débute comme toujours par de longs discours et une pluie de compliments et de remerciements adressés aux hôtes. Assis en compagnie de Gabriel et d'Isaac près du feu au milieu de la cabane, j'écoute attentivement. Gabriel comprend de mieux en mieux la langue des Hurons, et Isaac la maîtrise depuis déjà un long moment, si bien que je n'ai guère besoin de leur traduire. Les orateurs, les hommes les plus importants parmi ceux qui sont restés au village, comparent Gabriel, Isaac et moi à des balbuzards et notre hospitalité à la grande mer intérieure. Ce sont de fabuleux orateurs : ils rappellent jusqu'aux faits les plus insignifiants nous concernant, nous les jésuites, ainsi que l'histoire de nos rapports avec eux. Ils célèbrent et évoquent dans les moindres détails toutes les années que j'ai passées parmi les Hurons. Quand ils ont terminé, je suis comme à chaque fois étonné, et en particulier par l'attachement et l'absence totale de colère qu'ils manifestent envers nous ce soir. Peut-être ai-je enfin trouvé un accès à leur âme.

Lorsque je me lève à mon tour pour prendre la parole, je m'aperçois qu'une fois encore, Petite Oie s'est glissée dans la pièce sans que je l'aie remarquée. Elle est installée à côté des trois fauteurs de troubles, aussi je me demande si ce n'est pas elle qui est derrière leur conduite diabolique. Sa présence me coupe dans mes élans de magnanimité et je suis soudain à court de mots. Il est évident que mes tentatives pour leur insuffler de l'effroi ont été vaines. L'heure est peut-être venue d'adopter une autre tactique. Je me lance sans trop savoir où je vais : « Je vous remercie d'être là ce soir. J'ai mis toutes nos réserves de nourriture à votre disposition dans l'espoir que vous comprendrez que je désire les partager avec vous. Je ne suis pas ici pour prendre. » Je m'interromps pour chercher des images plus frappantes. « Nous ne sommes pas ici pour vous prendre quelque chose mais pour vous donner quelque chose. Il ne tient qu'à vous d'accepter ou de refuser ce que nous vous offrons. Je ne serai pas long ce soir, car nous avons tous faim. J'ai vidé mes magasins, mais je suis heureux de savoir que c'est pour vous nourrir. »

Confus de n'avoir pu profiter de l'occasion pour prêcher et tâcher de les convertir, je me rassois, mais quand j'entends leurs murmures approbateurs et leurs grognements qui sonnent comme « Ho, ho », je lève la tête. Tous les regards sont braqués sur moi, et je réalise alors que j'ai peut-être réussi.

Ni Isaac, ni Gabriel, ni moi ne sommes habitués à manger plus que ce qui suffit à ne pas mourir de faim, mais ce soir nous imitons nos Sauvages et, après avoir attendu que tout le monde ait mangé, nous nous gavons à notre tour jusqu'à ce que nous ayons l'impression que nos ventres vont éclater. Autour de nous règne la bonne humeur, et je ne ressens rien de cette hostilité qui, hormis quelques brèves périodes, a si longtemps pesé sur mes épaules. Par un soir pareil où nous formons comme une grande famille, où même Petite Oie sourit et s'amuse avec les autres, j'envisage pour eux tous, Seigneur, un avenir qui ne sera pas la damnation.

Après que nous avons mangé et remangé, on nous

invite à prendre de nouveau la parole pour raconter une histoire intéressante ou quelque chose au sujet du pays d'où nous venons. L'un des trois diaboliques garçons demande à Isaac de décrire les tortures qu'il a subies de la part des Iroquois. Je crains que le père ne craque encore, mais c'est plutôt le contraire qui se produit. Pour la première fois depuis que je l'ai rencontré en Nouvelle-France, je le vois se redresser et retrouver quelque autorité.

Il lève les bras. « Regardez bien, dit-il, désignant ses moignons d'un geste du menton. Voilà ce qui m'est arrivé lorsque je suis parti rendre visite aux Neutres peu après mon premier séjour chez vous. » La foule se tait, prête à écouter son récit. « Je ne connaissais pas votre pays, et je croyais en le salut dans le Christ. »

Je veux l'arrêter avant qu'il n'ait porté un coup fatal à notre mission, mais il continue sans m'en laisser le temps :

« Et j'y crois toujours bien que vos ennemis m'aient capturé ainsi que ceux qui m'accompagnaient. Ils ont tué la plupart d'entre nous avec des flèches et des casse-tête près d'une cascade qui avait empêché qu'on les entende approcher. » Les gens sont tout oreilles. « Ils ont massacré tout le monde sauf moi et une jeune fille que vous aviez envoyée avec nous rejoindre sa famille parente des Neutres. »

Il s'interrompt et je m'attends à ce qu'il se mette à pleurer, or il sourit et poursuit : « Je jure que je craignais plus pour la vie de la fille que pour la mienne, mais alors qu'on nous poussait sans ménagement en direction du campement ennemi, j'ai entendu l'un de leurs guerriers marchander avec les autres pour qu'on le laisse adopter la fille, car il avait perdu la sienne, tuée par l'un d'entre vous. » Tous hochent la tête, comme cloués sur place.

« En arrivant au campement, les hommes ont formé un couloir et, lorsque je me suis avancé, ils m'ont tous frappé de leurs poings et de leurs massues jusqu'à ce que je pense ma dernière heure venue, mais ce n'était que le début. »

Isaac reprend son souffle. Le silence n'est brisé que par le crépitement du feu. « Deux d'entre eux m'ont pris les mains, et pendant que les autres me maintenaient, ils ont mordu et mâché mes doigts jusqu'à ce qu'ils les recrachent un à un. Le supplice a duré plus d'une heure. » Ses moignons tremblent à présent. « Mais je n'en avais pas encore fini. »

Il baisse les bras et parvient à soulever sa soutane. « Vos paroles suffisent », je lui murmure. On m'enjoint de me taire pour lui permettre de continuer.

« Toute la nuit, ils m'ont enfoncé partout, absolument partout, des bâtons pointus portés au rouge jusqu'à ce que je m'évanouisse. Ensuite, ils me ranimaient avec de l'eau froide et recommençaient. Quand ils se sont aperçus que je perdais tout mon sang, ils m'ont cautérisé les mains au moyen de lames de hache chauffées à blanc. »

Maintenant, je ne pourrai plus l'arrêter. Je jette un regard en direction de Gabriel qui reste debout à côté de moi, l'air stoïque.

« Après deux jours de tortures, ils m'ont laissé me reposer une journée entière. Ils m'ont nourri à la main, m'ont versé de l'eau dans la bouche, et ils ont soigné mes plaies avec des baumes aussi tendrement que si j'étais leur enfant. Je m'attendais au pire, mais ils m'ont dit alors que si je le désirais, si je leur faisais une promesse, ils m'accorderaient la vie sauve. »

La foule boit ses paroles.

« Ils m'ont assuré que si je promettais de quitter définitivement ce pays pour retourner chez moi transmettre le message comme quoi ceux de mon espèce n'étaient pas les bienvenus ici, je pourrais partir librement. »

Isaac paraît alors se vider de ses forces, et il se rassoit. L'assemblée demeure silencieuse. Hésitant à me rasseoir également, je me tourne vers Gabriel. À en juger par son expression, lui non plus ne sait pas trop quelle attitude adopter.

« C'est soit très courageux, soit très stupide de ne pas tenir une promesse faite à un Haudenosaunee, dit enfin une vieille femme.

— Alors, tu es quoi, courageux ou stupide ? » demande quelqu'un. Ce qui déclenche des rires.

Après une confession aussi poignante, je trouve cela choquant. Je regarde Isaac et, une fois de plus, je suis surpris de le voir sourire. Ce qui brise la tension.

« Il est temps, grand bois-charbon, que tu nous divertisses toi aussi ! » crie un homme en me montrant du doigt. Les autres approuvent et me pressent d'obtempérer.

Gabriel se penche vers moi et murmure : « Pourquoi ne pas leur jouer un tour à notre façon ?

— Qu'avez-vous en tête ?

— J'y pense depuis le jour où cette sorcière a causé une telle sensation, répond Gabriel. En Nouvelle-

351

France, un donné s'est attiré les bonnes grâces des Montagnais par un tour très simple qui les stupéfiait à chaque fois.

— À savoir ?

— Il nous faudrait juste une plume et un bout de parchemin. » Puis il me glisse ses explications à l'oreille.

« Brillant, lui dis-je. Allez donc nous chercher tout cela. » Me tournant vers nos invités, je tape dans mes mains. « Celle que vous appelez Petite Oie n'est pas la seule illusionniste ici. » Tout le monde se tait. J'espérais provoquer des rires. « Le Grand Génie nous a dotés nous aussi, les Robes noires, de talents particuliers. » Les regards de la foule ne me quittent pas. Je laisse quelques secondes s'écouler.

« Quand le Grand Génie nous a demandé de parler en Son nom, nous n'avons pas eu d'autre choix que d'obéir. Et nous obéissons avec ferveur. Faire ce qu'on nous demande n'est cependant pas tâche facile. Pour devenir une Robe noire, nous devons jurer de ne céder à aucune tentation, que ce soit celle du cœur, de l'esprit ou de la chair.

— Il veut dire qu'il ne doit pas aller avec les femmes, lance quelqu'un. Ni avec les hommes, d'ailleurs. » Les gens rient.

« Mais afin que nous puissions renoncer aux tentations, nous avons été doués d'autres talents. » Du coin de l'œil, je vois Gabriel revenir. « L'un des pouvoirs que nous possédons, c'est la faculté de partager nos pensées avec d'autres sans pour cela recourir à la parole. »

À leur réaction, je constate que j'ai piqué leur curiosité.

« Et moi, quelles sont les miennes ? demande alors une jeune femme.

— Je pourrais te le dire, mais tu aurais honte de toi. » Comme nos invités trouvent ma réponse drôle, je m'enhardis. « J'aimerais que quelqu'un vienne nous livrer ses pensées. »

Personne ne bouge. Ce n'est pas le moment qu'ils jouent les timides. « Je vous promets que cela ne fait pas mal, dis-je. Je demande juste que quelqu'un confie n'importe quoi le concernant au père Gabriel, un petit secret peut-être, ou un détail que je ne pourrais pas connaître. »

Une vieille femme se lève. Hésitante, elle s'avance vers Gabriel.

« Dis-moi quelque chose », l'encourage celui-ci. Elle me regarde, puis elle se penche vers lui pour chuchoter quelques mots.

Gabriel écoute avec attention. Ses yeux s'écarquillent. La femme se tait, et après un court instant, il se décide à coucher ses paroles sur le vélin. « Cette mince écorce transmettra ses pensées au père Christophe », dit-il à l'assemblée, puis il me remet le parchemin.

Je lis vite ce qui est écrit et, considérant la foule suspendue à mes lèvres, je dis : « Tu ne peux plus jouir des plaisirs de l'amour parce que ton sexe est sorti de ton corps. » Certain d'avoir rougi en prononçant ces mots, je me tourne vers la femme. Elle hoche solennellement la tête, et je surprends des exclamations étouffées. « Y a-t-il autre chose que tu désirerais confier pour moi au père Gabriel ? »

Elle fait signe que non et me prend le parchemin des mains. « Il y a d'étranges marques dessus, déclare-t-elle après l'avoir examiné. On dirait le dessin des rapides d'une rivière. Il n'y a rien d'autre. En effet, ils doivent détenir une sorte de magie. »

Elle va se rasseoir, fière de s'être montrée si téméraire.

« Quelqu'un d'autre veut-il voir ses pensées voyager en silence entre les Robes noires ? » je demande.

Un jeune homme se lève pour murmurer à l'oreille de Gabriel. Après que ce dernier m'a remis le parchemin, j'annonce que l'intéressé espère être l'été prochain du parti de traite se rendant en Nouvelle-France. À l'instar de la vieille femme, il hoche la tête puis va reprendre sa place. Ensuite, une femme déclare que son premier enfant est mort à la naissance. Un vieil homme avoue qu'il ne se réveille plus en érection, ce qui suscite l'hilarité. Et ce sont maintenant tous les Hurons qui se bousculent pour confier leurs pensées. En français, je dis à Gabriel et à Isaac : « J'ai l'impression que nous avons trouvé le moyen de les amener à se confesser. » Ils rient et nous continuons notre numéro, jusqu'à ce que je réalise que nous ne devrions pas abuser de cet artifice.

« Les Robes noires sont fatiguées à présent, dis-je alors. Nous devons nous reposer. » Déçus, nos Sauvages protestent bruyamment. « Mais nous vous accueillerons volontiers une autre fois quand vous désirerez partager avec nous vos pensées par l'entremise de la fine écorce. »

Une fois que tous ont regagné leur place – certains somnolent, car le soleil est depuis longtemps couché – on entend gronder le tonnerre. Les Hurons échangent des coups d'œil étonnés. Personne au cours de la soirée n'a vu venir la pluie.

Quoique nos fenêtres soient fermées, des éclairs illuminent l'intérieur de notre cabane. Les gens sursautent. Tout le monde est maintenant bien réveillé. Quelques jeunes gens se précipitent pour ouvrir la porte. Dehors, l'air est aussi immobile et chaud que lors de toutes ces nuits sans pluie que nous avons eues cette dernière semaine.

« Regardez les étoiles ! s'exclame l'un d'eux. Il n'y a pas un seul nuage dans le ciel. » Des murmures s'élèvent.

« Ferme la porte, ordonne quelqu'un. Mais reste à côté. » Le jeune homme obéit. Le silence revient dans la pièce.

Le tonnerre roule de nouveau au loin, accompagné d'éclairs. Quand on le lui demande, le jeune Huron ouvre la porte à la volée, mais dehors, rien n'a changé. À peine l'a-t-il refermée que la pluie se met à tambouriner sur le toit, de plus en plus fort, jusqu'à produire un véritable martèlement. Les gens se blottissent les uns contre les autres pour se protéger des courants d'air froid qui ont envahi la pièce. Un homme crie : « Ouvre la porte ! » Sa voix parvient à peine à couvrir le bruit de la pluie, mais dès que le jeune homme s'est exécuté, la tempête s'arrête. Dehors, tout est calme et on n'entend que le chant des grillons. Les gens se mettent tous à parler en même temps.

« Laisse la porte ouverte ! hurle une vieille femme. Nous sommes victimes de sorciers ! » Ces paroles ne font que perturber davantage les Hurons.

« Ce sont les Robes noires ! accuse quelqu'un. Les bois-charbons veulent nous terroriser ! » Les regards se tournent vers nous.

Je dresse les bras. « Nous ne sommes pas des sorciers ! Le Grand Génie désapprouve la magie ! Nous ne sommes pour rien dans ce maléfice ! » Je cherche en vain Petite Oie parmi les personnes présentes. « Si vous voulez savoir qui est responsable de ce sale tour de magie, adressez-vous à Petite Oie la sorcière ! »

Des visages se lèvent vers moi, certains interrogateurs, d'autres effrayés ou inquiets, quelques-uns rendus furieux par mes paroles.

Je hausse la voix : « Où est-elle ? Pourquoi disparaît-elle au moment le plus opportun ? Ce n'est pas l'œuvre des Robes noires. Nous sommes venus uniquement pour vous aider.

— Faut-il refermer la porte ? demande-t-on.

— Où est Petite Oie ? crie Gabriel.

— Je suis ici », me murmure-t-elle à l'oreille, l'haleine brûlante.

Elle est debout à côté de moi, le corps arqué, le visage si près du mien que je distingue les petites rides au coin de ses yeux. « Je suis ici », répète-t-elle. Son sourire s'élargit. « N'oublie jamais dans quel pays tu te trouves. »

Je sens sa main effleurer le creux de mes reins, et je dois combattre une érection si soudaine qu'elle m'oblige à placer mes deux mains devant moi.

« N'oublie jamais d'où vient le pouvoir », reprend-elle, me flattant le ventre de son autre main. Mon sexe se durcit encore. « Il ne vient pas seulement d'ici », poursuit-elle tandis que les gens, lançant des regards nerveux autour d'eux dans l'attente d'un nouvel éclair, discutent pour décider s'il vaut mieux quitter cet endroit hanté ou bien rester.

La main de Petite Oie descend vers mon entre-jambe. J'essaie de l'arrêter, mais je renonce avec un gémissement. « Ne t'avise pas de penser encore que notre énergie ne vient que d'ici », chuchote-t-elle, glissant sa langue dans mon oreille tout en conti-nuant ses attouchements. Les genoux flageolants, saisi de spasmes, je frissonne de tout mon corps. Un éclair jaillit, les gens crient et je crie à mon tour avant de m'effondrer par terre.

Quand mes convulsions ont cessé, je vois des Hurons, jeunes et vieux, qui me contemplent, plan-tés au-dessus de moi. Petite Oie n'est nulle part en vue. La nuit est calme et on entend de nouveau les grillons. Un par un, les visages se reculent et les invi-tés commencent à sortir, certains en silence, d'autres en marmonnant.

« C'est un sorcier, un envoûteur.

— Nous savions depuis toujours ce qu'ils étaient, non ?

— Ils m'effraient. »

Je les écoute comme si j'étais doté de l'ouïe d'une chouette ou d'un cerf, ces marmonnements de ceux qui ont maintenant peur de moi qui ai fait un si long voyage pour les sauver.

Les visages de Gabriel et d'Isaac apparaissent au-dessus de moi. Ils m'aident à me relever. Debout, tremblant, je m'éponge le front de ma main droite. Votre main, Seigneur. Je regarde les deux révérends pères dans les yeux. « Je vous demande pardon », leur dis-je. À Vous aussi, Seigneur, je demande sincèrement pardon.

Sois fort au nom des tiens

Comme nous ne sommes plus très loin de notre village, j'ai envoyé Renard et deux autres hommes annoncer la nouvelle de notre retour. Mon canoë est lourdement chargé de la récolte de l'été. Après si longtemps, mon amour, j'ai enfin l'occasion de venger ta mort et celle de nos filles d'une manière dont je n'aurais jamais rêvé.

J'ai moi-même arraché les ongles de mes trois prisonniers, puis je leur ai fendu la peau du cou et des épaules pour qu'ils ne puissent pas se débattre entre leurs liens de cuir. Alors que sous un soleil qui nous chauffe la poitrine notre flotte de canoës, poussée par un vent favorable, longe les hautes berges rocheuses de la Mer d'eau douce, je songe non pas aux prochains jours où je caresserai nos ennemis avec du feu, mais à la pêche et à la chasse où je partirai enfin quand les feuilles tomberont, cette pêche et cette chasse où j'irai sans être torturé par la pensée que ta vie s'en est allée sans que tu sois vengée comme il convient.

Mes prisonniers entonnent chacun leur tour leur chant de bravoure. Deux sont très bien, ils chantent avec plein d'images de leurs vies, de leurs familles, de leurs femmes, de leurs exploits et de leurs espoirs dans le monde vers lequel ils se dirigent. Ceux-là sont les plus âgés, et l'un d'eux est presque aussi vieux que moi, et quoiqu'ils sachent ce qui les attend, leurs voix sont fortes. Ils ont le visage levé vers le ciel, et leur chant est aussi beau que celui de n'importe quel oiseau. Nous avons trouvé notre rythme, nos prisonniers et nous, et les canoës qui nous entendent pagayent en cadence.

Il n'est pas étonnant que celui dont le chant est le plus faible soit aussi le plus jeune. Ses deux compagnons l'ont exhorté à faire preuve de résolution. C'est encore un adolescent et il n'a pas assez d'expérience pour chanter du fond de son cœur. Il n'a pas celle qui lui permettrait de créer son propre chant. L'autre jour, je me suis surpris, l'espace d'un instant, à essayer de me figurer ce qu'il ressentait, si jeune, alors qu'il n'avait pas suffisamment vécu pour se représenter dans sa tête ce que son corps allait bientôt subir. Il a fallu que je cesse, car il n'y a pas de place ici pour des sentiments de ce genre.

Demain sera notre dernier jour, et ce soir nous avons décidé de nous arrêter plus tôt que de coutume. Le soleil est accroché à l'horizon au-dessus de la Grande Eau, et dans ses rayons ainsi que dans la brise qui souffle les feuilles des peupliers miroitent et dansent. On ne se précipite pas pour décharger et établir notre campement. Nous sommes presque arrivés. Nous bourrons et allumons nos pipes, puis nous en offrons à nos prisonniers, huit en tout, car ils méritent au moins cela. Assis sur nos talons au bord du rivage, nous fumons, regardant en silence le soleil se coucher.

Maintenant qu'ils ont prouvé qu'ils étaient à la hauteur de leurs tâches, je vais laisser nos plus jeunes guerriers accomplir le travail de ce soir. Ici, c'est mon endroit préféré, l'endroit sacré où je venais pratiquer le jeûne et la quête d'un nom quand j'avais à peu près l'âge du garçon prisonnier. Tu t'en souviens, mon amour ? Déjà à l'époque, nous savions que nous étions destinés l'un à l'autre. Je me rappelle avoir pagayé tout seul jusque-là, et qu'en quittant notre ancien village j'ai senti ton regard fixé sur mon dos. J'ai serré la côte de la Mer d'eau douce où les plages de sable cédaient la place aux falaises. J'ignorais ma destination. On m'avait juste dit qu'en l'atteignant, je saurais que c'était là. Et non loin d'ici, j'ai découvert sur les parois des falaises ces anciens dessins en couleur que je ne parvenais pas à comprendre. Les anciens du village m'avaient dit de les rechercher, expliquant qu'ils étaient l'œuvre d'un peuple qui avait habité ce pays très longtemps avant nous et dont le savoir dépassait de beaucoup le nôtre. Selon certains, il s'agissait des Anishinaabes, le peuple de Petite Oie, et selon d'autres, d'un peuple parent du nôtre, les Wendats. Demain, je ralentirai peut-être l'allure de mon canoë pour tenter de les retrouver afin de les montrer à nos prisonniers. Je revois encore la couleur rouge sang de la créature marine qui menace les hommes ramant dans d'immenses canoës, un monstre cornu qui m'avait glacé d'effroi. Oui, demain je m'arrêterai pour montrer quelque chose d'important à ceux qui partiront bientôt pour le pays des rêves.

Si près de chez eux, les hommes sont excités ce soir. Ils allument de grands feux de joie autour desquels ils se mettent à danser, pressant les prisonniers aux bras attachés dans le dos de se lever pour danser avec eux. Il n'y a aucune méchanceté dans ce geste. Nos captifs savent aussi bien que nous que, dans la situation inverse, ils feraient pareil. Nous fêtons le retour à la maison et nous leur permettons de fêter leur passage dans l'autre monde.

Après la danse, mes trois prisonniers sont assis côte à côte. Le plus âgé se penche vers moi : « Nous ne sommes pas tellement différents, dit-il. Et nos nations ne le sont pas tellement non plus. Nous sommes tous des peuples de la maison-longue, non ? »

Je ne réponds pas.

« Les cinq nations des Haudenosaunees aspirent à la paix, poursuit-il. Nous ne vous haïssons pas. Ce sont les bois-charbons que vous avez accueillis chez vous que nous méprisons. » Il ajoute que si nous nous en débarrassions, le monde n'en serait que meilleur pour nous tous.

« Et si nous faisions la paix avec vos cinq nations, qu'en résulterait-il ? je demande.

— Nous considérerions vos femmes et vos enfants comme les nôtres, répond-il. Nous avons aussi gravement souffert que vous et la maladie a emporté trop des nôtres.

— Et qu'en serait-il de nos hommes ?

— Eh bien, ceux qui pourraient devenir haudenosaunees le deviendraient. Quant aux autres... » Il hausse les épaules. « Je crois que tu le sais.

— Les Wendats cesseraient donc d'exister ? »

Il acquiesce.

« Ce seraient des conditions de paix que nous ne pourrions pas accepter », dis-je.

La nuit est claire, et comme la pluie ne menace pas, nous nous écroulons, épuisés, sur nos nattes, à la lumière des étoiles. Nous avons dressé notre campement près d'une pointe sablonneuse léchée par les vagues dont le bruit est promesse de rêves. Avec mes trois prisonniers près de moi, je me dis cependant qu'il vaut mieux que je dorme d'un sommeil léger et que je reste vigilant. Ce soir, c'est leur dernière chance de s'évader, et certains de mes guerriers les plus cruels se sont fait toute la journée un plaisir de le leur marteler.

Alors que je sombre dans le sommeil, les gémissements du plus jeune me réveillent. J'ouvre les yeux et je m'assois pour le regarder à la lueur du feu. Grand pour son âge, il est bien bâti, plutôt mince mais nanti de solides épaules et d'une large poitrine. Si nous ne l'avions pas capturé, il aurait pu devenir quelqu'un. Quand je lui ai arraché les ongles et fendu la peau, j'ai fait particulièrement attention. Il est encore si jeune qu'il doit être capable de se dégager de ses liens en se tortillant. Je crains de l'avoir trop profondément entaillé. Il pousse un nouveau cri de douleur.

D'autres autour de nous commencent à émerger de leur sommeil. Je sais que mes deux prisonniers plus âgés n'ont pas fermé l'œil de la nuit.

« Ce sont tes doigts qui te font le plus mal ? » je demande au jeune.

Il lève vers moi un regard suppliant. « Oui, dit-il.

— Sois fort, toi ! crache son parent.

— Oui, répond l'adolescent.

— Sais-tu que ce sont ceux de ton clan qui ont tué ma femme et mes filles ? » je lui demande. Il garde le silence. « Sais-tu que tes deux parents couchés près de toi ont déjà avoué avoir participé à ce meurtre ? » Il continue à se taire. Je poursuis : « La souffrance que tu éprouves en ce moment n'est rien à côté de celle que tu connaîtras quand notre peuple t'accueillera à nos palissades.

— Je n'ai rien à voir avec la mort de ta famille, affirme le garçon.

— Sois fort au nom des tiens ! lui lance son parent.

— Mais je ne suis pour rien dans cette histoire, pleurniche le garçon.

— Sois fort au nom des tiens, lui dis-je à mon tour à voix basse. Demain, quand tu arriveras à mon village, tu seras reçu par une file de gens contents de te voir. Ce sera le début. Maintenant, il est trop tard pour que tu dormes, mais tâche de te reposer, et respire ce bon air pendant que tu le peux encore. »

Le garçon serre les dents. « Si tu me détachais, murmure-t-il, je te tuerais.

— Tu essaierais. »

Voilà comment il faut réagir, jeune homme ! Le feu de la colère, comme j'espère que tu l'apprendras bientôt, apaise toutes les autres blessures. Et au moins pour un temps, jeune homme, que je souhaite le plus long possible, cela atténuera la férocité de ce qui t'attend.

Une abomination aux yeux de Dieu

Dans les champs, les femmes s'égaillent soudain comme une volée de moineaux, abandonnant leurs tâches. Gabriel et Isaac, occupés à désherber, n'ont pas remarqué cet exode. À cet instant précis, Seigneur, je me rends compte que je commence à penser comme l'un d'eux, comme l'un de mes Sauvages, notant aussitôt que par cette belle journée ensoleillée, les oiseaux se sont arrêtés de chanter, tout comme les grillons se sont tus et les femmes ont disparu sans même un murmure.

D'un geste, en silence, j'attire l'attention des révérends pères. Le maïs autour de moi est si haut, si dense, que j'éprouve tout à coup l'impression d'étouffer. L'ennemi qui menace d'attaquer depuis des mois est enfin arrivé, prêt au massacre. Je le sens qui nous observe, dissimulé au milieu des feuilles vertes.

« Il se trame quelque chose, dis-je à Gabriel et à Isaac dans un souffle. Je crains que des Iroquois ne se cachent non loin. Il faut que nous partions. »

Nous ramassons nos outils puis, l'un derrière l'autre, nous nous faufilons parmi les tiges de maïs. Je m'attends à chaque seconde à me trouver face à un guerrier grimaçant qui brandit son casse-tête à pointes pour m'en fracasser le crâne. Nous finissons par déboucher du champ, et je dois faire appel à toute ma volonté pour ne pas me mettre à courir jusqu'aux portes des palissades. C'est à des moments pareils que je sais gré aux Hurons d'être de si bons artisans, eux qui ont protégé le village par trois rangées de grands pieux aiguisés formant un rempart du haut duquel les sentinelles peuvent surveiller les environs.

À l'intérieur, au lieu de la panique que j'imaginais, les gens bavardent en souriant. Tout un groupe se rassemble près de la maison-longue centrale. Les deux pères et moi déposons nos outils sur le seuil de notre cabane, puis nous allons aux renseignements. Nous apercevons quelqu'un que nous n'avions pas vu depuis longtemps, entouré de femmes et d'hommes, qui semble parler en faisant de grands gestes. Renard est enfin de retour du voyage estival de traite, et je m'approche pour connaître les nouvelles.

Il est revenu un jour avant les autres, explique-t-il, et la mission a été extrêmement fructueuse. On évoque des prisonniers iroquois, et j'en déduis que les Hurons ont ramené des captifs et qu'ils vont bientôt organiser cette féroce cérémonie dont j'ai entendu parler.

Le soir, après les prières et un simple repas composé de pain et de bouillon, Gabriel me demande ce qui va se passer. Nous sommes assis hors de portée de voix du pauvre Isaac que nous tenons à ménager.

« Ces gens font preuve d'une imagination fertile dans le domaine des tortures, dis-je à Gabriel. Aussi fertile et peut-être même plus que celle de n'importe quel inquisiteur. »

Il m'écoute avec attention et m'invite du regard à continuer.

« Ils ne laissent rien au hasard. Tout est soigneusement réglé. C'est l'une de leurs cérémonies les plus importantes.

— Mais pourquoi ? Pourquoi tiennent-ils à infliger tant de souffrances à un être humain ?

— Pourquoi l'Inquisition espagnole a-t-elle fait ce qu'elle a fait ? je réplique. Pourquoi notre propre Église condamne-t-elle les sorcières au bûcher ? Pourquoi nos croisés ont-ils puni les Maures avec tant de raffinement ? »

Gabriel réfléchit. Il sait que je n'espère pas de réponses à mes questions.

« Certes, il est facile de dire que nous punissons ceux qui sont une abomination aux yeux de Dieu, reprends-je. Or, il ne s'agit pas seulement de cela, ne pensez-vous pas ? Je crois que nous autorisons et pardonnons la torture dans la mesure où elle nous aide à exorciser la peur de la mort que nous éprouvons tous. Torturer quelqu'un, c'est dominer la mort, s'en rendre maître, ne serait-ce que pour un bref instant. »

Il me semble que Gabriel aimerait poursuivre la discussion, mais Isaac s'approche pour demander de quoi nous parlons.

« Nous ne faisons que bavarder », dis-je. Je me tais une seconde. « Cher Isaac, apparemment les Hurons vont arriver ces jours-ci avec des prisonniers iroquois, et vous savez quel traitement ils leur réservent. Je comprendrais fort bien que vous ne souhaitiez pas assister aux cérémonies pour essayer de sauver les âmes de ces pauvres hères avant qu'ils ne meurent. Le père Gabriel et moi serons là pour cela. Ne vous sentez surtout pas obligé de venir. »

Isaac a l'air plus pâle que jamais à la lueur du foyer. « Je... je..., balbutie-t-il d'une voix tremblante, je préférerais ne pas être présent. »

Cette nuit-là, j'ai mal dormi. Je me suis tourné et retourné sur ma natte de roseau, envahi de visions de Hurons dansant autour du feu et écorchant leurs ennemis. Les Iroquois torturés m'implorent de les secourir, mais aucun son ne sort de leurs bouches tandis que leurs cheveux longs, leurs visages deviennent ceux de jeunes femmes européennes dont les flammes de plus en plus brillantes enveloppent les pieds. Je veux me lever pour les libérer de leurs cordes, mais mon corps refuse de bouger et je sens bientôt la chaleur du brasier qui me fait transpirer. Dans mon sommeil agité, je perçois l'odeur de chairs brûlées, j'entends supplier cependant que les inquisiteurs rongent les doigts des mains carbonisées des femmes et que des soldats en cotte de mailles armés de couteaux coupent les seins de nouvelles victimes pour les mettre à rôtir au-dessus de ce même bûcher sur lequel ils s'apprêtent à les immoler. La colère me prend et j'ordonne qu'on attache les soldats au poteau du bûcher et qu'on les brûle pour qu'ils cuisent dans leur propre armure. C'est moi, désormais, qui prends les décisions. Dans ce rêve fiévreux, j'imagine que la sueur qui baigne mon corps est du sang. Je réalise alors que je ne suis plus spectateur mais acteur et que j'aide à maintenir un jeune soldat anglais, à peine un adolescent, pendant qu'on le brûle au moyen de lames de hache portées au rouge. Ensuite vient mon tour. On me lie à un poteau et une femme aux longs cheveux noirs m'ouvre la poitrine. Plongeant la main à l'intérieur, elle m'arrache le cœur et, horrifié, je la regarde mordre dedans alors qu'il bat encore. Je me réveille en sursaut.

On a alimenté le feu et je suis en nage dans ma chemise de nuit. Je sors me calmer dans la fraîcheur nocturne. Je sais maintenant qu'il me faut essayer de convaincre Oiseau de renoncer à ce qu'il projette de faire.

Le serpent à tête de lynx

Nous nous levons bien avant le soleil, et je suis quasiment certain que personne n'a fermé l'œil de la nuit. Nous sommes prêts pour la dernière étape. Après que nous avons chargé dans les canoës lames de hache, marmites, perles de verre, alênes, hameçons, cordes ainsi que quelques mousquets, quantité de poudre et de balles, nos meilleurs chiens et toutes les marchandises acquises pendant un bon été de traite, nous faisons monter à bord les prisonniers en veillant à ce que leur poids soit bien réparti dans les embarcations.

Je m'assure qu'ils sont solidement ligotés. Je ne néglige pas la possibilité que les trois miens tentent de faire chavirer le canoë quand nous serons au large, car à leur place, c'est ce que je ferais. Ils préféreraient de loin se noyer plutôt que de subir ce qui les attend. Ils demeurent néanmoins calmes et même dociles tandis que le premier entonne son chant, imité par les deux autres.

Le soleil va bientôt apparaître à l'est au-dessus des arbres et, entre-temps, nous longeons la rive mais pas trop près pour éviter les vagues qui se brisent sur les plages rocailleuses. Les anciens racontent que des jeunes gens stupides étaient partis dans des canoës surchargés en espérant traverser la Grande Eau, et qu'on ne les avait jamais revus. Les Anishinaabes disent que cette Grande Eau donne sur une eau encore plus grande, puis sur une immense mer intérieure. Le monde et tout ce qu'il recèle me stupéfie. Je regarde attentivement si je vois la paroi rocheuse avec les dessins, car je ne voudrais pas les rater dans les ténèbres qui ne vont pas tarder à se dissiper.

Comme si le destin en avait ainsi décidé, à l'instant précis où les rayons du soleil rasent la surface des flots et où le ciel s'éclaircit, les falaises surgissent. Je dirige mon canoë vers elles. Il n'est nul besoin de parler. Dès qu'ils ont constaté que l'avant de mon embarcation pointait vers le rivage, mes hommes ont compris ce que j'avais l'intention de faire.

Nous devons naviguer avec beaucoup de prudence entre les rochers, car à la moindre déchirure de l'écorce de bouleau, nous risquerions de couler. Un jeune guerrier maintient le canoë pendant que les autres hommes, les prisonniers et moi descendons pour aller voir les dessins. Le reste de la flottille continue sa route, mais pour le moment je ne m'inquiète pas à l'idée de devoir la rattraper.

« C'est là que j'ai trouvé mon nom secret », dis-je alors que nous atteignons un affleurement rocheux au-dessus de la mer. Un instant, tandis que nous grimpons, je crains de m'être trompé d'endroit. J'ai peur d'avoir l'air indécis et idiot. Heureusement, nous apercevons devant nous les premiers dessins gravés dans le roc, couleur d'ocre rouge sang. L'un représente un canoë avec des hommes qui pagayent, un autre un orignal, et un troisième un homme bizarre à tête de cerf. D'un doigt, j'en retrace les contours, et quand je plaque la paume sur la pierre, il me semble qu'elle s'enfonce, comme si je pénétrais dans un autre monde au travers de sa dure carapace. La main me brûle à ce contact et, alors que je ferme les yeux, je vois des anciens qui rament en chantant, suivis sans qu'ils s'en rendent compte par un serpent d'eau plus grand que leur embarcation. Le monde dans lequel je suis entré est aussi réel que celui-ci, baigné de lumière.

Lorsque je retire enfin ma main, j'invite les autres à m'imiter. Je veux vérifier si eux aussi pénètrent dans un autre monde en touchant la paroi de la falaise. Mes jeunes guerriers effleurent du bout des doigts les peintures, dissimulant par des toux leurs rires embarrassés quand je leur demande s'ils ressentent une impression de lumière, de chaleur ou de froid dans leurs mains ou leur corps. Grands Arbres, lui, ne réagit pas comme eux. Il est manifeste qu'il comprend ce que j'ai éprouvé, et qu'il l'éprouve également son tour venu. Ses traits se relâchent tandis qu'il est transporté dans cet autre lieu. Je suis content, content de savoir qu'il y a quelqu'un qui pourrait un jour être comme un fils pour moi, quelqu'un à qui je pourrais confier ma vie. J'en parlerai à Renard quand nous aurons un moment à nous. Après avoir envisagé de détacher mes prisonniers, je me ravise. J'aurais aimé voir s'ils ressentaient la même chose que nous, mais mieux vaut m'en dispenser.

Je conduis ensuite le groupe vers des peintures grandeur nature figurant encore des hommes dans des canoës et là, au-dessous, il y a la créature marine qui m'a hanté pendant tant d'années. Elle n'est pas tout à fait comme dans mon souvenir. C'est bien un serpent, mais pas un serpent d'eau, il a des cornes, la tête et les dents d'un lynx. Nous nous arrêtons pour contempler le dessin. Personne ne parle. Ces peintures sont plus anciennes que nous ne pouvons l'imaginer, et pourtant elles sont restées nettes et les couleurs, vives. Les prisonniers aussi les regardent.

Rompant le silence, je dis à tous que nous allons devoir pagayer ferme pour rattraper les autres. Tandis qu'on commence à descendre, je me retourne pour admirer une dernière fois les dessins. Je sais que je ne les reverrai jamais, aussi je tiens à les imprimer dans mon esprit.

Avant même de les voir, nous entendons leurs voix excitées parmi les arbres.

« Sois fort, répètent les anciens au garçon. Le moment va être difficile. »

On approche des palissades et je devine que mes hommes sont pressés de rentrer chez eux. Pour autant que je le sache, c'est le groupe le plus important à avoir jamais fait le voyage. Nous avons offert en cadeau à nos voisins, les Arendahronnons qui nous ont accompagnés si loin, cinq des prisonniers haudenosaunees, et j'imagine qu'ils ont déjà regagné leur village et qu'ils sont en pleine cérémonie. Quant aux trois qui marchent derrière moi, ils vont bientôt prendre part à notre grande cérémonie à nous, mon amour, une cérémonie qui séchera tes larmes et nous rappellera où nous devrons tous aller un jour.

Alors que nous sortons de la forêt, je constate que les hommes que nous avons laissés derrière nous ont effectué du bon travail en dégageant de nouveaux champs que les femmes ont soigneusement semés de maïs qui a poussé si haut qu'il me bouche la vue. Je me faufile au milieu des trois sœurs, tandis que le bruit fait par ceux qui nous attendent devient presque assourdissant.

Redoutant que mes captifs, de plus en plus nerveux, se livrent à une tentative d'évasion désespérée, j'ai attaché chacun d'eux à un guerrier de confiance. Je me guide aux voix de mon peuple qui me parviennent maintenant distinctement. Afin de montrer à ceux que je précède que je ne me laisse pas envahir par l'émotion, je m'arrête pour courber vers moi une tige de maïs. Je dégage l'enveloppe verte que j'inspecte, à la recherche d'insectes, puis je la hume. Après quoi, je mordille dedans avant de la remettre doucement en place.

Enfin apparaissent devant moi les palissades de mon village qui griffent le ciel au-dessus des champs. Mon peuple sait que nous arrivons, et mon cher Renard a sans doute alléché tout le monde en annonçant que nous rapportons de nombreux cadeaux. Les voix sont à présent si proches que j'accélère légèrement le pas. Soudain, tous mes parents, mon peuple entier sont devant moi, et une clameur pareille au grondement d'une grande cascade m'accueille.

Je m'efforce de conserver un visage impassible cependant que je m'avance vers eux qui se mettent à pousser des exclamations en voyant ce que je ramène. Ils ont déjà formé deux rangs entre lesquels je m'engage, tandis qu'on retient les prisonniers jusqu'à ce que j'aie atteint les portes du village.

Me tournant vers mes guerriers, je lève les bras et j'attends que le vacarme s'apaise. « Nous avons voyagé très loin cet été, et tout s'est passé au mieux. Le Peuple du Fer venu de l'autre côté de la Grande Eau a renoué ses liens avec nous et juré que cette amitié était désormais permanente. Vous verrez bientôt de vos propres yeux les richesses que nous avons rapportées. C'est une bonne amitié, et nous avons les uns et les autres promis à de nombreuses reprises de faire en sorte qu'elle reste solide. »

Je promène mon regard sur mon peuple rassemblé. Je souris. « Mais nous ne nous sommes pas occupés que de traite. » Un murmure parcourt la foule. On entend quelques rires, et on se bouscule pour s'approcher. « Un groupe de Haudenosaunees a cru bêtement que l'avant-garde de nos canoës constituait la totalité de notre parti. » Je m'interromps. « Je vous laisse deviner leur surprise. »

Les gens s'esclaffent. Je les sens prêts à se libérer de tout ce qu'ils ont si longtemps contenu. Ils vont avoir d'ici peu l'occasion de se dégager de l'étau de la frustration et de la peur. Nombreux sont ceux qui pourront ainsi se venger de la mort de leurs bien-aimés, tués par l'ennemi.

« Nous avons été généreux avec nos cousins, les Arendahronnons qui nous ont accompagnés, poursuis-je. Nous avons capturé vivants beaucoup de Haudenosaunees et nous nous sommes vengés comme nous estimions devoir le faire. Nous avons aussi veillé à donner à nos frères un prisonnier pour chacun des doigts de la main afin de montrer que nos liens avec eux sont forts. Cependant, nous avons gardé ces trois-là, dis-je en désignant les deux hommes et le garçon qui, tête haute, écoutent en silence. Ainsi, nous pourrons commencer à guérir une vieille mais profonde blessure. Nous sommes depuis longtemps engagés dans cette guerre du deuil avec notre ennemi. Et cette guerre nous apprend que nous ne pourrons éponger nos larmes que par leur sacrifice.

« Le plus âgé des trois, dis-je en pointant le doigt sur lui, a déjà reconnu qu'il était parmi ceux qui ont ôté la vie à ma femme et à mes filles ainsi qu'à plusieurs des membres de vos familles. » Tous les regards se braquent sur lui. «Nous allons donc lui accorder une attention particulière. Nous le caresserons aussi doucement et aussi longtemps qu'il pourra le supporter. »

Le prisonnier entonne son chant d'une belle voix ferme. Il lève son visage vers le ciel et chante sur un ton si parfait que nous tendons tous l'oreille. Je fais signe à Grands Arbres qui le tient attaché. Il dénoue la corde et pousse l'homme qui, sans cesser de chanter, les bras liés dans le dos, s'avance vers la foule.

Au début de chaque rangée, il y a les femmes, certaines assez âgées, munies d'alênes, de silex ou de couteaux à écharner. Elles se jettent sur lui, le piquent aux jambes, au ventre et à la poitrine, lui lacèrent le dos. Il continue à marcher, la tête droite, chantant d'une voix qui ne tremble pas. Je suis déjà impressionné.

De jeunes garçons se glissent entre les jambes des femmes, armés de bâtons enflammés qu'ils lui enfoncent dans les cuisses et les fesses. L'un des plus hardis lui soulève son pagne pour le frapper là, mais l'homme avance comme si de rien n'était, les yeux fixés sur l'horizon.

Viennent ensuite les jeunes gens, dont quelques-uns de ceux qui avaient voulu se joindre au parti de traite mais que j'avais écartés, les jugeant trop jeunes et inexpérimentés. Comme pour se venger de cet affront, ils font preuve d'une grande cruauté, au point que, les voyant lui asséner une grêle de coups sur la tête et les épaules avec des pierres aiguisées et des massues, je crains qu'il ne me faille intervenir pour les empêcher de le tuer. Bien que ses genoux flageolent, le faisant trébucher, il chante toujours d'une voix forte en poursuivant sa marche. Le sang qui lui coule dans les yeux l'aveugle et il est bousculé, poussé en avant par la foule.

« Voilà pour mon frère que tu as tué de tes mains ! » s'écrie une belle jeune femme qui, émergeant de la cohue, lui fend profondément la poitrine au moyen d'une coquille de clam affûtée. Le sang jaillit de la plaie qui s'ouvre comme une bouche qui sourit. Le prisonnier tient à peine debout et sa voix se perd au milieu du vacarme, mais il continue à avancer en chantant son chant de mort, méprisant les poings brandis.

Lorsque, vacillant, il arrive près de moi, je décide de ne pas le caresser encore. Je vais le laisser reprendre des forces avant son dernier ou ses deux derniers jours. Alors que d'autres s'approchent pour le frapper, j'aperçois le Corbeau au milieu de la foule, qui observe la scène, jouant avec le collier brillant et

377

l'homme torturé aux bras écartés qu'il porte en permanence autour du cou, ce même collier que je me souviens d'avoir convoité quand, il y a si longtemps, je l'ai accueilli chez moi pour la première fois. Le visage du Corbeau est resté mince, mais il a bruni, et l'homme dépasse d'au moins une tête tous ceux autour de lui. Ses épaules sont puissantes.

Son expression ne traduit pas la peur, la pitié ou le dégoût, mais quelque chose comme de l'indifférence, comme s'il avait déjà assisté souvent à ce spectacle et qu'il ne l'intéressait plus. Il doit sentir que je l'observe, car son regard rencontre le mien au-dessus de la foule rugissante. Nous restons les yeux dans les yeux pendant ce qui me paraît une éternité. Je suis étonné de le trouver en si bonne forme, encore qu'il n'ait presque plus de cheveux sur la tête et que, sur sa figure, à ceux couleur de bois-charbon se mêlent quelques autres couleur de neige. Son regard demeure attentif. Perçant. Juste avant de se retourner, il fait cet étrange geste dont il est coutumier, et j'ai le sentiment d'avoir plongé les yeux dans ceux d'un vieil ami.

Guerre du deuil

Oiseau émerge du champ, comme enfanté par le maïs. Il a le visage peint, la tête rasée d'un côté, les cheveux longs de l'autre, qui brillent dans l'éclat de la lumière. Il s'avance, le pas lent et assuré, vêtu de son seul pagne. Il est plus brun que jamais après son voyage estival sous un soleil ardent et, à la suite des semaines passées à pagayer et à porter les canots, il a acquis le physique d'un dieu romain. J'ai du mal à décrire cet être dans les lettres que j'envoie en France. Il est à la fois homme et animal sauvage. Rien n'échappe à son regard, et il s'exprime avec toute la finesse et la gravité d'un philosophe. Il n'est pas étonnant qu'il semble occuper une place aussi importante dans ce village. Au début, j'ai eu du mal à saisir comment ces gens fonctionnaient, mais le rôle prépondérant joué par Oiseau m'a permis de comprendre qu'il y a ici deux types de chef : le civil et le militaire. Et comme trois guerriers iroquois apparaissent derrière lui, chacun attaché à l'un de ceux qui les ont capturés, on sait tout de suite quel type de chef il est.

Dès que la foule les aperçoit, il y a des cris et des bousculades. Les deux premiers prisonniers

sont des hommes, pareillement habillés d'un simple
pagne, le visage sans ornement. Selon leur coutume,
une crête de cheveux se dresse au milieu de leur
crâne et, malgré leurs bras solidement liés dans le
dos et leur situation précaire, ils marchent fièrement.
Le troisième prisonnier, en revanche, semble à peine
sorti de l'enfance, et en dépit de ses tentatives pour
paraître courageux, il a les yeux agrandis par la peur,
et même d'où je me trouve, je vois qu'il tremble.

Pendant que les autres restent en arrière, Oiseau
s'avance parmi la foule qui s'écarte sur son passage.
Je suis près des portes du village, et il s'arrête là, lève
les bras. Des centaines et des centaines de Hurons
sont massés de chaque côté des portes. Le silence se
fait petit à petit, et Oiseau entame son discours.

Il dit que la traite estivale a été particulièrement
bonne et qu'il se félicite à l'idée que tout le monde
en bénéficiera, expliquant qu'il a renforcé les liens
qui les unissent aux Français. Voilà qui n'est pas
pour me déplaire. Puis il passe aux prisonniers et
raconte comment l'ennemi a pris son avant-garde
pour la totalité de ses forces, si bien que la victoire
a été des plus aisées. Il parle de la cérémonie qui a
suivi, au cours de laquelle nombre d'Iroquois ont été
torturés et tués. Il annonce ensuite aux villageois que
l'un des prisonniers, le plus âgé si j'ai bien compris,
avait directement participé au massacre de la famille
d'Oiseau.

Les captifs sont alors poussés un par un au milieu
de la foule furieuse qui a formé deux rangs pour
les passer par les baguettes. Tous, vieilles femmes,
enfants, hommes de tous âges s'acharnent sauvage-

ment sur eux. Certains ne se servent que de leurs poings et de leurs pieds, tandis que d'autres utilisent des coquilles de clams aiguisées, des bâtons enflammés ou des couteaux. Durant toute leur épreuve, les Iroquois chantent d'une voix aiguë ce qui ressemble à une longue plainte, et il faut remarquer à leur honneur que leur voix demeure ferme jusqu'à ce qu'ils flanchent, victimes sans doute d'atroces souffrances. J'ose espérer que le garçon sera moins durement traité, mais la foule en colère a l'air de vouloir se montrer encore plus impitoyable. Et quand je pense que ce n'est que le début !

Une fois les portes du village franchies, les gens se calment. Quelques femmes âgées s'approchent des prisonniers étendus par terre, couverts de sang. Je m'attends à ce qu'elles se mettent à leur tour à les torturer, mais au contraire, elles les raniment en leur faisant boire de l'eau, puis elles entreprennent de soigner leurs blessures avec autant de tendresse que s'il s'agissait de leurs propres fils. On est encore loin du soir, et la cérémonie est de celles qui ont lieu la nuit. Les villageois se relaient pour venir voir les Iroquois et, choqué, j'entends deux personnes plaisanter avec l'un d'eux. Je présume que dans la maison-longue d'Oiseau on se livre aux préparatifs. Je m'avance vers les trois captifs et je m'agenouille à leurs côtés. Impassibles, ils me dévisagent.

« Désires-tu vivre éternellement ? » je demande au plus vieux.

Il se contente de secouer la tête.

« Et toi ? » je demande à l'un des deux autres. Il secoue la tête à son tour.

« Et toi, jeune homme, veux-tu que ton âme vive pour l'éternité ? »

Il se tourne vers ses deux aînés, mais ceux-ci refusent de le regarder. « Sois fort », dit l'un.

Le garçon lève vers moi des yeux suppliants.

Profitant qu'Oiseau se tient seul devant sa maison-longue, je vais le trouver.

Il me considère un instant. « Je suppose que ton été s'est révélé fructueux ? »

Je fais signe que oui. « Certains m'écoutent, à présent, dis-je.

— C'est peut-être une bonne chose.

— Que comptez-vous faire des prisonniers ? » je l'interroge.

Il me regarde comme s'il n'arrivait pas à croire que je puisse être naïf à ce point.

« Il y a d'autres alternatives, dis-je.

— Fais bien attention où tu t'engages.

— Accorde-leur la vie sauve.

— C'est ainsi que ton peuple agit avec ses prisonniers ? demande Oiseau. Tu voulais, prêchais-tu, que nous mangions le corps de ton sauveur, mais j'ai remarqué que tu n'en parlais plus. Je ne crois pas que ce soit à toi de nous dire comment nous comporter. On nous a offert la chance de pouvoir sécher nos larmes après les pertes cruelles que l'ennemi nous a infligées, et tu voudrais nous enlever cela ?

— Ce que vous projetez de faire n'est que barbarie, dis-je. Oui, il est vrai que mon peuple n'en est pas exempt, mais ce n'est pas pour autant qu'elle se justifie.

— Tu n'interrompras pas le cours des événements, dit Oiseau. Nous sommes en guerre. Et pour nous, cette nuit, ce sera la guerre du deuil. Et ce n'est pas toi qui pourras y changer quoi que ce soit. »

Là-dessus, il rentre dans sa maison-longue.

Je ne veux pas

Dès que la foule autour des trois prisonniers a commencé de se disperser, je me glisse le plus près possible d'eux. Comme Oiseau désire qu'on les laisse en paix pour le moment, on les a installés dans notre maison-longue. Le jour baisse et la cérémonie ne va pas tarder à débuter dans la plus grande des maisons. Je me demande si on va les torturer tous ensemble ou bien un par un. J'espère que ce sera les trois à la fois, car je ne voudrais pas que cela dure des journées entières. J'espère secrètement ne pas être la seule à le penser.

J'examine les hommes avec attention pour voir s'il ne s'agirait pas de parents à moi. Je n'en connais aucun, et alors que je m'apprête à m'éloigner, je vois que le garçon me suit des yeux. Il m'adresse un regard désespéré. Il sait que je ne peux rien faire pour lui. Je souhaite juste qu'il meure vite, mais je suppose qu'il n'en sera rien. Je suis tentée de m'approcher de lui, mais de l'autre bout de la pièce, Oiseau m'observe. Je me dirige vers lui.

Quand j'ai appris son retour, je n'ai pas voulu manifester de sentiment de joie, mais je me suis rendu compte combien il m'avait manqué, de même qu'il avait manqué à tous au cours de cet été de peur et de colère. Il est l'homme fort, l'homme tranquille. J'ai du mal à admettre que je l'aime autant que toi, mon vrai père.

Il me tend les mains et je les prends dans les miennes. Il me sourit. « Tu as grandi, dit-il. Tu as vieilli.

— Tu m'as rapporté des cadeaux ? »

Son sourire s'élargit. « C'est la seule raison pour laquelle tu sembles heureuse de me revoir ? »

J'acquiesce.

Il éclate de rire. « Tu es très amusante. » Il regarde autour de lui. « Tu as toujours le petit animal que je t'avais donné ?

— Oui, réponds-je. Mais il désire de plus en plus rester seul.

— Tu vas bientôt devoir le laisser retourner dans la forêt.

— Je sais. Petite Oie aussi me l'a dit. »

Il paraît étonné de m'entendre prononcer son nom.

« Nous avons passé du temps ensemble cet été. » J'hésite avant de poursuivre. « Elle m'apprend. »

Il porte la main à son menton, approuve de la tête. « Elle sera un bon professeur pour toi. » Jetant un coup d'œil par-dessus mon épaule, il ajoute : « En voilà un drôle de spectacle. »

Mon raton laveur est planté devant les prisonniers et, dressé sur ses pattes de derrière, il les fixe du regard, comme hypnotisé.

Je vais le chercher et je le prends dans mes bras.

« Fiche-leur la paix », je le gronde. Je sens les yeux du garçon braqués sur moi.

Retournant auprès de mon père, je lui tends mon animal. Il le soupèse dans ses paumes. « Il a grandi aussi vite que toi. Oui, il va falloir le ramener dans la forêt. » Il le soulève pour examiner son sexe.

« Pourquoi traites-tu si bien les prisonniers ? je demande, constatant qu'on leur donne de l'eau à boire et qu'on soigne de nouveau leurs plaies.

— Ils incarnent ma famille bien-aimée disparue », répond Oiseau en les regardant.

Il voit à mon expression que je ne comprends pas.

« Chacun des trois représente pour moi un membre de ma famille qui n'est plus, explique-t-il. Aataentsic, Femme-Ciel, m'a permis de les capturer et elle accepte qu'ils donnent leur vie en échange de ce que j'ai perdu.

— Ton cœur pleurera moins une fois que tu les auras tués ? »

Oiseau réfléchit puis me rend mon raton laveur. « Un peu moins, je crois », dit-il.

C'est le plus grand festin que j'aie jamais vu. En dépit de sa taille, la maison-longue est presque trop petite pour accueillir tout le monde. Comme je suis la fille d'Oiseau, je suis placée non loin des prisonniers. On les a détachés et, fascinée, je regarde leurs mains aux doigts deux fois plus gros que la normale porter la nourriture à leur bouche. Je me demande ce qui leur est arrivé, puis je me rappelle avoir entendu quelqu'un dire qu'on leur avait arraché les ongles dès leur capture. Après, on ne peut plus faire grand-chose avec les mains, et surtout pas dénouer les liens de cuir avec lesquels on est ligoté.

Renard et sa femme sont à côté d'eux. « Mangez, les encourage cette dernière, car vous aurez besoin de toutes vos forces ce soir. »

Ils lui adressent un petit signe de tête, et l'homme le plus âgé sourit. « La nourriture est excellente », dit-il. Il a un œil fermé. « Nous l'apprécions beaucoup. » Les autres approuvent. Le garçon me regarde. Sa joue ouverte saigne, et la femme de Renard applique dessus un peu de mousse. Il ne parvient pas à maîtriser le tremblement de ses mains. Je vois à son assiette qu'il n'a presque rien mangé. Je ne peux que détourner les yeux. Moi non plus, je n'ai pas faim.

Plusieurs personnes se lèvent pour prendre la parole, et toutes louent le chant magnifique des Haudenosaunees et le courage qu'ils ont manifesté jusqu'à maintenant. Certains, à l'exemple d'Oiseau, évoquent les pertes que leur a infligées l'ennemi, et en particulier le plus âgé des prisonniers qui, le dos droit et la tête haute, écoute attentivement. On admire le guerrier exceptionnel qu'il est et on se relaie pour vanter ses talents. Quelques-uns décrivent ce qu'ils vont leur faire ce soir. Je sais que mon propre peuple ainsi que toi, mon vrai père quand tu vivais encore, traitiez de la même manière les prisonniers wendats. J'étais alors trop jeune pour en avoir été témoin. Ce soir, il semblerait qu'Oiseau tienne à ce que je sois présente jusqu'au bout. Je suis sa fille adoptive, et en assistant à ce que vont subir ceux qui appartiennent au peuple qui était jadis le mien, je deviendrai une fois pour toutes une Wendat.

Le garçon ne me quitte pas des yeux, et je suis malade à l'idée que je ne puisse rien faire pour lui. Je ne veux pas le regarder mourir. Je ne veux regarder mourir aucun d'eux. Je n'aime pas cela et je crois que dès que la cérémonie débutera, je m'en irai assez loin pour ne rien entendre.

Les discours ont cessé et les marmites sont presque vides. Levant la tête vers un trou de cheminée, je constate que la nuit est tombée.

Autour des foyers, les hommes se lèvent, s'éclaircissent la voix et s'étirent pour digérer. Quelques-uns entonnent un chant que je connais, un chant qui célèbre le maïs d'été et raconte l'histoire d'Aataentsic qui veut se montrer plus maligne que son brave fils Iouskeha, lequel finit néanmoins par triompher, de sorte que les Wendats peuvent faire une abondante moisson. Une fois qu'ils ont trouvé le ton et le rythme, ils se mettent à danser autour des feux sous le regard des femmes dont le visage ne trahit aucune émotion. Quelques-uns ont pris les tambours sur lesquels ils frappent en cadence.

On ne tarde pas à demander aux prisonniers de se joindre à la danse. On leur tend la main, on crie, on les encourage.

Tous trois se lèvent alors comme un seul homme et commencent à taper du pied autour du foyer central, la tête baissée et les bras en l'air comme des ailes cependant qu'ils plongent et tournoient, reprenant le chant comme si c'était le leur. Maintenant qu'il danse, le garçon paraît avoir oublié sa gêne et sa peur. Il évolue avec grâce, pareil à un faucon décrivant des cercles au-dessus de moi. Chaque fois qu'il me frôle, je dois faire appel à toute ma volonté pour ne pas toucher sa peau. Le chant gagne en intensité et tous les hommes dansent, chantent ou jouent du tambour, alors que les femmes restent à les regarder. Je voudrais que cela dure toujours. On a l'impression de descendre tous de la même femme, Aataentsic, celle qui a chuté, d'avoir tous fait de notre mieux mais que certains ont échoué, n'ont pas eu de chance, et que d'autres, au contraire, ont maintenant leur destin en main, du moins pour un temps.

Le garçon tournoie, plonge et chante, et tandis que fascinée je l'observe, une idée me vient, une idée si simple et innocente que je me prends à penser qu'elle pourrait l'être assez pour le sauver.

Caresser

Les deux prisonniers les plus âgés arpentent tour à tour la maison-longue dans toute sa longueur. Ils sont nus et ont les mains liées devant eux. Le plus vieux invite ceux qui le frappent aux jambes avec des bâtons enflammés à faire du bon travail et à bien s'amuser tout en prenant leur temps pour le tuer. L'autre continue à chanter son chant de mort, le regard fixé sur les ténèbres du plafond. Pour le moment, pendant que je réfléchis à ce que ma fille m'a demandé, le garçon reste assis, solidement ligoté.

J'ai fait clairement comprendre que tous les prisonniers devaient vivre jusqu'à ce que, comme le veut la coutume, la lumière du matin soit témoin de leur mort. Au début, avant de passer aux caresses plus raffinées, nous ne nous attaquerons qu'à leurs jambes. Ces deux-là sont coriaces, et il faudra que nous arrivions à ce qu'ils demandent grâce durant la nuit, sinon nous risquerions de connaître la défaite dans nos futures batailles contre les Haudenosaunees. Le plus âgé passe devant moi et réclame que je lui accorde ce soir une attention toute particulière. Il a le regard vide. Il est entré en transe. Je le pousse vers le feu pour l'obliger à traverser les flammes. J'entends grésiller la peau de ses mollets. Quand le deuxième homme arrive, je saisis mon bâton pointu dont l'extrémité est portée au rouge et, pensant à toi, mon amour, à la manière dont tu as été torturée et scalpée, je le lui plante profondément dans la cuisse, si bien que son chant s'étrangle dans sa gorge.

Après plusieurs de ces allers et retours, ils commencent à avoir du mal à marcher, et je leur enjoins de s'allonger sur les cendres brûlantes qui ont été répandues à chaque bout de la maison-longue. Ceux qui sont venus participer et regarder sont calmes et disciplinés. Il n'y aura ni drame ni comportement inapproprié. Nous pratiquerons toute la nuit la modération, et on saura dans le village que personne ne devra avoir de rapports sexuels en signe de respect.

Renard et moi allons voir le plus jeune des deux captifs qui, couché sur les cendres, continue à chanter son chant de mort. La peau de son dos dégage une forte odeur de grillé. Son chant l'a aidé à entrer en transe, et mon rôle consiste maintenant à l'en arracher pour qu'il nous supplie. Après lui avoir détaché les mains, Renard en prend une, moi l'autre, puis nous entreprenons de lui casser les doigts un à un avant de faire de même avec les os de ses mains à coups de pierre. Comme il ne pousse pas le moindre cri, je prends un bâton enflammé que je lui enfonce dans l'oreille. Ensuite, je me lève pour le livrer aux quelques femmes qui se trouvent non loin. Elles entourent ses poignets de liens de cuir qu'elles serrent en frottant jusqu'à ce que la peau se déchire. Son chant s'est réduit à un murmure à peine audible, mais il ne supplie toujours pas. Les femmes le ranirment avec un peu d'eau froide.

Renard et moi, nous nous rendons de l'autre côté de la maison-longue pour accomplir le même rituel avec le prisonnier plus âgé. Plutôt que de chanter, il se tait, et nous nous montrons spécialement cruels en lui brisant les mains. Comme lui non plus ne réagit pas au bâton rougi que je lui enfonce dans l'oreille, je réclame une coquille de clam avec laquelle je lui coupe deux doigts, et pour qu'il ne se vide pas de son sang, j'enduis les moignons sanguinolents de poix brûlante. Aucun son ne franchit le seuil de ses lèvres. Il est très bien. Tous deux sont très bien.

Une fois qu'ils ont suffisamment récupéré, j'invite les gens à les caresser. Tour à tour, ils leur lacèrent les bras, les jambes, la poitrine et le ventre. Une femme déterminée brûle les organes génitaux de l'homme silencieux avec un tison rougeoyant. En vain. Ni l'un ni l'autre ne pousse le moindre cri.

Pendant qu'il leur reste quelques forces, je les fais se lever pour parcourir de nouveau la maison-longue. Ils montrent un courage extraordinaire tandis qu'on les brûle, qu'on les frappe avec des massues à pointes, qu'on les poignarde avec des couteaux en os, qu'on les pique avec des bâtons enflammés. Je me rends cependant compte, alors que la nuit est loin d'être finie, qu'ils vont bientôt être trop faibles. Ils se rassoient et, cette fois, on leur donne un peu à manger et encore un peu d'eau froide à boire.

Nombre d'entre nous sortons alors dans l'air frais de la nuit pour nous reposer et nous préparer en vue de la prochaine étape. Le Corbeau et son aide aux yeux noirs s'approchent pour me demander s'ils sont à présent autorisés à entrer. Plus tôt dans la soirée, je leur ai interdit l'accès de la maison-longue car ils n'ont aucune raison valable d'être là et risquent d'interrompre la cérémonie ou de créer un incident. Même si ce Corbeau est depuis longtemps avec nous, il n'en est pas pour autant l'un des nôtres. Je fais signe que non.

« Laisse-moi juste cette fois-ci, dit-il. Rappelle-toi les paroles du grand chef Champlain qui a demandé que vous nous traitiez comme des membres de votre peuple.

— Pourquoi tiens-tu à assister à ça ?

— Je ne veux pas te mentir, Oiseau, répond-il. Je souhaiterais amener vos prisonniers à adopter les voies du Grand Génie. »

Je songe au courage des captifs que nous n'avons pas encore contraints de nous supplier. « Si tu arrives à les en convaincre, dis-je, j'aurai peut-être sur toi une autre opinion. »

Renard a écouté attentivement et, ayant compris au ton de ma voix, il laisse les deux Corbeaux entrer.

Dès que les Haudenosaunees sont d'aplomb, nous recommençons. Le plus âgé demande à traverser encore une fois la maison-longue et, stupéfaits, nous le lui permettons. Et là, au lieu de garder le silence, il entonne son chant de mort d'une voix aiguë et ferme. Chacun le frappe, le poignarde, le brûle. Son corps enfle de plus en plus, et il perd beaucoup de sang.

« Il me semble que ton canoë fuit, lui dit Grands Arbres, le dominant de toute sa taille. Je vais te le calfater. » Il verse de la poix brûlante sur la poitrine du prisonnier pour stopper le saignement de ses blessures. L'homme ne crie toujours pas et, les dents serrées, il remercie Grands Arbres.

Reprenant sa marche, vacillant, il se remet à chanter. Arrivé à hauteur de mon foyer, il se plie en deux, et je crains qu'après cette dernière punition il ne s'évanouisse ou ne meure. La tête presque au-dessus des flammes, il essaie en vain de se redresser, mais il bascule en avant et ses mains tombent dans les braises.

Je réalise trop tard ce qu'il a l'intention de faire. Ramassant les charbons ardents à pleines poignées, il les lance contre les parois. Au calme qui régnait succède aussitôt la panique tandis que l'une des parois de la maison-longue prend feu. Renard réclame de l'eau à cor et à cri. Le prisonnier profite de la cohue pour tenter de s'enfuir, mais Grands Arbres le ceinture avant qu'il ait atteint la porte. De toute façon, dans son état, avec ses mains attachées, cassées et brûlées, il n'aurait pas pu aller bien loin, mais je reste impressionné par son courage de même que par l'ingéniosité dont il vient de faire preuve. On éteint rapidement le début d'incendie.

L'autre Haudenosaunee s'est tu, et je redoute qu'il ne nous ait échappé. Je demande à de jeunes guerriers de l'asperger d'eau froide, après quoi ils m'assurent au milieu de la foule qu'il est encore vivant.

« Faites-lui chanter son chant de mort », dis-je, et ils le poussent brutalement de la pointe de leurs couteaux ou de leurs casse-tête. La nuit est presque finie, et ce sera bientôt le moment de sortir dans la lumière du jour. La longue plainte du prisonnier s'élève.

Il est trop faible pour marcher, aussi, pendant que le plus âgé est autorisé à se reposer, mes jeunes guerriers le portent, s'arrêtant çà et là pour permettre à d'autres de se venger sur lui. La sœur de ta mère, mon amour, prend dans son sac une alêne et appelle les hommes d'un geste. Ils abaissent le prisonnier vers elle, et elle entreprend de coudre la plaie béante qui s'ouvre sur son ventre.

« Tu es responsable de la mort de mon enfant préféré, dit-elle en perçant la peau pour passer le fil en boyau avant de recommencer. Je ne veux pas que tu te vides tout de suite de ton sang. »

Tout le monde regarde ensuite le Corbeau s'agenouiller à côté de notre ennemi en faisant son signe habituel. Le jeune bois-charbon maussade au visage couvert de poils tourne autour d'eux. Le Corbeau murmure quelque chose au prisonnier, puis il embrasse le collier étincelant qu'il tient à la main avant de l'appliquer sur les lèvres du Haudenosaunee dont le chant de mort prend des accents désespérés, presque comme s'il demandait enfin grâce. De toute la nuit, nous n'avons pas obtenu plus. Il a vraiment peur, maintenant, il éprouve peut-être même du remords, et il ne tardera pas à connaître la paix. Une fois encore, le Corbeau me stupéfie par le pouvoir qu'il a appris à maîtriser.

Nous ranimons le deuxième prisonnier qu'on soutient à son tour pour qu'on puisse le caresser. L'une de tes parentes, mon amour, lui coud à lui aussi sa blessure la plus profonde. Tous deux, à présent, sont à bout de forces, mais malgré tous nos efforts, ni l'un ni l'autre n'a demandé grâce. Voyant que notre résolution faiblit, je dis à Renard de prendre quelques hommes pour aller préparer l'échafaudage et allumer les feux autour. Il va bientôt faire jour, et il faut que le soleil soit témoin.

Quand je décide qu'il est temps de les porter dehors près des feux qui flambent dans les champs non loin des cultures, les prisonniers ressemblent davantage à des ours dépouillés de leur peau qu'à des hommes. L'aube va se lever et nous devons nous assurer que ce mince fil entre la souffrance et la mort ne se rompe pas. Leur permettre de mourir avant que le soleil n'apparaisse serait une faute grave qui ne ferait qu'attirer sur nous le malheur.

L'échafaudage érigé sous un arbre est à peu près de la hauteur d'un homme. Les jeunes guerriers posent les captifs dessus puis attachent leurs mains mutilées à des branches au-dessus d'eux, si bien qu'ils sont obligés de se lever pour subir les ultimes caresses et pour que tous puissent assister à leurs derniers instants. Des centaines de villageois sinon plus sont déjà rassemblés dans les champs. Un jeune guerrier se distingue : il grimpe sur la plate-forme avec un seau en écorce de bouleau et, disant aux prisonniers qu'ils ont l'air d'avoir froid, il leur verse dessus de l'eau bouillante.

Le soleil est presque là. J'engage mes guerriers à prendre leurs tisons pour tenter de contraindre les Haudenosaunees à demander grâce. Tous deux sont silencieux à présent, et il n'y a plus beaucoup de vie en eux. Les guerriers enfoncent les tisons dans les orifices des deux hommes, et comme ceux-ci continuent à garder le silence, ils leur crèvent les yeux. Toujours rien. Les premiers rayons de soleil éclairent l'horizon. À mon signal, mes guerriers prennent leurs couteaux les plus aiguisés pour scalper les prisonniers avant de leur déverser de la poix brûlante sur la tête.

« Ce sont les deux hommes les plus courageux que j'aie jamais eu le plaisir de rencontrer, je déclare, tandis que le soleil apparaît tout entier dans le ciel. Qu'on en finisse maintenant. »

Grands Arbres empoigne sa massue, monte sur l'échafaudage et fracasse le crâne des deux agonisants. Je regarde les jeunes guerriers s'entailler le cou puis s'aligner sous la plate-forme pour qu'un peu du sang des morts goutte sur eux. Ils savent qu'ainsi les Haudenosaunees ne les prendront jamais par surprise. D'autres grimpent pour fendre la poitrine des prisonniers afin de leur arracher le cœur qu'ils mettront ensuite à rôtir pour le manger et acquérir leur bravoure. Les gens observent la scène en silence, mais ce soir, au coucher du soleil, nous ferons le plus de tapage possible pour chasser de notre village les esprits de nos ennemis.

Renard se penche vers moi. « Voilà, c'est terminé, dit-il, tâchant de deviner ce que j'éprouve.

— Oui », dis-je. Le soleil est levé, et j'aurais souhaité que tout cela m'apporte plus de réconfort. « Comment te sens-tu ? »

Il hausse les épaules. « Fatigué. Je n'ai jamais beaucoup aimé ces cérémonies.

— Nous n'avons pas réussi à ce qu'ils demandent grâce, dis-je. Cela m'inquiète énormément.

— Il reste le garçon. »

Je l'avais oublié. « Ma fille voudrait que nous l'adoptions, dis-je.

— Et tu vas le faire ?

— Tu sais très bien que je ne peux rien lui refuser », réponds-je.

Notre propre mission

Une fois que la foule a commencé de se disperser, Gabriel et moi nous approchons de la plate-forme. Le soleil donne sur les deux hommes qui ont été roués de coups, lacérés et brûlés au point de ne plus présenter figure humaine. J'aurais tellement voulu avoir une dernière chance de les supplier de renoncer au Malin pour accepter le crucifix. Des enfants courent partout, brandissant comme des drapeaux des bâtons à l'extrémité desquels semblent flotter des bouts d'intestins. Des groupes de jeunes guerriers rassemblés autour des feux font rôtir ce que je suppose être les organes de leurs ennemis. L'air féroce, ils forment une bande bruyante, et je me demande toujours comment ils peuvent un instant manifester tant de gentillesse et d'amour, et l'instant suivant torturer des hommes avec tant de cruauté.

Je prends une profonde inspiration, puis je grimpe sur l'échafaudage, imité par Gabriel. Je sens que les guerriers me regardent. J'ignore si je ne viole pas quelque loi implicite, mais je ne me laisserai pas arrêter.

Avec Gabriel comme témoin, je bénis les corps

éviscérés et je prie pour eux. Il est trop tard pour les baptiser, et je suis triste à l'idée qu'ils n'entreront jamais au paradis. Étant donné ce qu'ils sont censés avoir fait à la famille d'Oiseau, j'imagine qu'ils ont déjà franchi les portes de l'enfer où les tortures qu'ils ont subies hier soir ne leur paraîtront rien à côté de celles qui les attendent. Mes prières finies, je baise mon crucifix, songeant au martyre vécu par Votre fils unique, Seigneur.

Quand nous redescendons, plusieurs jeunes nous entourent.

« Qu'est-ce que vous chuchotiez là-haut ? nous lance l'un d'eux.

— Je parlais au Grand Génie, dis-je. Je Lui demandais de pardonner à ces hommes leurs péchés. »

Ma réponse déchaîne la colère des guerriers. « Ce n'est pas à toi de demander pardon pour nos ennemis.

— Si nous avions été à leur place, ajoute un autre, ils nous auraient traités de la même façon. Et peut-être encore plus durement. Les Haudenosaunees aiment nous torturer pendant des jours et des jours.

— Œil pour œil, dis-je à Gabriel en français, ce qui accroît leur fureur.

— Qu'est-ce que tu as dit ? » Ils se mettent à nous bousculer.

« Il a dû simplement nous maudire », déclare l'un d'eux.

Aussitôt, nous sommes jetés à terre et frappés. À peine une seconde plus tard, les coups cessent de pleuvoir. Les guerriers nous relèvent, brossent nos soutanes et nous tournent vers Oiseau.

« Ils sont tombés, lui dit l'un d'eux. Nous les aidions à se remettre debout.

— Qu'est-ce qu'ils ont donc fait ? demande Oiseau, une lueur amusée dans le regard. Je préfère ne pas le savoir. » Il nous indique de le suivre, puis il nous conduit dans les champs de maïs.

« J'ai des nouvelles pour vous, dit-il. De bonnes nouvelles, je crois. Votre peuple a conclu un accord avec le nôtre. Nous allons autoriser la venue dans notre pays d'un grand nombre de gens de votre sorte en échange de la promesse que vous ne commercerez qu'avec les Wendats. »

Gabriel affiche un large sourire. Je ne me souviens pas de la dernière fois où je lui ai vu un visage aussi rayonnant. Je me rends compte que je souris à mon tour.

« C'est une grande nouvelle ! je m'exclame. Quand arriveront-ils ?

— Avant les premières chutes de neige, répond Oiseau. Nous avons passé un marché avec les Kichesipirinis pour qu'ils les amènent jusqu'ici, et j'espère qu'ils auront la sagesse de repartir tout de suite chez eux pour se préparer en perspective de l'hiver.

— Il va falloir que nous leur fassions de la place, dit Gabriel. Je suis sûr que notre petite cabane ne suffira pas.

— Vous m'avez mal compris, corrige Oiseau. Ceux qui vont arriver seront assez nombreux pour constituer un village. Vous aurez votre propre village. »

Je suis abasourdi. C'est comme si, alors que j'étais condamné à mort, Oiseau m'annonçait que je suis libre. Je serre Gabriel dans mes bras. Oiseau, impassible, nous observe.

« C'est incroyable. » Je ne trouve rien d'autre à dire.

« Venez avec moi, dit Oiseau. Votre peuple m'a confié des choses pour vous. »

Quand nous lui annonçons la nouvelle, Isaac ne peut contenir sa joie. Les paquets s'empilent par terre et sur la table. Nous ne savons pas encore ce qu'ils renferment.

« Vous voyez ce qu'il advient lorsque nous nous plaçons entre les mains du Seigneur ? dis-je. Nous avons eu raison d'offrir ce festin et de vider nos magasins.

— Notre propre mission ! s'exclame Isaac, les yeux brillants. Cela signifie bien que nous ne devrons plus vivre comme des Hurons, n'est-ce pas ?

— Nous construirons une mission qui reflétera nos croyances et nos valeurs, dit Gabriel. Nous donnerons l'exemple, et les Hurons les adopteront. Il ne peut en être autrement.

— N'allons pas trop vite, dis-je. Avant de dresser des plans, voyons ce qu'il y a dans ces paquets. »

Nos cadeaux consistent pour une part en soutanes et caleçons neufs qui sont plus que bienvenus. Ceux que nous portons, déjà tout raccommodés, sont si élimés que nous redoutions l'approche de l'hiver. Cela fait des années que je réclame une nouvelle bible, car la mienne a été si souvent trempée qu'elle a doublé de volume, et elle est enfin arrivée, ainsi qu'un calice en étain, du papier à lettres et des bouteilles d'encre. Par miracle, rien n'a souffert pendant le voyage.

J'ai posé sur la table la lettre qui nous est adressée par le gouverneur de la Nouvelle-France, je présume, la gardant pour plus tard. Gabriel et Isaac n'arrêtent pas de lui jeter des coups d'œil, aussi finis-je par céder à leur prière muette. Elle est bien du gouverneur. Je la lis à voix haute.

« Je vous écris en vous espérant en bonne santé et heureux d'avoir sauvé des âmes comme le veut votre mission. Il y a eu de nombreux bouleversements sur le continent dont vous n'avez sans doute pas entendu parler, mais je vous épargnerai les détails. Sachez simplement que Dieu s'est montré généreux envers la Fille aînée de l'Église de même qu'envers ses possessions. Le pouvoir en place a fini par comprendre l'importance de notre mission dans le Nouveau Monde, et en particulier celle dont vous, braves et loyaux jésuites, avez accepté de vous charger. »

Je poursuis ma lecture à l'intention des deux pères. Le gouverneur raconte ensuite que l'Europe est devenue friande de tout ce qui vient du Nouveau Monde : fourrures, poissons, aventures et histoires. Je m'attarde sur le passage où il précise que nos journaux envoyés en France ont été lus avec passion par de nombreuses personnes en plus des gens d'Église, et que le récit de notre vie chez les Sauvages a frappé l'imagination de l'aristocratie et même celle de l'homme du commun. C'est difficile à croire, et je dois m'interrompre quelques instants. Je suis inondé de joie et de fierté, et les yeux me piquent.

« Notre voix issue de ces régions reculées n'a pas

seulement été entendue, dis-je à Gabriel et à Isaac. On lui a répondu. »

Le gouverneur explique qu'en France des bienfaiteurs ont desserré les cordons de leurs bourses maintenant que les Anglais et nous sommes en paix, du moins temporairement, de sorte que les flots de pelleteries, de bois et de poissons continuent à affluer, en provenance du Nouveau Monde. Il nous qualifie, nous les jésuites, de fondateurs d'une nouvelle ère qui marquera l'histoire, puis il confirme ce qu'Oiseau nous a annoncé ce matin, à savoir que des hommes, tous des donnés qui respecteront nos règles et nos croyances, des gens qui vivront comme des membres de la Compagnie sans avoir encore prononcé leurs vœux, seront déjà en route quand nous lirons ces mots. Nous bâtirons une petite mission qui constituera une forteresse de la foi dans cette région de ténèbres, et nos ouailles, nous les gagnerons parmi les Hurons autour de nous, ce qui contribuera à prouver que les Français sont toujours les maîtres de ce pays.

« Votre courage et votre force d'âme ne sont pas passés inaperçus, conclut le gouverneur. Et nous louons votre sens indéfectible du devoir. Puisse la lumière du Seigneur briller plus fort encore sur la Nouvelle-France. »

La saison des sorcières

Je suis déjà au courant de ce qui s'est passé cet été. Je sais que le Corbeau a célébré les rites qui ont apporté la pluie et sauvé les récoltes, puis qu'il a donné un grand festin qui s'est achevé par une terrifiante expérience de magie. Sa médecine devient de plus en plus forte.

Pour ne rien arranger, je me retrouve avec un nouvel enfant qui est en réalité un adolescent et qui, après ce que nous avons fait hier soir à ses parents, souhaite probablement ma mort. Quand ma fille m'a tiré par le bras, les yeux baignés de larmes, pour me supplier de l'adopter plutôt que de le tuer, un souvenir que je croyais depuis longtemps enfoui dans ma mémoire a ressurgi et j'ai accepté. Il va maintenant falloir que je veille à ce qu'il devienne un membre de ma famille. Ce ne devrait pas être trop difficile dans la mesure où il n'ignore pas ce qui lui arrivera dans le cas contraire.

« Nos frères les Arendahronnons et nous sommes parvenus à un accord, dis-je à la foule rassemblée devant moi. Ils acceptent que les bois-charbons aient leur propre village. » Le soleil brille, haut dans le ciel. Il y a trop de monde pour tenir dans une maison-longue. « Je sais que la discussion dure depuis plusieurs saisons. » Les gens m'écoutent avec attention, mais il est difficile de savoir ce qu'ils pensent. « Le village sera petit et suffisamment éloigné du nôtre pour ne pas empiéter sur nos champs, nos territoires de chasse et de pêche, et sur nos parcelles de bois.

— Et qui a pris cette décision sans l'avis de notre conseil ? » s'enquiert un ancien. Il s'agit d'un lointain cousin qui, un jour, a désiré plus de pouvoir qu'il n'en a obtenu.

« Rappelle-toi, cousin, l'importance exceptionnelle de notre parti de traite de cette année, lui réponds-je. J'ai choisi les hommes avec soin, et pratiquement chaque famille de la communauté était représentée. Tous étaient d'accord avec cette idée. Et rappelle-toi aussi, cousin, que nos frères les Arendahronnons nous accompagnaient dans ce voyage et qu'ils considèrent de même que c'est une bonne décision. »

Je vois qu'il aimerait répliquer, mais il a l'air de chercher ses mots.

« Les Wendats seront-ils autorisés à y habiter ? demande le jeune guerrier nommé Trouve-les-Villages.

— Quels sont ceux qui le voudraient ? dit une femme, déclenchant des rires.

— Si quelqu'un souhaite s'installer dans le village des bois-charbons, je ne pense pas qu'on puisse l'en empêcher, dis-je. Il me semble que seuls les très faibles ou les très jeunes pourraient le vouloir.

— Ce que je crains surtout, intervient l'un des

406

anciens, c'est qu'ils nous apportent encore quelques-unes de leurs maladies. » Les gens acquiescent.

« Sans parler de leur magie qui provoque la sécheresse et la famine, ajoute un autre.

— Ils seront trop loin pour représenter un danger », dit Renard. Heureusement qu'il a l'esprit vif !

« Et nous ne devons pas oublier la raison pour laquelle ils viennent, dis-je. Leur grand chef a promis de ne plus commercer qu'avec nous et de prendre les armes contre les Haudenosaunees si ceux-ci déclaraient une guerre sur une large échelle. » Je ne précise pas qu'après notre dernière escarmouche il en sera sûrement ainsi. « Telles que je vois les choses, c'est un bon accord, et les bénéfices l'emportent sur les risques. »

Les signes d'approbation sont cette fois plus nombreux et quelques « Ah-ho ! » retentissent. Je n'aurais jamais voulu ni pensé, mon amour, me tenir un jour devant mon peuple pour débattre de décisions aussi graves, mais il semblerait que j'y étais destiné.

Dans la maison-longue, encore ébloui par la lumière éclatante du dehors, j'entends une voix que je reconnais et une autre que je ne reconnais pas. Elles s'expriment dans la langue des Haudenosaunees qui n'est pas très différente de la nôtre. Je suis étonné que ma fille s'en souvienne encore. Elle parle avec mon nouveau fils. Ils ignorent ma présence, et je me sens coupable d'écouter ainsi leur conversation, mais il est nécessaire que je sache.

« Mon père, dit-elle, est le plus courageux des

hommes. C'est un grand guerrier, et tous ceux qui l'ont approché l'aiment. »

Je reste interloqué. Je tends l'oreille.

« C'est lui, j'en suis certain, dit le garçon.

— Comment peux-tu le savoir ? » réplique ma fille. Elle gronde le raton laveur qui lui tire les cheveux.

« Ton père était un parent du mien », affirme le garçon. Je me sens soudain profondément troublé. « Tout le monde chez nous connaît l'histoire de sa vie et de sa mort. » Elle parle de ses parents morts comme s'ils vivaient encore. Je suis nerveux, mais à mesure qu'ils évoquent leurs liens familiaux probables, je me calme. C'est simple. Ma fille a été une enfant compliquée, et maintenant que j'ai accueilli ce garçon dans ma maison-longue, les complications s'accumulent comme des nuages d'orage en été. Il faut que je mette un terme à cela.

Peut-être est-ce lié à l'inquiétude de tous à l'idée de ce que nous allons accorder aux bois-charbons, peut-être est-ce la saison des sorcières, mais alors que l'été entame son lent virage vers l'automne, et en dépit de l'abondance des récoltes, promesse d'un doux hiver, les ennuis ne manquent pas. Un certain nombre de femmes dont les maris ont fait cet été le voyage de traite avec moi les ont quittés pour d'autres hommes, plusieurs d'entre nous sont tombés malades, et beaucoup se prétendent victimes de la sorcellerie des Corbeaux. Les anciens regardent les malheurs s'abattre et je sais qu'ils se font du souci. Le jour des moissons approche, et tout indique qu'elles seront bonnes, aussi ce sentiment général de tristesse est-il mauvais signe. Nous devons penser au bonheur de notre village.

Le conseil convoque Renard et, après, nous nous asseyons pour en discuter. On lui a demandé de se rendre dans le pays de nos cousins les Tahontaenrats, le Peuple du Cerf.

« Prends Grands Arbres et quelques autres bons guerriers, je lui suggère. Il se peut que des partis de guerre haudenosaunees rôdent par là en quête de vengeance.

— En faisant vite, nous pourrions être de retour dans trois jours.

— Les anciens veulent-ils que tu leur annonces la nouvelle de la création prochaine du village des bois-charbons ? »

Renard secoue la tête. « Celle qu'on appelle Esprit-des-Pensées est très malade. Elle espère la médecine du Cerf et demande que l'atirenda se réunisse pour venir à notre aide. Elle a rêvé que son affliction découlait de désirs insatisfaits et que nos malheurs venaient de là. »

Cela me paraît logique. Si elle souhaite la présence de la société de guérison, c'est qu'elle redoute que la maladie ne s'aggrave chez nous tous.

« Je t'accompagnerais volontiers, dis-je, mais je dois m'occuper de mon nouveau fils. » Je tais que Petite Oie me réclame depuis mon retour. Il faut que j'aille la voir.

« Qu'est-ce qui se passe avec lui ? demande Renard.

— Je crains d'avoir commis une grosse erreur. Je sens qu'il va nous valoir beaucoup d'ennuis, et je crois que je vais être obligé de dire à ma fille qu'il ne convient pas.

— Une nouvelle cérémonie de sacrifice, alors ?

— Au début, j'ai pensé que nous pourrions procéder à un échange avec son peuple », dis-je. Or, Renard sait comme moi que nos rapports sont si mauvais que l'idée même d'entamer des négociations avec eux semble impossible.

« Ce serait bien trop dangereux, ajoute Renard. Après qu'on a massacré en route leur parti de guerre, ils ne seront pas d'humeur à traiter avec nous. »

Il a raison, naturellement. Quoique je ne tienne pas à aborder la question tout de suite, je vais quand même devoir faire part à Chutes-de-Neige de mes intentions. Elle ne va pas être contente. J'attendrai néanmoins la cérémonie de guérison pour lui en parler.

Deux jours après le retour de Renard, j'entends un bruit de tambour et de crécelle dans les champs. Puis des voix s'élèvent, aiguës et fortes, qui entonnent leur chant. Les habitants du village se dirigent vers les portes des palissades pour se joindre au chant. L'atirenda, les membres de la société de danse-médecine, sont venus très nombreux, soigneusement peints et coiffés. Certains portent des masques de paille ou de bois sculpté, d'autres se sont déguisés, bourrant leurs vêtements d'écorces ou de paille pour avoir l'air de bossus. Ces personnes-médecine, l'atirenda, n'appartiennent pas toutes au Peuple du Cerf. Appelées par celui-ci, elles sont originaires de tous nos villages.

Nous chantons en chœur, et nous sommes si nombreux que le chant en réponse à l'atirenda est pareil à un rugissement. Si des êtres malfaisants se trouvent dans les parages, ils sont maintenant avertis.

L'atirenda franchit bientôt les portes des palissades, et la foule la conduit jusqu'à la maison d'Esprit-des-Pensées. Ceux qui sont invités entrent, et je suis étonné de voir le Corbeau à l'intérieur. Je ne comprends pas qu'on lui ait fait un tel honneur.

Pendant la moitié de la journée, ceux de l'atirenda entourent l'ancienne, dansant, chantant et agitant leurs crécelles de carapace de tortue pour tenter de découvrir l'origine de son mal. Ils connaissent son rêve de désir insatisfait, un rêve qu'elle ne comprend pas encore. Ils vont l'aider à le clarifier. C'est leur rôle.

À leur rythme qui s'accélère, je sais que les danseurs vont bientôt commencer leur rituel. Tout un groupe cerne l'un d'entre eux comme une meute de loups cernerait sa proie. L'un des danseurs lui lance quelque chose qu'il attrape, et il brandit ce qui semble être une griffe d'ours. Puis on lui lance un autre objet qu'il attrape tout aussi habilement. C'est une grande dent de loup. Ensuite, ce sont des tendons de chien, des pierres qui sont jetés au danseur au centre du cercle.

Maintenant, il est saisi de convulsions, comme s'il avait été empoisonné. Les autres danseurs s'écartent pour le laisser s'effondrer et se tordre par terre, empoignant son ventre et son cou. Un filet de sang s'échappe de sa bouche et de son nez, puis le sang jaillit à flots et asperge tous ceux qui sont massés autour

de lui. Je regarde le Corbeau. Il est devenu très pâle.
Les autres, y compris Esprit-des-Pensées étendue
à côté de lui sur sa natte de roseau, l'observent en
silence, fascinés. Quand l'homme qui saigne sur le sol
s'immobilise, quelques membres de l'atirenda agitent
leurs crécelles et se remettent à danser, doucement
d'abord, puis de plus en plus vite. La tête baignant
dans le sang, l'homme est silencieux. Quelques-uns se
baissent pour ramasser dans le foyer le plus proche des
braises rougeoyantes qu'ils tendent aux autres. Trois
ou quatre d'entre eux les glissent dans leur bouche,
puis les mâchent lentement avant de les avaler. Ils en
prennent encore et cette fois, après les avoir mâchées,
ils se penchent au-dessus d'Esprit-des-Pensées pour
souffler les cendres sur son corps, suivis par un danseur qui l'arrose avec de l'eau tandis qu'un deuxième
l'évente avec une aile de dinde.

Les danses ralentissent et Esprit-des-Pensées ferme
les yeux. Je me tourne de nouveau vers le Corbeau
qui, agrippant d'une main son amulette étincelante,
fait de l'autre son signe habituel.

Les danseurs s'arrêtent et les chanteurs se taisent
pour s'occuper de l'homme en sang qu'ils raniment
avec des cendres et de l'eau qu'ils le forcent à boire.
Sonné, il ouvre les yeux et bouge les bras. Ils l'ont
emmené ailleurs et ils le ramènent ici. Le matin venu,
espère-t-on, Esprit-des-Pensées saura quel est ce
désir qui demande à être satisfait.

Ce qui est bien pour toi

Je suis assise dans les champs en compagnie de mon nouveau frère. Il m'a dit qu'il s'appelait Cendres Chaudes, mais je soupçonne depuis peu qu'on ne peut pas se fier à lui. Je crois qu'il a eu le cerveau dérangé après avoir vu ses parents torturés à mort. Chaque fois qu'il ferme les yeux, dit-il, il rêve des tortures qu'il a subies, et il ne le supporte plus. Il met tout le temps ses doigts enflés dans sa bouche. Il prétend que nous sommes cousins, mais je sais que nous venons de deux clans différents. Il est Tortue et je suis Loup, de plus mon village était loin du sien. Il n'a que sa parole pour prouver que nous sommes parents. Il jure cependant qu'il trouvera un autre moyen de me le prouver. Je suppose qu'il essaie simplement de se faire bien voir pour devenir membre de cette famille. C'est l'instinct de survie. J'en ai la certitude.

« Je te protégerai, lui dis-je. Il faut que tu réussisses à dormir sans rêver. Il faut que tu te reposes. » Je pourrais lui raconter qu'à mon arrivée ici je me suis opposée à tout, je me suis conduite comme un animal sauvage, allant jusqu'à pisser dans le lit de mon père, mais il ne comprendrait pas.

413

Dort-Longtemps, maintenant qu'elle est guérie et que Grands Arbres, son mari, est de retour, passe du temps avec nous. Son fils, Porte-une-Hache, a décidé de ne pas me prêter attention. Dort-Longtemps reconnaît volontiers qu'Oiseau lui a demandé de nous surveiller, moi et le nouveau garçon. Cela ne me gêne pas. Je lui ai sauvé la vie, mais je ne l'aime pas. Il semble avoir la tête détraquée, et en outre il est plus exigeant que mon raton laveur. Il y a quelques jours, au cours de nos premières conversations, j'ai voulu croire qu'il savait où tu étais, mon père. J'ai voulu croire que tu vivais encore dans la mémoire de notre peuple. Mais plus Cendres Chaudes parle, moins je lui fais confiance.

« Je suis d'une famille de chefs héréditaires », affirme-t-il tandis que Dort-Longtemps est occupée à piler du maïs, mais je vois qu'elle écoute. Il se penche vers moi et murmure : « J'ai peur qu'ils veuillent se venger.

— Bien sûr, dis-je. C'est le cycle normal.

— Mais ce sera contre mon nouveau père. Ton père. »

Dort-Longtemps pose son pilon et se tourne vers nous. « Ces paroles ne font qu'appeler le malheur, dit-elle en regardant Cendres Chaudes. Il vaudrait peut-être mieux que pendant un moment tu te taises et que tu écoutes. »

Il baisse les yeux. « Excuse-moi », dit-il. Et il suce de nouveau ses doigts.

Depuis la visite de l'atirenda, l'atmosphère du village est plus paisible. Cendres Chaudes lui-même est plus calme et il ne parle plus tout le temps. Il est fasciné par la corneille qui plane au-dessus de ma plate-forme de sommeil et il m'interroge constamment à son sujet. « C'est mon fétiche », dis-je. Il en veut un aussi, et bien qu'il ait quelques saisons de plus que moi, je dois lui expliquer qu'il faudra qu'il s'en trouve un lui-même.

Dans la maison-longue, mon raton laveur s'est glissé à l'intérieur du sac de Renard d'où, à la recherche de nourriture, il a sorti tout le tabac. Je le remets dedans pendant que le raton laveur descend des chevrons pour se percher sur mon épaule. Entendant des bruits de pas, et craignant qu'il ne s'agisse de Renard, je me retourne et vois mon père s'encadrer sur le seuil.

« Viens te promener avec moi », dit-il. Il a une expression sévère, et j'ai peur qu'il ne sache que je l'ai suivi l'autre soir quand il s'est levé au milieu de la nuit pour se rendre furtivement chez Petite Oie. J'aimerais que ces deux-là cessent de se cacher et se comportent comme un couple normal. Je ne comprends pas ce qui les en empêche.

« Ma fille, dit-il alors que nous marchons à travers le village et que mon raton laveur joue avec mes cheveux, tu sais que nous avons connu ici beaucoup de malheurs ces derniers temps. »

Je fais signe que oui.

« Il me semble que tout a commencé avec l'arrivée des Corbeaux. » Nous nous dirigeons vers les palissades. « La venue de l'atirenda a été une bonne chose pour tout le monde, je crois. Esprit-des-Pensées est suffisamment rétablie pour s'asseoir et parler, mais elle est encore faible. »

Nous franchissons les portes en direction des trois sœurs. Je me rends compte qu'il veut ajouter quelque chose, aussi je m'arrête. « Je t'écoute », dis-je.

La tête inclinée, les yeux étrécis, il me regarde, l'air de se demander comment je savais qu'il avait une idée en tête. Les hommes sont si faciles à percer à jour.

« Esprit-des-Pensées a rêvé que pour que la guérison soit complète, il fallait qu'elle donne un festin. »

J'aime les festins, et je le lui dis.

« Son rêve lui a précisé, reprend-il, ce qu'on devra manger au festin. »

Je suis impatiente de le savoir.

« Son rêve lui a dit qu'il faudra manger tous les animaux du village sauf les chiens. »

Mon raton laveur babille comme s'il trouvait cela drôle. « Je vais le relâcher demain, dis-je.

— Nous devons écouter les rêves. Nous n'avons pas le droit de mentir. Il n'en résulterait rien de bon.

— Mais c'est… (je cherche le mot)… c'est mon ami. » Comme pour le prouver, le raton laveur me tire l'oreille.

« Je suis désolé », dit mon père, le cueillant sur mon épaule.

Dort-Longtemps m'explique encore que parfois, les besoins du groupe comptent plus que ceux d'une seule personne. Je ne veux pas l'écouter. Elle enduit mes cheveux d'huile de tournesol et je pleure, le

416

visage enfoui dans mes mains, pendant que nous nous préparons pour le festin de ce soir.

« Je hais les festins ! dis-je. Je hais les gens ! » Ils ont tué mon raton laveur et ils veulent que je me joigne à eux pour le manger afin de réaliser le rêve d'une vieille femme qui manifestement me déteste.

« Ne pleure pas, Chutes-de-Neige, dit Dort-Longtemps. Tu t'apprêtais de toute façon à le relâcher dans la forêt. » Elle hésite. « Je suppose qu'il n'aurait pas survécu plus de quelques jours. »

Mes larmes n'en sont que plus amères.

Nous sommes tous réunis dans la maison d'Esprit-des-Pensées. Le garçon appelé Trouve-les-Villages assis à côté de Christophe Corbeau, et qui porte maintenant le nom bois-charbon d'Aaron, ne cesse de jeter des coups d'œil dans ma direction. Je refuse de manger. Je m'en fiche. Je voudrais crier à Trouve-les-Villages d'arrêter de me regarder. Il sourit. Je le maudis intérieurement et je détourne la tête.

Les ragoûts, annonce la vieille femme, contiennent de l'ours et du geai bleu, du serpent, de l'écureuil et de l'oie, du lapin, de la grenouille et de la colombe, et du raton laveur. Là, je regrette qu'elle aille mieux.

« Mon rêve m'a dit, poursuit-elle, que nous devions nous débarrasser de nos animaux de compagnie. Et voyez combien nous en avions ! » Elle montre les nombreuses marmites remplies à ras bord.

Les gens autour de moi rient.

« Oui, chez nous, nous devons nous débarrasser de nos animaux, répète-t-elle. C'était dans mon rêve. Nous sommes malades et il faut que nos habitations redeviennent propres. Nous devons en finir avec ces hôtes qui, croyions-nous, étaient les bienvenus dans nos maisons mais qui les ont souillées par leurs habitudes qui ne sont pas les nôtres. »

Je sens que les yeux de Trouve-les-Villages sont encore fixés sur moi. Il s'efforce de me faire comprendre quelque chose, mais je regarde Christophe Corbeau. Sous sa barbe bois-charbon, son visage est de la couleur du sang pendant qu'il observe Esprit-des-Pensées.

Mon père désigne de la tête mon bol plein. Dort-Longtemps me murmure qu'il faut au moins que je fasse semblant. Personne d'autre ne paraît avoir remarqué quoi que ce soit, mais je m'imagine le contraire.

« Je t'assure, dit Dort-Longtemps, que la marmite d'où on t'a servie n'est pas celle de ton raton laveur. C'est du ragoût d'ours.

— Tu me le promets ? »

Elle acquiesce. « Tu m'as déjà entendue mentir ? »

Je vais donc lui faire confiance. Je trempe la main dans mon bol. Mon père a l'air moins tendu. Je mange très lentement, si lentement qu'alors que je n'ai pas encore fini, les marmites sont déjà complètement vides.

Mon père se lève. Il remercie Esprit-des-Pensées pour son hospitalité, puis il dit qu'il a une très importante annonce à faire. Il baisse les yeux sur Cendres Chaudes qui met aussitôt deux doigts dans sa bouche. Ils sont moins enflés, mais les ongles n'ont pas encore commencé à repousser.

« J'ai beaucoup réfléchi, poursuit mon père, et j'ai

pris une décision au sujet de mon nouveau fils. Il m'est apparu qu'il était nécessaire de faire un autre sacrifice. »

Cendres Chaudes me supplie du regard de le sauver une fois de plus.

« Pour montrer combien notre peuple est généreux, je vais envoyer Cendres Chaudes vivre avec les bois-charbons dans leur nouveau village. J'espère qu'il les aidera à choisir un bon emplacement. »

Je suis soulagée, de même que Cendres Chaudes. Les gens en discutent entre eux, et nombreux sont ceux qui s'exclament : « Ah-ho ! » Christophe Corbeau semble content. Il sourit au garçon qui le regarde. Moi aussi, je suis contente. L'idée de l'avoir tout le temps ici me tracassait. Je préfère de beaucoup être seule. Renard se penche vers mon père, et je l'entends lui murmurer qu'il a pris une bonne et sage décision.

Une fois le festin terminé, je sors dans la nuit, souffrant de l'absence de mon raton laveur. Demain, on se lèvera tôt car il paraît que, si le temps se maintient, les gens du Peuple du Fer venus de loin arriveront. Nous n'allons pas tarder à récolter les trois sœurs et les hommes partiront vers les forêts et les lacs pour chasser et pêcher. Christophe Corbeau et les autres nous quitteront pour construire leur nouveau village avant la fin de la saison. Je me rends compte qu'il va me manquer.

J'ai presque atteint les palissades quand je sens que quelqu'un me suit. Je m'arrête et je me retourne, m'attendant plus ou moins à voir Petite Oie, mais ce n'est pas elle.

« Qu'est-ce que tu me veux, Trouve-les-Villages ?
je demande.

— Appelle-moi Aaron.

— Qu'est-ce que tu me veux, Aaron ? » J'aime la
façon dont le nom sonne sur ma langue.

Il me tend un grand sac de peau. « Je t'ai apporté
un cadeau avant de partir. » Je réalise alors que tous
deux, Cendres Chaudes et lui, vont suivre les Corbeaux.

« Je n'accepte rien de toi, dis-je.

— Ça te plaira, je t'assure. »

Hésitante, je prends le sac. Quelque chose se tortille à l'intérieur et je suis près de le lâcher.

« Ouvre-le, dit-il. N'aie pas peur. »

Je desserre le cordon et la tête de mon raton laveur
émerge par l'ouverture. Bavardant, il s'extirpe du sac
puis grimpe sur mon épaule.

De crainte de pleurer, je ne réussis qu'à balbutier :
« Comment… ?

— J'étais chargé de tuer et de dépouiller les
animaux pour le festin, répond Aaron. Esprit-des-
Pensées espérait que cette tâche m'encouragerait à
rester avec ma famille au lieu de m'en aller avec les
bois-charbons. J'ai reconnu ton raton laveur et je l'ai
caché pour te le donner. »

J'ai envie de l'étreindre. « Tu m'as fait un grand
plaisir. »

Il s'approche comme pour me toucher, mais il se
contente de dire : « Je dois partir, maintenant. » Il
commence à s'éloigner.

« Je viendrai te voir dans ton nouveau village ! »
je lui crie.

Dans le noir de la forêt, assise avec mon raton laveur, nous nous disons au revoir. « Sois fort ici, lui dis-je. Protège-toi et trouve-toi une bonne épouse. Fonde une famille. »

Nous restons longtemps là, et je crois qu'il comprend ce qui se passe. « Je ne peux plus te garder au village, sinon les gens te verraient et te mangeraient. Je fais ce qui est le mieux pour toi. » Il me tire les cheveux puis me donne un petit coup de patte sur la figure. « Je dois m'en aller, à présent, dis-je. Mon père va s'inquiéter et le soleil va bientôt se lever. Il faut que tu te caches bien pendant la journée. »

Je me mets debout et je le serre une dernière fois dans mes bras en respirant l'odeur sauvage de sa fourrure. Je me baisse pour le poser par terre et, alors qu'un hibou hulule, je le laisse et reprends le chemin de chez moi.

Capitaine de la Journée

Pendant les dix-sept mois qui se sont écoulés, mon Révérend Père, notre vie ici, dans le Nouveau Monde, a changé, et même radicalement changé depuis que nous vivons dans notre propre village en accord avec nos règles, nos lois et nos coutumes. Les donnés se sont révélés une véritable bénédiction. Ces vingt-quatre hommes travailleurs et accommodants qui exigent peu et respectent l'Évangile ont commencé à édifier ce qui promet d'être un endroit autonome et bien fortifié. Les douze frères convers arrivés avec eux se sont montrés plus qu'à la hauteur de leur tâche en nous aidant à explorer le pays des Hurons, et nous avons aussi un groupe de dix soldats qui passent l'hiver avec nous en attendant de retourner en Nouvelle-France au printemps. Nous nous sentons donc protégés et, sans jouir d'un grand luxe, nous avons au moins le sentiment d'être redevenus des Français civilisés.

Il paraît que dans le courant de l'été, plusieurs personnes nous rejoindront, dont un forgeron, en même temps que les animaux que nous attendons impatiemment. Je me représente avec amusement les poules et les cochons à bord des canots des Sauvages durant le voyage épuisant et périlleux.

Par ailleurs, quand nous ne participons pas à l'édification d'une communauté de lumière au sein des ténèbres, nous, les trois pères jésuites, continuons à aller prêcher la bonne parole. Alors que les Hurons de la nation de l'Ours, ceux qui nous ont si longtemps acceptés parmi eux, ont l'air content de nous revoir, les peuples des autres nations qui portent des noms comme Cerf, Rocher ou Corde paraissent beaucoup moins hospitaliers. Il semblerait qu'une épidémie de grippe sévisse chez eux, et qu'ils nous en rendent responsables. Malgré les dangers, nous persévérons cependant. Notre vie a souvent été menacée, et le pauvre père Isaac, qui a déjà si cruellement souffert, a été de nouveau frappé par des gens qui se prétendent nos alliés. Le père Gabriel n'a subi jusqu'à présent aucune violence, mais il a plusieurs fois affirmé qu'il l'accueillerait volontiers si telle était la volonté du Seigneur. Je n'imagine pas avoir meilleurs amis et frères pour m'aider à porter cette croix-là.

Je m'interromps pour reposer ma main. Assis sur une vraie chaise devant une vraie table fabriquée par un menuisier sur laquelle j'écris, je balaie du regard la pièce où un feu flambe dans la cheminée. Je pourrais presque me croire dans la demeure d'un paysan au cœur de la campagne française.

La neige tombe, mais j'ai besoin de prendre l'air. Un nouveau blizzard s'annonce. La neige qui s'accumule jusqu'en haut des palissades sert au moins de brise-vent. Le soleil à cette époque de l'année est bas sur l'horizon, et le peu de lumière qui filtre au travers des nuages me rend mélancolique. Mes pas crissent sur la surface gelée et je rentre la tête pour affronter le vent mordant qui souffle de la Mer d'eau douce.

Nous sommes tout près du rivage et tout juste à une journée de marche du village d'Oiseau, et même à plus courte distance en canot. Longeant le chemin qui va bientôt se fondre dans la blancheur environnante, j'essaie d'imaginer à quoi cet endroit ressemblera dans l'avenir. Nous avons déjà construit des bâtiments permanents en pierre et en bois. Une chapelle, un atelier de charpentier, un réfectoire pour les donnés et les frères lais qui sert également de cuisine, et même un grenier à grains pour les fermiers. Nous avons autorisé nos Sauvages à s'installer à côté de notre village, et ils ont bâti des maisons-longues ainsi que quelques habitations rondes plus petites pour les visiteurs. En plus des Hurons, nous avons attiré des Algonquins et des Anishinaabes. Nous avons décidé qu'il y aurait une maison-longue pour les chrétiens et une pour les non-chrétiens, séparées par une clôture, et c'est volontairement que celle réservée aux chrétiens est plus grande et plus solide. Beaucoup de familles sont venues à nous au cours de cette année, et le nombre des convertis se monte à plus d'une vingtaine. Tout autant de non-chrétiens ont frappé à notre porte pour réclamer de l'aide. Nous ne pouvions pas les chasser et nous nous efforçons chaque jour de les amener à Dieu.

Lorsque le temps le permettra, je parcourrai cette contrée reculée pour sauver d'autres âmes. J'en ai parlé à Isaac et Gabriel qui, eux, préfèrent rester en sécurité dans notre nouveau village à attendre que les Sauvages viennent nous trouver. Je leur ai dit que nous devons continuer à nous aventurer dans le pays des Hurons pour montrer que nous ne craignons pas les dangers physiques ni les maléfices de leur monde.

Je me dirige vers le réfectoire. Après avoir tapé du pied pour débarrasser mes chaussures de la neige, j'entre. Un grand feu brûle dans la cheminée et des hommes sont assis autour d'une table. Les frères convers forment un groupe un peu rude, et ils n'aiment pas se mêler aux Sauvages.

« Bonjour, mon père », dit l'un d'eux. Les autres me saluent d'un hochement de tête.

« Avez-vous vu le père Isaac et le père Gabriel ? » je demande.

Ils font signe que non. Quoiqu'ils me manifestent toutes les marques extérieures du respect, je sens souvent chez eux une certaine animosité et peut-être même de la colère envers moi. J'ignore pourquoi, car je les ai toujours bien traités. Il me faut supposer que cela vient de ce qu'ils ont passé un long hiver enfermés avec les animaux dans une grange, ajouté à ce qu'ils ont réalisé qu'ils étaient condamnés à vivre dans ce lieu désolé sans guère de chances de revoir un jour leur pays. C'est ainsi. Vous avez un plan, Seigneur, pour chacun d'entre nous, et nous sommes ici pour nous y conformer.

Au moment où je sors, le jeune Iroquois appelé auparavant Cendres Chaudes et que nous avons baptisé Joseph me fait sursauter en surgissant de derrière le mur du réfectoire, un sourire idiot aux lèvres. Je crois qu'il a perdu en partie la raison au cours de cette horrible nuit où il a vu ses parents si cruellement torturés.

« Qu'y a-t-il à manger ce soir, mon père ? demande-t-il.

— Nous dînerons frugalement, Joseph. Car l'hiver

est encore long et nous ne pourrons rien récolter avant le printemps.

— Aaron a été méchant avec moi », reprend le garçon. Il prononce Aaron avec les inflexions gutturales de son peuple. « Il a dit que j'avais l'esprit dérangé et que je devais le laisser tranquille.

— Où est-il ? » Aaron est ma première véritable victoire.

Joseph détourne le regard, signe qu'il ne sait pas ou qu'il ne veut pas me le dire.

« Bon, et sais-tu où est Dalila ?

— La dernière fois que je l'ai vue, elle était dans la maison-longue en train de coudre. » Joseph met les doigts dans sa bouche, une habitude qu'il a prise, je présume, depuis qu'Oiseau lui a arraché les ongles. Il est évident que cela l'apaise. Malgré le froid glacial, il n'est vêtu que d'une tunique et de jambières en peau. Je lui ai déjà demandé comment il arrivait à supporter un froid pareil dans une tenue aussi légère, et tout ce qu'il m'a répondu, c'est qu'il sentait toujours la chaleur du feu qui a brûlé ses parents.

« Il faut que je parle à Dalila, dis-je, me dirigeant vers la maison-longue.

— Je t'accompagne, dit Joseph.

— J'aimerais mieux que tu restes ici. » Ce n'est pas sa faute, mais au bout de quelques minutes, ce garçon commence à m'exaspérer. Je Vous promets, Seigneur, que dès demain, je vais m'efforcer de faire preuve de plus de patience. « Pourquoi ne rentres-tu pas dans la maison où l'on mange pour saluer le Capitaine de la Journée ? »

Son regard s'éclaire, puis il fronce les sourcils.

« Les hommes velus me chasseront. Et si je n'obéis pas, ils me battront.

— Dis-leur que tu viens sur mon ordre. » Je pars voir Dalila.

À notre surprise commune, elle est venue ici avec nous, suite à la promesse qu'elle avait faite il y a tellement longtemps de se convertir si cela devait sauver sa famille. Elle est cependant peu fiable, c'est le moins que l'on puisse dire, et les siens lui manquent tant qu'elle est toujours abîmée dans une profonde tristesse. Même l'engagement que j'ai pris de l'emmener lors de notre prochaine expédition dans son village ne lui a pas beaucoup remonté le moral.

Et une fois encore, dès que je pénètre dans sa maison-longue, elle déclare d'une voix mouillée de larmes : « Je vais mourir sans les avoir revus.

— Si nous arrivons à les gagner à nous, tu les reverras », je lui affirme. Cette tactique, cependant, n'a pas encore porté ses fruits. Les autres Hurons sont blottis autour de leurs feux, l'air effrayés et affamés. Des enfants pleurent.

« Presque tous ont mal au ventre, dit Dalila. Les enfants se souillent plusieurs fois par jour, et j'ai peur que les adultes soient touchés à leur tour.

— Nous allons vous donner la médecine que nous avons, mais je tiens surtout à te dire que tu dois continuer à avoir foi en le Grand Génie. Il sait tout, et si tu places ta confiance en Lui, Il ne permettra pas que tu souffres. »

Dalila me dévisage. Elle désirerait me dire quelque chose, mais elle n'ose pas.

« Vas-y, parle, je l'encourage.

— Je voudrais rentrer chez moi, dit-elle. Mais maintenant, je ne peux plus. Et même si je pouvais, je ne ferais qu'apporter la maladie dont nous sommes atteints et qui tuera ceux que j'aime. » Elle étouffe un sanglot.

J'ai envie de lui reprocher de nourrir de telles pensées, mais je la laisse poursuivre.

« Et comme je t'ai fait une promesse, j'ai l'impression d'être caressée par des charbons ardents. Je ne romprai pas ma promesse, mais j'ai peur non seulement qu'elle me condamne moi, mais aussi qu'elle condamne ceux avec qui je souhaite rester pour toujours. »

Je m'apprête à répliquer, mais elle se lève soudain et reprend :

« Je ne veux pas discuter. Je veux simplement faire ce que tu me demandes. » Elle hésite à partir. « Il va arriver quelque chose de terrible. Je crains même que ce soit déjà là. Ce qui vient marquera notre fin, et la vôtre aussi. Mais mes rêves me disent que c'est ce que vous espérez. »

Ses paroles me stupéfient. Je me lève à mon tour, pris de vertige. J'ai tout à coup mal au ventre, puis des nausées. Plié en deux, me retenant de vomir, je sors en courant de la maison-longue enfumée.

« Les Sauvages, dit Gabriel à la table du dîner, ont des mauvaises manières, et je suis convaincu que mon stratagème marchera. »

Isaac et moi, ainsi que plusieurs donnés et frères convers, l'écoutons avec attention. Il est certes vrai que nous leur répétons en vain qu'ils ne peuvent pas, comme ils en ont l'habitude, faire irruption chez nous à toute heure du jour ou de la nuit, ce qui commence à énerver les donnés.

« Avez-vous noté la fascination que cette horloge exerce sur eux ? » poursuit Gabriel.

Cadeau d'un donateur de la vieille Europe destiné à nous rappeler que notre temps sur cette terre est compté, il s'agit d'une petite horloge munie d'un cadran dépourvu d'ornements qui, posée sur la tablette de la cheminée, égrène les secondes. Je suis étonné qu'elle ait survécu au voyage et qu'elle fonctionne encore.

« Ils croient qu'elle est magique, dit Gabriel. Dans leur simplicité, ils s'imaginent qu'elle est possédée par un esprit et qu'elle a une âme, une magie comme ils n'en ont encore jamais vu. »

Des rires fusent.

« Ils ont davantage foi en cette horloge qu'en Dieu. Aussi, je m'en suis servi pour me livrer à une petite expérience avec l'un d'eux.

— Racontez-nous, le prie l'un des donnés.

— J'ai choisi Joseph, sans doute le pire du lot qui vient à n'importe quelle heure nous déranger avec ses bavardages. »

Plusieurs hommes opinent de la tête.

« Il est l'un de ceux que l'horloge captive le plus. Je lui ai dit qu'elle s'appelait Capitaine de la Journée et qu'il devait lui obéir. Quand l'horloge a été sur le point de sonner l'heure, j'ai feint de lui en intimer l'ordre. J'ai crié : "Parle-moi, Capitaine de la Journée !", et quand elle a sonné, Joseph est resté muet de peur et de stupéfaction. Et ensuite, juste avant qu'elle ne sonne le dernier coup, je lui ai commandé d'arrêter. » Gabriel sourit. « Et j'ai dit ensuite à Joseph que l'horloge lui indiquait ainsi qu'il était temps pour lui de partir.

— Et il est parti ? demande un autre donné.

— Sur-le-champ, répond Gabriel, soulevant des éclats de rire.

— C'est en effet une amusante mystification, interviens-je, mais pourquoi ne pas en profiter pour les amener à Dieu ? »

L'un des donnés proteste en grognant et je lui décoche un regard sévère.

« Nous allons utiliser l'horloge pour les faire venir à la messe le matin et le soir, dis-je. Et également pour leur rappeler l'heure du dîner. Et s'ils ne lui obéissent pas et n'assistent pas aux offices, le Capitaine de la Journée les privera de dîner. »

Mon idée a l'air de séduire les hommes.

« Et quand ce sera le moment qu'ils s'en aillent et nous laissent un peu tranquilles, ajoute Gabriel, nous leur dirons que le Capitaine de la Journée leur ordonne de rentrer chez eux.

— Il faut immédiatement mettre ce stratagème en pratique », conclus-je.

L'hiver s'étire, et le froid brutal s'installe durant tout le mois de février. La maladie qui frappe tant de nos Sauvages nous montre à nous aussi son horrible visage. Il s'agit d'une grippe accompagnée de fortes fièvres, de vomissements et de diarrhées. Alors que les donnés en souffrent pendant une semaine ou deux avant que leur état ne s'améliore assez vite, nombre de Hurons en meurent. Je perds mes brebis juste au moment où mon troupeau semblait s'agrandir. Isaac, Gabriel et moi avons administré l'extrême-onction à huit reprises au cours de ces deux dernières semaines. Nous avons tous de la fièvre. Le sol est trop profondément gelé pour que nous puissions enterrer les morts, si bien que nous les entreposons dans l'une des petites maisons construites à l'intention des visiteurs.

Malgré les malheurs qui se sont abattus sur eux, ceux qui tiennent encore debout continuent à venir voir le Capitaine de la Journée, leur seul amusement en cet hiver sinistre.

Ces pauvres gens, et surtout les enfants, patientent souvent près d'une heure pour l'entendre sonner à leur grand émerveillement. Gabriel a mis au point tout un programme : l'horloge leur indique le moment d'aller à la messe, de faire chauffer les marmites ou de rentrer chez eux. Jusqu'à présent, cela produit d'excellents résultats.

Aujourd'hui, j'observe mes ouailles qui attendent le carillon annonçant l'office du soir. Beaucoup sont en nage et toussent. J'ai pris personnellement en charge la gestion de nos magasins, et je prie, Seigneur, pour que Vous nous fournissiez ce dont nous avons besoin. Le printemps paraît aussi loin que notre douce France, tandis que le vent mugit et que les rafales de neige ébranlent les volets du réfectoire.

Aaron demande l'autorisation de poser une question au Capitaine de la Journée la prochaine fois que celui-ci parlera. Gabriel me consulte du regard et je secoue la tête. Nous n'allons pas jouer les devins ni créer de fausses idoles. À l'instant où je me dis cela, je me sens pâlir. Mon Dieu, ce stratagème serait-il indigne ? Il ne faut pas que je laisse la fatigue et la peur influer sur le cours préordonné des événements. Cette horloge, conçue par un homme dévoué à Notre-Seigneur, pourrait fort bien être la clé permettant d'ouvrir à ces pauvres hères les portes du salut.

« Écoutez-moi avec attention, mes chères ouailles, leur dis-je. Le Capitaine de la Journée que vous avez devant vous n'est qu'une infime partie de la magie qu'est le Grand Génie. Il n'est que la plus petite brindille de l'immense maison-longue où Il habite. » Tremblants, blottis par terre les uns contre les autres, ils lèvent les yeux vers moi. « Quand il parle, le Capitaine de la Journée vous demande de croire en ce que le Grand Génie vous enjoint de croire. Le Capitaine de la Journée ne pense pas que le moment soit venu d'entamer le dialogue avec vous. » Je m'interromps, et comme je désigne l'horloge, ils tournent vers elle leurs visages amaigris. « Il m'a dit qu'il s'exprimait au nom du Grand Génie. Aussi, quand vous l'entendez, il veut vous rappeler que le Grand Génie attend pour s'adresser à vous que votre corps s'arrête et que vous entriez dans Son royaume. »

Joseph enlève les doigts de sa bouche. « Pour entendre le grand génie, nous devons donc mourir ?

— Oui. Pour L'entendre pleinement, il le faut.

— Dans ce cas, j'espère que sa voix est vraiment puissante », marmonne quelqu'un. Sa remarque est accueillie par quelques rires entrecoupés de toux.

Même malades, ils éprouvent encore la force de plaisanter.

« Soyez sûrs qu'elle l'est », dis-je.

Gabriel s'écrie alors : « Capitaine de la Journée ! Parle-nous ! »

L'horloge sonne cinq coups.

« Qu'est-ce qu'il t'a dit ? » demande Joseph.

L'index sur le menton, Gabriel répond : « Le Capitaine de la Journée m'a dit que la nuit approchait et qu'il était temps que vous vous leviez pour regagner vos maisons-longues. »

La bête qui nous traque

Cet hiver, la nouvelle maladie nous a mis à terre, mais la terre est trop gelée pour recevoir nos morts qui s'empilent près des maisons-longues sans vie. Nous sommes dévorés vivants par un animal invisible, un animal qui s'insinue dans nos poumons et nous fait cracher du sang lorsque nous toussons, qui nous donne des yeux de la couleur de charbons ardents et des gorges si enflées que nous ne pouvons plus avaler. Chaque habitation se barricade pour résister aux assauts des tempêtes hivernales. Et chaque famille étendue s'en sert comme prétexte pour ne pas ouvrir sa porte et accueillir ses voisins. Ce que nous craignons en réalité, c'est la bête qui nous traque. Ce que nous craignons, c'est qu'elle se dissimule dans les vêtements de nos amis ou jusque dans leur haleine. Je vois ces familles saisies de frissons, puis avoir aussi chaud que si un feu brûlait sous leur peau. Les personnes-médecine se relaient pour venir dans les maisons-longues avec leurs crécelles de carapace de tortue et leurs poudres, or même elles sont incapables de débusquer la bête. Laquelle s'est maintenant introduite chez moi.

J'ai surveillé Chutes-de-Neige de près, guettant l'apparition de douleurs ou de toux, mais elle semble en parfaite santé. J'insiste pourtant pour qu'elle boive l'infusion de racines que Petite Oie a préparée. J'aimerais que tout le monde en boive, mais il n'y en a pas beaucoup, et Petite Oie ne peut pas trouver davantage de ces plantes en plein hiver. C'est Renard, mon frère, qui le premier est pris au milieu de la nuit d'une quinte de toux qui me réveille en sursaut aussi sûrement que l'auraient fait les bruits de pas d'un Haudenosaunee. J'imagine que les yeux de chacun se sont ouverts tout grand quand il a de nouveau toussé sur sa plate-forme de sommeil à côté de la mienne. Sa femme lui murmure quelque chose et il lui répond par des paroles indistinctes avant de se remettre à tousser plus fort. Une fois qu'il s'est calmé, j'essaie de dormir, mais je n'y arrive pas.

Lorsque la pâle lumière du matin filtre enfin par les trous de cheminée, je réveille Chutes-de-Neige. Elle aime dormir et je la laisse en général profiter de son sommeil, mais aujourd'hui, j'ai une tâche à lui confier.

« Fille, dis-je. Iras-tu voir Petite Oie ? »

Emmitouflée dans sa fourrure de nuit, les cheveux emmêlés, elle se tourne vers moi. « Que veux-tu lui demander ?

— Un service. La maladie a frappé la maison-longue, et je voudrais sa médecine.

— Pourquoi ne pas aller le lui demander toi-même ?

— Tu t'entends bien avec elle, réponds-je. Et je lui ai déjà tant demandé. C'est parfois le rôle d'une

435

femme de réclamer à une autre femme ce dont elle a besoin.

— J'ai besoin de sa médecine ? s'étonne Chutes-de-Neige.

— Nous en avons tous besoin. » J'hésite un instant. « Ma fille, je souhaiterais aussi que tu lui demandes si tu peux demeurer quelque temps avec elle.

— Tu es fâché contre moi ? »

Je secoue la tête en riant. « Pas du tout. Je ne pense qu'à toi. Personne n'a le pouvoir de protéger tout le monde, mais Petite Oie... je crois qu'elle est différente.

— Je ne veux pas partir, dit-elle. Je veux rester ici. »

La vie a tellement changé depuis les années où elle n'était qu'un petit animal sauvage. Elle a grandi, et même si elle est encore sauvage, elle a au moins la patience de laisser un étranger l'approcher sans passer tout de suite à l'attaque. « Tu pourras apprendre beaucoup de Petite Oie en étant auprès d'elle. Elle a beaucoup à transmettre.

— Non, dit Chutes-de-Neige. Pour le moment, ma place est ici. Ce que je dois savoir, je l'apprendrai en restant. »

Je la préviens : « Ce que tu vas voir et éprouver ne sera pas facile à supporter. Nous perdrons certains de ceux que nous aimons. »

Son front s'assombrit. « Je sais, dit-elle enfin.

— Iras-tu quand même demander à Petite Oie si elle a encore des racines-médecine pour Renard ? »

Chutes-de-Neige fait signe que oui et descend de sa natte.

Je me penche au-dessus de Renard avec l'infusion de Petite Oie. Elle m'a prévenu que ce serait peut-être déjà trop tard. Il faut néanmoins que j'essaie. Le visage émacié, luisant de sueur, il délire et ne me reconnaît pas. Il appelle sa femme qui, debout derrière moi, se tord les mains. Lorsque je porte la tasse à ses lèvres, il me repousse et quelques gouttes du breuvage coulent sur sa joue.

« Tu vas devoir le tenir », dis-je à son épouse. Elle s'accroupit et lui tient la tête pendant que je lui cloue les bras au sol à l'aide de mes genoux. J'approche de nouveau la tasse de sa bouche et le force à boire. Il ne se débat plus et avale quelques petites gorgées. Alors que la tasse est presque vide, il se met à tousser et nous projette dans la figure une pluie de gouttelettes d'infusion mêlée de salive. J'attends qu'il se calme, puis je lui donne le reste à boire.

Il n'y a rien d'autre à faire sinon le couvrir et attendre dans l'espoir que la maladie ne se propage pas. Malheureusement, le lendemain, j'entends sa femme tousser ainsi que ses trois enfants qui se mettent à pleurer. Glissant une petite racine dans mon sac pour Chutes-de-Neige au cas où elle serait à son tour atteinte, je fais bouillir le reste pour la famille de Renard.

Je les veille toute la journée et toute la nuit, priant Aataentsic et Iouskeha, son brave fils, de leur accorder encore du temps à marcher sur cette terre. Et je te prie toi, mon amour, de porter ce message à Femme-Ciel en espérant qu'elle l'entendra.

Le matin venu, deux des enfants de Renard gisent,

immobiles, le visage figé dans la mort. Je les porte dehors l'un après l'autre, enveloppés dans leur fourrure de castor, et je les étends dans le froid sur le seuil de la maison-longue pour que leurs corps ne se décomposent pas avant qu'on puisse les enterrer.

Renard et sa femme n'émergent de leur inconscience que pour crier ou gémir. Quand ils se souillent, je les nettoie de mon mieux. Je tâche de leur faire avaler un peu d'ottet, mais seul Renard en mange quelques petites bouchées. Le soir, à l'heure qui serait normalement celle du dîner, je constate que l'aîné de leurs enfants ne bouge plus. Il était l'orgueil de son père et il se montrait très doué à l'arc. Je l'enroule dans sa couverture et je vais l'allonger à côté de ses cadets.

Chutes-de-Neige s'approche tandis que je chante doucement au chevet de Renard et de sa femme qui semblent ne plus bouger. « Je peux faire quelque chose ? » demande-t-elle.

Je secoue la tête. « Je veux juste que tu ailles chez Petite Oie jusqu'à ce que les choses s'améliorent.

— À quoi ça servira ? »

Elle a sans doute raison, mais je ne le lui dirai pas. « S'il te plaît, ce n'est pas le moment de discuter. »

Chutes-de-Neige se tourne pour partir. C'est pour son bien.

Je me réveille à l'aube au son étouffé d'un chant de deuil. Je me rends compte que je me suis endormi sur la natte de la famille de Renard qui, couché à côté de moi, les yeux grands ouverts, chante en berçant sa femme. À son bras raidi qui dépasse des fourrures, je sais qu'elle est passée dans l'autre monde au cours de la nuit. J'écoute Renard chanter pour ses trois enfants et son épouse. Je transpire alors même que le feu que personne n'a alimenté s'est éteint. Je tousse, et mon haleine forme un panache devant moi. Avec le peu de forces qui me restent, je me redresse tandis qu'une quinte de toux m'arrache la poitrine. Je tends la main pour la poser un instant sur la tête de mon ami avant de me traîner sur ma natte. Frissonnant, je me glisse sous ma couverture, espérant que quelqu'un va rallumer le feu.

Je brûle et je ne peux plus respirer. Quelqu'un a remis du bois dans le feu pour me rôtir, caressé par les flammes. Je vois les visages de mes deux ennemis que je croyais pourtant morts. Agenouillés au-dessus de moi, ils sourient. Ils veulent m'enfoncer quelque chose dans la gorge. Du poison. De mes bras lourds comme des troncs d'arbre, je tente de les repousser. L'un me plaque au sol pendant que l'autre me soulève la tête pour verser un liquide chaud dans ma gorge. C'est bouillant et je le recrache. Ils recommencent et me tiennent la bouche fermée pour m'obliger à avaler. Ils vont me tuer. Je fredonne mon chant de mort.

Claquant si violemment des dents qu'elles risquent de se casser, je me réveille. Un feu brûle encore, mais il n'y a pas le moindre bruit. Ce doit être la nuit. Je suis sûr que tout le monde est mort et qu'il ne reste plus que moi. Je ne tarderai pas à les rejoindre, et j'essaie de lancer mon chant funèbre, mais je tremble tant que rien ne sort de ma gorge. Je me demande où se trouvent mes deux ennemis. Sont-ils là tout près, à guetter ? J'entends des pas approcher. Dressant un peu la tête, je constate qu'il s'agit de Porte-une-

Hache, le fils de Grands Arbres. L'été dernier, il a voulu partir en traite avec nous, mais j'ai estimé qu'il était encore trop jeune. Il remet du bois dans mon feu. Il espère que si je survis, je tiendrai compte de sa gentillesse et de son courage, lui qui m'a soigné pendant ma maladie. Il me faut une autre couverture. La mienne est vieille, les peaux de castor sont tout élimées. Je veux le lui dire, mais les frissons m'empêchent de parler. Je ferme les yeux.

Je sens mon corps se soulever de ma natte, flotter autour de la pièce puis quitter la maison-longue et survoler le village. Aucun feu ne brûle plus. Nous sommes tous morts. Je me laisse emporter loin, vers le rivage de la Mer d'eau douce, blanche et gelée, jusqu'à un autre village, mort lui aussi. Il fait nuit noire à présent, et je cherche une lumière, de la chaleur, quelque chose qui m'attirerait au sol. Il n'y a que le ciel nocturne et la neige qui étincelle au clair d'une demi-lune.

Toute la nuit, je vole, en quête d'une lueur de vie. J'aperçois parfois des animaux qui chassent dans les ténèbres, des loups qui cernent une biche pleine, des chouettes qui décrivent des cercles pour fondre sur les mulots qui s'aventurent hors de leurs terriers, des lynx aux yeux jaunes qui, sur leurs coussinets, s'approchent en silence pour bondir sur les lièvres. Je plane au-dessus de la blancheur de la mer intérieure, et quand je regarde en bas, mes yeux percent la couche de glace et je vois les grands poissons qui évoluent lentement dans l'eau glaciale, des bancs entiers, leur faim atténuée par le besoin de continuer à bouger, si bien que les petits poissons, leur future

440

nourriture une fois le printemps revenu, sont obligés de nager au milieu d'eux.

Comme je claque de nouveau des dents, je monte vers la demi-lune, mais elle ne diffuse aucune chaleur. Je traverse le monde gelé, à la recherche de quelque chose, la lueur d'un feu, puis à bout de forces, je suis sur le point de perdre espoir quand soudain le sol semble foncer vers moi, tandis que je rase la cime des arbres, et je comprends alors que je vais peut-être m'écraser parmi les branches qui vont me déchiqueter. Je tombe, je tremble de froid, j'ai besoin de chaleur, mais je ne vois que la forêt ombreuse et les rochers vers lesquels je me précipite. Je ferme les yeux tout en sachant qu'ils sont restés tout le temps fermés. Derrière mes paupières, je distingue l'éclat des flammes, et quand je les ouvre en clignant, je distingue d'étranges maisons de pierre au-dessous de moi. Je repère un large trou de cheminée crachant dans le ciel des braises rougeoyantes et je plonge dedans pour atterrir droit dans l'âtre où, enfin, j'ai chaud, et autour du feu brûlant, je reconnais des visages familiers. Ceux du Corbeau et de ses deux aides. Installés à une table chargée de nourriture, ils plaisantent entre eux. D'autres gens du Peuple du Fer à la figure velue circulent dans cette habitation bizarre. Un curieux objet arrondi émet un petit bruit sec au rythme d'un tambour, et Chutes-de-Neige et Porte-une-Hache, assis à côté des Corbeaux, le regardent. Quand l'un des Corbeaux s'adresse à elle, la chose répond d'une voix très étrange. Le sourire qui illumine alors le visage de Chutes-de-Neige me fait sourire à mon tour. Je suis bien au chaud, et à la

441

vue de cette abondance, je me sens repu. Aucun de ces hommes ni ma fille ne sont malades, ni même ne toussent. Je peux fermer les yeux et me reposer à la chaleur de ce foyer. Ici, tout étonné que je sois, j'ai le sentiment d'être en sécurité.

J'ouvre les paupières. La maison-longue est silencieuse. J'ignore si la faible clarté est celle du petit matin ou celle du début de soirée. Ma fièvre est tombée. Je sens sur mon corps l'odeur de la maladie, et quand j'essaie de me redresser, ma peau hurle encore. Dans la pénombre, j'entends quelqu'un tousser et un enfant pleurer. Cette maladie qui nous couvre de cloques suintantes est pire que toutes celles qui nous ont frappés. Je réussis à m'asseoir. La gorge me brûle et je meurs de soif.

Descendant de ma natte, je vois qu'on a alimenté le feu, et je me rappelle alors Porte-une-Hache. L'emplacement de la famille de Renard est vide, mais je remarque plus loin quelques silhouettes blotties les unes contre les autres. Je plonge un petit seau en bouleau dans le grand qui contient de l'eau. On a dû le remplir de neige il y a peu de temps. L'eau glacée apaise la brûlure de ma gorge. J'ai tellement soif que je viderais bien tout le seau, mais je sais que cela ne me ferait que vomir. J'ai l'estomac trop fragile. J'ai l'impression qu'il suffirait que je tousse une fois pour qu'il se déchire. Prenant un nouveau seau d'eau, je le verse sur ma tête, ce qui me revigore un peu. Après m'être débarrassé de mon pagne et de mes jambières, je me lave à la lueur et la chaleur des flammes.

Dehors, c'est la nuit qui vient et non pas le matin comme je l'espérais. Marchant dans le crépuscule, je crois vivre un mauvais rêve. Il ne neige plus, mais la couche sur le chemin est épaisse. Des feux brûlent dans seulement moins de la moitié des maisons-longues. La maladie, cette bête, s'est montrée bien cruelle, et elle n'a pas encore fini de se repaître.

Des volutes de fumée planent au-dessus du wigwam de Petite Oie. J'entre. Assises autour du feu, Chutes-de-Neige et elle discutent avec Porte-une-Hache. Tous trois paraissent en bonne santé, et ils sourient quand ils me voient debout sur le seuil.

« Viens t'installer à côté du feu pour te réchauffer, m'invite Petite Oie.

— Ta fièvre est enfin tombée, dit Chutes-de-Neige. Nous t'avons laissé tout à l'heure quand nous avons constaté que tu allais mieux.

— Tu t'es drôlement débattu quand nous avons essayé de te faire boire la médecine, ajoute Porte-une-Hache. Tu m'as appelé ton ennemi. Je suppose que dans ton délire, tu m'as pris pour un Haudeno-saunee. »

Je m'assois auprès d'eux. « Et ta famille ? je demande au garçon.

— Mon père et ma mère ont survécu. » Il s'interrompt et essuie une larme. « Mais j'ai perdu mes deux sœurs. »

Je crains qu'il ne se mette à sangloter, mais il se reprend.

« Mon père a retrouvé assez de forces pour aller chasser le cerf avec Renard. Et comme Renard ne tenait pas à quitter ton chevet, mon père m'a demandé de m'occuper de toi pendant leur absence. Nous avons besoin de viande fraîche.

443

« — J'ai déliré pendant combien de temps ?

— Quatre jours, répond Petite Oie. Un moment, j'ai cru que tu ne t'en sortirais pas. Tiens, il faut que tu manges. » Elle se penche au-dessus de sa marmite et verse un peu de bouillon dans une tasse en écorce de bouleau.

Nous demeurons quelques instants silencieux, puis je dis : « Nous n'en avons pas encore terminé avec la maladie. J'ai rêvé d'un endroit sûr pour toi, Chutes-de-Neige.

— Je ne veux pas partir, dit-elle.

— Dans mon rêve, poursuis-je, Porte-une-Hache était avec toi. »

Tous deux échangent un regard.

Petite Oie aussi l'a remarqué. « Et où ton rêve t'a-t-il dit qu'ils devaient aller ? me demande-t-elle, l'air amusé.

— Au village des Corbeaux. »

Petite Oie elle-même paraît surprise. « Il n'est pas nécessaire d'écouter tous les rêves, dit-elle.

— Celui-là était puissant. Tout le monde semblait fort dans le mien.

— Certains rêves exigent qu'on s'y conforme, insiste Petite Oie. D'autres ne sont que des images de ce que sera l'avenir et non de ce qui doit être fait. »

Je médite ces paroles tout en buvant mon bouillon à petites gorgées. « Je ne comprends pas », finis-je par déclarer.

Elles éclatent de rire. « Tu as raison, Petite Oie, dit ma fille. À propos des hommes. »

Je me tourne vers Porte-une-Hache. Il paraît tout aussi déconcerté que moi.

« Ce que Petite Oie veut dire, explique Chutes-de-Neige, c'est que ton rêve reflète peut-être uniquement ce que tu désires et non pas ce qui doit être fait. »

Je la regarde, puis je regarde Petite Oie. « C'est ma fille qui donne des leçons, maintenant ? »

Porte-une-Hache met sa main devant sa bouche pour dissimuler un sourire.

« C'est ton rêve, dit Petite Oie. Et c'est ta fille. La décision vous appartient. »

Je songe à la mort de la famille de Renard, à toutes les maisons-longues de notre village plongées dans le noir, au temps qu'il nous faudra pour enterrer nos morts quand la neige fondra.

« Je voudrais que mon rêve se réalise, dis-je. Porte-une-Hache, je te demande d'accompagner ma fille au village des Corbeaux. »

De nouveau, ils échangent un regard, puis Chutes-de-Neige se tourne vers Petite Oie qui se contente de sourire.

« Je vais peut-être me joindre à vous, dit-elle en jetant un coup d'œil dans ma direction.

— Mais je ne t'ai pas vue là-bas dans mon rêve, dis-je.

— Peut-être parce que je ne désirais pas que tu me voies. »

Il en sera donc ainsi.

Maintenant que le dégel a commencé, les familles de notre village s'occupent de leurs morts. J'aide Renard à plier les bras et les jambes de sa femme, de son fils et de ses deux filles pour qu'ils soient dans la position des enfants dans le ventre de leur mère, puis nous les enroulons avec amour dans leurs fourrures de castor pour qu'ils aient bien chaud. Nous les portons ensuite jusqu'à l'ossuaire que la communauté a creusé. Nous enterrons ensemble tous nos êtres aimés afin qu'ils se tiennent compagnie, et nous mettons dans la fosse nos biens les plus précieux pour qu'ils ne manquent de rien dans l'autre monde.

Renard y descend pour s'assurer que les membres de sa famille soient placés côte à côte en se touchant, chacun entouré des objets qu'il chérissait dans la vie. Il y a les alênes à coudre auxquelles sa femme tenait particulièrement et le couteau à écharner, cadeau de sa mère, le bol de pierre et le pilon qui lui servaient à piler le maïs, la marmite obtenue auprès du Peuple du Fer contre cent peaux de castor où, pendant tant de saisons, elle a fait la cuisine pour sa famille et moi. Son fils a son arc et son carquois en travers de la poitrine, de même que le poignard préféré de son père. Quant à ses filles, elles ont des perles brillantes, des poupées en enveloppes de maïs, des plumes d'aigle et les petits sacs en peau tannée que leur père leur a confectionnés. Il pose aussi tout près d'eux son meilleur filet de pêche, puis il prend sa blague à tabac qu'il met également sur la poitrine de son fils.

Autour de nous, les familles se livrent au même rituel. Le silence règne et on n'entend plus que quelques sanglots étouffés. Nous avons soigneusement emmitouflé nos morts, nous leur avons donné tout ce dont ils auront besoin, espérons-nous, et nous leur murmurons que nous les rejoindrons bientôt, aussi les prions-nous de guetter notre arrivée quand nous passerons à notre tour de l'autre côté.

Notre village autrefois si grand ressemble désormais à un enfant perdu errant à la recherche de ses parents. Nous faisons cercle autour de l'ossuaire comme si nous ne formions qu'un seul être, le regard baissé sur nos morts. Ce sont les femmes qui commencent : elles pleurent, tremblent et chantent, et nous nous joignons à elles, nous frappant la poitrine et chantant pour nos chers disparus, afin que leurs okis quittent leur corps et se rendent dans le monde des esprits. Nous prions pour l'âme qui restera près de nous et près du village, et pour l'autre âme qui partira loin. Les hommes se battent la poitrine, le ventre, les cuisses, chantent à pleins poumons, et certains tapent sur des tambours tandis que d'autres agitent des crécelles. Les femmes poussent des gémissements et versent des torrents de larmes, nous nous vidons du chagrin qui nous a envahis depuis les premiers assauts de la maladie et nous supplions l'orenda de nos bien-aimés de s'élever pour que leurs âmes puissent voyager de concert vers cet endroit meilleur. Nous pleurons en espérant leur avoir donné assez pour qu'ils se débrouillent là-bas, et quelques-uns d'entre nous pleurent parce qu'ils auraient voulu les accompagner. Quand je me tourne vers Renard, je vois que c'est son cas. Maintenant, mon amour, il comprend le chagrin que j'éprouve depuis si longtemps, et il comprend pour m'avoir observé toutes ces années que ce chagrin ne s'efface jamais complètement, qu'il croît et décroît comme la lune, et lorsque nos regards se rencontrent, nous savons que nos morts et notre désir d'être de nouveau réunis avec nos bien-aimés disparus font de nous de vrais frères.

Les femmes qui préparent les champs en vue des semailles sont à présent beaucoup moins nombreuses. Les hommes qui déboisent pour dégager des terres cultivables sont également beaucoup moins nombreux. Et les bouches à nourrir elles aussi sont beaucoup moins nombreuses, plaisante amèrement Renard. Nous faisons, lui et moi, ce que nous avons l'habitude de faire chaque printemps depuis que nous sommes petits : parler de l'été à venir, assis tard le soir autour du feu. Bien sûr, la situation n'est plus la même. Silencieux, nous fixons longuement les flammes. L'été dernier, nous avons vécu notre plus belle aventure et, de notre vie, nous ne reverrons jamais rien de pareil. Nos hommes ont été aussi durement touchés par la maladie que nos femmes et nos enfants. La moitié des jeunes guerriers qui nous ont accompagnés cet été sont morts. Et aurions-nous encore le désir et l'énergie de nous rendre au pays du Peuple du Fer, aucun de ceux à qui il reste une famille n'accepterait, dans les circonstances actuelles, de l'abandonner.

« À la pensée du trajet en canoë, dis-je, avec tous ces rapides, sans oublier la faim et l'ennemi probablement caché à chaque coude de la rivière pour nous massacrer, je sens que je n'ai plus la force de l'envisager.

— Tu sais très bien que tu ne peux pas t'en passer, réplique Renard. Même s'il n'y avait que deux ou trois jeunes guerriers assez audacieux pour demander à venir avec toi, tu accepterais aussitôt. »

Il a raison, bien entendu. Toujours est-il que cet été, nous devons demeurer dans notre village et panser nos plaies.

« Tu n'ignores pas, reprend Renard, que nous allons ainsi mettre en péril les accords de traite que nous avons eu tant de mal à négocier.

— Les hommes velus attendront une saison ou deux.

— Non. Quand ils verront que nous ne leur apportons pas de fourrures, ils se serviront de ce prétexte pour traiter avec nos ennemis.

— Nous avons toujours été patients avec eux, dis-je. Ils seront patients avec nous. »

Renard me lance un regard qui me donne à réfléchir.

« S'il n'y avait que moi, dit-il, je me ferais un plaisir de m'attaquer aux Corbeaux et de les tuer un à un. N'est-on pas désormais certains que ce sont eux qui nous ont apporté la maladie ? » Il serre les poings si fort qu'il en tremble. « Oiseau, tuons-les tous pour que nous puissions renaître. Leur mort sera notre salut.

— Je crains que ce soit trop tard. Quand nous les avons autorisés à vivre parmi nous, nous ne savions pas qu'ils étaient pires que des mauvaises herbes. Et maintenant qu'ils se sont enroulés autour de nous, ils ne nous lâcheront plus.

— Il est donc temps que je me rende à leur nouveau village pour arracher quelques-unes de ces mauvaises herbes, dit Renard. Je n'ai pas peur de faire le travail que ma femme faisait autrefois. »

J'aimerais que les choses soient aussi simples, mais je sais qu'il est inutile de discuter avec lui ce soir. Il est plongé dans la mer de son désespoir, et je ne peux que le regarder se débattre comme un enfant au milieu des vagues qui menacent de l'emporter.

« Il faudra bientôt aller là-bas chercher Chutes-de-Neige, dis-je. C'est maintenant autant ta fille que la mienne.

— Ne me demande pas de venir, dit Renard. Je ne sais pas à quelle extrémité je serais capable de me livrer.

— Ce n'est qu'à une journée d'ici. » Je partirai dans peu de temps, juste avant l'été. Pour le moment, Chutes-de-Neige est en sécurité chez les Corbeaux, et il y a tant à faire. « Je pourrai sans problème y aller seul, dis-je. De plus, il sera plus raisonnable que tu restes pour protéger le village. Nous passerons un été tranquille tous ensemble. » Je voudrais ajouter quelque chose, des paroles pour le consoler, mais je ne trouve rien. Il n'y aura jamais de mots qui conviennent.

Toute la journée, aussi sûrement que je sais que la pluie va tomber plus tard dans l'après-midi, je sais que quelqu'un me suit. Alors que j'arrive non loin de l'endroit où les Corbeaux ont construit leur nouveau village, les pas se rapprochent. Qui que ce soit, il est maintenant si près que les oiseaux autour de nous se sont tus. J'ai grimpé sur une crête surplombant la rivière que j'ai longée. Je m'aplatis dans l'herbe et j'attends.

Le couteau dans une main, le casse-tête dans l'autre, je cesse de respirer alors qu'une silhouette passe devant moi. Ce n'est pas du tout celle d'un Haudenosaunee, mais celle de mon très cher ami. Je siffle selon notre signal de reconnaissance, et Renard s'immobilise. Me levant, je lui dis qu'il a de la chance de ne pas être un ennemi. Il ne rit pas. Il a l'air épuisé.

« Il y a des heures que j'essaie de te rattraper, dit-il.

— Je sais.

— Ce n'est pas le moment de plaisanter. Les Haudenosaunees ont attaqué.

— Quoi ? » Nous ne sommes qu'à peine au début de l'été.

« Ils ont donné l'assaut au village de nos frères les Arendahronnons et l'ont incendié. »

Je revois ce grand village où nous avons joué au Jeu du Créateur. « Ont-ils besoin de notre aide ? » Tout en posant la question, je me rends compte que nous avons bien peu à offrir.

« Ils sont déjà vaincus. Quelques survivants sont arrivés chez nous hier soir. Ils ont terriblement souffert. Leur village n'existe plus, et les Haudenosaunees vont célébrer cette nuit leur victoire avec tant de membres de notre peuple qu'ils ne sauront plus quoi en faire. »

C'est sans précédent. Un village de plusieurs centaines de feux non seulement attaqué mais détruit. Jamais cela ne s'était produit si tôt dans l'année. Ils ont donc dû partir de chez eux juste après que la glace a libéré les lacs et les rivières.

« Viens avec moi chercher Chutes-de-Neige et Porte-une-Hache, dis-je. Ensuite, nous nous dépêcherons de rentrer. » Nous sommes les suivants. Cela ne fait aucun doute dans mon esprit.

Pendant que nous marchons dans la forêt, les questions et les craintes surgissent. Leur parti de guerre doit être très important. Ils ont probablement entendu dire que nous avons été cruellement touchés par la maladie, et ils savaient donc que c'était le moment de frapper. Le temps de la vengeance est arrivé, et cela ne s'arrêtera pas avant que leur peuple ou le nôtre soit anéanti.

Son arme à la main, un garde à la figure velue paresse sur les remparts qui dominent le village des Corbeaux. Renard et moi redoutons que si nous ne nous annonçons pas, il ne nous prenne pour l'ennemi et ne nous tire dessus.

« Tu connais un peu leur langue ? » me demande Renard.

Je fais signe que non. « Je vais juste m'avancer et crier en levant bien les bras pour qu'il sache que nous sommes des amis. »

Or, quand il m'entend, le garde pâlit et braque son mousquet. Je crie de nouveau, et il tourne la tête en hurlant quelque chose dans sa langue. Des hommes apparaissent alors, qui m'observent par-dessus les remparts. Ils hurlent à leur tour à l'intention de personnes que je ne vois pas, et enfin un visage connu se montre, celui de l'un des aides du Corbeau, le nommé Isaac. Il adresse rapidement quelques mots aux autres, et ils semblent se détendre. D'un geste de sa main mutilée, il m'invite à entrer, et quand Renard débouche alors de la forêt, il a un mouvement de surprise.

Une fois à l'intérieur, je raconte à Isaac ce qui s'est passé. Je parle trop vite et il ne comprend pas. Je reprends plus doucement pour lui expliquer de la manière la plus claire possible que notre peuple a été attaqué et vaincu. J'ajoute qu'il s'agit des Arendahronnons. Le nom le fait sourire.

Il dit quelque chose dans sa langue, et c'est à moi de ne pas comprendre.

Je lui demande où est Christophe Corbeau.

Ce Corbeau-là se contente de sourire en répétant stupidement : « Arendahronnons, Arendahronnons. » Il paraît tout excité.

J'aperçois de loin une vieille Wendat. Je l'appelle : « Point-du-Jour, mon amie, viens tout de suite. Il faut que je trouve Chutes-de-Neige.

— Je sais où elle est, dit Point-du-Jour. Pas la peine de demander au Corbeau. » Elle sourit.

Pourquoi tous affichent-ils ce sourire idiot ? Au nœud que j'ai à l'estomac, je devine qu'il est arrivé quelque chose de grave. « Dis-moi où est ma fille ! » je lance avec plus de colère que je ne l'aurais voulu.

La vieille femme prend un air effrayé. « Elle est partie il y a quelques jours avec Trouve-les-Villages et les Corbeaux au village des Arendahronnons », répond-elle, une lueur d'inquiétude dans le regard.

« Quoi ! » Ce ne peut pas être vrai !

« Le père, Christophe, il a emmené ta fille chez

les Arendahronnons pour leur parler de son Grand Génie. Ne crains rien, ils ont promis de revenir bientôt. Et le jeune Porte-une-Hache les a suivis pour veiller sur eux. »

TROIS

Nous menons tous nos propres guerres, des guerres pour lesquelles nous serons jugés. Certaines, nous les menons dans les forêts proches de chez nous, d'autres dans des jungles lointaines ou dans de distants déserts brûlants. Nous menons tous nos propres guerres, aussi vaut-il peut-être mieux ne pas juger, car il est rare que nous sachions pourquoi nous nous battons avec autant de sauvagerie.

Voyez comment Aataentsic, assise près du feu à côté de nous, réagit à ce qu'elle voit. Nous aussi, nous allons regarder. Nous ne pouvons pas détourner les yeux.

En temps de guerre, et surtout après les désastres de la guerre, la question soulevée est celle que chacun de nous doit se poser : Comment peut-on continuer alors que tout ce qu'on aime n'est plus ?

À moins que la question ne soit la suivante : Quel rôle ai-je joué dans les troubles qui ont éclaté autour de moi ?

Ou celle-ci : Reverrai-je ceux que j'aime ?

Pour ceux qui sont animés de plus grandes ambitions, c'est peut-être : Si la victoire se mesure d'une certaine façon, comment doit-on mesurer la défaite ?

457

Aataentsic, les yeux pétillants, nous regarde discuter ainsi autour du feu cependant que nos propres yeux sont attirés par ce qui se déroule en bas parmi les humains.

Ce n'est pas le rêve de mon père

Je suis arrivée au village des Corbeaux.

Le rêve de mon père, celui qui a dit que je devais le quitter pour venir ici, est le rêve qui m'a envoyée au loin. La maladie faisait rage dans notre village quand il l'a rêvé, et le matin de mon départ, les corps empilés à l'extérieur des maisons-longues avaient commencé à dégeler. Le méchant garçon, le beau garçon, Porte-une-Hache, m'a accompagnée jusque chez les Corbeaux. Et comme Petite Oie l'avait promis, dès que nous avons franchi les portes, elle était là qui nous attendait sur le chemin. Je me sentais déchirée. D'un côté, je désirais être seule avec ce jeune guerrier et, d'un autre, l'idée me terrifiait.

Peut-être voulait-elle veiller sur nous ? Après tout, je suis convaincue qu'elle voit aussi clair en moi qu'à travers l'eau pure d'un lac. Elle sait ce que je ressens pour ce garçon, de la chaleur mêlée à de la glace. Et quand, à mi-distance du village des Corbeaux, le blizzard venant de la Mer d'eau douce s'est mis à souffler avec des rafales si violentes qu'elles nous jetaient à genoux, j'ai été contente qu'elle soit là. Je crois que sans elle, nous aurions péri dans cette furieuse tempête de début de printemps.

La neige tombait en traits presque horizontaux et le monde disparaissait sous un cinglant manteau blanc. J'ai supplié Petite Oie qu'elle nous laisse nous reposer quelques instants, mais elle n'a rien voulu entendre, et quand Porte-une-Hache a été trop fatigué, elle l'a relayé pour prendre la tête sur la piste de raquettes. Je sais qu'il s'est senti gêné que ce soit une femme qui nous ouvre le chemin, mais tout ce que nous étions capables de faire, c'est nous accrocher à elle comme des enfants. J'ai compris par la suite que si nous nous étions arrêtés, nous serions morts de froid.

Lorsque, la figure peinte d'une couche de givre déposée par le vent, nous sommes arrivés épuisés au village des Corbeaux, je me suis rendu compte que le rêve de mon père ne disait pas vrai. Ce n'est pas un endroit sûr où règne l'abondance. La maison-longue de Point-du-Jour dégage la puanteur de cette même maladie qui a ravagé notre habitation, et les hommes velus venus d'un pays lointain me lancent des regards insistants en se léchant les lèvres, mais sans nous offrir de nourriture.

Christophe Corbeau, au moins, n'a pas changé, qui nous a accueillis quand nous sommes entrés en titubant, le visage bleu de froid. Il m'a permis de m'installer dans la maison de Point-du-Jour, mais il a envoyé Petite Oie et Porte-une-Hache dans une autre, située à l'extérieur des palissades.

La neige fond enfin et dégoutte dans les ruisseaux qui se déversent dans les rivières, lesquelles se jettent à leur tour dans la Mer d'eau douce. Les journées des Corbeaux se déroulent d'une drôle de manière, et chaque partie est organisée pour nous à l'avance. Ils veulent que nous allions tous les matins au lever du soleil dans un endroit appelé chapelle où ils s'adressent à la fois à nous et à leur grand génie jusqu'à ce que nos estomacs grondent de faim. Ensuite, nous sommes autorisés à prendre un léger petit déjeuner composé d'ottet, après quoi nous sommes libres de nous promener. J'évite ceux qui sont là pour aider les Corbeaux, car je n'aime pas leur façon de me regarder. J'ai déjà eu, il y a long-temps, une mauvaise expérience avec l'un d'eux dans leur village, et je n'ai plus confiance en ces hommes.

L'après-midi, on nous fait asseoir comme des enfants devant une chose étrange qu'ils nomment le Capitaine de la Journée. Régulièrement, au bout d'un long moment, Gabriel lui commande de parler et le Capitaine pousse un drôle de cri. Au début, c'était amusant, mais je vois bien que ce tour commence à ennuyer la plupart d'entre nous, sauf Cendres Chaudes, le garçon qui est censé être mon frère. Il continue à rester bouche bée devant le Capitaine jusqu'à ce que Gabriel Corbeau nous dise que celui-ci nous a ordonné de rentrer chez nous. Nous regagnons alors nos maisons-longues où nous discutons entre nous en attendant de nous coucher, et le lende-main, tout recommence exactement pareil. J'ai hâte de retourner chez moi.

Petite Oie ne supportait pas cet endroit, et elle est partie peu de temps après notre arrivée. Elle a promis qu'elle reviendrait nous chercher, Porte-une-Hache et moi, dès que les conditions le permettraient. La maladie a pris ici plusieurs vies, mais chez nous, c'est bien pire. Je suis donc obligée de demeurer dans ce village bizarre. Les autres, deux ou trois poignées d'entre eux, viennent de différents lieux pour différentes raisons. Quelques Anishinaabes attendent la fin de l'hiver pour aller retrouver leurs villages, et la plupart des Wendats qui sont ici ont perdu leurs familles, tuées par la maladie, et n'ont plus les moyens de subsister seuls. On sent partout une tristesse qu'il est difficile d'ignorer.

Pour meubler mon ennui, je m'applique à connaître un peu mieux Porte-une-Hache. En l'absence de ses amis, il n'est pas aussi arrogant. Je voudrais lui demander s'ils ont survécu, mais je crains sa réponse. Nous nous promenons dans ce curieux village, impressionnés par les bâtiments construits en partie de pierre ou de pièces de bois épaisses, toutes coupées à la même dimension. Plutôt que de vivre en larges groupes comme nous, ces gens-là préfèrent habiter de beaucoup plus petites maisons. Les Corbeaux restent de leur côté, et les hommes à l'allure et à l'odeur étranges occupent à plusieurs les petites maisons. Pour moi, ils se ressemblent tous avec leurs faces velues, leurs yeux enfoncés et leur peau de la couleur d'une fleur de courge fanée. Quand ils parlent, je remarque que nombre d'entre eux ont perdu presque toutes leurs dents, et comparés à Porte-une-Hache, ils ont l'air chétif et pathétique. Leurs vêtements non plus n'aident pas à les distinguer. Ils sont habillés d'une mince chemise sale et d'une espèce de peau qui leur couvre les jambes et les fesses, même maintenant qu'il n'y a plus de neige. Porte-une-Hache se moque tout le temps de leur allure. Il prétend même avoir tâté leurs vêtements qui ne sont pas faits de peau d'animal mais fabriqués par de vieilles sorcières qui, comme des araignées, produisent des fils que d'autres vieilles sorcières tissent. Je m'esclaffe devant de telles absurdités, et quand Porte-une-Hache sourit, une chaleur monte dans mon ventre.

Ce matin, nous laissons les Corbeaux à leur chapelle pour aller marcher dans la forêt. Afin de nous punir, ils ne nous donneront pas à manger, mais Porte-une-Hache a posé des collets le long d'une piste empruntée par les lapins qu'il a repérée.

« Nous pouvons nous passer d'eux, Chutes-de-Neige, dit-il. Je suis un bon chasseur. Je suis capable de prendre soin de nous. »

En entendant le « nous », je sens mes joues s'empourprer, puis je songe qu'en réalité il se réfère à tous ceux qui habitent les maisons-longues. J'aurais souhaité qu'il loge dans la mienne, mais Christophe Corbeau dit que pour cela, il faut que Porte-une-Hache accepte le grand génie. Le garçon se contente de rire, et je sais que sa réaction met Christophe Corbeau en colère. Il devrait pourtant faire attention. Porte-une-Hache est ici pour me protéger à la demande de mon père. Il n'a pas besoin de ces Corbeaux et de leurs coutumes. Je connais le tempérament de ce garçon. Dans la chapelle, quand Christophe Corbeau se met à écumer comme des rapides, le regard sombre et le visage enflammé, pour condamner les mœurs des

Wendats et de notre monde, j'observe Porte-une-Hache, et je constate qu'il écume davantage encore.

Nous empruntons le chemin qui mène à la rivière, et je distingue les petits sentiers qui partent d'un côté et de l'autre, ceux que les lièvres prennent comme nous pour traverser la forêt. La saison des plantations approche, et je m'interroge : reste-t-il chez nous assez de gens pour cultiver les champs ? Et la maladie va-t-elle continuer à frapper jusqu'à ce qu'ils soient tous morts, de sorte que je serai contrainte de vivre dans l'étrange village des Corbeaux jusqu'à la fin de mes jours ? Mais, comme le soleil perce au milieu des nuages, j'aperçois devant moi un lièvre qui gît sur le flanc, les yeux fermés, le collet serré autour du cou.

Un grand sourire aux lèvres, Porte-une-Hache se baisse pour défaire le lacet attaché aux jeunes arbres de part et d'autre du chemin. Il soupèse le lièvre, lève la tête. « C'est notre festin de ce soir, dit-il.

— Tu parles d'un festin. » C'est un gros mâle qui nourrira plusieurs personnes. « Il faudra que tu fasses beaucoup mieux pour m'impressionner.

— Bon, tiens. » Il me tend le lièvre. « Voyons combien d'autres j'ai réussi à en attraper aujourd'hui. »

Je lui prends le lacet pour le nouer autour des pattes de l'animal afin de pouvoir le porter à l'épaule. « Oui, dis-je, on va voir. »

L'après-midi venu, nous avons deux lièvres de plus et nous avons construit un barrage de pierres afin de leurrer les poissons qui remontent le cours d'eau pour frayer et de les attirer dans ce ruisseau assez étroit pour qu'on puisse l'enjamber. Armés de deux longues branches à l'extrémité taillée en pointe, nous guettons, Porte-une-Hache et moi derrière lui, l'éclair argenté filant au-dessous de nous. Je ne suis pas dans le coup aujourd'hui, et je ne parviens qu'à émousser ma lance sur les cailloux qui tapissent le lit du ruisseau.

Gagnée par l'ennui, je renonce et je me borne à regarder mon compagnon qui, penché en avant, la lance brandie, a l'air déterminé à embrocher un poisson. Du bout de mon bâton, je lui donne une petite poussée sur les fesses. Il sursaute, perd l'équilibre et tombe à l'eau. Il essaie de grimper sur la berge. Réalisant qu'il se débat, je cesse de rire. Il me tend le bras en hurlant qu'il ne sait pas nager. Je me précipite sur les pierres glissantes pour l'aider, et alors que je vais saisir sa main, son visage paniqué devient soudain hilare. Il m'attire sur lui, et au contact de l'eau glacée, je lâche un cri.

Il se met debout. L'eau lui arrive à peine à la taille. Je me relève à mon tour et le gifle.

« Pourquoi tu as fait ça ? » Il a l'air d'un petit garçon blessé.

Au lieu de répondre, je sors du ruisseau, claquant des dents, et j'escalade la berge. Je veux rentrer au village des Corbeaux en courant, mais je me rends compte que je risque de me perdre. Je m'assois sur la berge comme une gamine. Je me sens ridicule.

Porte-une-Hache me rejoint. « C'est toi qui as commencé », dit-il.

Je le regarde. Il a raison. Plutôt que de céder à la colère, je me lève. « J'ai froid », dis-je, tremblante, les bras serrés autour de moi.

Porte-une-Hache me considère, les yeux incertains,

puis je les vois lentement s'éclairer. « Laisse-moi te réchauffer. » Il s'avance prudemment vers moi, comme si j'étais quelque animal inconnu. Arrivé tout près, il ouvre les bras et je l'imite. La peau de sa poitrine est chaude contre la mienne.

Christophe Corbeau est furieux après moi. « Tu ne viens plus le matin écouter le Grand Génie », me reproche-t-il. Gabriel est debout derrière lui comme s'il se tenait prêt à m'attraper au cas où je tenterais de filer. Nous sommes dans la maison-longue où Aaron et moi, installés autour de l'âtre, nous nous rappelions en riant l'histoire de mon raton laveur qu'il a sauvé de la vieille femme qui voulait le transformer en ragoût. Pour l'instant, Aaron ne rit plus. Il a l'air d'un enfant pris en faute.

« Tu iras demain », dit Gabriel. Celui-là, je ne l'aime pas. Le regard rivé sur le feu, je refuse de lui répondre.

Christophe Corbeau prononce quelques mots dans leur langue d'un ton fâché, puis il s'agenouille à mes côtés. « Toi et moi, nous nous connaissons depuis longtemps maintenant, Chutes-de-Neige. Nous avons vécu beaucoup de choses ensemble, et d'une certaine façon, je te dois peut-être même la vie. »

Je continue à fixer le feu.

« Chutes-de-Neige, répète-t-il. Regarde-moi, s'il te plaît. »

Malgré moi, je lève la tête. Son visage est tout proche du mien. À la lueur des braises, on croirait presque qu'il a les larmes aux yeux.

« Tu es comme une parente pour moi, continue-t-il.

Nous avons fait d'énormes progrès, et au moment où il semblerait que tu sois prête à gagner pour toujours le lieu du bonheur, tu me tournes le dos. » L'air suppliant, il ne me quitte pas du regard. « Viens demain écouter ce que le Grand Génie a à dire.

— Et si je ne viens pas ?

— Ne le prends pas comme ça. » Il jette un coup d'œil à Aaron. « Je sais qu'Aaron serait très content que tu reviennes. »

J'ai envie de dire au Corbeau qu'à présent Porte-une-Hache et moi sommes ensemble. Je me tourne à mon tour vers Aaron. Il essaie manifestement de me faire comprendre quelque chose. Cette situation me rend mal à l'aise. « Je ne veux pas… » Je m'interromps. « Je veux rentrer dans mon village.

— Si c'est ce que tu souhaites, tu rentreras bientôt chez toi, dit Christophe. Après tout, Oiseau est un chef puissant, non ? Je ne peux pas te garder ici contre ta volonté. » Son regard va d'Aaron à moi. « Mais je ne sais pas ce qui restera de ton village à ton retour. »

Ses paroles me frappent. « Mon village est toujours là, dis-je.

— Oui, mais nombre de ses habitants sont morts. Rien ne sera pareil. N'oublie pas que c'est Oiseau qui t'a envoyée ici. Il sait que cet endroit est sûr, que le Grand Génie veille sur lui.

— Ce n'était pas dans son rêve.

— Son rêve ne lui a-t-il pas dit de t'envoyer ici ? demande Christophe.

— Si, mais… » Je cherche mes mots. « Il ne m'a

pas envoyée ici pour que je sois protégée par ton grand génie. Il n'a pas dit ça.

— Alors pourquoi t'a-t-il envoyée ici ? » insiste-t-il.

Je sens les regards d'Aaron et de Gabriel braqués sur moi.

« Pour m'éloigner de la maladie qui sévissait dans le village, réponds-je.

— Et la maladie dans ton village était cent fois pire qu'ici, n'est-ce pas ? » dit Christophe.

Je voudrais me lever et m'en aller. Le Corbeau déforme mes paroles de même qu'il déforme le rêve de mon père.

« Voilà ce que je te propose. » Christophe se redresse. « Après les plantations, viens avec Gabriel, Aaron et moi au village de tes cousins, les Arendah-ronnons. Accompagne-nous à la fin du printemps, juste avant l'été.

— Et si je refuse ?

— Viens au moins voir ce que nous faisons, dit Christophe. Je ne te demande rien de plus. Joins-toi à nous pendant que nous allons apporter le Grand Génie à tes cousins. Ensuite, si tel est ton désir, tu pourras retourner chez toi. »

Je me lève à mon tour. « Je ferai le voyage avec vous, mais après, je rentrerai dans mon village. » Pour bien lui montrer que je pense ce que je dis, je pars d'un pas décidé, effleurant au passage le Corbeau Gabriel.

Nous avons marché la majeure partie de la journée. C'est Aaron qui montre le chemin, car il connaît bien le pays. Il affirme que nous sommes à présent tout près du village des Arendahronnons. J'espère qu'il ne se trompe pas. Je suis fatiguée. Même Gabriel et Christophe Corbeau faiblissent, de sorte que nous sommes obligés de ralentir le pas. À mon grand déplaisir, Cendres Chaudes aussi est là. Jusqu'à maintenant, il s'est bien conduit. Il parle peu et se concentre sur la piste. J'aurais voulu que Porte-une-Hache vienne, mais Christophe a accueilli ma requête avec colère. J'étais sur le point de lui dire que dans ce cas, je ne partirais pas non plus, mais Porte-une-Hache m'a promis qu'il nous suivrait de loin pour veiller sur moi. « Vas-y, m'a-t-il dit en m'embrassant. Ce sera une aventure. Et puis, j'aimerais savoir quel genre de pouvoirs ont ces Corbeaux une fois au cœur de la forêt. Je vous suivrai, et aucun d'eux ne sera seulement capable de s'en apercevoir. »

Nous devons être presque arrivés, car je sens une odeur de bois qui brûle. Derrière nous, Christophe et le Corbeau au visage velu n'ont rien remarqué. Alors qu'ils sont déjà essoufflés, ils continuent à discuter comme si de rien n'était, ignorants des périls qui nous menacent.

Aaron nous fait signe de nous arrêter. Au travers d'une trouée entre les arbres, j'aperçois devant nous une tache lumineuse. Ce doit être la bordure des vastes champs de maïs des Arendahronnons.

Il y a néanmoins quelque chose de bizarre. Je regarde Cendres Chaudes. Il a les doigts dans la bouche. Accroupis, nous reculons dans l'ombre, tandis que les Corbeaux, bavardant toujours, nous rejoignent à pas lourds, et si je ne leur avais pas indiqué d'un geste de se baisser et de se taire, ils auraient poursuivi tranquillement leur chemin. Tapis à côté de nous, ils ouvrent des yeux ronds.

L'odeur de fumée est très forte. J'avais supposé que c'était celle de souches que les hommes faisaient brûler, mais ce n'est pas cela. L'odeur est beaucoup plus âcre. Et quand le vent m'apporte des effluves de chair grillée, les cheveux se dressent sur ma nuque. Il me semble ensuite entendre des hommes pousser des cris de joie.

Aaron s'approche de moi en rampant et murmure qu'il va aller voir ce qui se passe.

« Non, lui dis-je, chuchotant aussi. Il a dû se produire quelque chose de grave. »

Sans tenir compte de mes paroles, il se lève. « Attendez ici, mais en cas de danger, fuyez. » Puis il s'élance vers les champs.

Comme au bout de ce qui nous paraît une éternité il n'est pas revenu, d'un signe, j'enjoins à Cendres Chaudes et aux Corbeaux de ne pas bouger.

Tandis que je cours en zigzag d'arbre en arbre, l'odeur se fait de plus en plus pénétrante. Longer la piste me semble trop risqué. La lumière qui filtre au travers des feuilles nouvelles devient plus intense, et j'ai maintenant la certitude que c'est un chant de guerre, un chant de victoire qui s'élève.

Je me faufile jusqu'à l'orée de la forêt où les trois sœurs ont juste commencé de germer. Impossible donc de se cacher au milieu des champs, aussi je reste où je suis. Je bénéficie cependant d'une vue dégagée sur le village. Les palissades ont été incendiées et la plupart des maisons-longues brûlent ou sont déjà

470

réduites en cendres. Je constate avec un choc que les guerriers qui dansent autour des brasiers ou torturent les survivants sont extraordinairement nombreux. Un important groupe, des prisonniers sans doute, est assis par terre, surveillé par quelques gardes. Je suis trop loin pour distinguer leurs visages, mais j'imagine quelle expression ils doivent afficher.

Des centaines et des centaines de guerriers sont rassemblés là, venus de toutes les nations des Haudenosaunees. Je me rends compte d'un seul coup qu'il y a certainement parmi eux des parents à moi. Un sentiment proche du mal du pays m'envahit soudain. Je vois alors l'un des guerriers brandir son casse-tête au-dessus d'un homme à genoux, les mains liées derrière le dos, et l'abattre pour lui en fracasser le crâne. L'homme bascule en avant et ses jambes s'agitent quelques instants, comme saisies de spasmes, puis elles s'immobilisent.

Tout me revient. Toi, mon père, et toi, ma mère, et toi aussi, mon frère aîné. Je ne vous appartiens plus. Et je n'appartiens pas non plus au peuple d'Oiseau. Un instant, je pense que je vais simplement me lever, traverser le champ et les laisser décider qui je suis. S'ils estiment que je suis toujours l'une des leurs, ils me garderont. Sinon, ils me tueront.

Au moment où je me redresse pour m'avancer vers eux, j'entends caqueter un écureuil. Je me retourne. C'est Aaron qui m'a rejointe à la lisière des arbres. Il me fait signe de me baisser. Je secoue la tête.

Il se glisse à côté de moi et me demande dans un souffle : « Qu'est-ce que tu fabriques ?

— Je crois que c'est mon peuple.

— Ce n'est plus ton peuple, dit-il. Viens avec moi, à moins que tu veuilles que Christophe et Gabriel subissent un sort cruel. »

Je ne veux plus être responsable d'aucune mort, mon père. Comme une bande de guerriers haudeno-saunees se saisissent de quelques prisonniers parmi ceux qui sont blottis par terre pour les entraîner vers un grand feu, je prends ma décision. En dépit de ce que souhaite Oiseau, je ne suis pas une Wendat. Mais je ne suis plus une Haudenosaunee non plus.

Dès que nous retrouvons Cendres Chaudes et les Corbeaux, Aaron nous donne l'ordre de repartir par la piste aussi vite et silencieusement que possible. Je vois Cendres Chaudes hésiter. Je réalise qu'il se sent encore membre de cette tribu, et je devine ce qu'il s'apprête à faire.

À l'instant où je vais avertir Aaron, Cendres Chaudes dit : « Père Christophe. »

Le Corbeau se tourne vers lui.

« Tu es le seul à avoir été gentil avec moi, mais les autres, tu sais ce qu'ils m'ont fait ? »

Nous le dévisageons, et je crains que sa voix forte ne nous trahisse. Aaron lui dit de parler bas, mais Cendres Chaudes ne lui prête pas attention.

« Deux des donnés, précise-t-il. L'un m'a tenu pendant que l'autre s'introduisait en moi. Ils m'ont raconté que si je ne le disais à personne, ils me dévoileraient le secret du Capitaine de la Journée. »

Les yeux écarquillés, Christophe en demeure bouche bée. « Ce n'est pas vrai ! Ce ne peut pas être vrai !

« — Tu ne me crois pas ? demande Cendres Chaudes. Tu veux que je te montre où j'ai saigné ?

— Non, Joseph, répond Christophe. Rentre avec nous et nous punirons sévèrement ces hommes pour leur terrible péché. Le Grand Génie les châtiera pour l'éternité, je te le promets.

— Il n'y a pas de grand génie, réplique Cendres Chaudes. Et maintenant, vous feriez mieux de partir. »

Il s'élance vers le village et les guerriers qui l'occupent.

La nuit venue, nous continuons à marcher à pas vifs, mais nous nous égarons à plusieurs reprises. Personne ne parle, mais je suis sûre que nous pensons tous la même chose : à savoir que Cendres Chaudes a révélé notre présence aux Haudenosaunees qui doivent certainement être à notre poursuite dans les ténèbres. À cette idée, les Corbeaux eux-mêmes s'efforcent d'accélérer l'allure.

Épuisés, nous nous arrêtons au bord d'un ruisseau pour reprendre haleine et, pareils à une petite harde de cerfs, nous plongeons la tête dans l'eau pour boire. C'est dangereux, cependant, parce que le murmure de l'eau risque de nous empêcher d'entendre l'ennemi approcher.

Je me penche vers Aaron et lui glisse à l'oreille que nous devrions peut-être nous enfoncer dans la forêt où nous pourrons mieux nous cacher et nous reposer. « Regarde les Corbeaux, dis-je. Ils n'iront plus très loin. » Tous deux, le souffle court, sont écroulés sur la berge.

Nous les pressons de se relever, et Aaron nous conduit vers une petite butte. J'espère qu'il s'est rendu à mes raisons. Au moment où il arrive en haut, une large silhouette surgit de derrière un arbre et le frappe sur la tête. Je pivote sur mes talons, et à la faible clarté de la lune, le cœur battant à tout rompre, je dévale la pente pour atterrir droit dans les bras d'un immense guerrier.

Jesu, Dulcis Memoria

Trois des Iroquois allument un feu dans un bosquet au bord de la piste pendant que les deux autres nous ligotent tous les quatre et nous laissent assis au milieu du chemin pour aller apparemment s'assurer que nous étions seuls. Gabriel et moi psalmodions à voix basse des litanies en latin. Les deux Iroquois reviennent. L'un s'approche et nous gifle en travers de la bouche. Nous attendons, tandis que les cinq hommes vont se concerter dans la forêt. Je récite de nouveau mes prières et Aaron finit par se joindre à moi. Il regarde autour de lui pour évaluer la situation, et après un petit moment, plutôt que de prier, il entonne son chant de mort dans lequel son amour pour Chutes-de-Neige tient une grande place. Le converti sur lequel je comptais le plus, et voilà qu'il retourne si facilement à ses voies idolâtres.

Nous avons les mains attachées derrière le dos et les pieds également liés. Les cordes sont si serrées qu'elles nous entaillent les poignets et les chevilles. Si j'ai bien compris, je pense qu'ils vont tuer Aaron sur place puis, aux premières lueurs du jour, nous amener, Chutes-de-Neige, Gabriel et moi au village où je ne peux qu'imaginer les tortures qu'ils vont nous infliger.

Seigneur, je crois bien que ce sera la dernière fois que je verrai le soleil se lever sur cette terre que Vous avez créée, et je prie pour que Vous me donniez la force d'accepter avec dignité et en état de grâce les souffrances que je suis sur le point d'endurer, car mon corps n'est que le vaisseau qui contient mon âme. Et quand ce vaisseau se brisera, mon âme s'élèvera vers Vous. Grâce Vous en soit rendue.

Les cinq guerriers, muscles luisants, portent des peintures effrayantes. Par la taille et le comportement, ils ressemblent aux Hurons, et un étranger aurait bien du mal à les différencier. Trois d'entre eux débouchent des arbres et vérifient brutalement nos liens avant de s'emparer d'Aaron dont la voix ne tremble pas pour le pousser vers le feu qui flambe un peu plus loin. Les deux autres empoignent Chutes-de-Neige par les cheveux pour la mettre debout et l'entraîner à l'écart. Avec horreur, je vois l'un d'eux lui retrousser sa robe de peau pendant que l'autre soulève son pagne, dévoilant son sexe en érection.

« Le Grand Génie vous ordonne d'arrêter ! » je m'écrie. Tous deux paraissent interloqués de m'entendre m'exprimer dans leur langue. Ils lâchent Chutes-de-Neige pour s'avancer vers moi.

« Ainsi ce bois-charbon a appris quelques-uns de nos mots ? » se moque l'un. Ils se ressemblent tant que je suppose qu'ils sont frères.

« Ce que vous voulez faire à cette fille, dis-je, vous expédiera tout droit dans un lieu où les pires caresses dont vous avez été témoins vous paraîtront bien pâles en comparaison. »

L'autre se baisse et me frappe si violemment que l'arête de mon nez craque et que du sang chaud coule sur mes lèvres.

« Tu n'es pas en position de nous menacer, bois-charbon. »

Entendant monter plus fort le chant de mort d'Aaron, je devine qu'ils sont en train de lui taillader les chairs ou de le brûler.

Je hurle : « Chutes-de-Neige, dis-leur qui tu es et d'où tu viens ! »

Aussitôt, Gabriel ajoute : « Dis-leur que tu es l'une d'entre eux et qu'ils sont de ton peuple. »

Les deux guerriers se tournent vers elle. Elle a réussi à se redresser. « Vous n'êtes pas de mon peuple ! crache-t-elle. Aucun Haudenosaunee n'oserait violer une femme. »

L'un m'assène un tel coup sur la tête que ma vision se brouille, mais j'ai le temps de les voir revenir vers Chutes-de-Neige.

Je lutte pour ne pas perdre connaissance. « Gabriel, dis-je. Il faut arrêter cela. » Mais il sait aussi bien que moi que nous ne pouvons rien faire.

« Chantons un cantique, père Christophe », dit-il. Ses yeux noirs étincellent. « Notre chant de mort à nous.

— Oui, mon révérend père, chantons. »

Il entonne en français plutôt qu'en latin la première strophe de l'hymne *Jesu, Dulcis Memoria* : « *Jésus de douce souvenance, donnant les vraies joies*

477

du cœur, mais plus que le miel et plus que tout, sa présence est douce. »

Je reprends en chœur et nos voix s'élèvent tandis que le ciel à l'horizon rougit. « *Rien ne se chante de plus suave, rien ne peut s'entendre de plus agréable, nulle pensée n'est plus douce que Jésus, fils de Dieu.* »

Les deux guerriers, visiblement amusés par notre chant, abandonnent Chutes-de-Neige pour revenir vers nous.

« Écoute-moi ce chant de mort ! dit l'un d'eux, nous montrant du doigt.

— De ma vie, je n'ai jamais entendu un son aussi aigrelet, renchérit l'autre. On dirait des orignaux femelles en rut ! »

Ils s'esclaffent. Je surprends alors derrière eux une ombre qui, vive comme l'éclair, se précipite vers Chutes-de-Neige étendue par terre. Je crains d'abord qu'il ne s'agisse d'un Iroquois que je n'aurais pas remarqué, mais l'homme se baisse pour parler à l'oreille de la fille. Je hausse la voix pour que les deux frères qui se dressent au-dessus de Gabriel et moi ne se retournent pas. Dans la lumière de l'aurore, je reconnais le jeune homme qui m'a si longtemps persécuté, là-bas au village.

Il regagne l'abri des arbres à l'instant précis où les deux guerriers reportent leur attention sur Chutes-de-Neige. L'un soulève de nouveau son pagne et, encouragé par les rires et les paroles de l'autre, il s'apprête à la prendre. Plutôt que de se débattre, elle noue ses bras et ses jambes autour de lui, comme en proie à un désir irrépressible. Gabriel et moi continuons de chanter, et alors que l'homme va pénétrer la pauvre fille, le jeune Huron surgit, brandissant son casse-tête.

« Chantez plus fort, Gabriel, je l'adjure. Le plus fort que vous pouvez ! » Déconcerté, il me regarde, mais l'heure n'est pas aux explications. Je prie pour que nos voix couvrent les bruits du combat qui va se dérouler et qui risqueraient d'alerter les trois guerriers occupés à torturer le pauvre Aaron.

« *Jésus, espérance des pénitents, combien tendre à ceux qui Vous implorent*, chantons-nous, cependant que le deuxième guerrier, sentant un danger derrière lui, affiche une expression alarmée. *Si bon pour ceux qui Vous cherchent ! Mais que n'êtes-Vous pas pour ceux qui Vous trouvent !* » L'homme saisit son propre casse-tête juste comme le jeune Huron lui abat le sien sur le crâne, l'étendant raide. À pleins poumons, nous continuons : « *Nulle parole ne peut dire… ce que veut dire aimer Jésus.* » L'Iroquois chevauchant Chutes-de-Neige comprend alors qu'il se passe quelque chose et il essaie de se dégager de son étreinte, mais elle ne relâche pas sa prise. Tirant son poignard de sa gaine, le jeune Huron se baisse pour lui rejeter la tête en arrière, lui exposant ainsi le cou. « *Soyez Jésus notre joie… à jamais dans les siècles.* » Il lui tranche la gorge, et le flot de sang qui gicle dans la lueur rose de l'aurore asperge la fille.

Le jeune Huron l'aide à se relever. Nous avons cessé de chanter, et je me demande ce qui est arrivé à Aaron. Le soleil est maintenant assez haut dans le ciel pour que je distingue les traits de Chutes-de-Neige qui, penchée au-dessus du guerrier mort qui a voulu la violer, lui murmure quelque chose. Elle ramasse un casse-tête, et son compagnon reprend le sien. Ils se précipitent vers nous, et le jeune guerrier coupe nos liens en nous faisant signe de parler bas. Après quoi, tous deux s'approchent du feu en rampant et disparaissent dans l'ombre, massue au poing.

« Que faire ? demande Gabriel une minute plus tard. Nous remettre à chanter ? Nous enfuir en courant ?

— Nous devons placer notre sort entre les mains du Seigneur », réponds-je au moment où des cris jaillissent de la forêt.

Nous versons sur les blessures d'Aaron l'eau contenue dans nos mains en coupe. Gabriel déchire sa soutane et bande les plaies du jeune Huron avec les morceaux d'étoffe. On lui a coupé deux doigts de la main gauche, et à chaque battement de cœur, le sang coule par saccades des moignons. On lui a aussi enfoncé dans le ventre des bâtons enflammés, et les entailles cautérisées sont devenues noires. Pendant que nous le soignons de notre mieux, il garde les yeux levés au ciel, l'air impassible. Je lui demande s'il a toujours foi en le Grand Génie. Il ne répond pas.

À côté de nous, Chutes-de-Neige s'occupe du jeune guerrier qui a sans doute été blessé en s'attaquant aux tortionnaires d'Aaron. Elle l'appelle Porte-une-Hache, un nom dont je me souviens à présent. Malgré des estafilades à la poitrine et un coup sur la tête, je suppose qu'il est parvenu à tuer les trois Iroquois. Il a les mains qui tremblent.

Chutes-de-Neige l'aide à se relever et nous dit dans un murmure qu'il faut partir tout de suite, car il y a certainement d'autres ennemis qui empruntent cette piste. Gabriel et moi soutenons Aaron qui, serrant les dents, souffre sans une plainte. Nous grimpons la pente de cette même butte où nous sommes tombés hier soir dans une embuscade et, la démarche mal assurée, nous passons devant les corps des trois Iroquois dont le feu n'est plus qu'un amas de cendres fumantes.

Toute la matinée, nous marchons lentement et nous faisons souvent halte pour nous reposer et soigner nos blessés. J'ai des élancements dans la tête à la suite du coup que j'ai reçu, et avec mon nez cassé, j'ai du mal à respirer. J'imagine que, couverts de sang comme nous le sommes, nous devons former un cortège pitoyable tandis que nous cheminons sur la piste étroite parmi les arbres au travers desquels la lumière filtre, dessinant des motifs délicats.

Vers le milieu de l'après-midi, Porte-une-Hache nous demande de nous taire. Il est sûr que quelqu'un nous suit. Seigneur, je ne sais pas si je serai capable d'en endurer plus. Si les Iroquois nous attaquent de nouveau, nous ne serons même pas en mesure de nous défendre. Nous ne pouvons qu'essayer tant bien que mal de gagner l'abri de la mission.

Quand Porte-une-Hache s'arrête, je suis la direction de son regard. Les silhouettes de deux guerriers se découpent devant nous, le dos tourné au soleil, de sorte qu'ils baignent dans un halo de lumière. Nous sommes à l'orée d'une clairière et ils se tiennent là, au centre, dans une immobilité de pierre. Au lieu de s'aplatir au sol ou de reculer dans la forêt, Porte-une-Hache lève les bras et se met à chanter en gazouillant.

Les deux hommes se retournent puis se ruent vers nous. Je me prépare en vue de l'ultime combat, et c'est seulement quand ils sont tout près que je reconnais Oiseau et Renard. Jamais je n'ai éprouvé un tel soulagement.

Oiseau se précipite sur Chutes-de-Neige et la tient à bout de bras pour l'examiner, voir si elle est blessée. Elle le regarde. Quelque chose en elle a changé. Je crains que l'Iroquois n'ait réussi à la violer au cours de ce bref laps de temps. Seigneur, faites que je me trompe !

Alors qu'Oiseau lui parle à voix basse, elle secoue la tête. D'un ton plein de colère, il dit à Renard que deux de leurs assaillants ont tenté d'en abuser.

Renard a l'air étonné. « Ce devaient être des brebis galeuses. Les Haudenosaunees ne se comportent pas ainsi.

— On n'a plus à s'inquiéter, les interrompt Porte-une-Hache. Ils sont tous morts. Ta fille est meilleur guerrier que moi. Ce matin, elle a tué son premier Haudenosaunee. »

Je reste abasourdi. Il m'est difficile d'imaginer que cette jeune fille qui, il y a peu, était encore une enfant, ait pu répandre le sang. Ayant été partie prenante, je ne me sens cependant pas le droit de la juger. Sans elle, nous serions tous morts. Mon Dieu, aidez-moi à assumer cela. Je veux croire qu'ils ont agi pour nous sauver et non par pur esprit de vengeance.

« Porte-une-Hache en a tué quatre », déclare Chutes-de-Neige d'un ton neutre.

Impressionnés, Oiseau et Renard se tournent vers

lui. « J'espère que tu as pris leurs chevelures, dit ce dernier.

— Je n'ai pas eu le temps, répond le jeune homme.

— On a toujours le temps pour ça, réplique Renard.

— À parler de temps, nous perdons le nôtre, dit Oiseau. Les Haudenosaunees grouillent tout autour de nous. »

Nous nous aidons les uns les autres à nous relever puis, clopin-clopant, nous nous dirigeons vers les champs et la sécurité.

La confession
est absolument nécessaire

Gabriel désire savoir si je crois aux allégations du garçon nommé Joseph. « Je crains, dit-il, qu'elles ne comportent une part de vérité. »

Je lui demande ce qui l'amène à le penser. Nous avons déjà fait à Isaac le récit des terribles journées que nous avons vécues, sans toutefois lui décrire les tortures les plus cruelles. Il nous a aidés avec patience à soigner Aaron qui a horriblement souffert mais qui, Dieu merci, s'en remettra.

« J'ai l'impression que les actes de Joseph parlent pour lui, poursuit Gabriel. S'il voulait simplement retrouver les siens, il n'avait nul besoin de semer le doute parmi nous. » Son regard va d'Isaac à moi. « Joseph ne joue pas la comédie. Il est peut-être un peu fou, mais avez-vous remarqué son expression quand il a raconté ce qui lui était arrivé ? Bien que je n'aie aucune preuve, j'ai tendance à le croire. » Gabriel s'interrompt de nouveau, comme pour ménager ses effets. « Le mal s'est infiltré dans notre mission. »

Isaac secoue la tête. « Ce n'est pas possible. Les donnés ont fait vœu de vivre dans l'abstinence et la pureté. Violer un garçon ? Je ne peux pas l'imaginer.

— Ne soyez pas naïf, dit Gabriel. Le Diable guette toujours dans l'ombre.

— Mes chers révérends pères, interviens-je, il s'agit certes d'une chose sérieuse sur laquelle nous devons enquêter, mais il y a des questions plus urgentes, des questions de vie et de mort se rattachant à notre mission dont il faut nous occuper sans plus attendre.

— Vous n'estimez donc pas que les accusations de Joseph constituent une question urgente ? demande Gabriel.

— Mon cher père Gabriel, je ne voudrais en aucune manière suggérer que nous ne soyons pas placés face à quelque chose de grave, de très grave même, mais les Iroquois sont sur le sentier de la guerre, et nous sommes mal équipés pour nous défendre. » Je lui explique que nous devons songer autant à notre survie qu'à la justice, si toutefois pareille abomination s'est en effet produite entre nos murs.

Je me rends compte que ma réponse ne le satisfait pas, mais qu'il en accepte la logique. Je laisse les deux pères, me sentant écrasé par l'énormité de ma tâche. Il faut que je sois fort, et surtout maintenant que le Diable ne se contente plus de guetter dans l'ombre mais qu'il est en notre sein.

Avec les bandes d'Iroquois qui rôdent encore dans les parages, les gens partent la peur au ventre travailler dans les champs à l'extérieur des palissades. Nous ne pouvons dépêcher qu'un ou deux soldats pour les accompagner, car les autres montent la garde sur les remparts et surveillent les forêts ténébreuses qui nous entourent.

Depuis les incursions de l'ennemi dans ce territoire, toutes sortes de réfugiés se présentent à nos portes, Nipissings et Hurons, Montagnais et jusqu'à quelques membres d'un groupe mystérieux qui s'est donné le nom de Peuple du Lynx. Il y a tant de Sauvages dans notre village que nous avons à peine de quoi les nourrir. Nous ne pourrons pas tenir longtemps ainsi, même pendant la bonne saison. Qu'en sera-t-il alors quand viendra l'automne, puis l'hiver ? Comme toujours, Seigneur, notre sort est entre Vos mains.

Pour ne rien arranger, Isaac se conduit de plus en plus bizarrement ces derniers temps. Il est maintenant convaincu de pouvoir amener les Sauvages à Dieu grâce à de stupides tours de magie qu'il a sans doute appris durant son enfance. Il est allé jusqu'à coudre des poches secrètes dans les manches et à l'intérieur de sa soutane. Le Capitaine de la Journée n'intéressant plus guère de monde, Isaac excite la curiosité des enfants en tirant de sa robe avec ses mains mutilées des tas d'objets qui, d'ailleurs, lui échappent souvent et tombent, des pierres, des lettres en français qu'il entreprend de lire aux enfants que cela amuse ou même, une fois, un doublon tout neuf. Hier, Gabriel et moi l'avons vu produire ainsi un poussin.

« Eh bien, voilà qui était impressionnant, a dit Gabriel.

— Surtout quand on pense à ses mains réduites à l'état de moignons, ai-je ajouté, ce qui nous a fait tous les deux rire.

— Mais pour redevenir sérieux, a repris Gabriel,

n'avons-nous pas déjà discuté des dangers qu'il y a à tenter de les convertir en utilisant des tours de passe-passe ? Ces pitreries n'empiètent-elles pas sur le domaine de cette sorcière de Petite Oie ? »

Isaac a feint alors d'avoir avalé un peu de duvet et de s'étrangler.

« Hélas, ai-je répondu. Ce sont encore des enfants. Et le cher Isaac aussi, semblerait-il. Et aux enfants reviennent les choses enfantines. » Nous avons déjà assez de soucis et, franchement, tout cela paraît bien innocent. En ces temps troublés, un peu de légèreté ne fait pas de mal.

À la fin du printemps, peu après que nous avions regagné sains et saufs la mission, Oiseau est parti avec Renard, Porte-une-Hache et Chutes-de-Neige, car il nourrissait des craintes pour son village. J'aurais voulu qu'il reste pour au moins aider à nous protéger, mais je comprenais qu'il était pressé de rentrer chez lui où, au dire de tous, les gens de son peuple frissonnaient de fièvre sous leurs couvertures, attendant de mourir soit de la maladie dont ils souffraient, soit des mains de l'ennemi. Nous étions maintenant au cœur de l'été et nous n'avions plus aucune nouvelle. Nous espérions que c'était bon signe, mais personne n'osait faire le voyage d'une journée pour aller voir.

Nous nous sommes attachés à renforcer nos défenses. Cinquante hommes robustes et autant de Sauvages ont surélevé les palissades et creusé un canal depuis la rivière qui sert à la fois à entraîner la roue d'un moulin et à alimenter le village en eau. C'est un système ingénieux muni d'une porte d'écluse qu'on ne peut faire fonctionner que de l'intérieur. Nos hôtes sont très impressionnés. Désormais, ceux qui ont le courage de sortir du village empruntent le canal qui débouche dans la rivière d'où, en pagayant ferme, ils peuvent rallier la sécurité relative de la Mer d'eau douce.

Cet été, je me suis surtout préoccupé des besoins du village plutôt que de me laisser envahir par la peur de ce qui guettait au-dehors. J'ai convoqué tous les donnés et les frères convers, suggérant ou plutôt affirmant que la confession était absolument néces- saire. Lorsque, le chapeau à la main, ils entraient l'un à la suite de l'autre dans la pénombre fraîche de la chapelle aux poutres grossièrement équarries, je leur demandais comment ils se sentaient dans ce pays rude. De fait, j'essayais de savoir si les accusations de Joseph étaient fondées. Ces entretiens se sont prolongés trois jours durant. Je me suis aperçu que nombre de ces hommes n'aimaient pas trop parler. Tous semblaient avoir été endurcis par le dur labeur effectué pendant les mois d'hiver. Leurs visages bar- bus étaient burinés, et une odeur de sueur imprégnait leurs vêtements.

Je jure n'avoir détecté chez aucun d'eux la marque du Diable tandis que, un par un, ils s'avançaient, l'air mal à l'aise, puis s'agenouillaient en marmonnant, écorchant par-ci par-là quelques mots. Mon Dieu, ce n'est certes pas la crème de l'humanité qui com- mencera à peupler ce Nouveau Monde. Des hommes meilleurs viendront sans doute, mais pour le moment, nous ferons avec ce que nous avons. J'ai totalement échoué dans ma tentative de découvrir la vérité.

Cet après-midi, maintenant que je les ai tous entendus, je demande à Aaron de nous rejoindre. Le pauvre garçon souffre encore physiquement. Il boite et serre sans arrêt sa main gauche dans sa droite. Je le vois tous les jours pleurer. Un lien paraît s'être créé entre Isaac et lui, eux qui ont subi des tortures similaires. Isaac me dit qu'Aaron souffre autant du mal d'amour que de ses blessures. Je lui réponds que, comme chaque mal d'amour, celui-ci aussi passera. Nous devons nous soucier de l'âme d'Aaron et non de ses désirs charnels. Isaac devrait le savoir.

Le dîner est servi. Une poignée de Sauvages se présentent, et il ne me viendrait pas à l'idée de les renvoyer. Nous sommes une vingtaine et nous nous entassons autour de deux tables mises bout à bout pour partager un ragoût aqueux accompagné de pain vieux d'une semaine qu'il nous faut tremper dedans pour qu'il soit mangeable. Après les prières, on entend grincer les pieds des chaises sur le plancher pendant que les hommes avalent goulûment, bruyamment, et je dois faire de grands efforts sur moi-même pour ne pas les sermonner. Somme toute, c'est moi qui les ai invités pour leur parler de sujets importants. Je remarque que la plupart d'entre eux ont l'air de bonne humeur malgré la précarité de notre situation.

Une fois qu'ils ont terminé leur repas, je lève la main et je prends la parole : « Messieurs, ainsi que nous le savons tous, les Iroquois ont déclaré la guerre aux Hurons et nous, les Français, sommes les alliés des Hurons. » Je promène mon regard sur tous les visages pour m'assurer que chaque homme comprenne combien l'affaire est sérieuse. « Personne n'ignore que le village des Arendahronnons était bien fortifié et qu'il se composait de quinze cents à deux mille âmes avant que ne frappe la maladie de l'hiver dernier. Et après l'attaque des Iroquois, le peuple des Arendahronnons n'existe plus. »

J'explique ensuite que notre village d'environ deux cents habitants, dont une majorité de femmes et d'enfants, doit se consacrer inlassablement à améliorer ses défenses, et prier pour que les soldats et les frères lais promis arrivent cet été en renfort, car sinon, nous serons en grand danger. « Les Iroquois ne respectent rien, poursuis-je, sauf peut-être nos mousquets. » Je les ai comptés : nous en avons vingt et deux fois autant d'hommes capables de s'en servir correctement.

Puis je demande à chacun son avis sur les meilleures fortifications et la manière de les ériger dans un délai le plus bref possible.

« Il faut des remparts plus hauts, déclare l'un des donnés. Et aussi des palissades plus hautes et plus larges.

— Les Iroquois leur mettent tout simplement le feu, dit un autre donné. Non, nous devons construire des murs ayant une base en pierre au moins jusqu'à hauteur d'homme. » Plusieurs de ses compagnons approuvent.

« Et pourquoi pas des douves ? » propose quelqu'un, mais tous tombent d'accord pour dire que cela nécessiterait trop de temps.

Leur enthousiasme ne laisse pas de m'impressionner.

L'idée la plus pertinente est émise par un jeune

donné à la fine moustache clairsemée qui fait remarquer que bâtir un mur autour du village exigerait une année de travail acharné, tandis que des bastions disposés à intervalles réguliers ne prendraient que deux ou trois mois. Tous manifestent vivement leur accord.

Ils réclament de l'eau et l'un d'eux va chercher dans la cuisine une cruche qu'ils font circuler tout en continuant à débattre.

Aaron boit à longs traits dans sa tasse, et je note qu'il fait une drôle de grimace en s'essuyant les lèvres. Il ne parle pas français, et je crains qu'il ne se sente exclu. Après avoir pris une autre grande gorgée, il demande qu'on lui repasse la cruche. Un donné assis à ses côtés le ressert.

M'adressant à lui en huron, je l'interroge : N'a-t-il pas une observation à faire que je pourrais traduire à l'intention des autres ? Il secoue la tête et vide sa tasse.

J'aurais cru que tous partiraient le plus rapidement possible une fois leur repas englouti, mais ils continuent à discuter. Certains rient, d'autres semblent absorbés dans leurs conversations, et quelques-uns pleurent même. Un homme retourne dans la cuisine remplir la cruche, et quand je le surprends à tituber un peu, je commence à comprendre.

« Qu'est-ce qu'il y a dans ta cruche ? » je lui demande en sautant sur mes pieds. Ceux qui m'ont entendu se taisent et baissent les yeux, alors que d'autres poursuivent leurs discussions comme si de rien n'était. « Qu'est-ce que vous buvez ? m'écrié-je, et là, tous dressent la tête.

— Ce n'est que du cidre, mon père, dit l'un des donnés. Fait avec les pommes qui poussent ici à l'état sauvage.

— Passe-moi ta tasse », dis-je à l'homme le plus près de moi. Il s'exécute, non sans avoir bu avant une longue gorgée. Je hume le peu de liquide qui reste. Une forte odeur de mauvais alcool me brûle les narines. « Ce n'est pas du cidre ! je m'exclame. Qui a concocté cette infâme pisse du Diable ? »

Je leur décoche un regard furieux, et tous courbent la tête. Un donné finit par lever une main hésitante. « C'est moi, mon père, dit-il d'un air penaud. Je voulais apporter un peu de joie dans notre existence pendant cet été si triste et dangereux.

— Je ne veux pas d'alcool dans cette mission, dis-je d'une voix tremblante. Rien n'empoisonne plus vite l'amitié et l'obédience. Nous risquons à tout moment de voir déferler sur notre village un grand parti de guerre iroquois qui rôde dans les parages, et vous, vous voulez faire la fête ? »

Les hommes marmonnent. Certains osent reprendre leur tasse pour boire encore. Voyant cela, Gabriel se lève à son tour. « Nous ne tolérerons pas de mutinerie entre ces murs. Dois-je vous rappeler la punition qui vous attend, non seulement dans ce monde, mais aussi, et sans le moindre doute, dans celui d'après ?

— Et si cela ne suffit pas pour vous ramener à la raison, ajouté-je, sachez que les soldats de cette mission sont placés directement sous mes ordres, et soyez persuadés que je n'hésiterai pas à requérir leur aide. » Je vois alors un changement s'opérer chez les donnés. Ils baissent la tête en signe de soumission. Celui qui était allé remplir la cruche revient. Il regarde autour de lui et, étonné, il sursaute, faisant déborder un peu d'alcool.

« Espèce d'imbécile ! crié-je. Vide-moi tout de suite ce maudit poison. »

Il hésite, mais un homme lui prend la cruche des mains et la vide par terre. Quelques murmures de protestation s'élèvent.

« Et maintenant, je vous ordonne de faire de même avec vos tasses », dis-je. Ils se consultent, puis me dévisagent. Je soutiens leur regard. Gabriel est à côté de moi. Ils détournent les yeux et s'exécutent.

Aaron a suivi la scène avec quelque chose qui ressemble à de l'amusement. Sans avoir tout compris, il en a saisi le sens général. Constatant que je le regarde, il porte sa tasse à ses lèvres et boit ce qui reste. Après s'être essuyé la bouche avec sa main mutilée, il dit qu'il aimerait prendre la parole. Il a l'élocution pâteuse.

« Ce n'est pas une très bonne idée, Aaron, dis-je. Le temps des discours est passé pour ce soir.

— J'estime avoir le droit de faire une déclaration », réplique-t-il. Il se lève et dresse les bras. « Je me nomme Trouve-les-Villages et je suis un Wendat. » Les donnés autour de lui ricanent. « Celui que vous appelez père, ce Corbeau-là… (il me désigne)… a parlé au Grand Génie et le Grand Génie lui a dit de me baptiser Aaron. » Les donnés paraissent mal à l'aise. « Comme j'ai accepté le Grand Génie et que j'ai rejeté Aataentsic, Femme-Ciel, et son fils Iouskeha, le père m'a dit que je ne reverrai pas ceux que j'aime quand je mourrai. J'irai dans un endroit enchanteur mais où je ne retrouverai pas ceux de mon peuple. »

Les hommes ne font déjà plus attention à lui, et certains rient et discutent entre eux.

« J'ai fait cela parce que j'aimais une jeune fille appelée Chutes-de-Neige. Après avoir renoncé à Aataentsic et à Iouskeha, je croyais que pour sa part, elle avait accepté le Grand Génie. Il était clair dans mon esprit qu'à notre mort, elle et moi irions ensemble dans cet endroit enchanteur. »

Sa voix se met à trembler. De moins en moins d'hommes s'intéressent à lui. Ils continuent à bavarder comme s'il n'était pas là. Quelques-uns sortent en vacillant. « Mais je n'en suis plus aussi sûr, poursuit Aaron. Je ne pense pas qu'elle ait accepté le Grand Génie, et maintenant, j'ai l'impression d'être tout seul. »

Presque plus personne ne l'écoute. Il lève plus haut les bras. « Mes cousins, je fais appel à votre savoir. Je vous demande conseil. » Les hommes s'en vont maintenant par groupes entiers au milieu des marmonnements et des rires.

Je voudrais qu'Aaron se rassoie. Je m'avance vers lui, mais il m'écarte d'un geste.

« Les Corbeaux m'ont dit, reprend-il devant l'assistance clairsemée, que je ne devais pas écouter mes rêves mais écouter seulement les Corbeaux et le Grand Génie. Or, je ne peux plus ignorer mes rêves. J'ai rêvé la perte de ces doigts. » Il brandit sa main mutilée. « Et je rêve tout le temps que ce n'est que le début, qu'il y a encore de nombreuses batailles inachevées. Mes rêves me disent que bientôt, les feux dévoreront ce pays. »

Tous les hommes sont maintenant partis. Aaron nous regarde, nous les trois jésuites. « Mes rêves me disent que la fin du monde que je connais est proche. »

Il se laisse lourdement tomber sur sa chaise et se prend la tête entre ses mains estropiées.

Ces deux dernières semaines, les donnés, selon toute apparence, se sont bien conduits. À mesure que les rares survivants du village des Arendahronnons et des quelques hameaux environnants arrivaient, porteurs des nouvelles de massacres dans le pays des Hurons, ils ont réalisé à quel grave danger nous étions confrontés. Je suis stupéfié par l'efficacité et la brutalité des Iroquois qui savent porter leurs coups quand leurs ennemis sont le plus affaiblis et quand ils s'attendent le moins à un raid, sans parler d'une véritable invasion. Des centaines de morts et des centaines de prisonniers. Les Arendahronnons, le Peuple du Rocher, jadis si fiers, sont à présent réduits à une poignée de pauvres gens affamés aux yeux qui leur mangent le visage, blottis dans une maison-longue à l'extérieur de la mission.

Nous avons adopté l'idée de construire des bastions en pierre à chaque coin des palissades. Des jours durant, les hommes sont allés chercher des pierres dans les champs aux alentours, tandis que nos soldats montaient la garde, l'arme au pied. Je surveille l'avancement des travaux. Certains mélangent du sable, de l'argile et de la chaux pour faire du mortier pendant que d'autres posent pierre par pierre. Chaque jour, les murs d'un premier, puis d'un deuxième, d'un troisième et d'un quatrième bastion s'élèvent.

Suffiront-ils ? Gabriel et Isaac veulent croire que les Iroquois ne nous attaqueront pas. Pour cette saison, s'imaginent-ils, leur soif de sang a été assouvie, et les Iroquois savent qu'en s'en prenant aux jésuites, ils déclencheraient une guerre contre la France elle-même, une guerre qu'ils n'auraient aucune chance de gagner. Pour ma part, je ne suis pas aussi naïf. Les origines de ce qui se passe ici remontent à bien avant notre arrivée, et c'est devenu un combat bestial. Je pense sincèrement, Seigneur, que cela ne finira que quand un camp aura anéanti l'autre.

La plupart des Sauvages ont perdu tout intérêt pour le Capitaine de la Journée, et il est bien difficile de leur faire entendre le message du Christ alors qu'ils se sentent constamment sous la menace de leurs ennemis. Je dois user de tout mon pouvoir de persuasion pour qu'ils acceptent d'aller travailler dans les champs, et il faut leur rappeler sans cesse que les soldats armés de mousquets, les bois brillants comme ils les nomment, sont toujours à proximité et veillent sur eux. Je parviens à en convaincre ainsi quelques-uns, mais ceux qui ont échappé il y a peu à la mort et aux tortures des Iroquois refusent de quitter l'enceinte du village. Qui pourrait les en blâmer ?

Isaac, Gabriel et moi avons entamé une neuvaine, et nous Vous prions, Seigneur, de nous amener les soldats, les frères convers et les provisions que l'on nous a promis. J'ai fait l'inventaire des stocks et, ainsi que je le soupçonnais, même avec ce que nous pourrons emmagasiner pendant la bonne saison, nous consommons beaucoup plus que ce que nous produisons. À ce rythme, nous ne survivrons pas à l'hiver, et si la maladie frappe de nouveau, notre sort sera plus que jamais entre Vos mains. Et comme toujours, Seigneur, je m'en remets volontiers à Vous.

Je suis dans la maison-longue chrétienne où je m'efforce d'expliquer la confession et son importance quand j'entends les soldats crier au milieu du cliquetis de leurs armures légères. Dalila et Aaron me regardent, et je lis dans leurs yeux une interrogation muette : le moment est-il enfin arrivé ? Les autres, une dizaine ou un peu plus, assis dans la pénombre voilée de fumée, se mettent à chuchoter. Après leur avoir dit de rester là, je sors en courant.

C'est le début de la soirée, et la pluie qui menaçait depuis le matin commence à tomber. Le ciel a beau être gris, après l'intérieur sombre de la maison-longue, la lumière du dehors m'éblouit. Je me précipite vers les soldats qui, du haut des remparts, hurlent quelque chose, pendant qu'au sol deux autres épaulent leurs mousquets.

« Que se passe-t-il ? je crie aux sentinelles.

— Un parti de guerriers, répond l'une. J'en compte cinq. Dois-je tirer pour leur faire peur ?

— Non, dis-je. Pas avant que je les aie vus.

— Ils font des gestes suspects, reprend le soldat. Et l'un d'eux a un mousquet. »

Soulevant d'une main ma soutane, je grimpe à l'échelle le plus vite possible, m'écorchant le genou sur le dernier barreau. Je rejoins les soldats et je jette un coup d'œil entre les pieux de la palissade.

« Ne tirez pas, dis-je. Ce sont nos alliés. »

À une centaine de pas au milieu du champ se tient Oiseau, son arme à la main, accompagné de Renard et de trois jeunes guerriers. D'une voix forte, il demande en huron la permission d'entrer.

Nous en avons à peine assez

Les plus hautes fortifications, l'une achevée, les trois autres en construction, nous impressionnent énormément, Renard et moi. Elles font saillie sur les palissades aux quatre coins du village, chacune faite de pierres, de sorte qu'elles résistent sans doute au feu, aux flèches et même aux bois brillants. Depuis le toit bien protégé, on bénéficie d'une aussi bonne vue que depuis les remparts, mais on y est beaucoup plus en sécurité, d'autant qu'il semble très difficile de monter jusque-là. On ne voit pas de porte, mais je pense qu'il doit y en avoir une à l'intérieur du village.

« Certes, c'est solide, dit Renard en donnant un petit coup sur le mur. Mais on peut toujours l'escalader. »

Je le mets au défi d'essayer. Je sais combien il est habile, et je suis curieux de voir s'il y parviendra.

Il pose son arc par terre et fait le tour du bâtiment pour l'examiner, observé d'en haut par les hommes. Les Corbeaux sont venus regarder.

Après avoir bien étudié les différentes possibilités, Renard agrippe une pierre au-dessus de sa tête et se hisse, tandis que ses pieds cherchent une prise.

Une fois qu'il en a trouvé une, il renouvelle l'opération et continue à grimper ainsi. Quand il est arrivé à mi-hauteur, je lui crie : « Si c'était pendant une bataille, il y a longtemps qu'on t'aurait transpercé de flèches, versé de l'eau bouillante dessus ou assommé avec des pierres. Cela aurait rendu les choses plus intéressantes, tu ne crois pas ? »

Il ne me répond pas et poursuit lentement son ascension. D'où il est maintenant, si jamais il tombait il pourrait se faire sérieusement mal. Moi, je déteste l'altitude. Je suis un homme de la terre et de l'eau.

Se tenant au rebord, il passe la jambe par-dessus et se dresse soudain au milieu des soldats ébahis. « Tu vois ! me crie-t-il. Ce n'est pas si dur ! » Il réfléchit quelques instants. « Mais si je devais attaquer cette structure, je m'introduirais par le bas et j'allumerais un grand feu pour faire rôtir les ennemis et les obliger à sortir.

— Et si nous en construisions dans notre village ? je suggère.

— Telles que je vois les choses, dit-il, on peut toujours mettre le feu aux palissades. Un ennemi déterminé n'aurait alors plus qu'à entrer, non ? »

Il a raison. Mais ces tours en pierre permettraient de tenir un moment l'ennemi en respect, au point, peut-être, de le décourager. En tout cas, les Haudenosaunees hésiteraient bien davantage avant de se lancer à l'assaut.

Une fois Renard redescendu, le Corbeau nous invite à conférer avec lui. Il sait que nous ne sommes pas venus jusque-là pour faire une simple visite de courtoisie. J'ai envoyé Chutes-de-Neige aux nouvelles

auprès des Wendats qui habitent ici. Porte-une-Hache, qui lui semble attaché, voulait l'accompagner, mais je lui ai dit qu'on avait besoin de lui pour protéger nos maisons. De mon côté, j'ai demandé à Petite Oie d'effectuer le voyage avec moi, car ses avis et ses conseils sont précieux, mais elle trouve ce village trop sinistre. « Rien que d'y penser, j'ai mal à la tête », m'a-t-elle dit juste avant mon départ.

La construction où le Corbeau nous reçoit est faite en partie de pierres et en partie de pièces en bois soigneusement découpées. Sa solidité apparente m'impressionne aussi. L'intérieur, sombre et frais, sent le moisi. Ces gens-là n'entretiennent pas beaucoup de feux, et l'humidité ne tarderait pas à causer des problèmes de poumons chez n'importe quel Wendat. Au lieu de nous laisser nous asseoir par terre, il nous installe sur des bancs, les bras appuyés sur la table.

J'allume une pipe, tire quelques bouffées, puis la passe autour de moi. Comme toujours, le Corbeau la refuse. Je suis tellement habitué à son impolitesse que je ne m'en offusque plus guère. Il ne s'embarrasse pas de préambules, non plus.

« Qu'est-ce qui vous amène dans cette mission ? demande-t-il de but en blanc.

— Nous venons pour avoir des nouvelles, réponds-je. Et pour vous en donner. »

Je lui annonce qu'un petit groupe de Haudenosaunees s'est présenté à notre village pour savoir si nous accepterions de nous rendre et de leur remettre les Corbeaux. « Devant notre refus, une escarmouche s'est produite, dis-je. Nous les avons chassés et nous en avons même tué deux ou trois, mais ils nous ont fait clairement comprendre que tant que nous demeurerons vos alliés, nous demeurerons leurs ennemis. Ils ont promis de revenir. »

Il semble apprécier mes paroles. « Ils ont donc quitté le pays ? »

J'acquiesce. « Il reste quelques petits partis qui sillonnent encore la région pour nous harceler, mais les autres, selon nos éclaireurs, sont rentrés chez eux. »

Il a l'air soulagé, mais il voudrait avoir une idée du moment où ils vont revenir. Je lui réponds que c'est difficile d'en être sûr, mais que ce ne sera sans doute pas avant l'été prochain. Après tout, ils doivent eux aussi s'occuper de leurs cultures et de leurs familles. « Mais il faut que tu dises à ton peuple, poursuis-je, que nous courons tous un grave danger. » Je marque une pause. « Si tes guerriers pouvaient utiliser leurs armes et exercer une pression sur les Haudenosaunees en les attaquant sur leur territoire, cela nous laisserait le temps de regrouper et de consolider nos forces. De plus, cela les obligerait à y réfléchir à deux fois avant d'envahir notre pays en si grand nombre l'an prochain. »

Le Corbeau secoue la tête. « Les questions militaires ne sont pas trop de mon ressort. Depuis la mort du grand chef Champlain, les années passent, et nous avons du mal à obtenir des autorités responsables ce dont nous avons besoin. Elles promettent et nous ne pouvons qu'attendre et espérer. Comme tu le sais, mon devoir est bien éloigné de la guerre.

— Mais si ton peuple n'agit pas bientôt, je réplique, ton devoir n'existera plus l'an prochain à cette époque.

502

— Je peux toujours envoyer un message, mais je crains qu'il ne serve pas à grand-chose. »

Je lui demande de l'envoyer quand même, et je lui propose de le faire porter par quelques-uns de mes meilleurs coureurs.

« On m'a promis que d'autres gens de mon peuple nous rejoindront cet été ou cet automne, reprend le Corbeau. Il y aura également des guerriers ainsi que des bois brillants et des provisions. »

Ce sont d'excellentes nouvelles. « Nous sommes venus aussi faire la traite avec vous pour des armes et des munitions », dis-je. Les Haudenosaunees respectent et redoutent les bois brillants, et Renard et moi sommes persuadés que si nous en possédions ne serait-ce qu'une dizaine ou une vingtaine, nous pourrions vaincre des forces nettement supérieures aux nôtres.

« Nous n'en avons nous-mêmes que très peu, explique le Corbeau sans hésitation. Nous ne pouvons en aucun cas nous en séparer. » Il réfléchit un instant. « En revanche, il serait peut-être possible de vous fournir un peu de poudre et des balles. »

Renard se tourne vers moi : « Je t'avais prévenu qu'il te répondrait cela. » Puis il s'adresse au Corbeau : « Tu veux dire que tu ne nous en donneras aucun ? Je suis certain que vous en avez bien quelques-uns dont vous ne vous servez pas. Nous te les échangerons contre de la nourriture, des pelleteries, tout ce que tu voudras. »

Le Corbeau secoue de nouveau la tête. « Je regrette, mais nous en avons à peine assez pour assurer notre propre défense.

— Nous avons durement souffert de la maladie cet hiver », dis-je. Je ne tiens pas à ce qu'on sache que la moitié d'entre nous ont péri. Je lui avoue cependant qu'il ne nous reste que peu de guerriers expérimentés, et j'ajoute que pour espérer survivre à ce qui nous attend, il faut que nous nous rassemblions. J'ai l'impression d'être sur le point de supplier, ce qui me met en colère. Nous avons hébergé les Corbeaux, nous leur avons appris à subsister dans notre monde, nous leur avons plus d'une fois sauvé la vie, et voilà comment ils nous récompensent ! Néanmoins, je me mords la langue. « Et quand les autres seront arrivés, si toutefois ils arrivent, peux-tu m'affirmer que tu nous donneras quelques-unes de ces armes en échange de nos fourrures ou autres ? »

Le Corbeau demeure un long moment songeur, tirant sur les cheveux qu'il a au bout du menton. « Oui, s'ils arrivent sains et saufs, et avec quantité de provisions, alors oui, je crois que nous pourrons négocier avec vous. »

Je le prendrai au mot, et je le lui dis. Renard et moi, nous nous levons pour sortir. Nous rendrons visite aux cousins qui sont là ce soir, puis nous partirons aux premières lueurs du jour. Nous n'avons plus rien à faire dans ce village. Pourtant, j'ai une boule dans le ventre à la pensée d'être contraint d'attendre que le Corbeau insiste auprès de son peuple pour qu'il soumette les Haudenosaunees à une pression militaire et aussi d'espérer qu'il tiendra sa promesse de nous fournir plus tard quelques armes. Peut-être enverrai-je Renard porter son message à leur grand chef, car je sais qu'il devrait réussir. Mais à l'idée du voyage hérissé de difficultés inouïes qu'il aurait à entreprendre, je me rends compte qu'il est trop précieux à mes yeux pour que je le mette ainsi en danger. Si c'était possible, j'irais moi-même, mais il me faut reconnaître que je n'ai plus ni l'énergie ni la résistance des jeunes. Le temps est peut-être venu que Porte-une-Hache fasse ses preuves. Il est vrai qu'il les a déjà faites. Peut-être est-il même digne de ma fille.

Alors que nous sommes sur le seuil, le Corbeau s'éclaircit la gorge et, se levant à son tour, il demande : « Et qu'en est-il de cette idée de regroupement, de rassemblement dont tu as parlé ? » Son regard va de Renard à moi. « Ne vaudrait-il pas mieux que nos deux villages n'en fassent plus qu'un, au moins jusqu'à ce que la menace soit passée ?

— Tu renoncerais donc à ce que tu as créé ici ?

— En fait, répond-il, je pensais que ce serait ton peuple qui viendrait s'installer ici. »

Je me tourne vers Renard. Il a sa mine des mauvais jours. « Je préférerais mourir de froid dépouillé de tout plutôt que de mendier leur protection. »

Sur ce, nous débouchons dans le soleil.

Ils ont creusé un cours d'eau allant de la rivière au village, et comme la lumière scintille dessus, quelque chose au fond attire mon attention. Je m'arrête.

« Regarde-moi ça, dit Renard. Qu'est-ce qu'ils nous préparent ? »

Je suis incapable de répondre. J'ai une impression de déjà-vu. « Je crois que je l'ai un jour rêvé », dis-je.

Nous longeons le cours d'eau jusqu'aux palissades,

puis nous revenons sur nos pas. « C'est une bonne idée pour avoir de l'eau potable », dit Renard.

Je m'interroge encore sur sa fonction quand, du haut des remparts, deux hommes velus en appellent deux autres qui, postés en bas, soulèvent alors un lourd panneau de bois. Stupéfait, je vois deux canoës entrer dans le village avant que le panneau se referme.

« Eh bien, dis-je, voilà qui est extraordinaire. »

Comme à son habitude, Renard refuse d'admettre qu'il est lui aussi impressionné. « Je parie que toute cette eau stagnante attire des nuées et des nuées de moustiques », affirme-t-il.

J'éclate de rire, mais tandis que nous nous éloignons, je ne peux m'empêcher de jeter un coup d'œil par-dessus mon épaule en direction de cette étroite rivière.

Nous nous promenons dans le village, allant d'étonnement en étonnement. Il y a des habitations pour accueillir les hommes venus de toute la région, et les Corbeaux ont construit un vaste bâtiment pour communier avec leur grand génie. Dedans, il y a une croix brillante installée sur une plate-forme ainsi que de nombreux bancs pour s'asseoir. Dans un autre bâtiment, ils ont stocké le maïs dans une première pièce et la viande dans une deuxième. S'ils n'ont pas plus de provisions, ils vont avoir de sérieux problèmes cet hiver. Ce qui nous surprend le plus, c'est qu'à l'intérieur des palissades, derrière une clôture, on voit des maisons-longues bâties à la va-vite ainsi que des wigwams réservés aux Anishinaabes.

Nous nous demandons pourquoi ces habitations sont séparées du reste du village jusqu'à ce que nous rencontrions Chutes-de-Neige assise devant une belle maison-longue en compagnie de Point-du-Jour et du jeune garçon appelé Trouve-les-Villages. Ils nous expliquent que seuls les Wendats ayant accepté le grand génie ont droit aux meilleures maisons-longues.

« Pourquoi ne rentres-tu pas avec nous, Trouve-les-Villages ? » je lui demande. Il promettait tant avant de rejoindre le Corbeau.

« Je ne sers plus à rien, maintenant, dit-il en montrant sa main gauche amputée de deux doigts. Depuis que j'ai pris le nom d'Aaron, le monde est un endroit beaucoup plus troublé. » Il rit à ses propres paroles que personne d'autre que lui n'estime drôles. Il prend une tasse en écorce de bouleau et même d'où je me tiens, je reconnais l'odeur que j'ai sentie en cette nuit lointaine dans la forteresse des hommes velus.

« Tu aimes le goût de ce breuvage ?

— Il endort la douleur », répond-il, nous tendant la tasse.

Tous deux, Renard et moi, refusons d'un geste. « Je me souviens encore du mal de tête qu'il m'a donné le soir où j'en ai bu, dit Renard. Et pourtant, c'était il y a bien longtemps. »

Trouve-les-Villages offre alors la tasse à Chutes-de-Neige. Elle la considère un instant, regarde le garçon, et enfin, comme si elle émergeait d'un rêve, elle fait également signe qu'elle n'en veut pas.

« Il boit cette eau puante et raconte un tas d'absurdités sur lui-même depuis un long moment, dit Point-du-Jour. Les velus la fabriquent avec des pommes et rajoutent toutes sortes d'étranges poisons dedans. »

Elle montre Trouve-les-Villages. « Ils se moquent de lui quand il vient en mendier une fois qu'il n'en a plus.

— Et puis, ça embête les Corbeaux qui détestent qu'on en boive », reprend le garçon comme s'il n'avait pas entendu ce que nous venons de dire.

Je ne comprends rien à toute cette folie. « Chutes-de-Neige, dis-je. Il est maintenant trop tard, mais nous partirons demain à l'aube.

— Tu veux rentrer au village avec nous ? » demande ma fille à Point-du-Jour.

La vieille femme la dévisage. « Ma famille acceptera-t-elle de me reprendre ? »

Je me doutais que nous en arriverions là. « Je dois te dire que ta famille voyage désormais avec Aataent-sic. Je suis désolé de te l'apprendre.

— Tous ? demande-t-elle d'une voix tremblante. Ce n'est pas juste.

— Si cela peut t'apporter un peu de paix, dit Renard, ma famille voyage à présent en compagnie de la tienne. »

Point-du-Jour nous considère un instant, Renard et moi, puis elle se tourne vers Chutes-de-Neige. Nous voyons sa figure s'assombrir et son front se courber sous le poids de la nouvelle. « Ont-ils été convenablement enterrés ? » demande-t-elle enfin.

J'acquiesce.

« Dans ce cas, je resterai ici pour le moment », dit-elle.

Le soleil est levé et Renard marche devant nous sur la piste. Nous le suivons à intervalles espacés afin de pouvoir disparaître dans la forêt au premier signe de danger. Ce matin, j'ai eu beaucoup plus de mal que de coutume à réveiller Chutes-de-Neige. Quand, après être entré dans la maison-longue du grand génie, je l'ai secouée, elle a crié et m'a repoussé. Elle n'a jamais eu le réveil facile, mais aujourd'hui, c'était pire que jamais. Aaron ronflait non loin. Un petit pincement au cœur m'a laissé craindre qu'il ne se soit passé quelque chose d'anormal, mais je ne l'ai pas interrogée, car le temps pressait.

Alors que nous escaladons une crête d'où nous bénéficierons d'une vue sur la vallée que nous allons bientôt traverser, Chutes-de-Neige s'arrête et vomit. La soutenant, je lui demande de faire le moins de bruit possible de crainte d'alerter tout ennemi éventuel qui rôderait dans les parages. Ma première pensée, c'est qu'elle est enceinte. Je lui pose la question.

« Non, père », répond-elle, essayant de nouveau de me repousser.

Sentant alors sur elle l'odeur de cette eau puante, je comprends soudain. Elle en a bu avec Trouve-les-Villages. C'est bien fait pour elle, et peut-être que d'avoir ainsi à marcher toute la journée dans cet état lui servira de leçon. Je m'écarte d'elle pour repartir, mais assez lentement pour lui permettre de me rattraper. Regardant derrière moi, je vois qu'elle est encore accroupie. Elle cherche à me dire quelque chose, mais je la connais suffisamment pour savoir que si je reviens sur mes pas, sa bouche va se refermer comme un coquillage. Résistant à son appel, je poursuis mon chemin.

Une jolie fleur

À chaque pas, mon cerveau cogne contre mon crâne. J'ai été empoisonnée. Quand mon père m'a demandé si j'étais enceinte, j'ai tenté de le repousser. Les images de la nuit dernière, après que je me suis réveillée avec Aaron sur moi tandis que je me débattais en ressentant une brûlure, me remplissent de dégoût. Je tremble de peur à l'idée que mon estomac continue à être barbouillé et que je n'arrive pas à contenir le flot chaud et malodorant qui me monte dans la bouche. Je me sens tellement gênée de montrer ainsi ma faiblesse.

Toute la journée, je m'efforce de ne pas me laisser distancer et je ne me soucie même pas de la présence éventuelle d'ennemis, car au moins ils mettraient fin au martèlement qui me déchire les tempes. Je me jure de ne plus jamais toucher à cette eau puante, et la seule pensée de son odeur me donne la nausée. Au-delà de la souffrance, une idée affreuse me tourmente. Je me demande ce qu'Aaron m'a fait hier soir et, m'assurant que personne ne regarde, je me tâte. C'est douloureux et contusionné, là. Je me souviens de m'être glissée dehors avec lui pour goûter le poison, puis

510

d'en avoir bu et rebu. Je me souviens d'avoir essayé de regagner en silence la maison-longue, et je me souviens que quand je me suis allongée, la terre tournait autour de moi. Je me souviens de m'être contrainte à garder les yeux fermés, même lorsque j'ai senti la main mutilée d'Aaron explorer mon corps. Ensuite, je ne me souviens plus. J'ai si peur qu'en dépit de la chaleur, et alors que je suis en nage, je frissonne. Que m'a-t-il fait ? Que va-t-il arriver, maintenant ? Qu'est-ce que je vais dire à Porte-une-Hache ?

Je vois combien mon père est contrarié. Il marche devant moi, si vite qu'il disparaît souvent au milieu des broussailles et des arbres. Lorsque nous débouchons sur une clairière, nous nous asseyons au bord et nous guettons la présence d'ennemis et de gibier. À la dernière halte, quand ils repartent, je me sens incapable de les suivre, aussi je m'agenouille pour prier Aataentsic et même le grand génie dans l'espoir que l'un ou l'autre m'entende. J'ignore combien de temps je demeure ainsi, épuisée au point que je commence à dodeliner de la tête et que je ne crains même plus qu'on m'abandonne là. Je pose mon front sur mes bras, et quand je rouvre les paupières, je plonge mon regard dans les grands yeux marron d'un cerf qui se tient si près de moi qu'il me suffirait de tendre le bras pour le toucher. Je distingue ses cils, son museau qui frémit tandis qu'il hume mon odeur, puis il s'enfuit d'un bond et je ne vois plus que sa queue blanche qui remue alors que mon père apparaît, qui me fait signe de me dépêcher.

Tout le restant de l'après-midi, je m'applique uniquement à mettre un pied devant l'autre, et quand nous atteignons enfin nos champs, je suis si exténuée que je ne réagis même pas en voyant que les trois sœurs n'ont été semées que dans bien peu d'entre eux. Le village semble mort. En temps normal, à cette heure-ci, les familles se rendraient visite les unes les autres et partageraient leurs repas, mais dans la plupart des maisons-longues les feux ne sont pas allumés et les gens que j'aperçois ont l'air de fantômes.

L'absence ne me frappe vraiment qu'au moment où j'entre dans notre maison-longue et où je vois que les places de la femme et des enfants de Renard sont vides. Père et lui sont dehors, et ils fument leurs pipes en discutant. Je n'ai jamais été si heureuse de retrouver ma natte. Porte-une-Hache n'est pas encore là, et j'envisage de passer à l'habitation de sa famille, mais je ne résiste pas à l'appel de ma couverture de castor et je me glisse dessous. Aussitôt, je m'enfonce dans les ténèbres qu'apporte la nuit.

Porte-une-Hache et moi allons nous promener au bord de la rivière. Il a pris et son arc et son casse-tête, car il redoute de tomber sur des Haudenosaunees préparant un coup de main. Nous regardons l'eau couler et nous parlons de l'été. J'ai l'impression d'avoir beaucoup vieilli depuis la dernière fois.

« Je t'ai manqué ? » demande-t-il.

Je secoue la tête, puis je me tourne vers lui. Il paraît blessé. « Oui, bien sûr », dis-je.

Il se penche pour m'embrasser, mais au lieu de cette chaleur qu'il fait si facilement naître en moi, j'éprouve un sentiment d'effroi. Je lui dis qu'il ne faut pas.

« Pourquoi ? » s'étonne-t-il.

Je lui raconte que j'ai trop peur que des ennemis rôdent tout près.

Porte-une-Hache se tient alors parfaitement calme, comme s'il m'avait chassée de ses pensées. Je n'aime pas ça. Je me niche contre lui et l'embrasse sur la bouche. « Nous sommes trop à découvert ici, dis-je. Cherchons un endroit où nous cacher. »

Il sourit, se lève et me prend par la main. Je suis nerveuse à l'idée de ce que nous nous apprêtons à refaire. Mais je sais que nous le ferons jusqu'au bout. Pouffant de rire, nous avons quelquefois essayé, mais nous étions tous deux trop maladroits. Là, ce sera peut-être mieux. Je tiens à savoir, même si chaque nuit je suis réveillée comme par l'orage par le souvenir de l'eau puante et d'Aaron.

Tandis qu'il me conduit en haut d'une colline vers une falaise dissimulée derrière un rideau d'arbres d'où l'on a une vue sur la Grande Eau et les vagues qui déferlent sur le rivage, j'ai envie de lui avouer mes craintes, mais je sais que dans ce cas, il se précipiterait tout de suite au village des Corbeaux pour tuer Aaron. Dès que nous nous allongeons et que nous recommençons à nous embrasser, j'oublie mes soucis.

L'été passe. Les femmes sont dans les champs, les hommes guettent dans la crainte d'un danger que nous sentons, tapi parmi les ombres de la forêt. La pluie tombe et les cultures poussent, mais malheureusement, trop de champs n'ont pas été semés. À ma grande surprise, Petite Oie est restée avec nous tout l'été, ce qui n'est pas précisément dans ses habitudes. En général, elle disparaît pendant de longues périodes pour aller rendre visite à son peuple au nord. La plupart du temps, elle est avec nous dans les champs. Elle adore se moquer de nous, de notre travail et d'elle-même qui y participe. « Ce n'est pas naturel, dit-elle en s'épongeant le front, le regard levé vers le ciel sans nuages. Nous, les Anishinaabes, nous ne trimons pas ainsi l'été alors que le monde est doux à notre égard. Quel peuple arriéré vous faites, vous, les Wendats. »

Elle me consacre plus de temps, aussi. Il ne m'est venu que récemment à l'esprit que mon père avait dû le lui demander. Il nous surveille de près, Porte-une-Hache et moi, et je sais qu'il s'inquiète maintenant qu'il sait ce que nous faisons ensemble. Elle n'a pas de mère pour lui expliquer quelles sont les précautions nécessaires, crois-je l'entendre dire à Petite Oie. Alors, pourrais-tu au moins essayer de lui apprendre ce qu'une jeune fille a besoin de savoir ?

Or, Petite Oie n'ignore pas que l'été dernier, quand j'ai habité dans la maison-longue des femmes, la mère de Porte-une-Hache elle-même s'est chargée avec d'autres de mon éducation. Je sais que mon père se fait du souci. Tous les pères devraient se faire du souci pour leurs filles. Ainsi va le monde.

Dort-Longtemps est contente pour nous. « Mon fils et toi allez bientôt reprendre la tâche que tant de ceux qui ne sont plus là auraient aimé accomplir », me dit-elle ce soir alors que nous sommes assises autour de son feu. Grands Arbres et elle vont avoir un autre enfant, et elle a les mains posées sur son ventre qui a commencé de s'arrondir. « La maladie a tué tellement de rêves, dit-elle. Mais les tiens se réaliseront. » Elle tend le bras pour me lisser les cheveux. Elle sourit, mais dès que sa main touche ma tête, elle fronce les sourcils. « Tes rêves vont bien se réaliser, n'est-ce pas ? » demande-t-elle, une note d'incertitude dans sa voix forte.

Je hoche la tête et je cherche quelque chose à dire pour la rassurer. Je ne trouve pas mes mots. « J'ai appris à vivre au jour le jour, c'est tout. » La vérité est sortie de ma bouche sans que je l'aie voulu.

« En des temps comme ceux que nous connaissons, je suppose que c'est tout ce que nous pouvons faire, dit-elle. Tu es une sage jeune fille, Chutes-de-Neige. Tu es plus que digne de mon fils. »

Cet après-midi, quand la pluie se met à tomber, nous regagnons le village. J'aime le contact des gouttes sur mon visage. Les autres femmes se dépêchent de rentrer avant que l'orage éclate. Je sens qu'il va être violent.

Dès que nous sommes en sécurité, protégées par les palissades, le vent forcit. La pluie battante n'a plus rien d'agréable. Je m'apprête à courir jusque chez moi quand j'aperçois Petite Oie agenouillée sur le seuil de son wigwam, abritée par le toit. À ma vue, elle agite la main. Trempée, je la rejoins et elle s'écarte pour me permettre d'entrer.

Le feu flambe et me réchauffe. Je tords mes cheveux pendant que Petite Oie vient s'asseoir à côté de moi.

Elle serre quelque chose dans sa main. Elle l'ouvre,

dévoilant une petite boîte en piquants de porc-épic dont le couvercle représente une jolie fleur qui s'épanouit dans le creux de sa paume.

« Pour toi », dit-elle.

Je contemple le coffret, puis je lève les yeux à la rencontre des siens.

Elle me tend la boîte. « Pour toi », répète-t-elle.

Je la prends, puis je la tourne et la retourne entre mes doigts avant de soulever le couvercle. Elle est vide.

« C'est un cadeau pour Porte-une-Hache et toi, dit Petite Oie. Vos existences vont bientôt changer. »

Je la regarde d'un air interrogateur.

« Il est rarement indispensable que vos hommes sachent tout, poursuit-elle. Le bonheur survient quand tu partages seulement ce que l'un et l'autre, vous savez avoir besoin de partager. »

Je veux lui dire que je ne comprends pas, mais elle s'en est déjà rendu compte.

« Il y a des situations où l'on n'est pas responsable des actes des autres, reprend-elle. Quand on trahit ta confiance ou qu'un de tes amis abuse de toi par désir. »

Je commence à voir où elle veut en venir.

« Cette boîte en piquants est destinée à contenir ce qui est important pour toi, dit Petite Oie. Et cela, tu le sauras le moment venu. »

Je la remercie, et je lui dis combien la boîte est belle, magnifique.

« Il faut que tu te prépares pour ce qui s'annonce, reprend Petite Oie. Il est temps que ton amoureux et toi, vous pensiez à construire votre nid. »

516

Tandis que ma main glisse vers mon ventre, je me demande de quoi elle parle. Je lève les yeux. Elle sourit.

C'est très aimable de ta part

Isaac s'applique à calmer Aaron et à l'empêcher de boire. Tous deux ont l'air de bien se comprendre. Hier soir, comme le jeune Huron, devenu pareil à un animal sauvage, s'était emparé d'un couteau pour se taillader les bras, nous avons été obligés de lui attacher les pieds et les mains. Je pense que c'est l'alcool qui l'a diabolisé, et nous avons rassemblé ceux qui l'ont concocté pour les mettre aux fers. Je les avais prévenus, et je ne tolérerai pas qu'on me désobéisse. Les donnés ont beau protester, je ne veux plus voir ce poison ici.

Gabriel et Isaac ont bandé les plaies d'Aaron, et nous attendons qu'il nous explique ce qui l'a ainsi possédé. Toute la nuit, il a gémi, hurlé, et c'est sans nul doute lié à ce qui s'est passé avec Chutes-de-Neige. Je lui ai dit qu'elle allait bien, qu'elle était avec Porte-une-Hache et son père, mais il n'en a paru que plus agité.

Je vais faire le tour de la mission. Au prix d'un dur labeur, nous avons construit des habitations pour les nouveaux arrivants. Nous espérons la venue d'une centaine d'hommes, dont un grand nombre de soldats bien armés. Leur présence devrait donner à réfléchir aux partis de guerre iroquois. Les femmes huronnes cultivent les champs, et les récoltes, sans être abondantes, ont l'air néanmoins prometteuses. Des Sauvages du Nord sont venus traiter avec nous, si bien que nos magasins regorgent de gibier et de pelleteries que ces gens bizarres sont disposés à troquer contre des couteaux bon marché et des perles de verre. C'est Gabriel qui a eu l'excellente idée de faire savoir aux diverses tribus que nous avions beaucoup de marchandises à échanger. Dans l'ensemble, nous ne sommes pas trop mal lotis maintenant que, prémices de l'automne, les matinées se rafraîchissent chaque jour un peu plus. Quand ce sera la saison, j'enverrai quelques hommes triés sur le volet accompagner les Hurons à la chasse au cerf et autre gibier. Je pense que nous nous en tirerons. Nous avons déjà traversé des périodes plus difficiles. C'est la menace iroquoise que je ne parviens pas à me sortir de l'esprit.

J'ai dépêché deux donnés et trois Sauvages auprès du gouverneur de la Nouvelle-France, porteurs de la lettre dans laquelle je propose de mettre en œuvre le plan si intelligemment conçu par Oiseau. Un petit détachement de soldats supérieurement armés qui les harcèlerait cet automne, allant peut-être jusqu'à incendier leurs récoltes, ferait sans doute hésiter les Iroquois à déclencher l'été prochain une véritable guerre. Chaque matin, je prie pour que mes émissaires reviennent sains et saufs. Ils vont devoir pagayer vite et en silence. Le voyage avec ses portages est déjà assez périlleux en soi, à quoi s'ajoute la peur constante d'être fait prisonnier et torturé.

De retour de ma promenade, je constate qu'Isaac a détaché Aaron.

« Est-ce bien raisonnable ? je lui demande en français.

— Oui, oui, il se tiendra tranquille. »

Aaron est assis sur sa natte, apparemment désorienté et un peu en colère. Il frotte ses bras bandés d'un air absent. « Comment te sens-tu ? » je m'enquiers.

Il répond par un grognement.

« Désires-tu parler de ce qui est arrivé hier soir ? »

Nouveau grognement.

« Y a-t-il quelque chose qui t'aiderait à améliorer ton état ? »

Il sourit avec ironie. « Oui, de l'eau puante.

— Ceux qui t'en ont fait boire sont enchaînés et vont bientôt subir la torture, dis-je. Le poison a été versé dans la terre, et si tu ne me crois pas, je peux te montrer l'endroit où il a roussi l'herbe. Il n'y en a plus.

— J'en ai besoin. » Soudain agité, Aaron se lève. C'est un jeune homme robuste, deux fois plus large que le pauvre Isaac. Ses cheveux autrefois rasés ont repoussé, ce qui le rajeunit.

Isaac lui tend une main mutilée, et je comprends alors quel est le lien qui les unit. « Je sais ce que tu éprouves, dit Isaac. Beaucoup d'entre nous ont éprouvé la même chose après s'y être adonnés. Les souffrances que cela engendre se dissipent, puis le désir d'en reprendre grandit. Mais cela aussi finit par passer.

— Donne-m'en juste un peu, et ça ira mieux. »

Je lui répète qu'il n'y en a plus.

Il s'avance vers moi avec hostilité, crois-je d'abord, mais il a le regard suppliant.

Isaac l'arrête d'un geste. « Allons marcher, dit-il. Tu m'as promis de me conduire à cet arbre dont l'écorce aide à soulager la douleur. C'est le bon moment pour essayer. »

Aaron me dévisage quelques secondes, puis il baisse les yeux et, la démarche mal assurée, il part en compagnie d'Isaac.

Les mains croisées derrière le dos, plongés dans notre conversation, Gabriel et moi parcourons les champs. L'heure de la récolte approche. J'espérais qu'on ne penserait déjà plus au regrettable incident de la distillerie clandestine, mais je me trompais. Tandis que nous examinons les épis de maïs, Gabriel s'interroge sur la mentalité des donnés.

« Il semblerait que nombre d'entre eux soient venus ici uniquement pour échapper à la prison », je lui explique. Gabriel et moi savons l'un comme l'autre qu'il y a aussi parmi eux de braves hommes qui sont là pour prêcher la bonne parole. « De même qu'il faut désherber les champs pour que le maïs pousse bien, il faut nous débarrasser des mauvaises graines, à savoir ceux qui veulent faire de l'alcool. »

Gabriel approuve d'un signe de tête. « Oui, mais avec seulement dix soldats pour quatre fois plus de donnés et de frères convers, il sera peut-être difficile de réprimer une éventuelle révolte.

— Ainsi va le monde, n'est-ce pas ? Il est indispensable de trouver quelque chose de concret pour les occuper. En outre, les renforts sont censés arriver d'un jour à l'autre. » Tout en disant cela, je crains cependant qu'une fois de plus on ne nous ait oubliés.

« Nous n'avons pas encore puni les coupables, dit Gabriel. Ils sont aux fers depuis des semaines. Nous devons agir. »

Je n'ai pas pu me résoudre à les faire fouetter. Il est évident que les autres prennent pour de la faiblesse ma répugnance à infliger un tel châtiment. J'ai soudain une idée : « Je comptais me rendre en délégation au village d'Oiseau. Ils ont besoin de savoir que nous sommes toujours là, que nous parlons toujours au nom du Grand Génie. Pourquoi n'emmènerais-je pas les prisonniers avec moi ?

— Vous plaisantez ? s'écrie Gabriel. Vous voulez vraiment faire le trajet dans un tel climat d'hostilité ? Ce serait de la folie. Vous n'ignorez pas que les petits groupes d'Iroquois n'attendent que cela pour frapper.

— On pourrait ainsi résoudre plusieurs problèmes à la fois », répliqué-je.

Aaron connaît aussi bien la forêt que n'importe quel Huron. Je lui demanderai de nous conduire, et en guise de punition, j'obligerai les prisonniers à nous accompagner. « Il est grand temps que les donnés comprennent à quels dangers nous sommes confrontés dans ce pays. La peur des forces du mal qui rôdent autour de nous ramènera peut-être les brebis égarés au bercail, qui sait ? »

Gabriel secoue la tête. « Mon révérend père, j'espère que vous ne m'en voudrez pas si je reste ici pour surveiller le troupeau pendant que vous serez parti ?

— Non, bien sûr que non, réponds-je. Je me passerai de vous. »

Peut-être me suis-je mis en route pour le village d'Oiseau à l'approche des premières gelées parce que j'ai compris que l'aide promise de Nouvelle-France n'arriverait pas. Il me faut donc convaincre Oiseau que nous aurions tout intérêt à unir nos forces.

Aaron nous montre le chemin pendant notre journée de marche. J'ai réduit notre groupe au minimum : il n'y a que les quatre meneurs de la distillerie, plus Aaron et moi. Si nous voulons atteindre le village avant la tombée de la nuit, nous devons avancer vite. Les premières heures, les quatre hommes ont les yeux agrandis de terreur, imaginant des Iroquois cachés derrière chaque arbre, prêts à jaillir pour leur fracasser le crâne.

Chaque fois que nous faisons halte pour nous reposer, je leur décris à voix basse les tortures dont j'ai été témoin de même que les procédés les plus horribles dont ces Sauvages usent pour tuer leurs ennemis. Il faut qu'ils comprennent bien que nous courons de graves dangers et qu'ils ne peuvent pas continuer à enivrer les hommes avec le poison qu'ils distillent. Ce que je ne leur dis pas, c'est que j'ai l'intention de les laisser à la disposition d'Oiseau pour l'hiver. Je pense qu'ils apprendront ainsi à connaître un peu mieux le monde dans lequel ils vivent à présent. Et je tiens aussi à les séparer de leurs amis et complices de la mission.

Deux d'entre eux sont très jeunes, âgés peut-être de dix-huit ou dix-neuf ans. Le garçon aux cheveux roux a essayé de se faire pousser la barbe pour paraître plus vieux. L'autre, un blond d'une maigreur maladive, est celui qui joue du violon. L'homme qui fabriquait le mauvais alcool et son assistant sont à peu près de mon âge. À cause de la malnutrition, ils ont les dents et les cheveux qui tombent.

Dans le courant de l'après-midi, je vois Aaron s'arrêter devant nous. Il se baisse, puis regarde attentivement autour de lui. Je le rejoins devant les cendres d'un petit feu.

« Iroquois ? » je demande.

Il acquiesce. « À partir de maintenant, il faut que nous fassions très attention », dit-il.

Les quatre donnés s'approchent. « Qu'est-ce que c'est ? murmure l'un d'eux.

— Un feu iroquois. Récent », réponds-je, détachant bien chaque mot. L'homme semble sur le point de s'évanouir. « Nous devons être vigilants et filer comme des souris. Les Iroquois ont l'ouïe très fine. »

Nous cheminons lentement, sans faire de bruit, alors que nous aurions envie de courir à toutes jambes. Ce n'est qu'au moment où j'aperçois la lisière des champs de maïs d'Oiseau que les battements de mon cœur commencent à se calmer.

Oiseau met à notre disposition une maison-longue abandonnée proche des palissades. Le village a terriblement souffert. Il reste bien peu d'habitations occupées. Le soir, je réunis tout le monde et je bénis notre demeure temporaire ainsi que chaque homme tour à tour. Puis, la tête baissée, nous prions. Après quoi, cependant que flambe dans l'âtre un bon feu qui réchauffe l'atmosphère et dissipe la tristesse des lieux, souvenir des nombreuses familles mortes ici, je conseille aux donnés de rendre la maison la plus confortable possible, car ils y passeront l'hiver. Je m'attendais à des protestations, mais quand le jeune garçon blond a fondu en larmes et que les autres ont violemment manifesté leur colère, j'ai été pris de court.

« Ce n'est tout de même pas une condamnation à mort, dis-je. J'avais envisagé plusieurs châtiments pour vous, mais celui-là, au moins, vous permettra d'apprendre un certain nombre de choses.

— Vous ne pouvez pas nous laisser ici avec ces Sauvages ! se récrie le garçon roux qui tâche de réconforter son jeune ami effondré par terre.

— Je vous en supplie, mon père, dit l'homme qui distillait les pommes. Autorisez-nous à rentrer à la mission. Nous accepterons les coups de fouet, autant que vous l'estimerez juste, mais ne nous abandonnez pas ici.

— S'il vous plaît, mon père, ajoute l'autre, englobant la pièce d'un geste. Vous ne pouvez pas nous demander de vivre dans un endroit pareil ! Il ne fait pas de doute que ces Sauvages nous tueront et nous mangeront.

— Non, dis-je. Ils vous feront comprendre combien la vie est précieuse. Et vous, vous serez forts et vous leur montrerez combien le chrétien est résistant. »

Au matin, Oiseau me fait appeler. Il allume sa pipe, tire quelques bouffées puis me la tend. Je la refuse. Renard est assis non loin, mais il ne se joint pas à nous devant le feu.

« Comment se présentent les récoltes ? demande Oiseau.

— Bien, je crois, mais la crainte qu'elles ne suffiront pas pour cet hiver ne s'en dissipe pas pour autant. »

Pensif, Oiseau hoche la tête. « Les nôtres nous permettront tout juste de nourrir nos bouches. Il y aura peu de traite cette année, ce qui est fort dommage. Nous avons de grands besoins à la suite de la maladie. »

Je regarde autour de moi. La maison-longue est presque vide. « Les choses ont été difficiles pour tout le monde, mais particulièrement pour vous. Et c'est pourquoi je suis venu vous voir. J'ai emmené quatre de mes hommes pour que vous les gardiez cet hiver comme serviteurs. Ils sont travailleurs. Faites-leur ramasser du bois et chercher de l'eau. Ils ne demandent qu'à vous aider. »

Oiseau me considère, le visage impénétrable. « Tu m'offres donc en cadeau quatre hommes de ton peuple ? » Il rit. « Tu t'imagines que me mettre quatre de tes problèmes sur les bras est un cadeau ?

— Des problèmes ? Ils ne constituent en rien des problèmes. » Comment Oiseau a-t-il pu deviner ? « Ils sont presque tous vigoureux et tu pourras les utiliser à ta convenance.

— Nous n'avons pas besoin d'aide, dit-il. Mais je soupçonne que toi, tu en as besoin.

— Écoute-moi, Oiseau. Je te le répète, nous sommes deux petits villages qui, réunis, deviendraient un grand village. Tu as dit toi-même que les Iroquois risquaient de revenir en force l'été prochain.

— Et ton chef de guerre, accepte-t-il de les attaquer cette saison par surprise comme je l'ai demandé ?

— J'ai envoyé des messagers porteurs de ta requête, mais ils ne sont pas encore revenus, ce qui me fait redouter le pire.

— Et les nouveaux arrivants que tu attendais, ils sont là ? »

Je secoue la tête. « Pour eux aussi, je redoute le pire.

— Et à la place, c'est toi qui es venu avec tes cadeaux », dit Renard dont la voix me fait sursauter. Il se lève, et malgré sa petite taille, c'est sans doute l'homme que je crains le plus. « Au lieu de quelque chose d'utile, tu nous as apporté quatre bons à rien, c'est cela ?

— Ils pourront vous être utiles, protesté-je. Ils sont là comme gage de ma bonne foi.

— C'est très aimable de ta part, dit Oiseau, mais nous te prions respectueusement de les reprendre avec toi quand tu partiras.

— Nous ne voulons plus des maladies que vous nous apportez, ajoute Renard.

— Je ne suis là que pour demander que nos deux villages joignent leurs forces. Si nous voulons résister aux Iroquois, nous devons œuvrer ensemble. »

Oiseau éteint sa pipe, se lève et s'étire. « C'est très gentil d'avoir fait tout ce chemin pour nous rendre visite. Et je te remercie pour ton cadeau, mais nous n'avons pas les moyens de nourrir quatre bouches de plus.

— Ni de faire face à la maladie dont ils sont porteurs, dit Renard.

— Je vous prie une fois encore de réfléchir à ma
proposition, dis-je. Nous avons construit des habitations destinées à ceux que nous attendions. Il y a de
la place pour vous. Nous formerons un seul village. »

Oiseau ne veut rien entendre. « Si les Haudenosaunees vous attaquent l'été prochain et qu'il y ait
des survivants, ils seront les bienvenus ici. »

Sur ce, il me tourne le dos, et je reste planté là, les
bras ballants.

Alors qu'il doit nous reconduire à la mission,
Aaron a disparu. Je réunis les quatre donnés qui
rampent littéralement devant moi.

« J'ai pris ma décision, leur dis-je. Et cette décision
concerne votre avenir. »

Ils me supplient du regard. « S'il vous plaît, mon
père, implore le jeune blond, dites-nous que nous
pouvons rentrer chez nous.

— Si vous promettez de vous abstenir de vos pratiques maléfiques, alors oui, vous pourrez rentrer à
la mission. »

Les mains tendues vers moi, ils promettent.

« Bien, et maintenant, à genoux et repentez-vous. »

Ils s'empressent de s'exécuter. « Oui, mon père,
nous nous repentons, nous nous repentons ! »
s'écrient-ils en chœur. Les dominant de toute ma
taille, je les regarde comme si j'hésitais encore. Ils
ont les yeux rivés sur moi dans l'attente du verdict.
Levant la main droite, je fais le signe de croix au-

dessus de leurs têtes courbées pendant que nous récitons le *Notre Père*.

Aaron ne réapparaît pas de la journée. Les enfants commencent à se risquer du côté de notre maison-longue pour nous observer. Il semblerait qu'on leur ait recommandé de ne pas trop s'approcher, car chaque fois que je les appelle, ils s'enfuient. Accroupis à distance respectueuse, quelques hommes aussi nous étudient avec curiosité, moi et ceux qui m'accompagnent. Alors que le soir descend, et ne supportant plus l'attente, je sors parcourir le village pour demander si on a vu Aaron. Il faut que nous partions à l'aube. Or, personne parmi les gens que je croise ne daigne me répondre.

Je renonce et je retourne vers la maison-longue d'où s'élève quelque chose que je n'ai pas entendu depuis des lustres. Je m'arrête pour écouter. C'est une vieille chanson qui remonte au temps de mon enfance. La mélodie est charmante et simple. C'est l'histoire d'un berger qui garde son troupeau pour le protéger la nuit des bêtes sauvages avant que naisse la lueur de l'aurore. L'homme qui la chante a une belle voix. C'est une comptine que ma mère me fredonnait jadis.

Alors que sans doute pour la première fois depuis bien des années je me remémore son visage encadré de cheveux noirs, une voix de femme se joint à celle de l'homme, doucement d'abord, puis de plus en plus forte et assurée. Je reste sidéré. Qui que soit cette femme, sa voix ressemble si étrangement à celle de ma mère que je suis sur le point de tomber à genoux. Tremblant, je m'approche. Ce doit être l'un des jeunes donnés qui a cette voix d'ange.

Les larmes aux yeux, j'entre le plus silencieusement possible pour assister à ce petit miracle. Je regarde le feu et les hommes debout autour. C'est le responsable de la distillerie qui chante pendant que les autres écoutent en se balançant sur place. Puis je la vois. Petite Oie est à côté de l'homme, le regard fixé sur ses lèvres, et elle chante en chœur avec lui. La chanson finie, tous applaudissent.

« Quel étonnant numéro, dit le garçon roux.

— Quand je pense qu'elle ne parle même pas français et que je ne la lui ai chantée qu'une fois, je n'arrive pas à croire qu'elle soit capable de se rappeler non seulement les paroles mais aussi la mélodie », dit l'homme.

Petite Oie se tourne vers l'endroit où je me tiens dans l'ombre. « Ça t'a évoqué des souvenirs ? » me demande-t-elle en huron.

Je ne trouve pas les mots pour lui répondre.

Petite Oie sourit, puis elle entonne de nouveau la chanson.

Nous sommes contraints de rester un jour de plus avant qu'Aaron ne fasse irruption dans la maison-longue, l'air paniqué, pour nous dire qu'il faut quitter le village sans délai.

« Tu ne peux pas te comporter de cette manière et te figurer qu'on va t'accueillir comme si de rien n'était », dis-je.

Les donnés maugréent. Petite Oie est partie juste après m'avoir parlé, et les hommes m'en ont tenu rigueur. Elle leur a jeté un sort. Ils n'ont cessé de me supplier d'aller lui demander de revenir. Naturellement, j'ai refusé.

« Il faut partir, répète Aaron.

— Pourquoi tant de hâte ? je m'étonne. Tu nous as fait attendre deux jours, et maintenant, tu décides que c'est urgent ? »

Il se contente d'empoigner son arc et son casse-tête, puis il nous fait signe de le suivre. Une fois dehors, il se met à courir pour franchir les portes et filer dans les champs. Nous cinq, nous nous efforçons de ne pas le perdre de vue. Il continue à cette allure folle jusqu'à ce que je lui crie de ralentir. Il nous attend sur la piste, haletant.

« Qu'est-ce qui te prend ? » je lui demande.

Aaron regarde derrière moi comme s'il craignait qu'on ne le poursuive. « Chutes-de-Neige est enceinte, murmure-t-il.

— Quoi ! m'exclamé-je, interloqué. Mais en quoi cela te concerne ? » À peine ai-je prononcé ces paroles que la vérité commence à m'apparaître. « C'est toi le père ?

— Je ne sais pas. Mais si c'est moi, Oiseau me tuera. » Là-dessus, il repart au pas de course.

Maintenant que l'automne s'annonce, marcher vite tient chaud. Les donnés ne se doutent pas de la chance qu'ils ont eue. Passer l'hiver aux côtés d'Oiseau et de son peuple leur en aurait appris beaucoup en matière d'obéissance et de peur.

Nous atteignons les portes de la mission bien après la tombée de la nuit, guidés avec sûreté par Aaron qui nous a tous impressionnés. Les donnés le félicitent en lui assénant force tapes dans le dos, mais il ne paraît même pas le remarquer.

Enfin, je retrouve dans notre maison Gabriel et Isaac. Nous brûlons de partager nos informations.

« J'ai essayé de laisser nos quatre donnés en cadeau à Oiseau, mais il n'a rien voulu savoir, dis-je.

— Peu importe, dit Isaac. Nous avons des nouvelles, de bonnes nouvelles, je pense. »

Il sourit, mais Gabriel affiche sa mine sombre habituelle.

« Eh bien, je vous écoute, leur dis-je.

— Les soldats et de nouveaux donnés sont arrivés il y a deux jours », lâche Isaac.

J'ouvre de grands yeux. « C'est formidable, dis-je en battant des mains. Allons immédiatement les voir et prier avec eux.

— Attendez un instant, me tempère Gabriel.

— Pourquoi cela, mon révérend père ? je demande.

— On nous avait promis plus d'une centaine d'hommes, or ils ne sont que dix-sept.

— Le reste va suivre bientôt ? Ont-ils été retardés par le mauvais temps ? Se sont-ils perdus ?

— Non, me répond Gabriel. Il n'y en aura pas d'autres.

— Quoi !

— Le gouverneur a décrété qu'il ne pouvait pas nous en accorder plus. Et pour ne rien arranger, nos émissaires ont été pris dans une embuscade et tués. Les Iroquois nous ont fait bien comprendre qu'ils étaient déterminés à se débarrasser de nous et de nos alliés. »

Partez, maintenant

À l'arrivée des premières gelées, j'apprends que Chutes-de-Neige attend un enfant. Ce n'est pas elle qui me l'a dit mais Petite Oie. Il semblerait que ma fille ait eu trop peur de me l'annoncer elle-même.

« Dois-je supposer que le père est Porte-une-Hache ? » je demande.

Petite Oie m'adresse un regard qui me trouble davantage encore. « C'est à Chutes-de-Neige et à toi d'en parler, dit-elle.

— Qu'est-ce que c'est censé signifier ?

— Il ne faut jamais que tu doutes des qualités de cœur de ta fille », répond Petite Oie.

Je demande où est Chutes-de-Neige, mais Petite Oie prétend ne pas savoir.

« Elle est peut-être avec Porte-une-Hache, dit-elle. Ce garçon est digne d'elle. Certes, il n'y a pas long-temps, ce n'était encore qu'un gamin stupide, mais il est devenu un homme. Il a bien grandi.

— Ils sont à peine adultes.

— Les circonstances les ont obligés à grandir vite, dit Petite Oie. Et ils font ce qu'il est normal de faire, surtout à une époque comme celle-ci. »

533

Je hausse les épaules et je sors de ma maison-longue. Je cherche partout Porte-une-Hache, et je sens à la manière dont on m'évite qu'il y a des ennuis qui planent dans l'air vif. Apercevant Trouve-les-Villages, je me dirige vers lui à grands pas. L'étrange jeune homme aux doigts amputés me voit approcher et, horrifié, il se sauve. Je me demande ce que font les bois-charbons pour que ceux qui les écoutent se conduisent si bizarrement. En tout cas, ce n'est pas une attitude qui convient à un Wendat. Je continue à chercher Porte-une-Hache. Il a de la chance que je ne l'aie pas trouvé.

Les récoltes sont presque terminées, et la vue est maintenant dégagée sur la forêt où brillent les feuilles rouges et or. Chutes-de-Neige se tait et nous marchons côte à côte, regardant s'il y a des épis de maïs que les femmes auraient oubliés. Porte-une-Hache est fort à propos parti à la chasse au cerf avec son père Grands Arbres, et je n'ai toujours pas réussi à lui mettre la main dessus. Chutes-de-Neige habite chez Dort-Longtemps, la mère du garçon, qui est elle-même enceinte, ou bien chez Petite Oie. Elle affirme qu'elle a besoin d'être en compagnie de femmes, et il n'y en a plus aucune dans notre maison-longue. Je sens que je perds ma fille chaque jour un peu plus.

Et bientôt, dès que les femmes en auront décidé ainsi, elle s'installera définitivement dans la maison-longue de Dort-Longtemps ainsi que le veut notre coutume. Et bientôt, Renard et moi demeurerons seuls, deux vieillards aigris et grincheux qui se querelleront comme un vieux couple. Non, je demanderai peut-être à Petite Oie de venir habiter avec moi en tant qu'épouse. Je suis tenté d'en parler à Renard, mais je réalise que je risquerais de le blesser. Il reste peu de femmes qui ne soient pas mariées ou qui pourraient le prendre pour époux, même avec ses talents et sa réputation. Au printemps, je l'emmènerai dans une autre communauté wendat où il trouvera peut-être une femme.

« Tu le désirais ? » finis-je par demander à Chutes-de-Neige pour rompre le silence devenu trop lourd.

Elle ne répond pas.

« Dois-je considérer cela comme un non ? »

Elle continue à se taire.

« Est-ce qu'on t'aurait forcée ? » Je la prends par le bras pour la contraindre à me regarder.

Chutes-de-Neige fond en larmes. « J'aime Porte-une-Hache, dit-elle.

— Est-ce qu'il t'a forcée ? » je lui redemande. Je me rends compte que je lui serre le bras à lui faire mal. Je la lâche. « Chutes-de-Neige, s'il te plaît. Je ne suis pas en colère contre toi. Tu n'as rien à craindre. »

Sa bouche tremble. Elle veut dire quelque chose, mais ses pleurs redoublent. « Pas Porte-une-Hache, balbutie-t-elle entre deux sanglots. Jamais. Jamais il ne m'obligerait à faire ce que je ne veux pas.

— Quelqu'un d'autre t'a obligée, alors ? C'est ce que tu essaies de me dire ? »

Elle me lance un regard suppliant, puis elle détourne les yeux.

« Dis-moi de qui il s'agit ? Est-ce un Corbeau ? Un de leurs hommes dégoûtants ?

— Non ! s'écrie-t-elle. C'est… c'est personne. »

Elle s'assoit dans le champ, essuie ses larmes d'un revers de main. « C'est très dur pour moi », dit-elle. Elle a séché ses pleurs et sa voix est déjà plus calme. « J'aime Porte-une-Hache et j'aurai notre enfant.

— Tu n'as pas d'autre choix, me semble-t-il.

— Petite Oie m'a dit qu'il existait certaines racines capables de résoudre mon problème, si c'en est un. » Elle parle maintenant d'un ton neutre. L'enfant en elle a disparu comme le givre du matin aux premiers rayons du soleil. « Mais je veux avoir cet enfant, et Porte-une-Hache est d'accord.

— La décision t'appartient, dis-je après un instant de réflexion. Car c'est toi qui l'élèveras.

— J'espère que tu l'aimeras », dit-elle.

Je ris. Je pense que l'idée d'être grand-père finira peut-être par me plaire. « Oui, dis-je. Je te le promets. »

L'automne passe sans histoires. Les feuilles jaunissent et tombent de plus en plus à chaque tempête qui souffle de la Mer d'eau douce. Les récoltes n'ont pas été très abondantes, mais comme Renard l'a fait amèrement remarquer l'hiver dernier, il y a beaucoup moins de bouches à nourrir. Pourtant, mon amour, je continue à m'inquiéter. Ma vie est devenue une longue suite de soucis.

Je voudrais échanger du maïs contre des fourrures avec les Anishinaabes et les Innus ou toute autre tribu dans le but de constituer un stock, puis envoyer l'été prochain un petit parti chez les Français, tandis que les guerriers les plus expérimentés resteraient pour protéger le village. Si les Iroquois nous laissaient ne

serait-ce qu'un répit de un an, je sais que nous pourrions rassembler à la fois nos esprits et nos forces.
Envoyer ainsi des hommes chez les Français sera un
pari risqué, mais il faudra le tenter, et il se pourrait
que je sois contraint d'y aller moi-même. Je suis sûr
qu'ils m'écouteront. J'emmènerai le Corbeau pour
qu'il me serve de traducteur, et j'expliquerai combien
il est important que le Peuple du Fer auquel appartient le Corbeau harcèle les Haudenosaunees pour
les déstabiliser. Grands Arbres et Porte-une-Hache
veilleront sur ma fille. Quant à Renard, ce sera à lui
de décider s'il vient ou non avec moi. Le connaissant,
je crois connaître d'avance sa réponse.

La neige est là. Renard et moi consacrons beaucoup de temps, assis devant le feu, à réfléchir à de
nouveaux moyens de faire la traite avec les peuples
des fourrures.

« S'ils nous donnent des fourrures maintenant,
nous pourrons leur promettre de grandes quantités
de maïs lors de la prochaine récolte, dit Renard. Mon
père m'a raconté qu'il avait dû le faire après une très
mauvaise saison et qu'ils avaient accepté.

— Oui, mais tu sais combien ils comptent sur
notre maïs qui est leur denrée de base pendant l'hiver. Beaucoup ne vont pas être contents d'avoir à
attendre une année entière sur la simple promesse
qu'on leur en fournira davantage à ce moment-là.

— On pourra toujours les inviter à se joindre à
nous lors du voyage d'été », dit Renard.

C'est une suggestion intéressante. Bien que nous
sachions, lui et moi, qu'il est dangereux de montrer
nos routes de traite à nos alliés, on ne risque rien à

leur laisser croire que, dans les années à venir, nous pourrions n'être que de simples intermédiaires dont il est possible de se dispenser. De toute façon, il faut que nous fassions quelque chose pour protéger les positions de notre peuple.

« C'est une idée qui mérite réflexion, dis-je. Et pourquoi ne pas aller plus loin ? »

Tisonnant le feu, Renard attend que je poursuive.

« Penses-tu qu'on pourrait, si la situation l'exigeait, leur demander de combattre l'été prochain à nos côtés ? »

Renard sourit. Il sait que les Anishinaabes sont de grands guerriers, de même que les Innus. L'hiver autour du feu, on raconte encore souvent des histoires remontant à l'époque où, avant de traiter avec nous, ils étaient nos ennemis. « Nous avons besoin d'amis pour les temps à venir, dit-il. Mais, eux, qu'auraient-ils à y gagner ?

— Ils ont besoin que nous fassions de bonnes récoltes pour que leurs hivers soient plus doux. Ils veulent se sentir en sécurité face à notre ennemi commun. Et ils ne répugnent jamais à la perspective d'un bon combat. Que pourraient-ils désirer de plus ? »

Pour la première fois depuis des jours, nous éclatons de rire. Oui, tout cela mérite réflexion. C'est peut-être ce qui nous sauvera si les Haudenosaunees attaquent de nouveau en masse.

La neige tombe sans discontinuer depuis maintenant une lune, et l'hiver s'annonce rude. Alors que nous devrions tous dormir profondément et rêver du printemps, je sais que notre sommeil sera agité cependant que nous attendons de savoir si notre ennemi tiendra la promesse qu'il a faite l'été dernier. Certains soirs, Renard et moi sommes persuadés que oui. D'autres soirs, tandis que nous nous interrogeons sur les moyens à mettre en œuvre pour préparer une offensive de cette ampleur, nous concluons qu'il leur sera impossible de s'y risquer deux années de suite.

« Songe à toutes les dispositions à prendre pour que tant de guerriers repartent sitôt après, dit Renard. Tous ces villages qui devraient être d'accord sur la route à emprunter, avec la peur de laisser leurs familles sans protection, tout le temps de travail perdu. C'était sans doute la seule année où c'était faisable. Deux années de suite ? La colère ne flambe pas aussi longtemps. » Je suis à la fois impressionné et surpris par ses arguments, mais je ne le lui dis pas, car je crains que cela ne serve qu'à aviver une blessure qui saigne encore. « Il faudrait qu'ils aient un motif autrement puissant pour se lancer de nouveau dans une telle aventure », conclut-il.

Sa démonstration est convaincante, mais il est habitué à ce que je présente des objections. « Ce n'est peut-être pas tant la colère que la soif de richesses qui les motive, dis-je. Tu imagines tout le butin qu'ils ont chargé dans leurs canoës l'été dernier avant de rentrer chez eux ? Les trois sœurs, les pelleteries, les wampums et les prisonniers ? »

Nous dormons peu la nuit. Nous bavardons près du feu, échangeant arguments et contre-arguments, allant de supposition en supposition. Je regarde le front de Renard se creuser au fil des jours qui ne cessent de raccourcir. Je n'ignore pas combien est grande la souffrance de mon ami, et qu'après la perte de ses êtres aimés, elle pèse si lourdement sur sa poitrine qu'il n'arrive plus à respirer. Je voudrais lui dire qu'elle s'allège, petit à petit, mais je sais qu'il est convaincu qu'elle ne disparaîtra jamais complètement. Et cette souffrance, je commence à m'en rendre compte, c'est ce que nous devons tous partager.

Grands Arbres et Dort-Longtemps ont promis de venir bientôt me voir dans ma maison-longue maintenant que nous sommes à la période des jours les plus courts de l'année. Il est plus que temps. Chutes-de-Neige, ma fille jeune et mince, montre déjà depuis un petit moment que Porte-une-Hache et elle ont créé la vie.

« Grands Arbres et sa femme viendront quand ils viendront, dit Renard qui a retrouvé un peu de son énergie d'autrefois. Tu devrais plutôt te préoccuper d'apprendre à ta fille ce qu'elle doit savoir. »

J'éprouve un choc. Ç'aurait dû être ton rôle, mon amour, pas le mien. Tu veux bien me dire ce qu'il faut que je lui apprenne ?

Ce soir, Grands Arbres et Dort-Longtemps sont enfin assis devant mon feu à côté de moi. Le père de Porte-une-Hache a sur ses genoux une magnifique fourrure de castor dont le poil brun foncé brille à la lueur des flammes. Dort-Longtemps tient une ceinture-wampum qui luit comme de petits coquillages mouillés sur une grève d'été.

« Nous te prions de nous excuser d'avoir tant tardé à venir te trouver au nom de notre fils, commence Grands Arbres. Il nous a fallu beaucoup de temps pour nous procurer une fourrure digne de ta fille. Et Dort-Longtemps a cousu cette ceinture de sa main. »

Ces cadeaux sont splendides. J'allume une pipe puis nous parlons de tout et de rien.

« Je pense que votre fils fera un très bon mari pour ma fille », finis-je par déclarer, éteignant ma pipe. Je prends l'épaisse fourrure de castor dont j'admire tout le moelleux. Après quoi, je soulève la ceinture-wampum, étonné par son poids. « Ton art est le plus délicat que je connaisse », dis-je à Dort-Longtemps.

Ravie, elle détourne le regard. « Ce sont les sœurs de ma mère qui me l'ont enseigné.

— Je crois qu'un festin s'impose », dis-je. C'est aussi simple que cela. Nos enfants sont deux adultes à présent et ils vont engendrer une nouvelle vie pour nous tous. Nous n'avons pas eu de festin dans ce village depuis des lustres.

Grands Arbres s'autorise à sourire. Celui-là, je ne l'ai pas choisi il y a des années par hasard, et si le fils doit un jour ressembler au père, ma fille sera entre d'excellentes mains.

J'accueille tous ceux qui peuvent tenir dans ma maison-longue, et j'ai demandé à plusieurs femmes de nous faire la cuisine. Dans les marmites mijote tout ce que j'avais. Demain, il ne me restera rien, et je me sens heureux et léger. Porte-une-Hache et Chutes-de-Neige sont assis l'un à côté de l'autre, entourés de cadeaux : poteries, fourrures, colliers de coquillages et sacs en peau, amulettes et ustensiles de cuisine, tabac et pipes, couteaux, ainsi que des flèches et un nouvel arc pour chacun d'eux. Cette maison-longue, mon amour, rayonne comme rien n'a plus rayonné depuis que tu nous as quittés. Les deux jeunes en face de moi sourient et rient. Nous avions tous autant qu'eux besoin de cela.

Le vent glacial ébranle les murs, et je vais tâcher d'abréger mon discours, car je veux que les invités mangent. Je raconte comment j'ai ramené Chutes-de-Neige dans notre village il y a déjà si longtemps, alors qu'elle n'était qu'un petit animal sauvage qui n'avait peur de rien et effrayait aussi bien les autres enfants que nombre d'adultes. Certains rient, certains approuvent d'un hochement de tête. Après quoi, devenant sérieux, je raconte comment un soir, au bord d'une rivière loin d'ici, elle m'a coupé un doigt avec une pierre et une coquille de clam aiguisée. Je brandis ma main pour que tous la voient. Et en même temps, reprends-je, elle s'est coupé elle-même un doigt quand la coquille a dérapé, et c'est ainsi qu'un pacte a été scellé entre nous. Je loue ensuite le courage extraordinaire dont elle a fait preuve pour s'attacher à l'homme qui avait tué sa famille. J'explique à la foule qui m'écoute avec attention qu'il m'a fallu du temps, mais qu'après avoir enfin compris d'où lui venait sa rage, j'ai pu l'aider à la contrôler.

Un peu à l'écart, à moitié dissimulée dans l'ombre, Petite Oie m'observe. « Je n'ai pas élevé cette enfant tout seul, dis-je à mes invités, mais avec le secours de plusieurs femmes qui l'ont prise chez elles pour parachever son éducation, ce qui lui a permis de trouver son équilibre. » Je baisse les yeux sur Chutes-de-Neige, et je vois quelque chose que je n'avais encore jamais vu : elle pleure de bonheur.

Il est maintenant temps que je parle de Porte-une-Hache. Je n'ignorais pas, dis-je, que c'était un garçon à part, pas seulement parce que son père est un guerrier formidable, mais aussi parce qu'il a demandé un jour à faire avec moi le long voyage vers le pays du Peuple du Fer, alors qu'il n'avait même pas encore de poils. La main devant la bouche, les femmes gloussent, les hommes s'esclaffent et crient « Ah-ho ! ». Je raconte ensuite comment Porte-une-Hache a tué ses quatre ravisseurs haudenosaunees plus un cinquième avec l'aide de Chutes-de-Neige, mais qu'il était trop pressé pour leur prendre leur chevelure. Ce qui provoque de nouveaux rires. Je termine en disant que malgré cela, je savais qu'il était digne de ma fille, et j'invite ensuite les gens à manger jusqu'à avoir le ventre plein avant de recommencer.

Comme le veut la coutume, je refuse la nourriture pour m'assurer que tout le monde a ce qu'il désire. Je me réjouis de voir les gens manger, chanter, danser et se lancer à leur tour dans des discours à l'intention du couple. Regardant Porte-une-Hache danser pour sa jeune épouse, je prie Aataentsic et Iouskeha de veiller sur ces deux êtres chers et de faire en sorte qu'ils jouissent d'une longue vie ensemble.

À l'instar de toutes les bonnes soirées, celle-ci passe trop vite, et j'ai l'impression qu'elle est finie avant même d'avoir débuté. Les invités s'en vont par groupes de deux ou trois, jusqu'à ce qu'il ne reste plus que nos deux familles. Chutes-de-Neige est épuisée et Porte-une-Hache essaie de demeurer attentif, mais lui aussi est fatigué.

« Partez, maintenant, leur dis-je. Va chez ta nouvelle mère, Chutes-de-Neige. » Ils se lèvent et j'étreins ma fille. Au moment où elle atteint la porte, je me rappelle quelque chose et je lui demande d'attendre. Grimpant sur sa plate-forme, je coupe les cordes qui tiennent la grande corneille planant au-dessus de sa natte.

« Tu ne peux pas la laisser ici, dis-je en la lui tendant. N'est-ce pas le premier cadeau que t'ait offert Porte-une-Hache ? Attache-la au-dessus de ton nouveau lit pour qu'elle veille sur vous trois. Il semblerait bien qu'elle t'a protégée. »

Elle sourit et prend l'oiseau dans ses bras, puis elle sort en compagnie de son mari, et je reste là, dans ma maison-longue, les bras collés le long du corps.

Chaussés de raquettes, Renard et moi traquons toute la journée un grand mâle. La couche de neige est épaisse et l'animal sait que nous le poursuivons. Il n'a pas encore courbé la tête. Aux marques qu'il laisse sur les arbres, nous savons qu'il est de bonne taille. Sa lourde ramure le freine, de même que la neige. Nous gagnons du terrain.

Arrivés devant le lit d'une petite rivière, nous constatons à ses traces qu'il est descendu là. Renard connaît ce cours d'eau. Il décrit une courbe vers la Grande Eau puis revient non loin d'ici comme un serpent avant de décrire un nouveau méandre. Renard me dit qu'il va couper à travers les taillis pendant que je suivrai les empreintes du cerf pour le rabattre ensuite vers lui. Je ralentis l'allure afin de ne pas effaroucher notre proie.

Je progresse péniblement sur le lit de la rivière

enneigée où, malgré mes raquettes, je m'enfonce parfois jusqu'aux genoux. Mon arc à la main, une flèche encochée, je tâche de contrôler ma respiration. C'est une belle et froide journée. La nuit, les arbres ont déjà commencé d'éclater. Dans peu de temps, nous allons entailler quelques érables pour recueillir leur sève que nous ferons bouillir pour obtenir un délicieux sirop. Un geai gris s'envole en me lançant quelques trilles, comme s'il me reprochait de l'avoir dérangé. J'aperçois les traces zigzagantes d'un lièvre. C'est un bon endroit. Nous devrions poser quelques collets et passer la nuit ici. Maintenant que j'ai utilisé l'ensemble de mes provisions, je vais avoir besoin de tout ce que la forêt voudra bien me donner.

Devant moi, la rivière forme un coude, exactement comme Renard l'a décrit. L'animal s'enfonce dans la neige jusqu'au poitrail, et à voir ses traces à peine recouvertes d'une fine couche de poudreuse, j'en déduis qu'il ne doit plus être loin. Débouchant du méandre, je l'aperçois qui, immobile, me regarde, la tête tournée, juste hors de portée de ma flèche. Je me fige sur place. J'espère que Renard, lui, est suffisamment près ou que sinon je ne vais pas effrayer le cerf qui risquerait alors de se réfugier dans la forêt où il bénéficierait d'un avantage sur nous, ce qui nous obligerait sans doute à une nuit entière de traque.

Le cerf s'ébroue tandis que ses naseaux exhalent un long panache de vapeur blanche. Nerveux, il gratte les congères de ses sabots. Il doit sentir la présence de Renard. C'est parfait. Je l'adjure intérieurement de me charger. Alors, je n'aurai plus qu'à bander mon arc, viser son large poitrail et lâcher ma flèche.

Au lieu de foncer sur moi, il escalade la berge. La neige voltige autour de lui, et sur un dernier éclair de sa queue blanche, il disparaît dans les broussailles. Un sentiment de découragement m'envahit. Je n'ai plus le cœur de le pourchasser, et pourtant, il le faut.

À cet instant, j'entends un bruit de branches brisées suivi d'un cri de guerrier. Le cerf jaillit de la forêt, bondit sur le lit de la rivière et, derrière lui, j'ai la surprise de voir Renard qui le poursuit sur ses raquettes. L'animal, la bouche et les naseaux fumants, se débat au milieu des congères, cependant que Renard, vif et léger, semble voler sur la neige. Il se rapproche, rejoint sa proie.

Un couteau effleuré par un rayon de soleil étincelle dans le poing de Renard qui, au prix d'un bond prodigieux, atterrit sur le dos du grand mâle, lequel secoue sa tête massive aux bois acérés, rue et se cabre pour essayer de se débarrasser de son assaillant qui a déjà un bras en partie passé autour de son encolure. Levant son poignard, Renard le plonge à plusieurs reprises dans le flanc du cerf pour tâcher d'atteindre les poumons. Le cerf brame. La neige se crible de rouge. Le couteau pénètre maintenant dans le cou de l'animal. Un flot de sang jaillit et, alors que j'arrive pour aider Renard, les yeux marron du cerf, agrandis de peur et de colère, se fixent sur moi.

Haletant, j'empoigne des deux mains sa ramure pour essayer de courber sa tête vers le sol afin que Renard puisse mieux frapper. Le mâle est encore plein de vigueur, et Renard perd l'équilibre, glisse, puis tombe dans la neige sur le dos. Nous ne sommes plus que tous les deux, le cerf rendu fou et moi qui agrippe ses bois, sachant que si je lâche prise, il s'en servira pour m'éventrer, à moins qu'il ne me fracasse le crâne de ses sabots effilés.

Le regard rivé sur celui de l'animal, soufflant comme lui des nuages de vapeur, les bras tremblants sous l'effort, je continue à peser sur sa tête jusqu'à ce qu'il faiblisse et bascule enfin sur le flanc. Il agite désespérément les pattes pour tenter de se remettre debout. Le visage couvert de neige, je sens que Renard s'est relevé. Le cerf, les yeux écarquillés, la langue pendante, pousse un long cri, et sa salive m'asperge la figure. Ses ruades se font de moins en moins violentes et il frissonne. Je sais néanmoins qu'il faut que je le tienne encore.

À bout de forces, je lâche prise et reste étendu dans la neige, cherchant à reprendre ma respiration, la lourde tête du cerf posée sur moi. Je contemple le ciel bleu où passe un vol de mésanges. Une corneille croasse, puis le monde redevient silencieux. Je perçois la forte odeur du sang frais, de même que la puanteur des entrailles de l'animal.

Dès que j'en suis capable, je m'extirpe de sous la bête. Renard, le visage maculé de sang, a déjà commencé à l'étriper.

« N'aurait-il pas été plus facile de le tuer avec deux ou trois flèches ? » je lui demande.

Il rit. « Si, sans doute. Mais j'ai bandé si fort mon arc qu'il a cassé.

— Tu m'impressionnes », dis-je.

Les viscères de l'animal fument dans l'air glacé. J'aide Renard et pendant que je découpe la carcasse en quartiers, il prépare un feu. Peu de temps après, nous mettons dessus un filet à griller. Le retour avec une telle quantité de viande s'annonce plutôt ardu, mais elle nourrira de nombreuses bouches. Nous allons fabriquer des luges pour attacher les quartiers dessus, et l'histoire de notre chasse meublera long-temps les soirées.

À notre retour en lieu sûr derrière les palissades, alors que nous nous attendions à être fêtés, nous ne rencontrons que des visages affligés. Après avoir déposé la viande à la maison-longue, je sors me ren-seigner. Nous ne sommes partis que quelques jours. Que peut-il bien s'être passé ? Je pense à l'avalanche de catastrophes possibles. La mort de quelqu'un d'important. Une nouvelle personne atteinte de cette toux révélatrice. La présence d'ennemis. Le mauvais rêve d'un guérisseur.

Petite Oie est dans son habitation, qui coud devant le feu. Je m'installe à côté d'elle.

« Un problème avec les trois sœurs, dit-elle avant même que j'aie eu le temps de l'interroger.

— Explique-moi.

— Les femmes ont découvert de la pourriture. On raconte qu'elle se répand de maison en maison. »

Elle prend derrière elle un épi de maïs. Quoiqu'il ait été soigneusement cueilli et séché avant d'être placé dans un panier avec les autres, quand j'écarte l'enveloppe, je constate qu'il est couvert d'un duvet grisâtre et qu'en dessous, les grains sont devenus noirs et suintants.

« Combien de récoltes ont été affectées ?

— Presque toutes celles du village. »

Si c'est vrai, nous connaîtrons la famine avant le printemps. « Et les deux autres sœurs ?

— Ce n'était déjà pas une très bonne année pour elles, répond Petite Oie. Les courges semblent avoir été touchées, elles aussi, mais les haricots, pour autant que je le sache, n'ont encore rien. »

Je voudrais lui demander ce que nous pouvons faire, mais venant de moi, la question aurait paru stupide. Je me borne donc à dire : « Il faut que tout le monde brûle le maïs malade. »

Assis l'un près de l'autre devant le feu, nous gardons le silence, et il ne me reste plus qu'à penser aux calamités qui vont fondre sur nous.

Ça va ?

Notre bonheur n'a pas duré longtemps. Moins d'un mois après que j'eus accepté Porte-une-Hache et qu'il m'eut acceptée, une nouvelle maladie est apparue dans le village, qui a ravagé le maïs, une maladie presque aussi grave que celle qui avait frappé les gens eux-mêmes au cours de la lune des arbres qui éclatent. Les jours devenus de plus en plus courts commencent tout juste à rallonger, mais à la manière dont le soleil se plaît à ne se montrer parfois que pendant de brefs instants, on ne s'en aperçoit même pas. La panique règne et nous avons brûlé tout le maïs atteint dans l'espoir d'empêcher la maladie de se répandre, et quand les grains d'épis intacts crépitaient au-dessus des flammes, les enfants se précipitaient pour les dévorer. Pour eux, il s'agissait d'un jeu, tandis que les parents priaient en alimentant le feu.

Les hommes et les femmes-médecine essaient de découvrir dans leurs rêves l'origine de la maladie et la raison pour laquelle elle sévit en des temps déjà si sombres. Ils chantent, agitent des crécelles et brûlent des offrandes dans l'attente que les présages leur dictent la conduite à adopter. La maladie continue néanmoins à se propager. Les femmes fabriquent en hâte de nouveaux paniers en écorce de bouleau pour y placer le maïs séché, ou bien elles le suspendent tout en haut des chevrons des maisons-longues, pensant que la fumée va l'envelopper d'une couche protectrice bénite. Nous mangeons maintenant juste assez pour nous permettre de tenir. Des enfants pleurent la nuit. Le village s'est réuni pour faire le compte des provisions qui ont fondu au point qu'elles ne dureront pas davantage qu'une lune.

« Et quand viendront les mois les plus froids, les trois sœurs seront épuisées », a dit le plus âgé des guérisseurs, si bien que les hommes, dont mon mari, partent chasser plusieurs journées d'affilée, mais le gibier reste rare.

Comme pour se moquer de mon corps de moins en moins nourri, mon ventre semble grossir de jour en jour, et le matin où je sens pour la première fois le bébé bouger, Porte-une-Hache est à la chasse. C'est donc Dort-Longtemps qui pose la main sur mon ventre, et elle sourit en déclarant sans hésiter que ce sera une fille. Elle-même ne va pas tarder à accoucher. Son ventre tend sa robe en peau de cerf. Je sors pour aller annoncer la nouvelle à Petite Oie. Le vent mugit, la neige tombe en rafales, les flocons brillent et dansent dans les rayons d'un pâle soleil.

Elle n'est pas chez elle, et je me dirige vers la maison-longue de mon père pour voir s'il est là. Renard et lui ont tué un grand mâle et il m'a gardé un cuissot rien que pour moi. Il veut que son petit-fils ou sa petite-fille grandisse solidement. Il ignore que cette viande qu'il m'a donnée, je l'ai réservée aux enfants de l'habitation de Dort-Longtemps, ma nouvelle maison. De la fumée s'échappe de son trou de cheminée, rabattue par le vent, et je me mets à courir pour lui dire que j'ai senti le bébé bouger. Il est assis près de Petite Oie. Ils se tiennent la main. Petite Oie rit, et elle a un visage que je ne lui connais pas.

« Si, c'est vrai, dit-elle. Tu le désirais, et je me suis arrangée pour qu'il en soit ainsi.

— Est-ce réellement possible ? Je… je croyais… » Mon père se tourne vers elle. Il a une expression presque enfantine, un air jeune que je ne lui ai jamais vu. Les yeux écarquillés, la bouche entrouverte, n'arrivant manifestement pas à croire ce qu'il vient d'entendre, il s'apprête à dire quelque chose, mais il lève la tête et m'aperçoit. Il me fait signe de venir m'installer près d'eux.

« Le bébé m'a donné un coup de pied ce matin », dis-je, réalisant alors pleinement ce qui se passe au-dedans de moi.

Petite Oie et mon père sourient. « Préviens-moi quand il recommencera, dit-il. Je veux le sentir bouger. »

J'aimerais leur demander quelle nouvelle Petite Oie lui a annoncée pour qu'il semble aussi abasourdi. Portant alternativement un regard vague sur elle et sur moi, un sourire plaqué sur les lèvres, il se frotte une main, l'air un peu perdu.

Petite Oie se lève et racle le fond de la marmite posée à côté du feu. « Tiens, dit-elle, me tendant un bol de ragoût. Nous l'avons gardé pour toi. »

Je veux refuser, mais mon estomac gronde et mes mains se tendent malgré moi. Je m'assois et je ne peux me retenir d'engloutir la nourriture à toute allure. Mon père demeure immobile, toujours silencieux, l'expression absente. Petite Oie nous rejoint.

Je me tourne vers mon père et je lui lance avec désinvolture : « Alors, quoi de neuf ? »

Il ouvre la bouche pour répondre, puis il paraît se raviser.

Petite Oie éclate de rire. « On dirait qu'il a avalé sa langue.

— Dois-je lui dire ? demande mon père.

— Pas encore, répond Petite Oie. Pour le moment, occupons-nous de Chutes-de-Neige.

— Me dire quoi ? » Je pousse le bras de mon père. « Ce n'est pas juste. Me dire quoi ? »

Petite Oie recommence à rire, et à cet instant précis, je sens une palpitation dans mon ventre, suivie d'une pression, comme si en mangeant quelque chose, j'avais réveillé mon bébé.

« Vite ! » je m'écrie. Je saisis la main de mon père pour la poser sur mon ventre, à quelques pouces au-dessus de mon nombril.

Ses yeux s'agrandissent et, pour la deuxième fois ce matin, il affiche une expression que je ne lui connaissais pas. Il sourit. Je crois qu'il est sans voix.

« Tu veux toucher aussi, Petite Oie ? » je demande.

Elle hésite. Tous deux ont un comportement très bizarre. On dirait des enfants qui ne savent pas trop quoi faire. Elle finit par se pencher vers moi et avancer la main, un léger sourire aux coins des lèvres, mais le bébé a cessé de bouger.

Petite Oie suspend son geste, puis elle se frotte les mains comme pour les réchauffer. « Je veux sentir ton bébé », dit-elle, plaquant cette fois sa paume sur mon ventre. J'éprouve la même impression que le jour où la foudre est tombée tout près de moi. Les cheveux se dressent sur ma nuque et un léger picotement parcourt ma peau, pas désagréable, simplement étrange.

« D'où vient cette sensation ? je demande.

— Ce n'est qu'un vieux tour que ma mère m'a appris, répond Petite Oie. Tu sais, il est possible de diriger son orenda. C'est peut-être la mienne que tu as sentie. » Elle rit. « Tiens, voilà », reprend-elle alors que mon bébé se remet à bouger. Souriant, elle passe lentement sa main sur mon ventre, et l'enfant, comme s'il se réveillait de sa sieste, remue les bras et les jambes. J'en suis sûre.

Éberluée, je contemple Petite Oie. Ses traits sont détendus et, les paupières closes, elle chantonne. Le bébé continue à gigoter. Je ne sais pas si j'aime cela ou pas.

Soudain, Petite Oie ouvre les yeux.

« Qu'est-ce qu'il y a ? » je demande, tandis que, le regard fixe, elle me tâte le ventre comme si elle cherchait quelque chose. « S'il te plaît, dis-moi ce qu'il y a ! »

Petite Oie se secoue puis, baissant les yeux sur sa main comme si celle-ci ne lui appartenait pas, elle la soulève, et je me sens brusquement toute lourde.

« Chut », dit-elle alors que je veux lui redemander ce qui se passe.

Je me tourne vers mon père. Il a le front plissé, et je vois qu'il a une question à poser. Il attend, cependant.

« Ce n'est rien », dit enfin Petite Oie.

Je ne la crois pas. « Qu'est-ce que tu as senti ? »

Elle ne répond pas. J'insiste.

« Tu tiens vraiment à le savoir ? » demande-t-elle alors.

Je n'en suis plus certaine, mais je fais néanmoins signe que oui.

« Tu vas avoir une fille, c'est tout.

— Dort-Longtemps me l'a déjà dit. » Je suis soulagée.

Petite Oie hoche la tête et, tout aussi clairement que si elle me l'avait dit à voix haute, je sais qu'il y a autre chose.

« C'est une fille ! » s'exclame mon père en battant des mains. Je me tourne vers lui.

Entre-temps, Petite Oie s'est levée. « Il faut que je parte », dit-elle.

Après plusieurs jours d'absence, Porte-une-Hache revient avec en tout et pour tout quelques lièvres et quelques perdrix. C'est un bon chasseur, mais il semble que le monde entier soit contre nous. Quand je quitte notre maison-longue pour aller me promener, je perçois l'inquiétude qui règne et la peur qui couve. Chacun sait ce qui nous attend, et pourtant personne n'y peut rien. On s'interroge pour savoir si on doit ou non partir pour le village des Corbeaux avant que nos provisions soient épuisées. Certains affirment qu'ils préféreraient mourir plutôt que de demander la charité aux bois-charbons. D'autres répliquent que lorsque ceux-ci étaient dans le besoin, nous les avons secourus, et que le moins qu'ils puissent faire, c'est nous rendre la pareille. Le débat divise le village. Ce n'est vraiment pas le moment, mais trop de gens se font du souci pour leurs enfants et leurs familles.

Ce soir, Dort-Longtemps et moi écoutons nos maris en discuter.

« Nous serons peut-être obligés d'y aller, dit Grands Arbres. Nous n'avons guère le choix.

— Je n'irai pas mendier auprès d'eux », affirme Porte-une-Hache.

Son père lui explique que nous n'arriverons pas chez les Corbeaux les mains vides, que nous avons toujours des fourrures et notre travail à offrir en échange. Il ajoute que selon la rumeur, si les Innus, les Attiwandaronks ou les Anishinaabes ne sont pas venus comme de coutume en cette saison faire la traite avec nous, c'est parce qu'ils craignent encore la maladie qui nous a frappés l'hiver dernier, d'autant qu'ils n'ignorent plus maintenant que notre maïs a été infecté.

« À ce que je sais, déclare Porte-une-Hache, les Corbeaux et ceux de leur peuple troquent leurs marmites, leurs couteaux et leurs perles contre des fourrures et de la viande. Ils possèdent ce que désirent ceux qui traitent habituellement avec nous. » Je sens la colère dans la voix de Porte-une-Hache. « Tu ne comprends donc pas, poursuit-il, que les Corbeaux se sont glissés comme des serpents entre nos alliés et nous ? »

Dort-Longtemps et moi, nous ne les quittons pas du regard. Grands Arbres sourit. « Dans ce cas, n'est-ce pas la meilleure raison pour nous rendre dans leur village ? Puisque tu crois qu'ils nous ont pris quelque chose, pourquoi ne pas aller les trouver pour leur dire leurs quatre vérités ? »

Grands Arbres est un sage. Je vois comment il a procédé. Forcé de reconnaître qu'il est important de se rendre au village des Corbeaux, son fils doit à présent tempérer sa colère. Seulement, je comprends soudain que nous ferons tous le voyage pour retourner dans cet endroit où j'ai tant souffert.

Près de la moitié des habitants a décidé de partir. Ce n'est pas un village composé de beaucoup de maisons-longues, et je constate avec tristesse que nous sommes désormais bien peu nombreux. Comme c'est le cœur de l'hiver et que nous effectuerons le trajet avec les vieux et les tout-petits, il nous faudra deux jours au lieu d'un pour arriver à destination.

Dès que le ciel se montre clément et que le temps s'adoucit, les premiers se mettent en route, formant une longue file, vêtus de peaux et de manteaux de castor, chaussés de raquettes et tirant des luges chargées de provisions pour faciliter la tâche de ceux qui marchent derrière. Précédant les hommes qui ouvrent le chemin, nos éclaireurs sillonnent la forêt à la recherche de signes indiquant la présence d'éventuels ennemis et d'un bon endroit où établir un campement pour tant de gens.

Pendant une demi-journée, ceux qui ont choisi de partir émergent des palissades par groupes de cinq, dix ou quinze après avoir pris congé de ceux qui restent. On a l'impression que les poumons de notre village se vident de leur souffle sans être capables de reprendre leur respiration.

Quand arrive mon tour de m'en aller, j'entre dans la maison-longue de mon père. Renard est là, assis près du feu. Il a presque l'air d'un enfant, mais en dépit de sa petite taille, il est l'un de nos plus valeureux guerriers.

Il m'aperçoit et se lève. Je m'avance vers lui, disant : « Je te reverrai au printemps quand nous reviendrons pour les plantations.

— Dis à ton père que je ne l'en estime pas moins parce qu'il part avec toi. Si tu étais ma fille, j'aurais fait pareil pour te protéger. »

Je voudrais lui crier qu'il n'est pas trop tard, qu'il peut encore nous accompagner, mais je ne l'imagine pas vivre enfermé entre les murs du village des Corbeaux. Il en mourrait. Ou alors, il deviendrait enragé.

« Ce ne sera pas long, dis-je. Dès la fin de l'hiver, nous serons de retour. »

Il hoche la tête, puis il fait un geste qu'il n'a jamais fait : il me prend par les épaules comme s'il tenait un œuf d'oiseau dans chaque main et, les yeux brillants, il presse son front contre le mien.

Nous sommes un groupe de femmes et Porte-une-Hache marche à nos côtés. Il est là pour nous défendre, et j'adore le voir bomber le torse, fier de sa mission. Ne sachant que faire d'autre de ma corneille, je lui ai attaché les pattes et je la porte à l'épaule. Elle a presque ma taille, et les femmes se moquent de moi et croassent tandis que nous traversons les champs enneigés en direction de la forêt.

« Pourquoi tu ne la fais pas voler, plaisante l'une

d'elles. Comme ça, elle pourrait t'amener jusqu'au village des Corbeaux. »

Si seulement elle savait. Peu m'importe leurs railleries. Elles ne sont pas méchantes.

Arrivés à l'orée de la forêt, nous nous taisons. Maintenant, il faut être prudent et faire attention. Je me retourne pour jeter un regard à notre village et l'idée me vient que je ne le reverrai peut-être jamais. Je la repousse et concentre mes pensées sur le trajet.

Mon père est devant en compagnie de ceux qui montrent le chemin. Il est censé me laisser un indice. « Ouvre l'œil, m'a-t-il dit. Quand on approchera du moment où on devra se rassembler pour établir notre campement, je casserai les branches d'un sapin et je les débarrasserai de leurs aiguilles pour les disposer à côté d'un bouleau au bord de la piste. Tu seras la seule à savoir que cela signifie que vous êtes tout près de l'endroit où on va passer la nuit, et tu provoqueras l'étonnement de tous en l'annonçant aux autres qui constateront bientôt que tu avais raison. »

Nous marchons toute la matinée, mais nous n'avançons pas beaucoup. Nous devons nous adapter au rythme des plus lentes d'entre nous. Je réfrène mon envie de parler à Porte-une-Hache, car je sais qu'il me faut ménager mes forces et ne pas courir le risque d'alerter un éclaireur ennemi. J'ai l'impression d'avoir doublé de volume, et j'ai du mal à suivre, mais Porte-une-Hache n'est jamais loin. Alors que le soleil d'hiver est au zénith, nous nous arrêtons pour allumer un petit feu et nous réchauffer.

« Tu veux te mettre sur une luge et que je te

tire ? » me demande mon mari. Il sait que je commence à être fatiguée.

Je fais signe que non. « Ne sois pas idiot, dis-je. Tout ira bien. »

Il sort de son sac un bout de viande de cerf séchée. « Mâche doucement en marchant. Ça te redonnera de l'énergie. »

Nous continuons pendant l'après-midi et, pour m'occuper, je mastique des morceaux de viande, m'efforçant de les faire durer le plus longtemps possible tandis que je tâche de repérer les branches dont mon père m'a parlé. Marchant lentement, je ne regarde pas devant moi, et alors que le ciel s'assombrit, le bout de ma raquette heurte une racine et je trébuche puis glisse le long d'un talus qui borde la piste. Je me cogne contre des pierres ou des souches enfouies sous la neige.

Quand j'essaie de me relever, je ressens une violente poussée dans le ventre. Aussitôt, je m'immobilise et je murmure à mon bébé : *Doucement, doucement. Ça va ?*

Les femmes appellent Porte-une-Hache qui dévale la pente avant même que j'aie repris ma respiration. Il s'agenouille à côté de moi sans prononcer un mot, pose une main sur mon épaule, l'autre sur mon ventre. Je le regarde dans les yeux, m'efforçant d'éviter que les miens trahissent la peur. Il me dévisage. Nous savons tous deux quand le moment est venu qu'il m'aide à me relever. Le lien attachant les pattes de la corneille s'est cassé pendant ma chute, et lorsque je la ramasse, je m'aperçois qu'une de ses ailes pend, formant un angle bizarre.

« Ne t'inquiète pas, on la réparera », dit Porte-une-Hache en faisant un nœud et en replaçant l'oiseau sur mon épaule.

J'aimerais le croire, mais je ne vois pas comment il pourrait y arriver.

Nous repartons plus lentement encore. Les femmes sont groupées autour de moi comme un troupeau d'oies veillant sur leurs petits. La douleur dans mon ventre s'estompe, mais je sens qu'il y a quelque chose d'anormal. Quand on m'interroge, je réponds que tout va bien.

Alors que la nuit menace, approchant d'un grand bouleau devant nous, je vois les branches que je guettais.

« Nous sommes tout près du campement, j'en suis sûre », dis-je.

Les femmes me considèrent avec surprise.

Et en effet, quelques instants plus tard, nous percevons une odeur de fumée, puis nous distinguons la lueur d'un feu au travers d'un épais fourré bordant la piste. Les femmes sont stupéfaites.

« Comment le savais-tu ? me demande l'une d'elles.

— Ma corneille s'est envolée pendant que vous ne regardiez pas, dis-je. Puis elle est revenue me faire son rapport. »

Ce soir, l'inquiétude m'empêche de dormir. Mon ventre ne me fait presque plus mal, mais quelque chose dans mon corps m'alerte d'un danger. Les flammes dansent au milieu de la clairière, et plusieurs familles sont serrées les unes contre les autres pour se tenir plus chaud sous les toits d'écorce de nos cabanes placées face au feu. Il y a des campements semblables dans toute la région, et nos gardes veillent pour que nous puissions jouir d'un sommeil paisible.

« Moi non plus, je n'arrive pas à dormir », entends-je chuchoter à mon oreille. Endormi contre moi, Porte-une-Hache me tient dans ses bras. Mon père somnole devant nous. La voix est celle de Petite Oie, terrée dans sa fourrure comme une souris. J'ignorais qu'elle était là. Son visage est tout proche du mien.

« Je suis tombée tout à l'heure, et j'ai peur d'avoir fait mal à mon bébé, dis-je dans un murmure. Ce n'était pas une chute grave, mais j'ai senti un tirail-lement. »

Petite Oie garde le silence, mais je ne suis pas éton-née. Elle est économe de ses mots.

Alors que je la croyais endormie à son tour, elle me souffle : « Tu sais que je ne t'ai pas tout dit l'autre jour. »

Cette fois, c'est moi qui me tais.

« C'est parce que je n'étais pas sûre de ce que j'ai vu dans ma tête quand j'ai touché ton ventre. » Elle s'interrompt. « J'ai vu une jeune femme d'à peu près ton âge. Elle avait comme toi la figure criblée des marques d'une maladie. Elle vivait dans un village de Corbeaux. Un vaste village. Elle portait les habits bois-charbons des Corbeaux, un de leurs colliers étincelants autour du cou et une longue étoffe de la couleur de la nuit qui lui couvrait les cheveux. » Elle s'interrompt de nouveau.

« Continue, dis-je. Elle était heureuse ?

— Je ne sais pas, mais elle n'avait pas l'air de l'être. Agenouillée comme les Corbeaux, elle mur-

murait leurs paroles devant une immense sculpture de celui qu'ils vénèrent tant, celui qui a été torturé et cloué sur du bois.

— Et ensuite ?

— Ensuite, rien. Sinon que je me rendais compte que les Corbeaux l'estimaient beaucoup. Ils demandaient aux autres de lui adresser leurs prières quand ils étaient malades pour qu'elle les guérisse. Rien de tout cela n'a de sens pour moi. »

Je voudrais qu'elle m'en dise plus, mais elle me répète que c'est tout, qu'il ne s'agit que de l'imagination d'une folle.

Tandis que le feu s'éteint et que le froid rampe sur le sol pour s'insinuer dans nos fourrures, je frissonne. Je sais que Petite Oie ne dort toujours pas.

À voix basse, je lui demande : « S'il y a autre chose dont tu te souviennes, tu me le diras ?

— Je peux déjà te confier quelque chose que je n'ai dit qu'à ton père.

— Oui ?

— Moi aussi, je suis enceinte. À la fin de l'été, je donnerai naissance à l'enfant de ton père. »

J'aimerais savoir comment cela est possible. Malgré sa beauté, je pensais qu'elle avait passé l'âge de concevoir.

Comme pour répondre à mon interrogation muette, elle dit : « Ce n'est pas par hasard que vous, les Wendats, vous nous attribuez, à nous les Anishinaabes, des pouvoirs magiques. Quand on désire quelque chose assez fort et assez longtemps, il n'y a aucune raison qu'on ne l'obtienne pas. »

La mission prospère

Ils entrent à la mission d'abord au compte-gouttes, puis à flots. Les premiers se présentent peu après les prières du matin. Les gardes sonnent l'alerte, et Gabriel, Isaac et moi sortons en courant et escaladons l'échelle pour regarder du haut des remparts. Je reconnais des Hurons originaires du village où j'ai vécu, qui se tiennent à la lisière de la forêt. Ils ont l'air d'être un peu plus d'une douzaine. Je leur crie dans leur langue qu'ils peuvent approcher en toute sécurité, puis je descends et ordonne aux gardes d'ouvrir les portes.

Les Sauvages s'avancent avec appréhension, intrigués par nos bâtiments si différents des leurs. Il y a parmi eux une vieille femme dont je me souviens : celle qui autrefois me raillait sans pitié.

« Soyez les bienvenus, dis-je. Qu'est-ce qui vous a poussés à entreprendre ce voyage dans de telles conditions ?

— Les trois sœurs sont tombées malades et ont péri. Nous sommes partis pour ne pas mourir de faim. »

Gabriel et moi nous consultons du regard. « Nos

magasins sont bien remplis, dit-il. Il devrait y avoir assez à manger pour tout le monde. »

C'est exact. Les tribus du Nord ont défilé tout l'hiver pour faire la traite et jeter un coup d'œil sur cette nouvelle communauté. « Combien d'autres vont arriver ? » je m'enquiers.

La vieille femme se gratte la tête. « Peut-être la moitié du village. »

Je sursaute. Compte tenu de ceux que la maladie a décimés au cours des dernières années, il faut s'attendre à au moins deux cents âmes. Je me tourne vers Gabriel et Isaac. « Nous allons avoir des problèmes », dis-je.

Alors que souffle du nord-est l'une de ces tempêtes de février qui ébranlent les murs, tout un groupe franchit les portes du village. Comme il n'y a pas assez de place pour loger l'ensemble des réfugiés, je leur ouvre les bâtiments inoccupés, et les gens s'entassent dans les maisons-longues et les wigwams, tandis que certains construisent à toute allure des abris provisoires avant que ne s'abatte le gros de la tempête.

L'après-midi, le vent en provenance de la Mer d'eau douce forcit encore, et nous craignons pour la vie de ceux qui sont en route. Nous n'ignorons cependant pas qu'ils savent aussi bien que des animaux s'enfouir et se fondre dans le paysage, de sorte que mes inquiétudes sont peut-être injustifiées.

À la tombée de la nuit, je donne l'ordre de fermer et de barricader les portes. Je me fais néanmoins du souci tandis que, luttant contre le vent mugissant, je vais de maison en maison pour voir où en sont les nouveaux venus. Tous les bâtiments de la mission sont bondés et, à l'intérieur, les Sauvages fument la pipe, rient et bavardent joyeusement comme si la tempête n'existait pas. Ils doivent tous être affamés. Ils ont le visage hâve, les joues des plus âgés sont creusées, et pourtant ils paraissent heureux d'être en sûreté, protégés du froid, de la glace et du vent, aussi peut-être que cela leur suffit pour le moment. Il va falloir que ce soir, Gabriel, Isaac et moi tâchions de réfléchir sur la situation à plus long terme. Je me dis soudain que leur installation n'est peut-être pas temporaire. Serait-ce, Seigneur, que Votre plan commence à se révéler ? L'occasion me serait-elle enfin offerte de faire venir à Vous ces âmes perdues ?

À moitié gelé, je regagne notre petite habitation où Isaac et Gabriel, assis autour de la table, discutent déjà des difficultés entraînées par ce nouveau défi.

« Je ne vois pas comment nous pourrions arriver à nourrir toutes ces bouches », dit Gabriel. La soutane fumante, je me tiens le plus près possible du feu. Le vent fait trembler le toit et s'engouffre dans la cheminée, couchant parfois les flammes.

« Nous avons déjà surmonté de plus gros obstacles, répond Isaac. Je suis content que tant d'entre eux aient choisi de se réfugier chez nous en ces temps de famine.

— Nous aurons de quoi, dis-je. Vous le savez, mes révérends pères, n'est-ce pas ? Le Seigneur y pourvoira. »

Ce matin, des cris poussés par les Hurons annoncent de mauvaises nouvelles. Gabriel vient m'informer qu'on a trouvé une famille de quatre personnes mortes de froid, blotties les unes contre les autres devant les remparts. Me précipitant hors du village, je découvre un horrible spectacle. Quatre cadavres, le visage couvert de glace, sont adossés à la palissade. L'homme, à l'évidence le père, entoure sa femme de ses bras, et deux tout jeunes enfants sont serrés entre eux. Des Hurons, sans doute de leurs parents, chantent et prient à côté d'eux. Ne sachant trop quoi faire, je demande à mes hommes de les porter à l'intérieur pour qu'ils dégèlent et qu'on puisse les préparer pour l'enterrement, mais ils forment un bloc soudé par la glace.

Finalement, au prix de grands efforts et avec un bruit de déchirure, on parvient à détacher le père, et je regarde les hommes soulever difficilement cette étrange silhouette accroupie. Il s'avère impossible de séparer la mère et les enfants, si bien qu'un petit groupe d'hommes les transporte tels quels dans la mission.

Une vieille Huronne me demande ce que j'ai l'intention de faire avec eux. J'apprends ainsi qu'il s'agit de son fils, de sa belle-fille et de ses deux petits-enfants.

« Je vais les laisser dégeler pour que vous puissiez organiser leurs funérailles », réponds-je.

Elle réfléchit. « Nous ne pourrons pas les enterrer avant le printemps, aussi je ne vois pas pourquoi tu veux attendre qu'ils dégèlent. » Son visage est un masque, comme toujours chez eux devant la mort d'êtres chers. Elle refoulera ses larmes jusqu'au jour de la cérémonie funèbre.

Je lui demande : « Alors, dis-moi ce que je dois faire. »

Elle me dit de les apporter dans la maison-longue où elle habite, et je donne des instructions en ce sens.

Je me rappelle mes réflexions d'hier soir. Pour me tranquilliser, j'ai pensé que les éventuels retardataires sauraient se débrouiller. Est-ce bien moi qui ai ordonné qu'on ferme les portes ? À quelle heure ? Mon Dieu, je réalise que c'est ma faute.

Maintenant que la tempête a cessé, la chapelle n'abrite plus personne. La figure en feu, je m'avance vers l'autel et je m'agenouille. Qu'ai-je fait, Seigneur ? Qu'ai-je fait ? Conseillez-moi. C'est ma faute. Craignant un ennemi invisible, j'ai ordonné de condamner les portes. Mais l'ennemi invisible, c'est Satan, et cette nuit, il a gagné la bataille. Pourquoi n'ai-je pas laissé les portes ouvertes à l'intention des Sauvages qui arriveraient après la tombée du jour ? Et s'il y en avait d'autres ailleurs, morts de froid dans la neige ? Qu'ai-je fait précipitamment, poussé par la peur ?

Perclus de culpabilité, je me sens vaciller. Je suis responsable de la mort de cette famille. Pardonnez-moi, Seigneur, je Vous en supplie, pardonnez-moi.

Les jours suivants, je reste écrasé par le poids qui pèse sur ma conscience. Hanté par ces visages gelés, je ne parviens pas à dormir. Je me rends en pleine nuit dans la chapelle, muni d'un fouet en branches de sapin et, abaissant ma soutane pour me dénuder le dos, je me flagelle sans pitié en Vous adressant mes prières, mais les zébrures qui enflent sur ma peau ne sont pas un châtiment suffisant. Je me frappe jusqu'à ce que je sente le sang chaud couler sur mon dos.

Cela non plus ne suffit pas. Je songe à m'enfoncer dans la nuit pour éprouver ce que cette malheureuse famille a éprouvé, la morsure du froid qui pénètre petit à petit dans les chairs jusqu'aux os.

Au matin, atteint d'un mal profond, je ne quitte pas mon lit étroit. Isaac vient aux nouvelles.

« Père Christophe, vous allez bien ? »

Je n'ai pas la force de répondre.

« Puis-je vous apporter quelque chose ?

— Je ne me sens pas bien. Laissez-moi seul, je vous prie. »

Pendant deux jours et deux nuits, je demeure allongé sur mon lit, ne me levant le premier jour que pour faire mes besoins, et le deuxième, même pas, car j'en suis incapable et n'en ressens pas la nécessité. Quand je dors, c'est par à-coups, et je vois le visage de Satan qui me regarde par la fenêtre en ricanant. Il a vaincu. Je le sais à présent. Mais je n'étais pas en état de le combattre.

Le troisième jour, alors que la lumière commence à décliner et que mes os et mon dos me font terriblement souffrir, j'entends frapper doucement à ma porte.

« Entrez », réussis-je à dire dans un murmure rauque.

La silhouette de Gabriel s'encadre sur le seuil, dominée par celle plus grande et plus imposante d'Oiseau. J'essaie de me redresser, mais mon corps refuse de m'obéir.

« Oiseau désire un conseil, dit Gabriel. Et nous aussi. »

Il s'efface, et Oiseau entre puis se tient au-dessus de moi. « Tu es malade ? »

J'opine de la tête.

« Il faut que tu recouvres tes forces, dit-il. Notre peuple attend des directives. Tes barbus ne nous écoutent pas. Ils disent qu'ils n'obéissent qu'à toi. Il faut que mon peuple construise des abris. Nous pouvons le faire à l'extérieur des palissades, mais nous préférerions à l'intérieur. Par deux fois déjà, je suis intervenu pour éviter une bagarre entre mes hommes et les tiens. »

Lentement, le corps hurlant de douleur, je me soulève pour m'asseoir. J'ouvre la bouche pour parler, mais rien ne sort. Je fais signe à Gabriel d'aller me chercher de l'eau. Il revient avec une carafe et un gobelet. Je bois à longs traits.

Ma voix n'est qu'un chuchotement éraillé. « Je ne vois pas trop ce que je pourrais faire. »

Oiseau me dévisage. « Tu pourrais commencer par quitter ton lit. Nous avons accepté avec confiance ta proposition de venir nous installer ici, et maintenant il est temps que tu te lèves. Il y a déjà eu des morts, et il y en aura bien d'autres si tu ne bouges pas. Et je peux t'affirmer que parmi eux, on comptera beaucoup de tes hommes velus. »

Là-dessus, il pivote sur ses talons et sort. Il a raison. Je me suis assez couvert de honte. Je me lève et, pris de vertiges, je me dirige vers la porte, la démarche chancelante.

Tous les hommes disponibles prêtent la main pour abattre les arbres, les écorcer, ramasser du bois pour le feu, construire des habitations et consolider les palissades en creusant du mieux possible des trous dans la terre gelée pour planter de nouvelles rangées de pieux. Le temps reste beau et ensoleillé, mais la température continue de baisser, si bien que de plus en plus de donnés se plaignent d'engelures. Je réprimande ceux qui simulent afin d'être dispensés de travail, et je les envoie dans la forêt couper du bois, ce qu'ils détestent le plus. Tous sans exception ont une peur bleue de la nature inhospitalière qui les entoure, et ils s'imaginent voir des Iroquois derrière chaque ombre.

Sachant que c'est surtout pour atténuer mon sentiment de culpabilité, je me jette à corps perdu dans le travail. Je peine aux côtés des hommes depuis l'aube jusque bien après la tombée de la nuit. Les Hurons nous montrent comment construire des maisons-longues. Le soir, épuisé, je m'écroule dans mon lit, et la vision de cette famille gelée me réveille encore plus tôt que les Sauvages, prêt à me précipiter dehors pour me tuer à la tâche.

J'ai donné l'ordre d'ouvrir les magasins, et j'ai chargé Gabriel de distribuer la nourriture à tous ceux qui en ont besoin. Si j'avais confié cette responsabilité à Isaac, je crains que nos stocks n'aient pas duré plus de quelques jours. Je n'avais encore jamais vu d'Européens travailler aux côtés de Sauvages, et le spectacle m'impressionne énormément. Peu de jours après que j'ai échappé aux griffes de Satan, nous avons bâti assez de maisons-longues pour loger l'afflux de Hurons arrivés pendant l'hiver. Il est vrai, Seigneur, que le dur labeur ne laisse guère de place aux vices engendrés par l'oisiveté.

Au cours de ces premières semaines qui ont vu se réchauffer les relations entre les deux groupes, j'ai cependant noté que les donnés étaient de moins en moins enclins à assister chaque matin à la messe et même aux prières plus courtes du soir. Certains jours, il y a plus de bancs vides que de bancs occupés. Je me demande si c'est lié à la présence des Sauvages qui se sont abattus sur nous comme un vol d'oiseaux avec leur drôle de sens de l'heure, de la propriété et de l'éthique du travail, qui souvent chantent et jouent du tambour jusque tard dans la nuit, qui s'arrêtent parfois brusquement de travailler et qui, sans avertissement, s'en vont se balader, fumer une pipe ou encore partent à la chasse. Ce manque de rigueur semble déteindre sur mes hommes.

Gabriel, Isaac et moi nous concertons sur la conduite à adopter.

Isaac est d'avis de ne rien changer. « Voyez tout ce qui a été réalisé en si peu de temps, dit-il. Les Hurons ont construit leurs maisons-longues, nombre d'entre eux sont partis chasser, et ils ont l'air heureux. Que demander de plus ?

— Mais en quoi consiste notre mission ? rétorque Gabriel. Juste à leur offrir un certain confort ? N'avez-vous pas remarqué que ceux que nous avons convertis de haute lutte ne viennent plus à la messe ? Ils sont si vite retournés à leurs anciennes coutumes. »

Il n'a pas tort. Cette arrivée en masse que nous considérions comme une bénédiction pourrait fort bien se révéler être une malédiction. « Alors, mes révérends pères, que faire ?

— Pour moi, c'est clair, répond Gabriel. S'ils habitent à l'intérieur de ces murs, ils doivent se conformer à nos règles. »

Le visage d'Isaac s'empourpre. « Croyez-vous vraiment que ce soit si simple ?

— Oui, affirme Gabriel.

— Et que proposez-vous donc ? je lui demande.

— Que nous soyons fermes. Si les Sauvages veulent profiter de notre bonté, de notre générosité, il faut qu'ils se plient à nos lois. » Gabriel jette un regard noir à Isaac. « Il faut qu'ils acceptent de venir entendre la parole du Seigneur. Il faut qu'ils fassent l'effort de nous comprendre, de suivre nos préceptes.

— Quand nous étions à leur merci, ils n'ont jamais réclamé cela de nous », proteste Isaac, tout tremblant.

Je crains, si je ne m'en mêle pas, que ces deux-là ne finissent par s'écharper. « Mes frères, dis-je en m'interposant, vous avez l'un et l'autre raison, mais cela ne résout pas le problème. Notre mission est de les amener à Jésus-Christ. Je ne doute pas que vous soyez tous deux d'accord là-dessus. »

Gabriel acquiesce, mais Isaac est trop contrarié pour réagir.

« En tout cas, nous devons leur offrir sécurité et confort, poursuis-je. Et surtout, leur inculquer nos valeurs spirituelles. N'oubliez pas, l'un et l'autre, que nous sommes venus il y a longtemps dans ce pays de ténèbres pour y apporter la lumière. La lumière du

Seigneur. Alors, convenons ensemble que notre tâche la plus importante est le salut de leur âme éternelle. »

Je regarde Gabriel. Il détourne les yeux, mais son attitude indique qu'il est d'accord. Quant à Isaac, il a la bouche pincée de colère.

« Oui, telle est notre mission, dis-je, frappant du poing dans ma paume, la voix qui enfle sous le coup de l'émotion. Nous avons tous juré d'être prêts à lui sacrifier notre vie, n'est-ce pas ? Que pourrait-il exister de plus sacré que de donner notre vie pour les déshérités ? Et c'est ce que nous allons faire, mes frères. Le moment est venu. Les Sauvages nous demandent notre aide, et celle que nous pouvons leur offrir est bien plus grande que tout ce qu'ils peuvent imaginer. »

Gabriel se lève alors et tend la main à Isaac. Et Isaac, le doux Isaac, hésite un instant puis la prend comme il peut entre ses moignons. Debout tous les trois, nous nous tenons par la main.

« Nous allons travailler dur, travailler comme un seul homme à les amener au sein de l'Église. »

Gabriel approuve. « Oui, mon cher révérend père », dit-il.

Isaac nous regarde et, comme libéré d'un fardeau, son visage s'illumine. Les yeux agrandis, il déclare : « Oui, je suis prêt à mourir pour eux. »

Mars arrive, froid et tempétueux, et la mission prospère. Presque comme je l'avais rêvé, nos deux races cohabitent. Certes, les donnés et les Sauvages s'évitent davantage que je ne l'aurais souhaité, mais des interactions se produisent tandis qu'ils essaient avec prudence de communiquer et de faire du troc. J'ai déclaré que les donnés devaient assister tous les jours à la messe, et la plupart sont rentrés dans le rang. Gabriel, Isaac et moi passons nos journées dans les maisons-longues des Hurons ou dans les wigwams du Peuple de la Fourrure à parler du Grand Génie et à tenter de convaincre les Sauvages de venir dans Sa maison pour apprendre à mieux Le connaître.

Bien que nous soyons loin de former une société parfaite, je constate que nous faisons beaucoup de progrès. Oiseau a cependant mentionné qu'il ne s'agissait que d'un séjour temporaire et que dès l'amorce du printemps, ils regagneraient leur village. C'est un nuage noir à l'horizon de mes plans, mais je n'ai pas abandonné l'espoir que nombre d'entre eux désirent rester dans le cocon de la mission.

Aaron est l'un des rares Sauvages à être demeuré avec nous depuis l'arrivée d'Oiseau et des autres. Il vient chaque jour à la messe et fuit les contacts avec ceux de son peuple. Ce matin après l'office, Gabriel et moi parlons de lui sur les marches de la chapelle quand Chutes-de-Neige passe devant nous, visiblement enceinte.

« Je comprends pourquoi il se tient à l'écart », murmuré-je à Gabriel, expliquant qu'Aaron est peut-être le père de l'enfant à naître.

Gabriel est indigné. « Ils sont donc sans vergogne ! s'exclame-t-il.

— Regardez, dis-je, voyant Porte-une-Hache s'approcher et prendre le bras de la jeune fille. Je ne sais pas qui est le père, et je ne crois pas qu'elle non plus le sache. »

Gabriel secoue la tête. « Pouvons-nous accepter cela entre les murs de la mission ? Quelqu'un ne devrait-il pas parler à cette fille ? Ou plutôt à son père ? »

Petite Chutes-de-Neige, tu me déçois. Tu n'as cessé de m'empoisonner la vie. Dès que j'ai cru te comprendre, t'avoir gagnée à la cause de Jésus-Christ, tu m'as surpris et fait honte en mordant la main que je te tendais. Et maintenant, étalant avec fierté ton immoralité, tu me montres que tu n'es en rien celle que j'espérais que tu deviendrais. Mais je n'ai pas renoncé à tout espoir en ce qui te concerne.

« La question que nous devrions nous poser, dis-je, est celle-ci : Chutes-de-Neige est-elle Marie-Madeleine la jeune prostituée repentie ou bien simplement une jeune prostituée qui ne sait même pas qui lui a fait cet enfant ? Pour ma part, Gabriel, je ne veux pas croire à cette dernière proposition. »

Je te regarde t'éloigner de moi au bras de Porte-une-Hache. J'ai pris ma décision, Chutes-de-Neige. Je vais autoriser Gabriel à parler à ton père de ce pouvoir que tu affiches et que tu te figures exercer sur les jeunes gens. Gabriel fera clairement comprendre à Oiseau ainsi qu'à Porte-une-Hache que ta conduite est inadmissible.

« Oui, cher Gabriel, dis-je. Peut-être vaut-il mieux en effet que vous vous entreteniez de tout cela avec Oiseau. Nous ne pouvons pas tolérer des comportements aussi immoraux. Mais choisissez bien vos mots. Il entre parfois dans de terribles colères. »

Le moment est venu

Il règne un sentiment de satisfaction dans cet étrange village de Corbeaux, mon amour. Nous avons construit assez de maisons-longues pour tout le monde, et même si elles ne valent pas celles de chez nous, nous avons tous un toit au-dessus de notre tête et un foyer autour duquel nous chauffer. Nous n'avons pas apporté grand-chose en matière de nourriture, et pourtant, les Corbeaux se sont montrés généreux, ce qui n'a pas manqué de faire forte impression sur nous. Ils n'ignorent pas que nous répugnons à devoir quoi que ce soit et que nous leur rembourserons tout. Qui mieux que toi sait qu'un Wendat n'oublie jamais un geste de bonté ? La chasse a été abondante et nous avons beaucoup contribué aux réserves de viande et de peaux. Nous survivrons à ce rude hiver.

Mon ami Renard me manque terriblement et je me demande comment lui et les autres restés au village s'en sortent. Pensant que les Corbeaux disposeraient d'assez de vivres, nous leur avons laissé presque toutes les provisions. Renard et moi, nous nous reverrons bientôt, quand viendra la lune des plantations. Ce n'est plus très loin. La lune des dernières neiges est déjà arrivée. Et après un nouveau cycle lunaire, nous retournerons chez nous pour nous préparer en perspective de l'été, espérant que les Haudenosaunees aussi demeureront chez eux.

C'est également le mois où Chutes-de-Neige doit avoir son enfant. Elle a ressenti des douleurs ces derniers temps, et elle a fini par avouer qu'elle s'était fait mal en tombant pendant le voyage qui, il y a quelques semaines, nous a conduits ici. On lui a conseillé de se reposer, et Dort-Longtemps, sa nouvelle mère, qui a accouché peu après notre installation, veille sur elle.

J'ai quelque chose à te dire, mais tu le sais déjà. Ce sera l'année des naissances. Je vais de nouveau être père. La mère de l'enfant est Petite Oie, et peut-être vois-tu notre bonheur de là-haut. Je ne l'ai encore confié à personne. Pas même à Renard. Le moment viendra bientôt, car on ne tardera pas à se rendre compte qu'elle est enceinte.

La vie est si facile ici que je m'impatiente. J'envisage de faire le voyage pour aller voir comment Renard et les autres se débrouillent. La neige est mouillée, car elle a commencé de fondre, ce qui ne facilitera pas le trajet. Je sens cependant que j'ai besoin de bouger, que mon corps brûle de retrouver l'aventure. D'un autre côté, je ne tiens pas à m'éloigner trop longtemps de Petite Oie et de ma fille.

Petite Oie s'est adaptée. Certes, elle n'est pas heureuse du tout au village des Corbeaux, mais elle comprend que les besoins du groupe doivent passer avant les siens. N'ayant pas l'habitude de vivre au sein de si grandes familles, elle continue à habiter seule dans un wigwam. La plupart des nuits, je dors auprès d'elle.

« Si tu ne trouves rien pour t'occuper, tu vas bientôt exploser, me dit-elle ce soir alors que je reviens après avoir été chercher du bois pour la troisième fois. Pourquoi tu ne réunirais pas quelques jeunes pour aller chasser et poser des collets ? Tu sais que les Corbeaux cachent leurs provisions avec autant de soin que les écureuils. Ils ont noté la moindre noix qu'ils nous ont donnée et ils nous feront le compte quand ce sera le moment de les rembourser.

— Je n'aimerais pas te laisser seule dans ton état. » J'ai parlé sans réfléchir.

« Et qu'est-ce qu'il a mon état ? » Petite Oie s'emporte souvent contre moi depuis quelque temps. Je ne peux pas le lui reprocher.

« Ce n'est pas ce que je voulais dire. » Je m'interromps pour choisir mes mots. « Je m'inquiète pour vous deux, ma fille et toi. » Je marque une nouvelle pause. « Je ne souhaite pas rester longtemps absent. Je vais être franc : il y a quelque chose qui m'empêche de dormir.

— Je suis sûre que c'est à cause de mon ventre qui grogne », dit Petite Oie. Nous éclatons de rire puis, les yeux brillants à la lueur du feu, elle me considère un instant avant de reprendre : « À mon tour d'être franche : moi non plus, je ne souhaite pas que tu partes trop loin, même si je sais que c'est ce que tu désires. »

J'attends qu'elle m'en dise davantage.

« Comme toi, je n'arrive pas à dormir, mais il y a une autre raison. » Elle pose la main sur son ventre.

« C'est peut-être parce que nous sommes obligés de vivre si près d'eux, dans cet horrible endroit. La plupart du temps, j'ai l'impression que quelque chose de terrible s'annonce.

— Dans ce cas, il faut que nous fassions doublement attention, tu ne crois pas ? » Je me penche pour l'embrasser.

Le Corbeau Gabriel veut savoir si ma fille est mariée.

« En quoi cela te regarde-t-il ? je demande.

— Nous voyons tous qu'elle ne va pas tarder à accoucher, répond-il. Et le Grand Génie exige qu'elle épouse le père.

— Parfois, nous ne sommes pas tellement différents de vous, dis-je. Nous nous occupons beaucoup de nos enfants, tu le sais. »

Nous sommes assis seuls dans ce lieu où ils parlent à leur génie. C'est rempli de courants d'air et le feu dans le foyer est presque éteint. J'entends la neige fondante dégoutter du toit pour former des flaques par terre. Il m'a fait venir pour discuter de questions importantes, si bien que je me sens déconcerté. Je m'attendais à ce que nous évoquions les conditions liées à notre séjour ici maintenant que le moment de notre départ approche. Je supposais que nous allions parler de ce que nous leur devons.

« Je ne voudrais pas jeter de l'huile sur le feu, mais j'ai besoin de connaître la vérité, dit ce Corbeau. On m'a rapporté que Chutes-de-Neige, comment dirais-je… (il se prend le menton entre deux doigts)… que ta fille ne sait pas vraiment qui est le père de son enfant. »

Je me lève d'un bond, renversant mon banc qui tombe par terre avec fracas. « Qu'est-ce que tu dis ? »

Effrayé, le Corbeau se lève à son tour. « Je ne pensais pas à mal », dit-il, tendant les bras.

Je serre les poings. « Qu'est-ce que tu racontes au sujet de ma fille ?

— Simplement que selon la rumeur, Aaron pourrait être le père de son enfant. À moins que ce ne soit Porte-une-Hache. »

Je fais deux pas vers lui.

Il recule en trébuchant. « Je ne pensais pas à mal, répète-t-il. Tu ne crois pas qu'il faudrait tirer cette affaire au clair ? »

Je me rue sur lui. Il bute sur un banc. Je l'agrippe par le devant de sa robe puante et le soulève. « Où as-tu entendu ce mensonge ? je crache, le visage si près du sien que je sens son haleine fétide.

— Je… j'imagine que tout le monde le sait, balbutie-t-il. Je me figurais que toi aussi, tu le savais. Je n'avais pas de mauvaises intentions. » Il tremble entre mes mains, ou peut-être est-ce moi qui tremble de colère. Le corps tendu, je le repousse violemment. Il s'écrase au milieu des bancs. Il se remet debout et file par la porte du fond. J'hésite à me lancer à sa poursuite, puis je tourne les talons et sors, l'air aussi digne que possible.

À tous ceux que je croise en me promenant à pas lents, je fais savoir que je cherche Trouve-les-Villages. Voilà donc qui explique son étrange comportement le jour où il s'est enfui à toutes jambes lorsque je me suis avancé vers lui. Porte-une-Hache le sait-il ? Pourquoi ma fille ne m'a-t-elle pas dit qu'il y avait deux garçons ? Il faut que je découvre la vérité.

Je vais interroger Petite Oie. Elle est debout devant son wigwam, et je lui fais signe de rentrer. Dès que nous sommes assis, je lui demande si elle est au courant de cette histoire. Elle me regarde comme si elle voulait s'excuser.

« C'est donc vrai ?

— Oiseau, écoute-moi, dit-elle. Chutes-de-Neige est venue me voir alors qu'elle avait besoin de se confier à quelqu'un. C'était l'automne dernier, après ton retour de chez les Corbeaux. Ta fille craignait que Trouve-les-Villages l'ait pénétrée pendant qu'elle dormait.

— Elle a le sommeil profond, mais pas à ce point-là, dis-je, la figure brûlante.

— Tu te rappelles comme elle était malade ce matin-là ? »

Je me rappelle, en effet. Tout me revient en bloc. Mon inquiétude, ma crainte qu'elle soit enceinte.

« Trouve-les-Villages et Chutes-de-Neige avaient bu de l'eau puante. Elle était inconsciente.

— Je vais le tuer, dis-je en me levant.

— Porte-une-Hache ignore tout, dit Petite Oie. Pense à lui. Pense à ta fille et pense à ta petite-fille. Avant d'agir, réfléchis à ce qui est préférable pour eux tous. »

Ses paroles m'atteignent au moment où je franchis le seuil.

J'ai beau chercher partout et demander à tout le monde, je ne trouve pas le garçon. Presque toute

la neige a fondu et les allées du village sont trans-
formées en champ de boue. Je ne supporte plus cet
endroit. Je sors et je m'éloigne des palissades, suivi
des yeux par les hommes velus.

Deux jours durant, je cherche Trouve-les-Villages.
Je vais jusqu'à l'attendre dans ce lieu où les Corbeaux croassent chaque matin tandis que les autres
s'assoient, s'agenouillent ou se lèvent en fonction de
je ne sais quel rite étrange. Il a disparu. Personne
ne l'a vu. Le second soir, alors que je me dis qu'il
s'est réfugié pour de bon dans la forêt, le bruit court
qu'on l'a retrouvé.

« Il est au bord de la rivière », m'apprend Petite
Oie.

Quelques hommes velus sont rassemblés devant
une petite maison en pierre et en bois le long des
palissades, tout près de la berge de la rivière qui coule
avec rapidité. Ils s'écartent pour me laisser passer.

J'entre. Dans la pâle lumière du crépuscule, j'aperçois Trouve-les-Villages. Il a l'air de flotter, les pieds
au-dessus du sol. Une chaise est renversée à côté de
lui. Sa nuque fait un angle bizarre, et son visage est
sombre et tout gonflé. Il a la tête inclinée, comme si
on venait de lui poser une question.

Le Corbeau arrive et s'approche du corps. L'autre
Corbeau, celui aux mains mutilées, le suit, sanglotant
comme un enfant. Ensemble, ils essaient de soulever
le garçon, mais il est mort depuis longtemps. Je les
regarde se débattre avec son cadavre, incapables de
le détacher de la corde nouée autour de son cou.

La rumeur se répand aussi vite dans ce village que dans n'importe quel autre. Il semble que personne ne sache pourquoi le garçon s'est suicidé, mais tout le monde est persuadé que moi, je le sais. Après tout, je le cherchais et ce n'était sans doute pas pour lui offrir un cadeau. Je me tais, cependant, et par précaution, j'évite Chutes-de-Neige et Porte-une-Hache. J'affiche un visage impassible, mais au-dedans de moi, je suis tout secoué. Je ne dirai rien à ma fille ni à son mari. Petite Oie a raison. Il y a des choses dont il vaut mieux ne pas parler.

Ils enterrent Trouve-les-Villages à l'extérieur de la clôture de leur cimetière. Point-du-Jour qui est à côté de Petite Oie et moi nous explique pourquoi. Nous sommes nombreux, et nous nous tenons à distance respectueuse. Au début, j'ai pensé que si on ne l'inhumait pas avec les autres, c'était parce qu'il était un Wendat.

« Non, dit Point-du-Jour. Il y a beaucoup de Wendats enterrés derrière la clôture. Mais il s'est donné la mort, et selon leur Grand Génie, il ne peut plus aller dans leur endroit merveilleux.

— Il est allé où, alors ? » demande Petite Oie.

Point-du-Jour hausse les épaules. « Quelque part entre ce monde-ci et l'autre. Ni là où tout le monde brûle dans les flammes, ni là où tout le monde a ce qu'il désire. »

Près de moi, Chutes-de-Neige pleure, la tête sur la poitrine de son mari. Il l'enlace. Je vois bien qu'il ne sait pas. Les Corbeaux prononcent quelques paroles dans leur curieuse langue, font leurs signes, puis ils jettent de la terre dans le trou. Dès que c'est fini, nous nous en allons, tristes, troublés.

Petite Oie est inquiète, ce soir. Une demi-lune s'est écoulée depuis les funérailles du garçon, et les premiers bourgeons vont bientôt apparaître sur les peupliers. Il est temps de rentrer chez nous. Il n'y a pas que Petite Oie qui soit nerveuse. Nous le sommes tous. Couchée à côté de moi, elle s'agite, parle dans son sommeil. Chaque fois que j'essaie de dormir, j'imagine des loups cernant un cerf, prêts à bondir.

Bien avant l'aurore, ne tenant plus en place, je m'apprête à me glisser hors de notre couverture de fourrure quand j'entends quelqu'un arriver en courant. Je saisis mon casse-tête.

« Oiseau », murmure une voix d'homme. Celle de Porte-une-Hache. « Petite Oie », dit-il ensuite.

Elle se réveille puis se redresse. « Le moment est venu », dit-elle.

Tous trois, nous nous précipitons vers leur maison-longue. Le jeune guerrier est trop paniqué pour répondre quand je lui demande ce qui se passe. Entrant en courant, nous voyons Dort-Longtemps agenouillée devant le feu à côté de ma fille. Chutes-de-Neige lâche un cri.

« Elle est en avance, dit Petite Oie, s'accroupissant près d'elles.

— Ça signifie quoi ? » je demande.

Petite Oie lève la tête. « Tout ira bien, dit-elle. Laisse-nous faire. Va dehors fumer une pipe avec Porte-une-Hache. Raconte-lui ce que c'est d'être père. »

Tu as pris une sage décision

Peut-être est-ce le suicide de Trouve-les-Villages qui incite le bébé à vouloir venir maintenant. Que penser de tout cela ? J'ai tenté de me convaincre que Porte-une-Hache était bien le père, et je tiens à le croire. Je me réveille de moins en moins souvent en sursaut au milieu de la nuit après avoir rêvé que, ayant appris ce qui s'était passé, il est parti et m'a abandonnée. Mais dès que je songe à Trouve-les-Villages qui s'est pendu, je me sens malade et presque aussitôt, une douleur naît dans mon ventre.

J'essaie d'oublier à force de volonté ces élancements intenses parce que je sais que c'est trop tôt. Lorsque je n'y arrive plus, je dis à Dort-Longtemps que le moment est peut-être venu. Celles qui connaissent ces choses-là me répètent qu'il faut que j'arrête de me promener et que je me contraigne à rester toute la journée allongée. L'ennui me rend folle, mais quand la douleur me traverse de nouveau, je ne peux qu'appeler l'ennui de tous mes vœux.

Petite Oie me prépare des infusions qui soulagent un peu mes souffrances. Dort-Longtemps et elle se consultent à voix basse, puis tournent vers moi des visages inquiets. Une vague d'angoisse déferle sur moi avant de refluer lentement jusqu'à ce que j'aie l'impression que si on m'y autorisait, je pourrais me lever. Deux jours passent, exactement semblables, si bien que je commencerais presque à m'y habituer.

Ce soir, il faut que je me lève pour aller uriner, et Dort-Longtemps m'accompagne à l'endroit réservé pour cela dans un bouquet de sapins. « Doucement, me dit-elle. Tu n'as pas besoin de courir. »

Je m'accroupis avec difficulté tellement je suis grosse, craignant de me pisser dessus si je ne fais pas attention. Comment est-ce arrivé ? Quand suis-je devenue pareille aux femmes dont je me moquais et que je méprisais ? C'est si pénible. Il faut que je me rappelle combien je serai heureuse quand cette chose qui grandit en moi finira par quitter mon corps, et que je pourrai alors me retrouver.

Comme si j'avais évoqué quelque interdit, j'éprouve une douleur bien plus violente que les autres, si violente que je m'écroule. J'ai le sentiment que l'enfant en moi, considérant la pensée que j'ai eue comme une provocation, a allumé un brasier dans mon ventre. Lorsque la douleur revient, je pousse un cri, et Dort-Longtemps se précipite pour me relever.

Une fois debout, pliée en deux par la souffrance, je sens couler le long de mes jambes un filet tiède. Redoutant que ce ne soit du sang, je passe le doigt sur ma cuisse et je regarde. Merci, Aataentsic. C'est un liquide clair.

Dort-Longtemps me soutient pour marcher, puis elle appelle à l'aide. Mon mari accourt aussitôt, et tous deux me portent jusqu'à la maison-longue.

Par comparaison, les premières douleurs n'étaient qu'un vent chaud soufflant sur moi. Étendue sur ma natte, je mords un morceau de peau épaisse que Petite Oie a placé dans ma bouche. Je vois le visage de mon mari penché au-dessus de moi, mais Dort-Longtemps l'envoie dehors. La corneille, attachée par une lanière, plane au-dessus de notre lit, une aile brisée qui pend, l'autre déployée en une courbe gracieuse, comme si elle volait. J'ai tout le bas du corps en feu, comme écartelé. Je ne peux plus le supporter.

Il le faut cependant. Le jour décline. Je sombre dans l'inconscience, réveillée parfois en sursaut par des cris qui sont les miens. La corneille continue à planer au-dessus de moi et je m'imagine grimper sur son dos, nouer les bras autour de son cou et lui murmurer de m'emporter. Comme Petite Oie me l'a montré il y a bien des années, je sens palpiter les muscles de l'oiseau sous son plumage tandis qu'il commence à battre lentement des ailes, gêné cependant par son aile cassée. J'éprouve un nouvel élancement, et je supplie la corneille de battre des ailes plus fort, de m'emporter plus loin. Elle tourne la tête, me regarde, l'œil brillant, cadeau de Dort-Longtemps. Je me vois dans son œil, je vois l'âtre derrière moi qui rougeoie, et j'ai l'air effrayée, je vois mes cheveux longs et emmêlés, mes traits tirés malgré ma lourdeur, ma grossesse. La corneille plane maintenant, libérée de sa longe, et elle grandit, ou c'est moi qui rapetisse, mais je ne peux bientôt plus m'accrocher à son cou car j'ai les bras trop courts. Je me cramponne à ses plumes, sinon je vais tomber. La corneille, son œil étincelant toujours fixé sur moi, ouvre le bec.

588

Tu es sûre de vouloir que je t'emporte ? Les autres ne peuvent pas venir maintenant avec toi. Bientôt, peut-être. Plus tard, oui. Tu es sûre ?

Une douleur fulgurante me traverse. Je fais signe que oui.

Ton enfant ne viendra pas avec nous.

Je pense au bébé. Je distingue le visage de Trouve-les-Villages. Je distingue le visage de mon mari penché au-dessus de moi, l'expression soucieuse. Je resterai.

Prends un de mes yeux. Il t'aidera à voir.

Malgré ma souffrance, je tends le bras pour arracher le coquillage de l'orbite de mon oiseau.

Tu as pris une sage décision.

Quand j'ouvre les paupières, j'aperçois la tête de Petite Oie près de mes jambes écartées. « Tu as pris une sage décision, dit-elle en souriant. En dépit de la douleur que tu vas ressentir, tu dois pousser, ajoute-t-elle. Le bébé veut sortir à présent. » J'obéis, et à chaque fois, j'ai l'impression que mes entrailles se déchirent.

Alors que je crois ne plus pouvoir en endurer davantage, Petite Oie m'exhorte à pousser une dernière fois. Les yeux fermés, agrippant ma couverture, je tends ma volonté et je m'exécute. Lorsque je sens mon corps s'ouvrir, je lâche un grand cri. Je regarde. Petite Oie sourit toujours. Ses mains s'activent. J'entends un pleur, et je pense à mon petit raton laveur. Je me sens vide, j'ai mal à la main. Je déplie les doigts. Dans ma paume repose un coquillage ensanglanté. Un rayon de soleil filtre par une couture du mur en écorce de bouleau. Je referme les yeux.

Allongé à côté de moi, Porte-une-Hache me serre dans ses bras, et assise près de nous, Petite Oie berce le bébé enveloppé de fourrures de lapin. Elle me le tend. « Tiens, prends ton enfant », dit-elle.

Je repousse les fourrures pour regarder le visage de ma fille. J'esquisse un mouvement de surprise en voyant ses épais cheveux bois-charbon. Ses paupières presque translucides sont closes, et sa bouche remue comme si elle tétait. Je me tourne vers Porte-une-Hache. Effleurant la joue de son enfant, il a les yeux humides. Le bébé ouvre les yeux et se met à pleurer.

« Elle a faim, c'est tout », dit Petite Oie.

Quand je mets la bouche de ma fille sur mon mamelon, j'éprouve un léger choc. Nous ne faisons de nouveau plus qu'une. Elle boit, et je laisse fondre la douleur de ces dernières heures comme la neige sur le toit de la maison-longue. Je n'ai pas lâché le coquillage. Je le tourne et le retourne entre mes doigts. Je lève la tête. La corneille est accrochée au-dessus de moi, et je vois qu'il lui manque un œil. Dans mon délire, j'ai dû le lui arracher. Ne voulant pas le perdre, je regarde autour de moi. Le coffret en piquants de porc-épic, cadeau de Petite Oie, est posé là. Elle m'avait dit qu'il me servirait un jour. Je demande à Porte-une-Hache de l'ouvrir, puis je mets le coquillage dedans. Il referme le couvercle. Appuyée contre mon mari, je m'assoupis en même temps que notre enfant.

Pareils à des fantômes

Pendant deux jours, ma fille, baignée de transpiration, hurle et saigne. Pendant deux jours, je crois plus de fois que je ne peux les compter que je vais la perdre. Son enfant est venu trop tôt. Il voulait sortir, puis il ne voulait plus. Cette nuit, épuisé, j'ai fini par m'endormir sur le seuil de la maison-longue, tandis que Porte-une-Hache faisait les cent pas devant moi. J'ai l'impression de n'avoir fermé les yeux qu'un bref instant, mais quand je me réveille, tremblant de froid, le soleil s'est levé et ses rayons filtrent à travers les pieux de la palissade.

Je suis seul mais je perçois des voix à l'intérieur. Elles ont l'air joyeuses. Une femme chante une chanson douce et un bébé se met à vagir tant de faim que de colère. Le corps douloureux, je me contrains à me lever pour aller saluer ma petite-fille.

Frissonnant près du feu, je regarde les femmes s'extasier devant l'enfant emmitouflée dans des fourrures de lapin. Je souffre des tensions de ces derniers jours et des heures passées à dormir dans le froid. Je pense que nous pourrons regagner notre village dès que Chutes-de-Neige aura récupéré. Il est temps de rentrer.

Petite Oie et Dort-Longtemps, portant son bébé à elle sur la hanche, rassemblent toute la nourriture disponible et mettent la marmite à chauffer. Mon estomac gargouille et je réalise que je meurs de faim. Comme tout le monde. Il faut fêter la naissance de l'enfant. Chutes-de-Neige somnole près de l'âtre, sa fille au sein. Quand elle se réveillera, nous mangerons pour qu'elle redevienne forte, pour que l'enfant nouvellement né à la vie devienne fort, pour que le peuple devienne fort. Mon village me manque terriblement, mais pour l'instant, je me contenterai de celui-ci.

La fumée s'élève jusqu'au plafond de cette maison-longue, illuminée par les rayons du soleil, si bien que j'ai l'impression d'être encore dans l'univers des rêves. Les femmes rient, la marmite bouillonne et je commence enfin à avoir chaud. Je prends ma pipe dans mon sac.

Enflammant une brindille dans le feu, je lève la tête et mon regard rencontre celui de Petite Oie. Son ventre s'est arrondi. Ce sera un enfant de la fin de l'été. J'allume ma pipe, tire quelques bouffées, puis je fais signe à Petite Oie de venir près de moi. Elle s'installe à mes côtés et je lui passe la pipe.

« Tout ira bien ? » je demande.

Elle acquiesce d'un léger hochement de tête.

Dort-Longtemps est assise en compagnie de Grands Arbres et de leur fils qui est désormais aussi le mien. Ils mangent dans leurs bols en bouleau. Je me lève pour nous servir, Petite Oie et moi, mais avant, je m'agenouille auprès de ma fille et lui embrasse les cheveux. Elle ouvre les yeux. Son bébé dort en faisant de petits bruits de succion. Chutes-de-Neige me sourit. Je lui rends son sourire et elle ferme les paupières. Je me remets debout pour aller remplir nos bols.

Nous dormons tous, pelotonnés dans la maison-longue. Le feu nous tient chaud durant toute cette journée de printemps, et nous ne nous réveillons que de temps en temps aux pleurs du bébé.

J'ouvre les yeux avant même de les entendre. Je vois à la lumière que c'est la fin de l'après-midi. Les autres, rompus de fatigue après les épreuves de ces derniers jours, continuent à rêver. Cette fois, je les entends. Les voix des hommes velus qui crient du haut des remparts. Encore dans les brumes du sommeil, je saute sur mes pieds, imité par Grands Arbres et Porte-une-Hache. Nous courons vers les palissades, grimpons à l'échelle, bousculant les gardes qui montrent quelque chose du doigt.

Au milieu des champs nus se tient mon très cher ami Renard qui scrute les remparts à la recherche d'un visage familier. Le sien est maculé de sang, et son corps est noir de suie. Une poignée d'hommes est rassemblée autour de lui, en tout aussi mauvais état, et d'autres débouchent du rideau d'arbres, pareils à des fantômes.

Renard finit par me repérer. On échange un regard. Ses yeux me disent tout.

Ses paupières volettent

La journée s'écoule comme dans un rêve. Nous dormons tous, je me réveille juste pour manger, puis je me rendors. La tension de ces derniers jours nous a épuisés.

À un moment, dans le courant de l'après-midi, mon bébé et moi sommes tirés de notre sommeil par des cris, mais nous continuons à somnoler, ne voulant rien entendre ni savoir qui pourrait annoncer de mauvaises nouvelles. Encore un peu de repos. C'est tout ce que je demande.

Je me réveille dans le noir et, l'espace d'un instant, je ne sais plus très bien où je suis, puis je sens ma fille gigoter contre moi. Elle aussi s'est réveillée. Je la pose sur mon sein et j'écoute le feu crépiter ainsi que les voix d'hommes, graves et étouffées. Entendant celle de Renard, je me dis que je rêve encore. N'est-il pas resté dans notre village ? Que ferait-il ici ? Je commence à me demander si, je ne sais comment, je ne serais pas de retour chez nous. Je voudrais me lever, mais j'ai mal partout. Je tends l'oreille pour savoir de quoi ils parlent.

Notre village envahi. Une attaque surprise. Des

centaines de Haudenosaunees. Si tôt dans l'année. Personne ne s'y attendait. Je n'arrive pas à croire ce que j'entends. Je réussis à me redresser, veillant à bien tenir mon enfant. Mon corps proteste. J'ai les jambes flageolantes. À la lueur du feu, je contemple le visage de ma fille. Elle est belle. Ses cheveux sont si drus, si noirs. Elle tète, lève les deux mains, serre les poings. Une goutte de lait roule sur son menton, et je l'essuie. Je m'approche du feu et je reste quelques pas en arrière pour qu'on ne me remarque pas. Je veux savoir ce qui se passe sans qu'on me cache quoi que ce soit pour m'épargner.

« Ils ont fondu sur nous si soudainement que nous n'avons même pas eu le temps de fermer les portes, dit Renard. Qui aurait pu prévoir une attaque au tout début du printemps ? Nombre d'entre eux étaient armés de bois brillants, et ils savaient s'en servir. »

Mon mari est accroupi à côté de Grands Arbres qui dit d'un ton incrédule : « Venant de tout autre que toi, Renard, je ne l'aurais pas cru. »

Oiseau pose des questions précises. Je me rends compte qu'il n'arrive cependant pas à se faire à cette idée. Le village qui tombe après un bref combat, une douzaine ou peut-être un peu plus qui parviennent à s'échapper. C'est ce dont Renard a été témoin. Les Haudenosaunees ont dû partir à pied dès la fin de l'hiver pour atteindre notre village à cette époque de l'année, un exploit sans précédent et quasiment impossible à accomplir pour un groupe aussi important.

« Soit cela, dit Renard, soit ils ont passé l'hiver dans notre pays sans que nous le sachions. Ce qui compte, c'est que leurs alliés leur ont fourni ces mêmes armes que nous réclamons depuis toujours aux Français. Ce déséquilibre m'inquiète beaucoup.

— Il faut rassembler tous nos hommes pour essayer de sauver ceux qui restent, dit Oiseau. Il faut partir tout de suite. »

Renard secoue la tête. « Je n'ai jamais assisté à des violences et des destructions d'une telle ampleur. » Il s'interrompt, la gorge nouée. « Il y aura bien peu de survivants.

— Alors, que pouvons-nous faire ? demande Porte-une-Hache.

— Nous pouvons nous rendre, répond Oiseau. Ou nous battre. Mais je ne nous imagine pas capituler. » Il promène son regard autour de lui. Les hommes acquiescent. « Nous devons donc aller jusqu'au bout de cette guerre. Nous n'avons pas d'autre choix. »

Je contemple mon petit bout de fille. Elle a les yeux fermés et, dans son rêve, ses paupières volettent.

Il est maintenant trop tard,
n'est-ce pas ?

J'ai envoyé des éclaireurs conduits par Renard tâcher de repérer les ennemis et leurs mouvements. Connaissant les Haudenosaunees, ils vont fêter longuement leur victoire, prendre tout leur temps pour caresser les prisonniers qu'ils auront choisis après en avoir gardé d'autres qu'ils ramèneront dans leur pays pour être adoptés par ceux restés là-bas. Je ne pense pas qu'ils en aient terminé avec nous. Ils sont déjà presque débarrassés des Wendats, et maintenant que la plupart de nos nations-sœurs ont été vaincues ou se sont rendues, seul notre groupe, nous qui demeurons dans cet étrange village de Corbeaux, les empêche de réaliser leur objectif final. À la place de l'ennemi, je frapperais pendant que j'en ai la possibilité.

Porte-une-Hache a demandé à partir avec Renard, mais je lui ai dit qu'on avait besoin de lui ici pour protéger sa famille et les autres. Tu ne manqueras bientôt pas d'occasions de t'illustrer au combat, mon nouveau fils.

Des habitants de notre village continuent petit à petit à arriver. J'espérais qu'ils seraient plus nombreux, mais à présent que plusieurs jours se sont écoulés depuis l'annonce de notre écrasante défaite et du massacre, je n'y crois plus. Je compte sur une trentaine de survivants, y compris Renard et ceux qui l'accompagnaient. Je suis abasourdi par le choc. J'ai l'impression de vivre sous l'eau. Comme nous tous, je présume.

Il faut que nous nous secouions. Nous nous jetons dans le travail : renforcer les défenses, ramasser du bois, rationner la nourriture, préparer l'endroit où nous rassemblerons les femmes, les enfants et les personnes âgées quand la bataille s'engagera.

La petite rivière que le Peuple du Fer a creusée dans le village nous sera fort utile. Debout au bord, je l'étudie dans le soleil qui scintille sur sa surface immobile. Nous aurons largement de quoi boire et éteindre les incendies que les Haudenosaunees allumeront. Quelque chose dans ce curieux cours d'eau m'intrigue cependant. Je ressens au plus profond de moi une drôle d'impression chaque fois que je le regarde, mais je ne parviens pas à savoir de quoi il s'agit. J'ai dû rêver de lui. Je demanderai à Petite Oie ce qu'elle en pense. Ce n'est plus le moment de se livrer à de pareilles réflexions. Je fais tout pour chasser de mon esprit les images de ce qui attend d'ici peu la plupart d'entre nous.

Renard revient avec Grands Arbres nous dire ce qu'ils ont vu. De leur côté, les Haudenosaunees ont envoyé des éclaireurs battre la région. Renard a découvert les traces laissées par certains d'entre eux qui ont dormi à moins d'une demi-journée d'ici.

« Je crois savoir ce qu'ils font, conclut-il. Ils

cherchent le meilleur chemin pour arriver au village. »

Je lui demande dans combien de temps, selon lui, ils seront là. Dans deux ou trois jours tout au plus, répond-il.

Ce soir, la discussion autour du feu tourne essentiellement sur le choix du lieu où regrouper les femmes, les enfants et les infirmes pour leur assurer une sécurité relative. Où et comment ? À l'extérieur des palissades ? Et avec quels vivres ? De plus, nous ne pourrons pas nous permettre d'envoyer davantage que quelques hommes, car nous aurons besoin à l'intérieur de toutes les forces disponibles.

« Je ne sais pas si c'est la bonne solution, dit Grands Arbres. Je ne tiens pas à ce que Dort-Longtemps et notre fille partent au loin. Où pourraient-elles aller ?

— Les îles de la Mer d'eau douce ne sont pas si loin, dit Renard. Est-ce qu'elles ne feraient pas une excellente cachette ? »

Je connais ces îles. Trois d'entre elles, une grande et deux petites. J'y ai pêché un printemps. « C'est une idée intéressante, dis-je. Et si nous avions le temps de construire un campement pour les femmes et les enfants, ou au moins des abris provisoires pour les protéger du vent et de la pluie, j'y souscrirais. Seulement, ce n'est pas le cas. »

Porte-une-Hache se racle la gorge. « Je propose qu'on garde les îles comme dernière solution. Moi non plus, je ne veux pas que ma femme et ma fille quittent sans moi l'enceinte de ce village. Si le pire se produisait et que nous devions fuir, pourquoi ne pas dire à tout le monde de se retrouver sur la plus grande des îles ?

— Eh bien, voilà un jeune homme qui ne parle pas avec son cul, dis-je, provoquant l'hilarité générale. Je suis d'accord avec toi, mon fils. »

Les autres aussi approuvent.

Assis près du feu, j'annonce à Christophe Corbeau que les Haudenosaunees vont bientôt attaquer. Il est assommé, perdu. Il se refuse à le croire.

« Tu penses qu'ils sont donc prêts à se faire un ennemi du Peuple du Fer ? »

Je ne peux que répondre oui, ils n'hésiteront pas. Il persiste cependant à ne pas vouloir le croire. « Au moins, préparons-nous dans cette hypothèse, dis-je.

— Au début, je ne voulais pas de ces guerriers que mon peuple m'a envoyés. Je craignais qu'ils nous amènent le pire de ce que mon peuple et ses coutumes représentent. Mais maintenant, si jamais nous sommes attaqués, ce seront peut-être eux qui nous sauveront. »

Je lui demande à nouveau s'il a des bois brillants à nous confier. « Nous ne devons pas perdre de temps, car il faut encore former mes hommes. »

Il secoue la tête. « Nous n'avons pas eu autant de soldats que promis, et ils ne sont pas venus avec beaucoup d'armes. Je suis désolé. »

Je voudrais, lui dis-je, qu'il m'accompagne chez le chef de ses guerriers pour lui expliquer que les Wendats et le Peuple du Fer doivent préparer ensemble les défenses du village. Comme s'il se réveillait d'un seul coup, le Corbeau acquiesce et saute sur ses pieds.

Du haut des remparts, Renard et moi observons les hommes velus qui apprennent à quelques-uns des nôtres à charger les bois brillants et à viser. J'ai réussi à les convaincre qu'il serait souhaitable que nous sachions tous nous servir des armes dont nous pourrions disposer. Ils tirent à plusieurs reprises pour habituer mes guerriers au bruit de tonnerre et à la fumée. J'ai envoyé un groupe de jeunes, à peine des adolescents, chercher du bois bien dur pour faire des hampes de flèches et explorer les berges de la rivière en quête de silex pour les pointes. On a déjà rempli à la petite rivière tous les récipients, marmites, seaux et autres pour les placer à côté de toutes les constructions. Les Haudenosaunees commenceront certainement par déclencher des incendies afin de semer la panique et la confusion.

Mon bois brillant, cadeau offert il y a si longtemps par leur grand chef, repose au creux de mon coude. Je ne m'en suis que rarement servi. À la chasse, la détonation effraie le gibier, et à la guerre, la première fois il impressionne, mais dans le feu de l'action il est trop difficile et trop long de le recharger avant qu'il aboie de nouveau.

« Si tu as besoin de moi, je ferai tout ce que je peux pour t'aider à le préparer, dit Renard, désignant le bois brillant. Pour ma part, je compterai sur mon arc, mon casse-tête et mon couteau. »

Nous dirigeons maintenant notre regard vers la forêt au loin. Le soleil a été notre ami ces temps-ci, et les dernières traces de neige ont depuis longtemps disparu. La terre riche et brune des champs se réchauffe et le vent apporte des effluves printaniers.

« Je ne crois pas que je reverrai un autre printemps, dit Renard.

— Ne sois pas si pessimiste. Nous en connaîtrons encore de nombreux à pêcher ensemble. Quand nous aurons anéanti leur première vague d'assaillants, les Haudenosaunees y réfléchiront à deux fois avant d'attaquer. »

J'essaie de voir autour de moi avec leurs yeux. Les palissades, même composées d'une seule rangée de pieux, paraissent solides, et les bastions en pierre érigés aux coins du village forment d'imposantes fortifications qu'ils n'ont sans doute encore jamais vues. De plus, compte tenu de la rivière qui coule derrière le village, nous n'avons que trois côtés à défendre. Je m'efforce de croire que l'ennemi, renonçant à se lancer à l'assaut, se retirera.

« Je ne suis pas triste à l'idée de ne pas revoir un autre printemps, dit Renard, me ramenant à la réalité présente. Et je ne suis pas pessimiste, non plus. Simplement, le jour venu, je me dirai que c'est un beau jour pour mourir. Je me réjouis à la pensée du moment où je retrouverai ma famille.

— Il va falloir que tu patientes encore un peu, mon ami. » Je lui annonce alors la nouvelle : « Petite Oie est enceinte. »

Il reste un instant impassible, puis un large sourire éclaire son visage. « Je me doutais que vous étiez bien trop proches pour n'être que des amis. » Puis son front se plisse. « Mais n'est-elle pas… (reprend-il, choisissant ses mots avec soin)… n'a-t-elle pas passé l'âge ? Je veux dire qu'elle est très belle, et je… j'ai longtemps rêvé de coucher avec elle. » Réalisant ce qu'il vient de dire, il s'interrompt. Nous éclatons tous deux de rire.

« Mon cher ami, dis-je, ce n'est pas sans raison que les Anishinaabes sont réputés pour leur magie. »

Le soir tombe quand nous descendons des remparts pour aller rejoindre Christophe Corbeau et les deux autres qui discutent près de leur maison sacrée. Tous trois sont visiblement nerveux, en particulier celui appelé Isaac qui se pétrit la figure de ses poings réduits à des moignons. M'avançant, je constate avec surprise qu'il est en nage.

« C'est vrai ? me demande-t-il. Ils arrivent ? »

J'acquiesce.

Il gémit, et le brun, Gabriel, pose la main sur son épaule. « Soyez fort, dit-il. Il est temps de prier, de méditer et de se préparer. »

Ces paroles ne semblent pas réconforter Isaac. Je ne peux pas l'en blâmer. Il sait ce qui se passera si les Haudenosaunees s'emparent du village.

« Quand ils attaqueront, dit Christophe Corbeau, nous pensons que le mieux serait que les femmes, les enfants et les personnes âgées se rassemblent avec nous dans la maison du Grand Génie. »

Je jette un coup d'œil sur le bâtiment derrière lui. Tous y tiendront peut-être. « Pourquoi cet endroit-là ? je demande.

— C'est une construction solide, proche de l'eau et des vivres. Nous avons à portée de main presque tout ce dont nous avons besoin. »

Renard hausse les épaules. « Ce sera aussi bien qu'ailleurs. »

Je suis d'accord. « Ils risquent d'arriver à tout moment, dis-je. Nous allons dire aux nôtres de venir ici. »

Même après toutes ces années, cela ne me plaît pas de savoir le Corbeau si près de tout ce que je chéris, mais il est maintenant trop tard, n'est-ce pas ? Tandis que le nommé Isaac tremble et pleure, Renard et moi allons prévenir chacun et vérifier une fois de plus que nous sommes autant que possible parés à la menace.

La lueur des étoiles filantes

Il faut faire quelque chose au sujet d'Isaac. Gabriel et moi, nous nous entretenons à mi-voix devant la chapelle. Isaac est à l'intérieur, la tête enveloppée d'une serviette humide. Il a mâché de l'écorce de saule en prétendant que cela soulage ses douleurs. Il connaît maintenant toutes sortes de potions et remèdes de Sauvages, et il semble savoir quels sont les plantes, les racines et les champignons bons ou mauvais pour la santé.

« Je comprends ses craintes, dit Gabriel. Mais c'est devenu insupportable. Nous avons déjà assez de problèmes à affronter.

— Il éprouve une terreur mortelle. Et il perd pied. » Nous devons trouver le moyen de l'aider à la dominer. Il est indispensable qu'il se reprenne.

« Il a réagi très positivement quand nous avons affirmé que nous étions prêts à mourir pour les Hurons, dit Gabriel. Je pense que nous pourrions ranimer sa conviction. Je suggère que nous entrions pour prier ensemble. Il a juste besoin de voir qu'il n'est pas seul à avoir peur. »

Gabriel a raison. Nous le ferons. « Le plus dur

pour lui comme pour nous tous, dis-je, c'est l'attente. Je crois qu'ils le savent et qu'ils s'en servent comme arme contre nous. » Je lui demande, avant que nous n'allions rejoindre Isaac, de venir avec moi inspecter une dernière fois nos défenses.

Nous marchons, les mains croisées derrière le dos, et au lieu de courber la tête, plongés dans une conversation ou dans nos méditations, nous regardons partout autour de nous. Le soleil vient de se coucher, et le ciel, d'un orange et d'un rouge flamboyants à l'ouest, vire petit à petit à l'est du rose au mauve. Il fera bientôt noir. Cette nuit et au cours de celles qui viennent, il n'y aura pas de lune, ce qui est une catastrophe. Il faut que nous puissions voir l'ennemi approcher au milieu des champs. Est-ce pour aujourd'hui ? C'est la question que je me pose depuis plusieurs soirs.

Des soldats et une poignée de Sauvages arpentent les remparts, les yeux fixés dans la direction d'où l'ennemi surgira. Nous avons un peu plus d'une vingtaine de soldats, une quarantaine de donnés et de frères lais pour une trentaine de mousquets, et selon le dernier rapport que j'ai reçu, peut-être quatre-vingts ou cent Sauvages en état de se battre. Soit au maximum cent cinquante hommes contre, au dire de tous, une force trois fois supérieure. Je Vous en supplie, Seigneur, faites que les palissades tiennent.

Nous nous arrêtons au bord du canal et je lève les yeux sur le ciel qui s'obscurcit au moment même où une étoile filante le traverse avant de se consumer. Je me rappelle qu'enfant, j'avais coutume de faire un vœu quand j'en voyais une, et c'est alors qu'une seconde passe au-dessus de moi, puis une troisième. Je saisis le bras de Gabriel. Un instant plus tard, des dizaines de flammèches embrasent le firmament, et plusieurs retombent sur la mission. Des cris jaillissent des remparts et la violente détonation d'un mousquet me fait sursauter tandis qu'atterrit sur le toit du grenier à grains dont le chaume commence déjà à prendre feu ce qui est, je le réalise à présent, une flèche enflammée. Les hommes se précipitent avec des seaux.

Les flèches volent, si nombreuses qu'elles nous éclairent le chemin pendant que Gabriel et moi nous nous ruons vers la chapelle et que des femmes, des enfants et des vieillards sortent en hâte des maisons-longues pour nous rejoindre. Je m'arrête et hurle : « Gabriel ! Faites-les entrer dans la chapelle ! Préparez les seaux d'eau au cas où une flèche toucherait le toit !

— Et vous, où allez-vous ? hurle-t-il à son tour.

— Je veux être sûr que toutes les femmes sachent bien qu'elles doivent se réfugier avec leurs enfants dans la chapelle ! »

Je cours vers les habitations des Sauvages. Les flèches continuent à voler, projetant des étincelles. L'une d'elles passe si près de moi en sifflant que j'en sens la chaleur. Les hommes sur les remparts tirent vers la lisière de la forêt, surtout sous le coup de la panique, je le crains. Au sol, on réclame de l'eau à grands cris et on forme des chaînes pour étouffer les flammes à mesure qu'elles apparaissent.

Entrant en trombe dans la première maison-longue, je crie en huron aux femmes blotties à l'inté-

rieur d'aller tout de suite dans la demeure du Grand
Génie. L'air terrifié, elles rassemblent leurs maigres
possessions et attachent leurs enfants sur leurs dos
tandis que je leur recommande d'être prudentes en
traversant le village.

Je fais la même chose dans deux autres maisons-
longues. La chapelle va être bondée, mais je crois
qu'il vaut mieux que nous soyons tous ensemble, car
ne dit-on pas que la sécurité est dans le nombre ? Il
faudra que toutes les personnes disponibles soient
prêtes à combattre tout début d'incendie. Je ne vois
rien d'autre à faire, Seigneur.

Une fois les maisons-longues chrétiennes éva-
cuées, je sors en courant du village pour me rendre
du côté des païens à l'instant précis où le toit de la
maison-longue la plus proche, atteint par une volée
de flèches, explose en flammes. L'écorce sèche agit
comme de l'amadou, et avant même que je n'aie pu
en atteindre le seuil, l'habitation entière n'est plus
qu'un immense brasier. Entendant des hurlements
à l'intérieur, je tire la porte, et un mur de fumée
en jaillit qui me renverse. Étouffant à moitié, je me
redresse à quatre pattes. Le toit est près de s'effondrer. Un enfant pleure non loin et je tâtonne autour
de moi. Une pluie de braises s'abat et brûle ma soutane. Ma main rencontre une jambe que j'empoigne
aussitôt. L'enfant hurle à présent. Un visage apparaît
au milieu du rideau de fumée, la mère sans doute.
Je l'empoigne à son tour, puis je les tire dehors.
Au moment où nous commençons à nous éloigner,
la maison-longue s'écroule, et les cris de ceux qui
restent prisonniers du brasier sont la chose la plus

horrible que j'aie jamais entendue. Je me signe en Vous suppliant, Seigneur, de mettre rapidement fin à leurs souffrances.

Lorsque nous regagnons la chapelle, les tirs de flèches ont ralenti, et les rares qui arrivent encore tombent sur le sol puis fusent avant de s'éteindre. Depuis le seuil, je vois que c'est bondé de Hurons et de quelques membres d'autres tribus effrayés. Les bébés pleurent et les femmes parlent entre elles à voix basse avec nervosité. Certaines jettent des regards dehors, pensant sans doute qu'elles peuvent maintenant sortir pour échapper à l'air confiné.

Des flammes s'élèvent encore çà et là, et plusieurs maisons-longues ne sont déjà plus que ruines fumantes. Quelques-unes des petites habitations des donnés ont également été détruites. Il règne du côté des remparts un tel silence que je redoute que nos soldats n'aient mystérieusement disparu mais, distinguant des mouvements dans l'ombre, je comprends qu'ils se taisent dans l'attente de l'attaque.

Je profite de ces minutes de répit pour aller rejoindre Isaac et Gabriel dans la chapelle.

« Mes révérends pères, dis-je. Prions. » Je récite le *Je vous salue Marie*, puis je murmure des paroles d'encouragement à Isaac. « Nous serons forts pour eux, pour les innocents. Nous serons courageux pour les enfants que nous aimons. Nous nous sacrifierons pour ces gens, sachant que nous avons réalisé l'œuvre de notre vie. Nous ne devons pas oublier, ici où nos pairs nous entendent, que nous mourrons pour eux si telle est la volonté de Dieu. Je confie mon corps physique, poursuis-je d'un ton ferme, à ceux pour qui je suis venu de si loin. Je mourrai pour eux dans l'espoir que leurs âmes montent vers la Lumière. »

Gabriel prend le relais, et je suis étonné de constater que sa voix tremble. Elle retrouve cependant de l'assurance tandis que lui aussi remet sa vie entre les mains du Seigneur.

Quand vient le tour d'Isaac, les yeux baignés de larmes, il tourne son regard vers moi, puis vers Gabriel. « Ce ne sont plus des larmes de tristesse que je verse, mais des larmes de joie, dit-il. Car je sais que je mourrai pour ces gens-là et pas seulement pour moi. Nous mourrons pour quelque chose de plus grand. Merci, mes frères, parce que maintenant, je comprends quel est mon rôle. Je sais ce qu'il me revient de faire. »

Il est d'un calme que je ne lui avais jamais connu. Il se tient droit et ne regarde plus autour de lui avec l'air apeuré d'un chien battu. Tous trois ensemble, nous disons le *Notre Père*, et à l'instant où nous finissons, un grand cri s'élève des remparts, suivi par le bruit de tonnerre des mousquets.

Je l'ai entendu

Assis devant le feu avec notre fille, Porte-une-Hache et moi cherchons le nom que nous pourrions lui donner. Nous songeons à ceux de nos proches récemment disparus, nous demandant si notre enfant possède un peu de leur esprit.

« Elle a les yeux de ma grand-mère », dit Porte-une-Hache.

Je regrette de ne pas l'avoir connue. Je repousse cette pensée. « Oui, pourquoi ne pas lui donner son nom ? dis-je. Comment s'appelait-elle ?

— Elle-est-du-Sud », répond-il. Le regard fixé sur notre fille qui est réveillée mais qui ne voit pas encore, nous n'avons pas besoin de nous consulter pour savoir que ce nom ne convient pas. Nous éclatons de rire.

Alors que le bébé commence à pleurer et que je le mets de nouveau au sein, un choc violent résonne sur le toit. Levant les yeux, je vois une langue de feu se propager à une telle vitesse que j'en ai le souffle coupé.

Porte-une-Hache bondit sur ses pieds et m'entraîne vers la porte. Les craquements s'amplifient.

Je lui tends notre fille, puis je cours rechercher ma corneille attachée au-dessus de notre lit.

« Tu es folle ! » me crie mon mari au milieu du grondement des flammes.

Réfléchissant à toute allure, j'attrape un peu de mousse pour le bébé ainsi que ses fourrures de lapin. Au-dessous, le magnifique coffret en piquants de porc-épic de Petite Oie luit à la lueur de l'incendie. Je m'en saisis aussi, puis je me rue vers la porte.

Tandis que nous nous précipitons pour échapper aux flammes qui ravagent la maison-longue et réduisent en cendres tout ce que nous avons, nos maigres et tristes possessions, je vois à sa bouche que notre bébé pleure.

Autour de nous, les hommes crient et les flèches fendent l'air, éclairant le ciel comme en plein jour, jusqu'à ce qu'elles frappent le sol ou une maison-longue avant d'exploser ainsi que de petits soleils. Porte-une-Hache protège notre enfant de son corps pendant que nous nous frayons un chemin à travers la foule en proie à la panique. Il me conduit vers l'habitation du grand génie et me crie au milieu du tohu-bohu : « Son toit est solide, mais reste près de l'entrée au cas où il prenne feu ! » Il me passe notre fille. « Tu m'as entendu ? Sinon, prise dans la bousculade, tu risques de ne pas arriver à sortir ! »

Je fais signe que j'ai compris. Ma fille braille maintenant, et Porte-une-Hache file rejoindre les autres sur les remparts.

Dès que je franchis la porte, je suis assaillie par une odeur de transpiration et de brûlé masquant quelque chose de plus âcre encore, et je perçois le murmure des femmes berçant les bébés qui pleurent. La chapelle se compose d'une vaste pièce donnant sur une autre où, à en croire les Corbeaux, le corps du grand génie repose dans une grosse boîte étincelante. Les Corbeaux ont allumé leurs petites lumières afin que nous voyions assez clair pour ne pas trébucher les unes sur les autres. Dehors retentissent des cris et, de temps en temps, les détonations des bois brillants. Retenant notre souffle, nous guettons avec angoisse le moment où les flèches vont atteindre le bâtiment. Comme Porte-une-Hache me l'a demandé, je reste près du seuil puis, m'apercevant que de moins en moins de flèches sillonnent le ciel nocturne, je pense qu'on peut sans danger sortir pour respirer un peu d'air frais.

Maintenant que le calme est en partie revenu, presque tout le monde est dehors. Nous parlons, certaines rient, mais la tension qui plane finit par peser sur nous, et nous sommes prêtes à nous engouffrer de nouveau dans la maison des Corbeaux à la première alerte. Quelques femmes parmi les plus âgées affirment que les Haudenosaunees se contentent de nous mettre à l'épreuve, de nous harceler avec leurs flèches pour semer la panique tout en provoquant le maximum de dégâts.

« Si au milieu de la nuit, ils parviennent à se glisser jusqu'aux palissades pour y mettre le feu, dit l'une d'elles, là il y aura lieu de s'inquiéter. »

Je constate que peu de constructions ont brûlé complètement. Les Haudenosaunees ont annoncé leur présence. Un léger sentiment de soulagement se mêle à la crainte.

Voyant passer Christophe Corbeau, je lui emboîte le pas. Il entre dans la maison sacrée rejoindre Gabriel et Isaac. Ils se tiennent la main en murmurant. C'est l'une de leurs étranges coutumes à laquelle je me suis habituée. Isaac prend la parole. Quelque chose semble s'être emparé de lui. On dirait qu'il grandit soudain sous mes yeux. Il paraît brûler d'un feu intérieur. Les deux autres aussi le remarquent. Je redoute le pire pour le pauvre Isaac. Je crois que sous la pression des événements, il a perdu la tête. Il ne connaît que trop bien les tortures que les Haudenosaunees se font un plaisir d'infliger. À sa place aussi, j'aurais peur à la pensée de devoir les affronter une seconde fois.

Au moment où ils se lâchent la main, un énorme coup de tonnerre éclate. Je baisse vivement la tête et entoure mon bébé de mes bras pour le protéger. Il me faut quelques instants pour comprendre que ce sont plusieurs bois brillants qui ont tiré en même temps. Affolée au milieu des hurlements et des éclats de bois qui volent, je crois entendre Porte-une-Hache m'appeler. Les femmes se précipitent pour rentrer dans la chapelle tandis que j'essaie d'en sortir, serrant ma fille contre moi pour lui éviter d'être bousculée et écrasée. Dehors, une épaisse fumée cache les remparts, mais je distingue à leur pied des hommes étendus au sol, certains qui se tordent dans les convulsions de l'agonie, d'autres qui gisent immobiles. Que s'est-il passé ? Porte-une-Hache se trouve-t-il parmi eux ? Je suis persuadée de l'avoir entendu crier mon nom.

Je me précipite vers les blessés, et je ralentis le pas en approchant. Trois des hommes velus, inondés de sang, présentent de grands trous dans la poitrine. Un

614

autre n'a plus de visage. Prise de nausées, et bien que sachant qu'elle ne voit pas encore, je couvre les yeux de ma fille pour lui épargner ce spectacle. De l'autre côté des fortifications, des guerriers hurlent. Nouvelles détonations de bois brillants. Un jeune Wendat est allongé non loin des palissades, mort ou blessé. Non ! Me frayant un passage parmi les cadavres et les hommes qui gémissent, j'arrive près de lui. Il est face contre terre. Ce n'est pas Porte-une-Hache. Il est plus grand, plus mince.

Alors que je m'apprête à faire demi-tour, on m'appelle. Je lève les yeux vers les remparts. C'est mon père.

« Qu'est-ce que tu fais là ? crie-t-il.

— J'ai entendu la voix de Porte-une-Hache. Je crois qu'il est blessé.

— Je viens de le voir. Il n'a rien. Maintenant, va-t'en ! » hurle Oiseau à l'instant où les hommes autour de lui font tonner leurs bois brillants.

Je regagne en toute hâte la maison sacrée.

Colmater la brèche

L'ennemi a envoyé toute la nuit des volées de flèches enflammées pour nous empêcher de dormir. De petites bandes se sont risquées près des palissades pour hurler le plus fort possible afin de nous déstabiliser. Nous avons répliqué en décochant des flèches et en faisant feu avec nos bois brillants. Peu avant l'aube, alors que je dodeline de la tête, je perçois ce bruit bizarre qui m'est devenu familier au cours de ces dernières années : ce sont les trois Corbeaux qui, réveillés de leur léger sommeil, entonnent leurs prières sur ce rythme étrange. Je répugne à le reconnaître, mais j'ai fini par l'aimer.

La voix de Renard me fait sursauter. « Ils devraient savoir quand il vaut mieux se taire, tu ne crois pas ? » demande-t-il. Nous rions puis, tout à coup silencieux, il penche la tête pour écouter.

J'attends qu'il me dise ce qu'il a entendu. Et j'entends à mon tour. Le raclement d'une lame coupant quelque chose.

Il me fait signe de le suivre, et je descends l'échelle derrière lui, tenant mon bois brillant à la main. Du côté du village bordé par la rivière, le bruit est plus fort. Accroupis dans le noir, nous tendons l'oreille. Mes yeux commencent à s'adapter à l'obscurité et, l'espace d'un instant, je surprends l'éclat d'une lame. Effleurant l'épaule de Renard, je tends le doigt. Au bout d'un moment, nous comprenons ce qui se passe. De l'autre côté des palissades, à quelques longueurs d'homme de nous, quelqu'un a trouvé un point faible, des pieux qui n'ont pas été plantés assez profondément, tenus par les lanières de cuir qu'il tranche avec son couteau.

Sous le couvert des ténèbres, nous rampons vers l'enceinte. J'ai un plan et je laisse Renard me précéder. Une fois tout près, nous constatons que deux ou trois pieux sont disjoints, formant une brèche suffisante pour qu'un homme puisse s'y glisser.

J'effleure de nouveau l'épaule de Renard, puis je lui indique d'un geste que je vais frapper le premier et qu'il devra agir aussitôt après. J'arme mon bois brillant, vise la brèche, puis je presse la détente et le bois brillant parle, lâchant des étincelles et un terrible rugissement accompagné d'un éclair de lumière. De l'autre côté des palissades, des cris s'élèvent. Renard et moi, nous nous relevons et, casse-tête au poing, nous nous ruons en avant. Renard me bat à la course, le corps à moitié engagé dans l'ouverture.

« Tu en as abattu trois ! crie-t-il, luttant contre quelque chose que je ne peux pas voir. Tire-moi en arrière ! » Je l'empoigne par la taille et les jambes pour le ramener de notre côté, entraînant avec lui un Haudenosaunee gravement blessé.

« Prends vite ça », dit Renard, montrant un bout de corde qui pend.

Pendant qu'il redresse l'ennemi gémissant, je lui lie solidement les poignets.

« Maintenant, attache-le à ces pieux. Dépêche-toi avant que les autres arrivent. »

Je m'exécute. Et ainsi le guerrier, ligoté contre les pieux, colmate la brèche.

« Voilà qui leur donnera à réfléchir s'ils essaient de nouveau d'entrer par là, dit Renard, fracassant le crâne du Haudenosaunee avec son casse-tête. Maintenant toi tu ne m'embêteras plus avec tes pleurs. »

Je Vous supplie, Seigneur

Je réveille doucement Isaac et Gabriel. Le combat semble avoir momentanément cessé et les deux révérends pères, de même que la plupart des femmes et des enfants, ont dormi d'un sommeil léger. Il ne faut cependant rien changer à notre cérémonial. Nous allons donc tous trois remercier le Seigneur pour cette nouvelle journée puis, comme chaque matin, célébrer la messe.

Nous formons un cercle pour dire le *Notre Père* en latin avant de nous préparer pour la messe et d'ouvrir le tabernacle afin d'en sortir les hosties et le calice contenant l'eau de source qui deviendra le sang du Christ.

Alors que je m'apprête à sonner la cloche pour réveiller les dormeurs, la détonation toute proche d'un mousquet ébranle l'atmosphère. Les bébés se mettent à pleurer et j'entends les occupants de la chapelle se lever. Le ciel nocturne prend des teintes grises. Il n'y aura pas de soleil aujourd'hui.

Gabriel revient après être allé voir d'où venait le coup de feu. « Les Sauvages ont tué un Iroquois qu'ils ont attaché à la palissade, dit-il, l'air sombre. Ils retombent si facilement dans leurs mœurs barbares. »

Je rassemble le plus de monde possible dans la chapelle. Il fait maintenant presque jour et les rayons de lumière qui passent par les trous que les flèches ont percés dans le toit éclairent les cheveux des femmes devant moi.

Après m'être signé, imité par la poignée de fidèles, je m'aperçois qu'un groupe de donnés et de soldats, le visage noirci, nous a rejoints. Ils ont ôté leurs chapeaux et leurs casques, et les impies se sont retournés pour les regarder.

Je prie pour toutes les âmes, et je Vous supplie, Seigneur, de veiller sur nous en ces heures sombres. De la fumée en provenance des bâtiments qui continuent à brûler s'infiltre dans la chapelle, et quelques personnes sont prises de quintes de toux.

Mon sermon sera bref. Deux ou trois bébés recommencent à pleurer. Je dis en français puis en huron que nous devons faire preuve de résolution face à l'agresseur et affronter nos peurs les plus grandes en sachant au fond du cœur que si l'ennemi tue notre corps physique, le Seigneur accueillera notre âme les bras ouverts au pays éternel.

« Je Vous en conjure, Seigneur, écoutez nos prières. Amen. »

Ceux qui ont compris répètent « Amen » après moi. Il est maintenant temps que Gabriel, Isaac et moi préparions la communion en bénissant les hosties et le calice. Au moment où les fidèles se rangent en file, des cris jaillissent au-dehors et, aussitôt, les rangs se défont. Les femmes se bousculent pour s'éloigner de la porte et les hommes se précipitent pour sortir tandis que les cris redoublent, suivis par les détonations des mousquets.

Soyez prêts

Nous nous en doutions mais, l'aube venue, j'éprouve néanmoins un choc devant la multitude de guerriers haudenosaunees qui jaillissent de la lisière de la forêt, le visage peint comme le nôtre des couleurs du sang, de la fleur de courge et du charbon de bois.

Tous les hommes valides du village, armés de bois brillants ou d'arcs, sont sur les remparts ou au pied des palissades, prêts à tirer sur les ennemis qui s'avancent dans les champs en rangs serrés. Hurlant, ils progressent rapidement malgré la boue.

« Tu as vu combien ont des bois brillants ? me fait remarquer Renard.

— Attends qu'ils arrivent à notre portée, dis-je. Et garde la tête baissée quand ils tireront. » C'est à ce moment-là qu'ils seront vulnérables. « Dès qu'ils s'arrêteront pour recharger, nous nous dresserons et nous ferons feu à notre tour. » Le seul problème avec mon plan, c'est que l'ennemi est si nombreux qu'il attaquera par vagues.

Quelques-uns de nos guerriers tirent trop tôt avec leurs bois brillants qu'ils donnent à recharger, si bien qu'ils se tiennent sur les remparts sans bien savoir quoi faire. Les Haudenosaunees sont maintenant au milieu des champs, assez près pour que je distingue leurs figures grimaçantes et leurs bouches ouvertes sur un cri. Ils sont courageux de se lancer ainsi à l'assaut, et ils vont le payer.

D'un seul coup, ils s'immobilisent, et dans le silence soudain, on n'entend plus que le bruit de leur respiration haletante. Qu'est-ce qu'ils font ? Plantés là, reprenant leur souffle, des centaines de guerriers nous regardent. Un groupe s'écarte alors pour laisser passer un grand guerrier musclé au visage entièrement peint de la couleur du sang. Il dresse les bras.

« Je suis Tekakwitha, crie-t-il, et on m'a solennellement chargé de vous le demander une seule et unique fois : acceptez-vous de vous rendre ? »

Pour qu'on dépose les armes et qu'on leur permette ainsi de caresser la plupart de nos hommes, tandis qu'ils emmèneront nos femmes et nos enfants pour en faire des Haudenosaunees. Tout le monde dans le village le sait.

Comme s'il devinait mes pensées, Renard déclare : « Plutôt mourir en guerrier qu'en prisonnier. Et s'ils nous tuent aujourd'hui, ils prendront de toute façon nos femmes et nos enfants. Je préférerais aller rejoindre Aataentsic debout et souriant. »

La gorge nouée, je lance mon cri le plus féroce.

Tekakwitha baisse les bras, et la foule de ses guerriers se referme sur lui. Répondant à mon cri, ils repartent en avant.

« Attendez ! j'ordonne aux hommes autour de moi. Attendez qu'ils tirent les premiers, puis tirez à votre tour. » Mon bois brillant est armé, et mon arc est à côté de moi, prêt à décocher des flèches.

Leurs premiers guerriers sont maintenant à portée de tir et, un genou à terre, ils nous visent. D'autres arrivent qui se tiennent derrière eux et bandent leurs arcs.

« Baissez-vous ! » je hurle à l'instant où la salve tonne dans le ciel gris du matin. Le bruit est si fort qu'il me coupe le souffle. Je me couvre le visage de mes bras tandis que le son du fer déchiquetant le bois des pieux vibre dans l'air. Un peu partout, des hommes atteints par les éclats poussent des cris de douleur. L'âcre fumée des bois brillants me brûle les narines. Certains de nos hommes se lèvent trop tôt pour riposter, et une deuxième salve les fauche. Ils basculent par-dessus les remparts et atterrissent au pied des palissades avec un bruit sourd.

« Maintenant ! » dis-je à Renard. Nous nous dressons, surpris de constater combien les Haudenosaunees sont près. Certains ont la figure peinte couleur de charbon de bois avec des points couleur de neige, d'autres avec des rayures couleur de sang, et tous ont des plumes attachées dans les cheveux. Ils ont les yeux levés vers nous ou baissés sur leurs armes qu'ils s'efforcent de recharger le plus vite possible. Je vise la poitrine du plus grand guerrier que je vois puis presse la détente. La balle de plomb transperce son plastron de bois et l'homme tombe à la renverse. Le temps que je tire une fois, Renard encoche déjà une troisième flèche et abat un ennemi qui tentait de s'enfuir.

Empoignant mon ami, je l'oblige à se baisser à l'instant où une volée de flèches fendent l'air, qui se plantent dans les palissades ou passent au-dessus de nos têtes. C'est alors que je me rends compte qu'un battement sourd résonne à mes oreilles, comme si nous étions proches d'une chute d'eau.

Je sens plus que je n'entends les Haudenosaunees attaquer nos défenses à coups de hache. Ceux des nôtres qui le peuvent versent sur eux de la poix brûlante. Les hurlements et les chocs sourds me martèlent les tempes.

Au lieu de recharger, je prends mon arc et, après avoir guetté le bon moment, je me lève et tire, atteignant un autre ennemi. Nous avons au moins réussi à stopper l'avance des autres. Ceux qui se sont lancés à l'assaut sont massés au pied des remparts, criant ou tirant sur nous, continuant à tailler dans les pieux avec leurs haches.

Tapant sur l'épaule de Renard, je lui montre un groupe qui, à l'aide de torches, tente d'incendier les palissades. Nous nous dressons ensemble et abattons deux ennemis, contraignant les autres à se replier.

Alors que nos hommes postés sur les remparts profitent de leur position pour tirer sans relâche, les corps des Haudenosaunees s'entassent, et de plus en plus d'entre eux battent en retraite vers la forêt, non sans s'arrêter et se retourner pour faire feu une dernière fois dans notre direction. Le siège est maintenant levé, et le silence soudain nous enveloppe. Je vois les lèvres de Renard remuer mais je ne l'entends pas. J'ai l'impression qu'on m'a fourré des joncs dans les oreilles.

Je l'adjure de se réveiller

Dès que le calme semble régner, nous les femmes, nous allons de nouveau respirer un peu d'air frais pendant que nos hommes ouvrent les portes du village pour permettre à un groupe de guerriers de sortir. Je me demande ce qu'ils font et pourquoi ils quittent ainsi l'abri des palissades, jusqu'à ce que je les voie revenir, les bras chargés d'arcs, de flèches, de couteaux et de bois brillants. Il doit y avoir beaucoup de morts à l'extérieur. Sur les remparts, quelques hommes se lèvent en criant pour fêter le repli de l'ennemi. Ma fille se réveille en sursaut et commence à pleurer.

« Chut, mon bébé, je murmure en la berçant. Pourquoi tu n'irais pas voir ton père pour lui dire bonjour ? » Comme si elle avait compris, elle cesse de pleurer.

Longeant les palissades à la recherche de Porte-une-Hache, je constate que nous avons subi nous aussi de lourdes pertes. On a entrepris de ramasser les cadavres pour les mettre dans l'un des bâtiments où on les laissera, je suppose, jusqu'à ce qu'on puisse les enterrer. J'imagine tous ces morts empilés les uns sur les autres comme des épis de maïs, et la peur que Porte-une-Hache soit parmi eux m'envahit de nouveau. Je me le représente là, au milieu de Français et de guerriers wendats. Il faut que j'arrête d'avoir de pareilles idées stupides. Les Haudenosaunees peuvent réattaquer à tout moment, et je veux simplement que mon mari prenne sa fille dans ses bras, ne serait-ce qu'un instant.

Devant moi, quelques Wendats discutent en fumant la pipe. Je leur demande s'ils ont aperçu Porte-une-Hache. L'un d'eux, un guerrier qui a une large entaille au-dessus de l'œil, lequel œil est complètement fermé, désigne une échelle. Levant la tête, je reconnais les jambes musclées de mon mari qui monte la garde en haut des remparts.

Je siffle. Il baisse le regard, et un sourire illumine son visage. Il dit quelque chose à l'homme à côté de lui, puis dégringole l'échelle.

« Allons nous promener », dis-je, alors qu'il prend doucement notre fille. Il a la figure noire de fumée, et ses peintures auraient besoin d'être ravivées. Nous nous dirigeons vers la rivière où nous serons plus à l'abri. Nous nous installons sur un carré d'herbe.

« Il faut donner un nom à notre enfant », dit Porte-une-Hache.

J'acquiesce et, récupérant notre fille, je l'invite à s'allonger et à poser la tête sur mes genoux. Il a l'air épuisé. « Elle trouvera elle-même son nom, dis-je. Pas la peine de s'inquiéter pour le moment. »

Il sombre presque aussitôt dans le sommeil. Il dort profondément et ses yeux bougent sous ses paupières closes. Le bébé commence à s'agiter et je lui donne le sein. Quelque part au loin dans la forêt, j'entends le bruit du bois qu'on coupe, et je m'interroge. Quand je regarde mon mari, je ressens un picotement sous le crâne et j'ai du mal à respirer. Je veux me débarrasser de cette impression. Je murmure à Porte-une-Hache : « Je t'en supplie, sois prudent. » Je voudrais qu'il se réveille mais il a besoin de dormir. Pourtant, égoïstement, je l'adjure de se réveiller.

Un endroit des plus dangereux

Après l'attaque brutale du matin, nous consacrons le reste de la journée à soigner les blessés. Il nous en arrive de plus en plus, et nous les installons dans le réfectoire qui est à la fois la pièce la plus grande dont nous disposions et la plus éloignée des palissades. Français et Hurons côte à côte gémissent ou gisent inconscients sur des couvertures, des fourrures ou simplement à même le plancher froid. Quelques-uns de nos compatriotes qui possèdent des connaissances en la matière traitent de leur mieux brûlures et blessures par balles ou flèches. En dernier ressort, nous ne pouvons offrir qu'un peu de réconfort et d'eau à boire.

Plusieurs parmi les femmes des Sauvages sont venues nous aider, dont Petite Oie la sorcière.

« Qu'est-ce qu'elle espère ? demande Gabriel à voix basse. Faire encore jaillir du sable de leur corps ? »

Voyant que nous la regardons, elle nous adresse un sourire qui paraît sincère. Elle est penchée au-dessus d'un guerrier qui a reçu des éclats de bois dans la figure et les yeux. Elle a demandé à une autre femme de le tenir pendant qu'elle arrache de longues échardes plantées dans ses joues et autour de ses orbites. L'homme tremble mais ne crie pas. Lorsqu'elle se redresse pour s'étirer, je ne peux m'empêcher de remarquer que son ventre semble s'être arrondi. Ce n'est pas possible. Elle est trop vieille, mais l'âge est parfois difficile à déterminer chez ces gens-là.

Jusqu'à présent, j'ai compté chez nous trente morts depuis le début des combats la nuit dernière. Une vingtaine d'hommes sont en outre trop grièvement blessés pour être utiles à quoi que ce soit. Selon mes estimations, nous avons déjà perdu un tiers de nos forces.

« Combien de temps estimez-vous que nous pourrons encore résister face à de tels assauts ? » demande Gabriel, comme s'il avait lu dans mes pensées.

Balayant la salle du regard, je vois Isaac agenouillé auprès d'un Huron blessé. Il lui parle en lui tenant les mains. « Allons respirer et discuter dehors », dis-je.

Le ciel est toujours bas et la pluie menace. « Une bonne tempête serait une bénédiction, non ? dit Gabriel. Surtout s'ils prévoient de tirer de nouveau des flèches enflammées. »

Je l'écoute à peine. « Je ne crois pas que nous survivrons à ce siège », dis-je.

Gabriel s'arrête de marcher.

Je me tourne vers lui : « Je ne veux pas être trop pessimiste, mais je sais combien d'Iroquois écument la région. Ils ont déjà provoqué beaucoup de dégâts aux palissades. Ce n'est qu'une question de temps avant qu'elles ne cèdent ou ne brûlent.

— Que suggérez-vous, alors ?

— Nous devons envisager de quitter nos enveloppes terrestres pour gagner le paradis. Si nous sommes capturés vivants, nous aurons quelques journées pénibles à affronter. » Je surprends une lueur de peur dans les yeux noirs de Gabriel. « Et surtout Isaac. Aussi, je vous demande de le préparer dans cette éventualité. Il semble avoir recouvré quelque fermeté de caractère. Il faut le fortifier dans sa résolution.

— Bien. Je lui reparlerai ce soir. » Il a manifestement envie d'ajouter quelque chose.

« S'il reste encore un temps pour parler, dis-je, c'est maintenant.

— Serait-ce un péché, s'enquiert Gabriel, à supposer que le pire arrive dans les minutes qui viennent, de demander à Isaac de se poster sur les remparts afin de réconforter nos hommes ?

— Mais c'est un endroit des plus dangereux, dis-je. On risque de s'y faire tuer à tout instant.

— Oui, je sais, répond Gabriel. Mais si Isaac mourait en aidant nos soldats, ne monterait-il pas plus vite au ciel ? »

Je comprends où Gabriel veut en venir. « Ce qui lui épargnerait les horribles tortures qu'il a déjà subies. Mais serait-ce moral ? »

Nous reprenons notre chemin, tandis que nous parvient, porté par le vent, le bruit des coups de hache dans la forêt.

Les morts au pied des remparts

Toute la journée, nous avons entendu les Haudenosaunees abattre des arbres dans la forêt. « Tu crois
qu'ils construisent leur propre village ? dit Renard.

— Oui, peut-être qu'ils ont décidé de vivre en
paix avec leurs nouveaux voisins », réponds-je. Nous
plaisantons, mais nous ignorons toujours ce qu'ils
préparent.

Je baisse les yeux sur leurs morts qui jonchent le
pied des remparts. La plupart ont été dépouillés de
tout ce qui peut avoir de la valeur, et dans la chaleur
de l'après-midi, les cadavres commencent à gonfler.
Dès demain matin, ils sentiront mauvais, aussi a-t-on
envisagé de les traîner plus loin, mais il paraît plus
logique de les laisser sur place pour que les assaillants
butent dessus quand ils tenteront de s'approcher de
nos murailles.

« Combien y en a-t-il ? demande Renard. J'en ai
compté plus de cinquante, et ensuite je me suis perdu
dans les chiffres. »

Je lui dis que, pour ma part, je ne les ai pas comptés, mais qu'il est évident qu'ils ont eu bien plus de
tués que nous. Ils sont si nombreux qu'ils peuvent

se permettre d'avoir beaucoup de pertes pour tester notre résolution.

La tension est palpable dans tout le village, car chacun s'attend à un nouvel assaut. Jusqu'à présent, le calme règne et, alors que le crépuscule s'annonce, je sais que l'ennemi a décidé de ne passer à l'offensive qu'à la faveur de l'obscurité. Nous sommes condamnés à rester là, les yeux rivés sur la forêt, tandis que résonnent les coups de hache des Haudenosaunees.

Notre repas du soir se compose de ce même ottet que nous mangeons en principe pendant nos expéditions d'été. Renard raconte ses voyages préférés, mais celui qu'il a particulièrement aimé, dit-il, c'est celui au cours duquel Chutes-de-Neige m'a tranché le petit doigt. Bien que préoccupé, je souris.

« Je suis prêt à parier que dès qu'il fera assez nuit, dis-je, les Haudenosaunees lanceront une nouvelle attaque de flèches enflammées.

— Pas d'accord, dit Renard. On ne peut jamais prévoir ce qu'ils vont faire. Moi, je parie qu'ils vont tenter un deuxième assaut massif. »

Nous parions notre plus belle pipe et, en effet, alors que le soir tombe, des volées de flèches s'abattent de nouveau sur le village. Il semble y en avoir deux fois plus qu'hier, et elles atterrissent en pluie sur les maisons-longues, de sorte que nous n'arrivons plus à éteindre les incendies. Presque tous les bâtiments sont en feu ou bien déjà réduits en cendres. J'ai ordonné à ceux qui ont pour tâche de porter les seaux de rester près de la maison des Corbeaux où sont regroupés les femmes, les enfants et les vieux. Il n'y a rien d'autre à faire.

« On dirait que cette fois, tu as gagné, reconnaît Renard.

— Malheureusement, je crois que toi aussi », dis-je au moment où les Haudenosaunees surgissent des ténèbres, faisant tonner leurs bois brillants et décochant des flèches qui se fichent dans les palissades.

Cet assaut est si violent que nous ne pouvons plus nous offrir le luxe d'attendre tête baissée entre deux salves. Debout, nous tirons sur eux avec tout ce dont nous disposons. N'ayant presque plus de flèches, je recharge mon bois brillant et, pendant qu'accroupi je finis de tasser la poudre dans le canon, Renard pousse un grognement et vient me rejoindre. Grimaçant de douleur, il se tient le côté où est plantée une flèche.

Posant mon arme, je l'examine. La flèche a transpercé l'esturgeon tatoué sur son ventre, et la pointe ressort dans son dos.

Il pense que la flèche a dû passer par la brèche dans la palissade. « J'ai juste ressenti un choc, suivi d'une brûlure. »

Apparemment, il sera plus facile de pousser la flèche à travers son corps plutôt que de la retirer. « Accroche-toi à un pieu », dis-je. Il s'exécute. Au moyen de mon couteau, je coupe les plumes de l'empenne.

Espérant que ni son foie ni son estomac n'ont été touchés, je commence à tirer par la pointe. Renard gémit. La flèche paraît ne pas vouloir bouger. Affermissant ma prise pendant que tout autour de moi les hommes crient et se battent, je tire de toutes mes forces, et la flèche finit par venir. Renard s'effondre face contre terre, et je me dresse pour faire feu sur un Haudenosaunee qui, en bas, attaque les palissades à la hache. Je lui ai fracassé l'épaule. Il tournoie et tombe en poussant un hurlement.

Je me penche sur Renard, puis je prends dans ma blague plusieurs pincées de tabac avec lesquelles je bourre la plaie de son dos d'où le sang jaillit. Après quoi, je découpe une bande de cuir pour mettre par-dessus et tâcher d'étancher le saignement.

« Tourne-toi », dis-je, et je renouvelle l'opération avec la blessure qu'il a devant. J'ai l'impression que la flèche n'a atteint aucun organe vital, sinon Renard se serait déjà évanoui. De fait, il se relève et réclame son arc.

Pour la deuxième fois, nous repoussons leur attaque, et ils se replient dans la forêt en désordre sous les hourras de nos guerriers. Regardant autour de moi, je constate cependant que nous avons perdu beaucoup d'hommes.

Renard me tape sur le bras en désignant la maison des Corbeaux dont le toit en partie brûlé fume encore. « C'était juste », dit-il. Les gens remplissent des seaux à la petite rivière pour les déverser sur le chaume et les murs.

Le reste de la nuit se passe sans incident, mais personne ne dort. Lorsque le soleil se lève, nous entendons quelques Haudenosaunees blessés entonner leur chant de mort, bientôt rejoints par les Corbeaux et leur psalmodie matinale.

En ces temps troublés

Je suis dans la maison des Corbeaux dont le toit a en partie brûlé, si bien que les rayons du soleil font étinceler les flaques d'eau qui parsèment le plancher. Christophe Corbeau se tient comme d'habitude face à nous sur sa petite plate-forme. Il brandit au-dessus de sa tête l'ottet séché modelé de façon à être rond comme la pleine lune.

Tu es tellement belle, ma fille. Tu es tellement fragile, et pourtant je devine dans tes bras tendus la force que tu posséderas un jour. Je n'ai jamais vu des cheveux aussi épais et brillants chez un enfant venu au monde il y a tout juste une semaine. M'aideras-tu à prier Aataentsic pour que ton père survive à cette nuit ?

Ceux qui ont adopté le grand génie commencent à se rassembler et à se mettre en rang pour prendre une part de lui dans leur corps. Christophe Corbeau nous a dit auparavant que nous devions nous préparer à mourir bientôt si le Grand Génie en a décidé ainsi.

Dort-Longtemps, debout à côté de moi, son bébé dans les bras, s'est moquée de lui : « Il a donc si peu foi en nos hommes qui sont sur les remparts et qui nous défendent ? Nous devrions peut-être cesser de nous cacher ici. » Et maintenant, alors que les gens viennent manger dans la main de Christophe Corbeau, elle s'écarte. « J'ai besoin de respirer, dit-elle. Rejoins-moi dehors et nous irons apporter un peu de nourriture à nos maris. »

Je regarde tous ces gens, ceux venus de leur lointain pays et les nôtres, qui attendent l'air inquiet le moment de prendre dans la bouche le morceau d'ottet, comme s'ils craignaient qu'il n'y en ait plus quand ce sera leur tour. Ceux qui l'ont reçu paraissent comblés, apaisés même. C'est alors que je me décide. Si cela doit contribuer à protéger mon mari, je vais accepter cet ottet que Christophe Corbeau essaie depuis tant d'années de me faire manger. Les Corbeaux ont toujours affirmé que si j'exprimais mes désirs au grand génie et si je prenais son corps dans le mien, il exaucerait mes prières. Je me mets donc dans la file. Je te supplie, Grand Génie, de veiller sur Porte-une-Hache pendant le combat, de chasser l'ennemi de nos terres et de nous permettre, à mon mari et à moi, de vieillir ensemble en regardant notre enfant fleurir en même temps que les trois sœurs.

En approchant de Christophe Corbeau, je me répète sans arrêt ma prière, et quand je me tiens à mon tour devant lui qui a dans sa main un bout d'ottet arraché à la lune, il baisse les yeux sur moi, l'air perplexe.

« Tu es prête à accepter le Grand Génie ? » me demande-t-il.

Je fais signe que oui.

« En ces temps troublés, dit-il, ce n'est pas le moment de se conduire comme une enfant. »

Je me contente de lever les yeux vers lui.

« Normalement, je ne te croirais pas, dit-il, et je

penserais que tu cherches une fois de plus à me faire marcher.

— J'ai peur que mon mari soit tué aujourd'hui », dis-je.

L'expression de son regard se modifie. Il hoche la tête et alors qu'il me tend l'ottet, j'ouvre la bouche.

Mon mari est vivant. Il parle avec sa mère et son père près de l'endroit où nous étions hier. M'asseyant à côté d'eux, je me mets à pleurer. J'ai l'impression d'être faible. Porte-une-Hache me serre contre lui pendant que ses parents, blottis dans les bras l'un de l'autre, détournent la tête. Mon mari et son père ont tous deux l'air épuisés. Les traits tirés, ils font plus que leur âge. Une flèche a entaillé le bras de Grands Arbres et un morceau de tissu ensanglanté qu'un homme velu lui a donné est noué autour. Porte-une-Hache est fier de n'avoir encore reçu aucune blessure. « Ne t'en fais pas, me rassure-t-il. Leurs flèches ne peuvent pas me trouver. »

Nous avons perdu beaucoup de guerriers cette nuit. J'écoute les deux hommes discuter, mais je suis si fatiguée que j'ai peur de m'écrouler et d'écraser mon enfant.

« Passe-la-moi, dit Dort-Longtemps. Qu'elle fasse un peu connaissance avec sa famille. » Sa fille à elle sur un bras, elle prend la mienne sur l'autre. Porte-une-Hache et moi allons nous allonger dans l'herbe et nous nous endormons sous le soleil de printemps qui nous chauffe le visage, rêvant que nous ne sommes pas dans cet étrange village assiégé mais chez nous après une bonne journée de semailles.

Nous saurons bientôt

Les défenseurs du village qui restent – une moitié d'entre eux peut-être sont déjà morts ou hors de combat – s'attendaient à un nouvel assaut des Haudenosaunees au lever du soleil. Je le craignais par-dessus tout, car j'étais persuadé que nous ne pourrions pas y résister. Pourtant, à midi, le calme régnait toujours, même si une flèche passait parfois entre les pieux pour se planter dans la terre ou dans le mur de l'un des bâtiments encore debout.

Depuis deux jours, personne n'a dormi plus de quelques minutes d'affilée. Les sentinelles sont si fatiguées qu'elles se mettent à voir des ennemis dans chaque ombre ou à les entendre escalader les murailles.

Maintenant que nous avons la possibilité de nous rendre compte de l'étendue des dégâts, je vois combien les constructions en pierre aux coins des palissades ont été utiles. Les Français ont placé beaucoup de leurs bois brillants dans chacune d'elles, et c'est le feu nourri auquel ils ont soumis l'ennemi depuis leurs bastions qui nous a jusqu'à présent évité d'être taillés en pièces. Les corps entassés à leur pied témoignent de leur efficacité, et je ne l'oublierai pas.

Les palissades elles-mêmes ont gravement souffert. Des pans entiers ont été abattus ou incendiés, si bien que des hommes décidés pourraient s'introduire par là dans le village. Ceux d'entre nous qui en ont encore la force essaient de les réparer en rattachant les pieux branlants et en creusant des trous pour en installer de nouveaux derrière ceux qui ont été endommagés.

« Pourquoi crois-tu qu'ils sont silencieux ? » me demande Renard alors que nous prenons notre tour de garde sur les remparts. Il est pâle car il a perdu beaucoup de sang. Les cadavres en bas sont deux fois plus nombreux qu'hier, et ils commencent à puer. Je sais que les Haudenosaunees ne partiront pas avant d'en avoir fini avec nous.

« Je suppose, mon ami, que nous saurons bientôt quel tour ils nous ont préparé. » Je contemple les ruines fumantes du village.

Le soleil descend déjà et nous attendons toujours, somnolant en cette belle journée de printemps où souffle une légère brise. J'ai ramassé auprès des morts autant de flèches que j'ai pu, et mon bois brillant est chargé. Renard dort à côté de moi. Je connais mon ami : il se réveillera d'un seul coup, comme s'il ignorait ce que sont les rêves.

Une voix familière m'appelle d'en bas. Ouvrant les yeux, je constate qu'il s'agit de Porte-une-Hache, mon nouveau fils. Il désigne les champs et pousse un cri.

Renard et moi, nous nous dressons d'un bond. Il est moins rapide que moi, car il souffre visiblement de sa blessure. Sa jambe est rouge du sang qui en suinte. Je regarde vers la forêt, et un spectacle incroyable s'offre à moi : une palissade en bois large comme quatre hommes bras écartés s'avance lentement dans le champ nu.

« Qu'est-ce que c'est ? » demande Renard.

C'est alors que je comprends. Les Haudenosaunees ont fabriqué à l'aide de pieux un immense bouclier tenu par les hommes qui marchent derrière et qui le posent de temps en temps pour reprendre haleine avant de le soulever de nouveau puis de repartir. Mon cœur se serre davantage lorsque j'en vois un deuxième émerger de la forêt.

« Eh bien, mon frère, dis-je en me tournant vers Renard. Il va y avoir de la bagarre. »

Nous les regardons progresser. Autour de nous, tout le monde s'est tu. À mesure que les deux murs de bois s'approchent, chacun par un côté du champ, je sens la tension de ces derniers jours me quitter. J'entends un bruit qui ressemble à celui des vagues se brisant sur une plage de sable, jusqu'à ce que je réalise que c'est mon sang qui me bat les tempes.

J'ordonne à nouveau de ne pas tirer. L'immense bouclier devant nous est à la portée de nos flèches, mais jamais elles ne parviendraient à le percer. Il doit cependant exister un moyen ! Je réclame l'aide de Renard.

Il éclate de rire. « S'il arrive contre nos murailles, il suffira de le renverser et d'écraser les ennemis en dessous. »

Bien que ce soit une plaisanterie, je me demande si ce ne serait pas possible.

Les Haudenosaunees rangés derrière ceux qui portent le bouclier commencent à tirer sur nous avec leurs arcs et leurs bois brillants, mais de même que nous sommes dans leur ligne de visée, ils sont dans la nôtre. Nous échangeons des tirs sans provoquer trop de dommages parmi eux quand une voix que je connais, une voix étrange, s'élève pour nous exhorter à nous battre avec acharnement. Jetant un coup d'œil par-dessus mon épaule, je vois le Corbeau nommé Isaac qui, vêtu de sa longue robe, nous regarde d'en bas en arpentant le sol, ses bras terminés par des moignons dressés vers nous.

Secouant la tête d'un air navré, je me tourne vers Renard pour lui crier au milieu du tonnerre des bois brillants : « Explique-moi comment j'ai pu croire que c'était une bonne idée de les accepter parmi nous ? »

Maintenant qu'ils sont tout près, les ennemis jaillissent de derrière leur bouclier, torches et haches à la main, pour attaquer nos palissades et nos portes. Nous leur tirons dessus, nous déversons sur eux des torrents d'eau et de poix bouillantes, provoquant des hurlements auxquels nous sommes désormais habitués. Du bastion le plus proche, les hommes velus, bénéficiant d'un excellent angle de tir, font feu aussi rapidement que possible sur ceux qui s'abritent derrière le bouclier en bois, mais les Haudenosaunees continuent néanmoins à avancer.

En dépit de tous nos efforts, l'ennemi réussit à ouvrir une brèche dans les palissades par laquelle il ne tardera pas à s'engouffrer. « Renard ! je hurle. Descends nous chercher des perches ! »

Il sait quand il est inutile de réclamer des explications, et malgré sa blessure, il a dégringolé l'échelle avant même que j'aie repris le combat.

Quelques instants plus tard, un homme et lui nous passent de longues branches de sapin et de peuplier que nous avions gardées pour fortifier nos défenses. En prenant une, je me penche par-dessus les remparts, et j'essaie de repousser le bouclier en bois. Voyant ce que je m'efforce de faire, les autres posent leurs armes et s'emparent à leur tour de perches. Tous ensemble, nous poussons, et nous sentons bientôt la muraille de bois vaciller.

Un homme crie à côté de moi. C'est Isaac qui, tâchant de tenir une perche entre ses mains mutilées, l'a laissée tomber. Il la contemple un instant, puis il plaque ses moignons sur mes mains et nous poussons tous deux, jusqu'à ce que le bouclier des Haudenosaunees bascule sur ceux qui sont accroupis derrière.

Avec un rugissement, nous saisissons nos armes pour tirer sur les ennemis stupéfaits qui, pour la plupart, s'enfuient en désordre vers la forêt.

C'est une grande victoire, je pense. Et peut-être que cela suffira pour qu'ils décident de rentrer chez eux.

Cherchant Renard du regard pour partager avec lui ce sentiment de triomphe, j'entends des cris, suivis d'un énorme craquement. Le second bouclier ennemi est collé contre notre palissade qui, comme dans un mauvais rêve, cède et s'effondre à l'intérieur du village.

Maintenant, on est à égalité

Le crépuscule descend et nous nous préparons au combat au corps à corps. J'ai mon casse-tête dans une main, mon poignard dans l'autre. Renard reste près de moi, et nous nous dirigeons vers l'endroit où les palissades ont été détruites. Il semblerait que les Haudenosaunees eux-mêmes aient été surpris, car seule une poignée d'entre eux s'est engouffrée dans la brèche, et nous nous en sommes vite rendus maîtres. Seulement, nous n'avons pas le temps de réparer les dégâts qu'ils ont provoqués, et nous nous regroupons instinctivement autour de nos murailles effondrées, tandis que de l'autre côté, les guerriers ennemis, criant et sifflant, s'apprêtent à charger. Les Français sont demeurés dans leurs bastions de pierre d'où ils tirent sur les Haudenosaunees qui tentent ailleurs d'abattre les palissades ou de les escalader. La situation est grave et la défaite pointe à l'horizon.

Je préviens Renard que nous défendrons le plus longtemps possible nos positions au côté des autres, mais qu'ensuite il faudra que nous retournions à la maison des Corbeaux pour essayer de faire sortir les femmes et les enfants du village afin qu'ils se réfugient en lieu sûr. Je réfléchis longuement à la manière dont nous pourrions procéder. Aataentsic, je t'en supplie, aide-moi ! Renard et moi savons ce qui va arriver tandis que nous rassemblons notre courage et que les Haudenosaunees se mettent à rugir pour s'exalter au combat. Nous ferons sortir le maximum de femmes et d'enfants, même si nous devons pour cela ouvrir une brèche dans les palissades, puis nous nous battrons jusqu'à notre dernier souffle dans l'espoir qu'ils disparaîtront dans la forêt et parviendront à gagner les îles.

Porte-une-Hache et Grands Arbres se tiennent près de Renard et moi. Nous échangeons un regard, puis nous nous tournons vers les palissades. Les Haudenosaunees se précipitent dans la brèche. Malgré sa blessure, Renard passe tout de suite à l'action. Armé de sa hache et de son couteau, il tient en respect les ennemis qui forment un demi-cercle autour de lui pour tenter de le cerner, mais il poignarde le premier qui s'aventure trop près. Nous trois en profitons pour nous ruer sur les autres. Je sens une lame me taillader le bras au moment où un Haudenosaunee brandit son casse-tête. J'esquive le coup, tandis que Grands Arbres envoie mon assaillant rouler au sol avant de lui fracasser le crâne.

Deux hommes attaquent Porte-une-Hache. J'accours et plonge mon couteau dans les reins de l'un d'eux qui tombe à genoux en poussant un cri. L'autre lance un regard dans ma direction et mon nouveau fils lui fend le crâne d'un coup de hache. Entendant crier, nous nous retournons : Grands Arbres est aux prises avec plusieurs Haudenosaunees. Le temps que nous arrivions, il est à genoux, le visage en sang. Hurlant, Porte-une-Hache se jette dans la mêlée, taillant, moulinant, et trois ennemis tombent, mais les autres continuent à asséner une grêle de coups à Grands Arbres que, après avoir abattu ma massue sur la tête de l'un d'eux, je trouve étendu au sol, rougissant la terre de son sang.

Une fois que nous avons tué tous les assaillants, Porte-une-Hache va s'agenouiller à côté de son père. Je me retourne juste à temps pour voir un ennemi se précipiter sur moi, brandissant sa hache. Je me baisse et lui enfonce mon couteau dans le ventre. Lorsque je regarde de nouveau, je constate que Grands Arbres est mort.

Porte-une-Hache se relève et dit : « Ma femme sera fière que je me sois battu de toutes mes forces, n'est-ce pas ? »

J'acquiesce, et alors que je m'avance vers lui pour que nous allions rejoindre Renard afin de conduire les femmes et les enfants hors du village, une flèche se plante dans son cou. Il tombe, s'étouffant dans son propre sang et, se noyant dedans, il ouvre grand les yeux. Je sais qu'il n'y a plus rien à faire. Je le tiens dans mes bras et il pèse sur ma poitrine, suppliant pour que je l'aide. Faites qu'il meure vite ! Faites qu'il meure vite ! Il me repousse des deux mains, comme si c'était moi qui le tuais, et je ne peux que continuer à le tenir tandis la vie s'échappe de lui à gros bouillons, et enfin, il gît, immobile.

Tandis que je m'apprête à me relever, une violente douleur me traverse la jambe et, baissant la tête, je vois une flèche plantée dans ma cuisse. J'essaie de me mettre debout, mais je retombe cependant qu'un Haudenosaunee se dresse au-dessus de moi, brandissant sa massue à deux mains. Je tente pathétiquement de le poignarder. Il sourit, puis il se raidit et, à l'instant où il va abattre son casse-tête, un corps le percute et le renverse. Renard roule au sol avec le guerrier deux fois plus grand que lui et, se glissant dans son dos, lui tranche la gorge de son couteau.

Il se redresse puis court vers moi. Je crois qu'il va m'aider à me relever, mais il saisit la flèche et l'arrache de ma cuisse. Je lâche un cri de souffrance.

« Voilà, dit-il. Maintenant, on est à égalité. »

Ceci est mon corps

C'est le cœur content, Seigneur, que je Vous dis que chaque jour, je me suis efforcé de vivre selon Vos enseignements, et que chaque jour sans exception, j'ai chanté Vos louanges. J'ai la chance d'être dans un pays étranger entouré d'âmes qui ont besoin de Votre lumière, et je suis près de devenir l'homme que j'ai toujours voulu être. J'espère que Vous m'accueillerez en Votre royaume car, après avoir maintes fois frôlé la mort par le passé, je sais maintenant que le jour est venu d'y entrer.

Cher Père supérieur,

Je vous écris d'un cœur sombre qui connaîtra bientôt la joie. Je vous écris en sachant que vous ne recevrez sans doute jamais cette lettre qui, je le crains, sera ma dernière. Notre mission est assiégée par les Iroquois qui sont décidés à nous anéantir.

Bien que je n'aie en rien accompli ce que, jeune, j'espérais accomplir dans ces contrées sauvages, je ne peux imaginer paradis terrestre plus magnifique que celui-ci. Malgré les ténèbres qui menacent constamment ce pays où je me trouve, j'ai eu l'immense privilège de vivre au sein d'un peuple à la fois sujet et enclin aux appétits les plus vils, un peuple plus généreux et même plus doux que tous ceux que j'ai eu le plaisir de côtoyer.

J'ai essayé de conduire ce troupeau vers les bons pâturages, et j'ai eu la chance d'être secondé dans cette tâche par deux jeunes jésuites, chacun doué de ses propres mérites. Priez pour nous, et demandez dans vos prières que nous reposions bientôt entre les bras du Seigneur.

De terribles combats font rage devant les palissades de la mission, et je me suis efforcé de réconforter non seulement les agonisants mais aussi ceux qui ont peur de ce qui va arriver. Nous sommes rassemblés dans la chapelle, espérant que l'ennemi n'y pénétrera pas. Les gémissements des blessés nous parviennent à travers le toit endommagé, ce qui n'arrange pas les choses. L'après-midi touche à sa fin, et moi-même, je crains la nuit plus que tout.

Je contemple le petit groupe de ceux qui ont gardé la foi. Dalila, l'une de mes plus anciennes converties qui, au cours de ces dernières semaines, s'est refermée comme un coquillage, est assise, l'air abattu, en compagnie d'une poignée de Hurons et de deux Algonquins du Peuple de la Fourrure. Il y a aussi la tendre et fragile Chutes-de-Neige dont le nouveau-né, enveloppé dans des fourrures de lapin, dort dans un panier sous la table où repose le tabernacle. C'est moi qui lui ai suggéré de le mettre là quand elle nous a rejoints au plus fort de la bataille. Malgré les volées de flèches qui continuent à s'abattre sur nous, il semble que ce soit l'endroit le plus sûr.

J'essaie de paraître optimiste, mais chacune de mes paroles est ponctuée par les cris des hommes qui se battent, meurent ou tuent. Alors, j'incline la tête et je prie dans l'espoir que d'autres suivent mon exemple et y puisent une maigre consolation. Tout l'après-midi, des gens n'ont cessé d'entrer et de sortir, toujours en courant. Pour aller où ? Je n'en ai pas la moindre idée.

Gabriel qui était resté dehors pour soigner les blessés revient, Isaac à son bras.

« Il a failli périr à plusieurs reprises, m'annonce Gabriel en s'asseyant, mais notre frère s'en est tiré sain et sauf.

— J'ai aidé les Hurons à éviter que les Iroquois n'ouvrent une brèche dans les palissades, dit Isaac, hors d'haleine. Mais l'enceinte à l'autre bout du village n'a pas résisté à un nouvel assaut. » Les yeux injectés de sang, il me dévisage. « Le moment est venu, père Christophe. L'ennemi est dans nos murs. »

Son regard fou, la fièvre qui l'habite, à la fois m'intrigue et m'horrifie. Le bruit des combats nous parvient toujours. « Le moment est venu pour quoi, mon cher révérend père ? » je lui demande.

Il me considère un instant comme s'il avait affaire à un idiot. Il est sur le point de dire quelque chose, puis il se mord la lèvre en se grattant le crâne avec l'un de ses moignons. « Nous avons encore le temps de communier », se contente-t-il de déclarer.

Il a raison. « Oui, Isaac. Allez préparer tout ce qu'il faut pour célébrer l'Eucharistie. »

Je prends ma place et je demande que nous nous tenions la main pour prier. Nous formons tous un cercle, excepté Chutes-de-Neige qui paraît hésiter. « Tu as reçu le corps du Grand Génie ce matin, lui dis-je. Tu es prête à le recevoir de nouveau. »

La détonation d'un mousquet éclate non loin, et tout le monde tressaille. Je tends la main à Chutes-de-Neige. Elle se lève et nous rejoint.

Isaac revient, serrant un plat contre sa poitrine. « Merci », dis-je en voulant le lui prendre.

Il fait un pas en arrière. « Père Christophe, je vous en prie, permettez-moi de célébrer l'Eucharistie », supplie-t-il.

Tandis que j'acquiesce, une autre détonation retentit tout près.

Isaac baisse la tête, imité par le reste d'entre nous. Tâtonnant sur le plat jusqu'à ce qu'il réussisse à coincer une hostie dans le pli entre sa paume et le moignon de son pouce, il murmure des paroles que je reconnais. Il a choisi l'un de ses passages préférés des Évangiles : « "Car j'ai reçu du Seigneur ce que je vous ai aussi enseigné : le Seigneur Jésus, la nuit qu'il fut livré, prit du pain, et ayant rendu grâces, il le rompit et dit : Prenez, mangez, ceci est mon corps qui est livré pour vous ; faites ceci en mémoire de moi." »

Il met l'hostie dans sa bouche et mâche avant d'avaler avec difficulté. Il s'avance ensuite vers Dalila qui le regarde d'un air absent tâtonner de nouveau pour saisir une hostie, puis qui ouvre docilement la bouche.

Après quoi, il s'approche de Chutes-de-Neige et réussit plus facilement à saisir une nouvelle hostie. Les vagissements du bébé s'élèvent de sous le tabernacle. Chutes-de-Neige tourne la tête dans cette direction, mais Isaac lui chuchote quelque chose et elle accepte l'hostie dans sa bouche.

Lorsque mon tour arrive, je constate qu'Isaac est en nage et qu'il tremble. Je redoute qu'il ne sème la perturbation. Faisant presque tomber le plat qu'il serre contre son flanc, il parvient à prendre encore une hostie qu'il me donne. Je ressens aussitôt un choc, une puissante amertume qui me fait saliver, et ma gorge se contracte violemment.

Pris d'un haut-le-cœur, je recrache l'hostie en m'écriant : « Qu'avez-vous mis dans cette sagamité ? »

Isaac me dévisage. « Nous mourons pour eux, père Christophe. » Il frissonne, la bave aux lèvres. « Le village va bientôt tomber, et il vaut mieux mourir pour eux maintenant. » Il a une expression de lucidité que je ne lui avais encore jamais vue. « Les laisser nous torturer avant de nous tuer, je ne peux pas le permettre. »

Épouvanté, je regarde Chutes-de-Neige et Dalila. Accroupies, toutes deux se tiennent le ventre.

« Qu'y a-t-il dans les hosties ? je crie à Isaac.

— Des ingrédients qui agissent rapidement, répond-il. Des champignons vénéneux et de la ciguë. J'ai fait l'essai sur un chien : il est mort en quelques minutes. »

Je le gifle. « Vous êtes devenu fou ! »

Dalila se met à pleurer et à gémir. Les autres se sont reculés, sauf Gabriel qui s'interpose entre nous. « Que se passe-t-il ? demande-t-il, décontenancé.

— Il les a tuées. » Je le bouscule pour me précipiter vers Chutes-de-Neige qui, allongée sur le dos, est saisie de convulsions.

Est-ce moi le responsable ?

Avant même d'entrer, avant même de voir le Corbeau Isaac et Point-du-Jour étendus morts, je savais que quelque chose n'allait pas. Qu'est-il arrivé ? Les Haudenosaunees auraient-ils déjà attaqué ?

Christophe Corbeau se précipite vers moi. « Vite, s'écrie-t-il. Ta fille. » Il pleure. Non !

Bousculant tout le monde, je fends la foule des femmes et des enfants qui se sont réfugiés ici quand les combats ont commencé à travers tout le village. Dort-Longtemps, accroupie à côté de ma fille, tient les deux bébés dans ses bras pendant que Petite Oie s'efforce de fourrer du charbon de bois dans la bouche de Chutes-de-Neige.

« Qu'est-ce qui se passe ? je rugis.

— Isaac a eu un accès de folie, répond le Corbeau. Il a avalé du poison et en a donné à Dalila et à ta fille. »

Je m'agenouille. Petite Oie tourne la tête vers moi. Ses yeux. Ils ne m'ont jamais caché la vérité.

Non, ce n'est pas possible ! Mes mains se mettent à trembler et des couleurs vives m'aveuglent. « Sauve-la », dis-je dans un souffle.

Le corps de ma fille est pris de spasmes. Ses yeux sont ouverts, mais ils semblent ne rien voir. Elle a du sang aux coins de la bouche, et ses lèvres sont noires à cause du charbon de bois. Elle est dans les affres de la mort.

« Je suis désolée, mon amour », murmure Petite Oie.

Je regarde ma fille, me demandant pourquoi il pleut ici et pas dehors, jusqu'à ce que je réalise que ce sont mes larmes qui baignent son visage. Ma fille. Oh, ma fille ! Est-ce moi le responsable ?

Dort-Longtemps pose la main sur mon épaule. « Prends-la dans tes bras », dit-elle, me tendant ma petite-fille. Elle aussi a les yeux ouverts, mais ils ne voient rien eux non plus, pour le moment. Je la prends dans mes bras tandis que ma fille est saisie de convulsions de plus en plus violentes. Je m'allonge près d'elle, le bébé entre nous. Il avance la main et effleure les lèvres de sa mère, niche son visage contre sa joue. Ma fille. Est-ce moi le responsable ? Est-ce moi le responsable des souffrances que nous avons tous endurées ? Que serait-il arrivé si je n'étais pas tombé sur ta famille en ce lointain jour d'hiver et que je n'aie pas tué tes parents pour t'emmener et t'adopter ? La haine entre ton peuple et le mien serait-elle devenue aussi féroce ?

Je prends la main de ma fille dans la mienne. « Je te demande pardon », lui dis-je à l'oreille. Ses doigts serrent les miens comme si elle m'avait entendu.

Battre le tambour

Pendant que Christophe Corbeau demande qu'on forme un cercle, je regarde Isaac Corbeau s'avancer vers le coffre brillant posé sur la table au-dessous de laquelle mon bébé dort dans son panier en écorce de bouleau. Au lieu de prendre l'ottet rond dans le coffre, il glisse la main dans la poche secrète qu'il a cousue à l'intérieur de sa robe noire quand il faisait des tours pour les enfants. Il en tire d'autres ottets qu'il met sur un plat, puis il rompt le pain et place les morceaux à côté.

Il revient dans le cercle et murmure des paroles dans sa langue avant de manger un ottet, puis il en offre un à Dalila qui le mâche, les yeux vides, et ensuite un à moi.

Mon bébé se réveille et se met à pleurer au moment où Isaac me tend l'ottet. Il me murmure que cela ne prendra qu'un instant. Le gros bout qu'il me glisse dans la bouche avec son moignon a un goût horrible. J'ai envie de le recracher. Je me tourne vers Dalila, mais elle continue à mâcher sans rien manifester. Ne voulant pas être malpolie avec les Corbeaux, je me dépêche d'avaler cette nourriture infecte. Aussitôt, je ressens une douleur dans le ventre, et je regrette de ne pas avoir suivi ma première impulsion.

À son expression, je m'aperçois que Christophe Corbeau non plus n'aime pas l'ottet, et il le recrache tout de suite. C'est alors que je m'agenouille à côté de Dalila déjà étendue par terre et que j'essaie de me faire vomir, mais rien ne vient sinon de la salive. J'ai l'impression que mon estomac se fend en deux et s'enflamme. Christophe Corbeau gifle Isaac et se précipite vers moi. Isaac tombe comme une masse.

Christophe Corbeau enfonce ses doigts dans ma bouche, et j'ai un haut-le-cœur si violent que je crache du sang. « Il faut que tu vomisses », l'entends-je me dire alors que je m'écroule sur le flanc tellement la douleur est atroce.

J'essaie de nouveau de rendre l'ottet, mais il semble s'être logé au plus profond de moi. Maintenant, mon bébé hurle, et je tente de ramper vers lui, mais le feu qui me dévore les entrailles me plaque au sol.

Mon enfant. Ma fille. Aidez-la. J'ignore si les mots sont dans ma tête ou s'ils sortent de ma bouche. Aidez-la. Elle pleure. Dalila est couchée sur le dos et son corps fait des soubresauts. Ses jambes tapent sur le plancher. Christophe Corbeau se penche au-dessus de moi, et le collier étincelant que je connais depuis si longtemps se balance devant mes yeux. Je veux l'attraper. Je veux toucher mon père. Les jambes de Dalila battent le tambour. Je me souviens de ma mère à présent, de mon frère, qui battent le tambour dans l'autre monde. À leur tour, mes jambes commencent à s'agiter.

Mon père oscille au-dessus de moi, un bras pointé

dans la direction où le soleil se lève, l'autre dans la direction où il se couche, les jambes confortablement croisées, un halo de sang autour de la tête. Mon bébé crie toujours, mais moins fort. Le son de ses pleurs se rapproche. Gabriel Corbeau se tient près de moi, ma fille dans ses bras. Un couteau chauffé au rouge me taillade le ventre. J'ai un goût de sang dans la bouche. Mon corps vibre. Gabriel Corbeau hésite, puis il se penche vers moi. Dès que les tremblements cessent, je tends les bras pour prendre ma fille.

Je ne sais plus très bien ce que je vois quand mes yeux s'ouvrent. La douleur est à présent pareille à un flot d'eau bouillante qui déferle en moi. Je ne sens plus mes bras, ni s'ils tiennent encore ma fille. Je veux que mon mari soit à mes côtés. Des visages flottent au-dessus de moi, tous en larmes. Mais il n'y a pas celui de mon mari. Mon corps se cabre, puis s'immobilise de nouveau. Les yeux fermés, je nous vois, Porte-une-Hache et moi, marcher main dans la main dans un champ de jeune maïs vert. Notre fille n'est pas avec nous, mais je sais qu'elle est quelque part en sûreté. Quand j'ouvre les paupières, Christophe, penché vers moi, me touche le front, la poitrine et les deux épaules. Je vois Gabriel et Dort-Longtemps qui pleure, son bébé sur un bras, le mien sur l'autre. Je vois Petite Oie qui essaie de me faire avaler de force du charbon de bois. Je devine à son regard qu'elle sait que c'est trop tard. Je vois Renard, qui effleure mon front. Je vois mon père, Oiseau, la figure noircie, ses peintures de guerre maculées et presque effacées. Je ne l'ai jamais vu pleurer. Ses larmes éclaboussent mon visage. S'il te plaît, père, ne pleure pas. C'est donc que je vais mourir. Il tient maintenant ma fille dans ses bras, et il s'allonge à côté de moi. Les mains minuscules de mon bébé me chatouillent les lèvres et, alors que je ferme les yeux, je sens sur ma joue l'haleine chaude de mon enfant.

Ce lieu où dansent les flammes

Ma fille est morte. Je me relève. Renard parle à Dort-Longtemps et je sais ce qu'il lui dit. La femme de Grands Arbres semble près de s'affaisser, mais son visage demeure impénétrable. Elle se dirige vers moi.

« Ils sont morts bravement », dis-je.

Elle hoche la tête, et quand ma petite-fille recommence à pleurer, Dort-Longtemps donne son enfant à Petite Oie puis me prend le bébé. « Elle a faim. » Dort-Longtemps sort son sein, et la fille de Chutes-de-Neige se met à téter goulûment.

Le bruit des combats se rapproche. Nous sommes maintenant entourés de quelques dizaines de femmes et d'enfants. Renard s'avance. « Il faut les faire partir d'ici », me presse-t-il.

Petite Oie berce le bébé de Dort-Longtemps qui gazouille. Me regardant, elle me dit : « Il y a peu, j'ai rêvé qu'un jour, des années après sa naissance, tu emmènerais notre enfant voir ces mêmes rochers où tu as eu ton propre rêve. »

Je m'apprête à lui répliquer que nous pourrons en parler plus tard, et que pour le moment, nous devons quitter cet endroit sans perdre de temps, mais elle poursuit :

« Tu les connais ces rochers, ceux avec les anciennes peintures représentant des hommes dans des canoës, escortés par Mishipishu. »

Je les revois soudain aussi nettement que si je me tenais devant elles. J'avais toujours cru que le Grand Lynx aquatique poursuivait et non pas protégeait les hommes dans les canoës.

Dehors, des cris retentissent. « Renard, dis-je. Viens avec moi, j'ai un plan. »

Boitant, tirant la jambe, je sors le plus vite possible de la maison des Corbeaux. Surveillant les alentours au cas où des Haudenosaunees rôderaient par là, je conduis Renard vers la petite rivière qui traverse le village. Dans les ténèbres, nous distinguons les silhouettes des canoës rangés le long des berges. Nous sommes idiots de ne pas avoir pensé plus tôt à ce qui nous crevait les yeux. Mais n'en est-il pas toujours ainsi ? Pendant que nous courons vers le panneau de bois, j'explique que nous ferons coucher les femmes et les enfants au fond des embarcations que les hommes pousseront ensuite en nageant derrière. Et même si les ennemis aperçoivent les canoës de loin, ils croiront qu'ils dérivent. Nous nous échapperons sous le nez des Haudenosaunees, puis nous pagayerons jusqu'à la Mer d'eau douce et les îles.

Nous soulevons le lourd tronc bloquant le panneau qui s'ouvre d'un coup. Devant nous, dans cette nuit sans lune, la rivière forme un long ruban noir. Je laisse Renard aller devant pour organiser le départ, tandis que je le suis péniblement à cause de ma jambe qui me fait de plus en plus mal.

Jusque-là, tout va bien. Environ la moitié des gens sont arrivés sans encombre à la petite rivière, et si tout marche comme prévu, ils atteindront les îles dans le courant de la nuit. Renard et moi sommes dans la maison des Corbeaux, à l'écoute de bruits que nous aurions souhaité ne pas entendre. Les guerriers ennemis se sont rapprochés et je suis très étonné qu'ils n'aient pas encore investi ce bâtiment.

Nous avons envoyé les femmes et les enfants par petits groupes afin de diminuer le risque qu'ils soient repérés, mais maintenant, il y a urgence. Les combats se déroulent tout près, devant la maison, aussi Renard a-t-il ouvert une brèche dans le mur de derrière donnant sur la petite rivière. Je fais passer tout le monde par là, puis Renard les conduit vers les canoës à côté desquels attend notre dernière poignée de guerriers. Une fois les embarcations remplies et les occupants couchés au fond, les hommes se glissent dans l'eau pour les guider vers le bras principal et la liberté.

Je recommande aux femmes de faire taire les enfants. J'insiste depuis un moment pour que Petite Oie et Dort-Longtemps partent, mais elles refusent de me laisser. J'ai envie de leur crier d'arrêter de jouer les entêtées.

Finalement, il ne reste plus qu'une dizaine de personnes qui tiendront dans deux canoës. Renard reste près de la brèche, tandis que les cris et les chants de triomphe des Haudenosaunees se font plus forts. Je lui demande de m'aider à porter le corps de ma fille et le petit ballot contenant ses possessions. Nous courons le plus vite possible vers la rivière. À chaque pas, une violente douleur me traverse.

J'invite Petite Oie et Gabriel Corbeau ainsi que quelques vieilles femmes et trois enfants qui regardent autour d'eux avec de grands yeux à grimper en faisant le moins de bruit possible. Les deux canoës sont chargés, et ma fille se trouve à côté de ma femme. Christophe Corbeau est debout sur la berge.

« Renard, dis-je à voix basse. Tout le monde est là ?

— Il me semble, répond-il. Dort-Longtemps et les deux nourrissons étaient dans le canoë parti avant ces deux-là, non ?

— Je ne sais plus », lui dis-je, puis je montre du doigt les guerriers ennemis munis de torches qui se dirigent vers la maison des Corbeaux.

« Espérons qu'elles y étaient bien », dit alors Renard.

Je fais signe à Christophe Corbeau de monter. Nous ne pouvons plus attendre.

Baissant les yeux sur nous, il secoue la tête. « Je reste », déclare-t-il.

Gabriel, son aide, se dresse sur ses genoux dans le bateau. « Il faut que vous veniez, dit-il. Ils vont vous torturer et vous tuer.

— Qu'il en soit ainsi. Ils sont nombreux ceux qui auront besoin de réconfort. »

Une lueur illumine le ciel, et nous nous retournons pour voir que les Haudenosaunees ont mis le feu à une petite construction adjacente à la maison des Corbeaux.

« Je vous en supplie, mon père, dit Gabriel. Venez

avec nous. Nous aussi nous aurons besoin de vous sur les îles. »

Christophe secoue de nouveau la tête. Il glisse la main dans la manche de sa robe d'où il tire de ces papiers sur lesquels il trace des signes, puis il les tend à Gabriel. « Puissent-ils arriver un jour en France », dit-il. Il lève la main, fait sur nous son geste habituel puis, haute silhouette éclairée par l'incendie devant lui, il longe la berge en direction de sa maison.

Au moment où je m'apprête à entrer dans l'eau glaciale pour pousser l'un des deux derniers canoës loin du village, les Haudenosaunees se mettent à lancer de grands cris stridents. J'essaie de remonter sur le bord, mais ma mauvaise jambe me trahit. Renard me voit me débattre et il me hisse sur la berge. Couchés à plat ventre, nous regardons leurs guerriers traîner une femme hors de la maison des Corbeaux. Mon cœur s'arrête de battre. C'est Dort-Longtemps. Quand elle a constaté que nous étions partis, elle a dû penser que nous reviendrions la chercher.

« Non ! » s'écrie Renard entre ses dents. Deux Haudenosaunees lui arrachent les bébés des bras et les brandissent en l'air. Elle se précipite pour les reprendre, mais un coup l'envoie rouler à terre.

Je tente de me relever, mais ma jambe refuse de bouger. La haute silhouette de Christophe Corbeau s'avance et il tend la main pour prendre les nourrissons. Les deux hommes paraissent un instant paralysés de surprise par l'apparition de ce bois-charbon surgi de nulle part, puis l'un d'eux le frappe avec son casse-tête et il s'écroule.

À la lumière du brasier, je vois s'avancer un guerrier de grande taille au visage peint en rouge que je reconnais : c'est leur chef, Tekakwitha. Les hommes se taisent pour l'écouter. Ils rendent les bébés à Dort-Longtemps que Tekakwitha conduit à l'écart.

« Il faut qu'on la délivre ainsi que les enfants, dis-je.

— Qu'est-ce que tu proposes de faire ? demande Renard. Te traîner jusque là-bas et les assommer avec ta jambe morte ? » Il me considère un instant, puis il fouille dans sa blague à tabac. « Tiens, dit-il, prends ça. » Il me tend sa pipe préférée. « Je compte bien la récupérer quand je te rejoindrai dans les îles. » Il se redresse, le couteau dans une main, la hache dans l'autre. « Tu ne peux pas marcher, ajoute-t-il, mais j'imagine que tu te rappelles encore comment on nage. Maintenant, occupe-toi de ces deux canoës et va-t'en. »

Sur ces paroles, mon vieil ami s'éloigne en rampant, aussitôt avalé par l'obscurité.

Frissonnant, je pousse les canoës pour sortir du village des Corbeaux, et quand j'estime le danger passé, je grimpe à bord de l'un d'eux, tandis que dans l'autre, le dernier Corbeau pagaye. Nous descendons côte à côte la rivière noire et ses méandres, ne nous retournant qu'une seule fois pour jeter un ultime regard sur ce lieu où dansent les flammes avant de continuer notre chemin et d'entrer dans la Mer d'eau douce.

Le fruit volé

Ma mère se moquait de moi, disant que j'étais devenu un géant breton parce que, enfant, je me faufilais tous les jours dans le verger de nos voisins pour voler les pommes mûres qui pendaient à portée de ma main. Je raconte cette histoire à Tekakwitha, l'Iroquois qui m'a fait prisonnier, parce que je vois que cela le rend furieux. Ce n'est pas l'histoire elle-même qui déclenche sa colère, mais le fait que je la raconte en français. Je crois qu'il considère cela comme une insulte.

Tekakwitha, à l'évidence le capitaine de ces Iroquois, est aussi grand qu'Oiseau et moi, et avec la cicatrice qui lui barre la joue jusqu'à la bouche, on a l'impression qu'il affiche en permanence une sorte de rictus. Il porte au milieu de son crâne rasé la fine crête traditionnelle qui lui descend jusque dans le dos, décorée d'un magnifique assortiment de plumes. Quant à son visage, il est entièrement peint en rouge couleur sang. Ses guerriers m'ont attaché à un poteau dans ma chapelle en ruine dont les murs, je ne sais comment, tiennent encore debout, alors que le toit s'est effondré. Perché sur l'autel, il surveille les opérations. Il a déjà pillé le tabernacle et s'est emparé du calice dans lequel il boit.

Je veux maintenant lui raconter que mon père buvait de l'alcool fort de mauvaise qualité et que lui aussi m'attachait à un poteau pareil à celui-là pour me corriger cruellement d'avoir volé les pommes des voisins, jusqu'à ce que j'aie le dos en sang. Mais il est clair que Tekakwitha ne souhaite plus m'entendre parler français. Il ordonne à ses hommes de me comprimer les joues pour m'obliger à ouvrir la bouche, et pendant que l'un d'eux enfonce dans ma gorge ses doigts sales pour tirer le plus possible ma langue, un autre la coupe à la racine à l'aide d'une lame chauffée à blanc. Sentant le sang inonder mon palais, je me demande si je vais me noyer dedans, mais mes tortionnaires prennent alors dans le feu un tisonnier rougi avec lequel ils cautérisent la plaie. L'odeur de chair brûlée m'évoque celle d'un foie de bœuf carbonisé. J'affronte le début de mon deuxième jour de tortures.

Hier matin, après que Tekakwitha m'eut fait entièrement dévêtir, il a donné en mon honneur un simulacre de festin et affirmé qu'il pensait ne pas avoir beaucoup de mal à m'amener à crier et à supplier comme une femme. Il a demandé qu'on tranche les bourses d'un chien tué la veille au cours des combats, puis un de ses guerriers les a mises quelques secondes à rôtir au-dessus des flammes avant de me les enfoncer de force dans la bouche. Cet acte cruel m'a rappelé combien j'aimais les chiens dans le temps. C'est alors, Seigneur, que j'ai décidé de relever le défi et que je Vous ai juré de ne pas crier quoi qu'ils me

665

fassent. Et je sais que Vous me regardez, car j'ai vu une armure étincelante descendre du ciel pour m'envelopper et couvrir ma nudité. J'observe comme de loin les supplices que ces Sauvages m'infligent, et je ne hurle pas de douleur.

Hier, quand j'avais encore ma langue, j'ai prêché les infidèles qui dansaient et chantaient autour de moi pour leur dire qu'à moins de Vous accepter, Seigneur, ils brûleraient dans des feux bien pires que ceux qu'ils avaient allumés. Ils se sont moqués de moi en me félicitant pour ma maîtrise de leur langue et mon accent tout en me plantant dans les chairs des bâtons enflammés et en me taillantant au moyen de coquilles de clams aiguisées. Au milieu de la matinée, comme je n'avais toujours pas crié, leurs caresses sont devenues plus appuyées. Ils m'ont obligé à arpenter ma chapelle les mains liées derrière le dos pendant qu'ils m'écrasaient les orteils avec des pierres, me poussaient dans les feux qu'ils alimentaient et m'introduisaient des bâtons brûlants dans tous les orifices. Je savais qu'il me restait peu de temps à passer sur cette terre, et j'ai eu beau lutter de toutes mes forces, je me suis évanoui.

Je me souviens d'avoir repris connaissance au contact de l'eau froide qui m'entrait dans le nez, et je me suis redressé en crachant. Debout autour de moi, ils me tapaient dans le dos et me serraient les mains en souriant comme si nous étions les meilleurs amis du monde. Deux guerriers m'ont fait gentiment manger des morceaux de viande pendant que d'autres portaient à mes lèvres un gobelet en écorce de bouleau. Ensuite, ils m'ont détaché et laissé faire

666

quelques pas en boitillant avant de me ligoter de nouveau au poteau, cette fois avec les mains devant pour que je puisse les voir.

Tekakwitha a choisi dix de ses guerriers favoris qui, sur un signe de lui, se sont avancés tour à tour pour me tordre un doigt jusqu'à ce qu'il casse avant de le trancher avec leur couteau, les yeux rivés aux miens. J'ai souri à chacun de ces hommes en murmurant une prière pour son âme. Je crois que j'ai alors commencé à comprendre quelles épreuves avait subies mon cher Isaac mort après s'être ainsi fourvoyé. J'aurais tant voulu qu'il n'agisse pas de manière aussi insensée et ne provoque pas tous ces malheurs.

Pardonnez-moi, Seigneur, mais hier, quand ils m'ont coupé tous les doigts et qu'ils m'ont ensuite cautérisé chaque moignon au fer rouge, les forces m'ont de nouveau manqué et je suis tombé à genoux, inconscient.

Lorsque je suis sorti de mon évanouissement, effondré en tas, la joue pressée contre le bois brut du poteau auquel j'étais attaché, j'ai entendu des bébés pleurer. Levant la tête, j'ai vu Dort-Longtemps, la belle jeune femme épouse du guerrier que j'avais baptisé David il y a tant d'années, qui berçait son enfant devant Tekakwitha, lequel, de son côté, contemplait le nouveau-né qu'il tenait dans ses grandes mains en coupe. À son cri rauque, son cri de rage, j'ai reconnu la fille de Chutes-de-Neige, ma sainte si tourmentée.

« Viens ici, a ordonné Tekakwitha à l'un de ses guerriers. Regarde-la dans les yeux et ose me dire que tu ne vois pas une enfant digne d'être une Haudenosaunee ! » L'homme, ne sachant pas trop quoi répondre, a hoché stupidement la tête puis s'est retiré, l'air penaud. Tekakwitha a alors proclamé à l'intention de tous ceux qui se trouvaient dans ma chapelle : « À partir de maintenant, cet enfant est le mien. Et toi et le tien, a-t-il poursuivi en désignant Dort-Longtemps, vous êtes à moi également. » J'ai souri à la jeune femme pour essayer de lui apporter un peu de réconfort tandis que les guerriers la conduisaient dehors avec les deux bébés, mais je crains qu'elle ne m'ait pas vu.

Et ce jour, Seigneur, est mon troisième jour de captivité et de tortures. La coïncidence m'arrache un sourire, car n'avez-Vous pas, Vous aussi, souffert durant trois jours ? N'avez-Vous pas attendu trois jours encore avant de monter aux cieux ? L'idée de trinité me convient, car je sais que mon corps physique ne survivra pas une journée de plus. Et je n'ai toujours pas crié. Tekakwitha est troublé, je m'en rends compte. Dommage que je n'aie plus ma langue pour lui raconter de nouvelles histoires.

Ils ont allumé d'autres feux dans ma chapelle, et il fait si chaud que l'air ondule comme si je marchais dans le désert. Ils ne m'ont pas donné à boire, et je suis sûr d'avoir la langue gonflée alors que j'ai pourtant vu un Iroquois la faire rôtir et la manger sous mes yeux. Et mes yeux, je les ai encore. Les guerriers ont applaudi et sifflé quand je me suis relevé en m'aidant du poteau. Mon corps est maintenant tout rougi et noirci, et à chaque battement de cœur, le sang sourd de mes plaies à vif. Mes mains, en particulier, sont horribles. Réduites à des moignons carbonisés, elles ont deux fois leur taille normale et elles suintent.

Je ne peux plus parler, mais je peux Vous louer, Seigneur, par mes prières. Au début, les Sauvages qui se sont installés dans la chapelle, prenant mes murmures pour des gémissements, ont couru chercher Tekakwitha.

Fredonnant du plus fort que je le pouvais le beau chant liturgique *Ave Verum Corpus*, je lui ai adressé un sourire. Et bien que je ne puisse prononcer les paroles, Seigneur, je les entends dans ma tête, je les entends dans mon cœur. *Salut ! Toi, vrai corps né de la Vierge Marie, Ayant vraiment souffert et qui fus immolé sur la croix pour l'homme, Toi dont le flanc transpercé laissa couler l'eau et le sang.* Tekakwitha s'approche de moi, le poignard à la main, et m'en frappe d'un geste si vif que je sens à peine la lame pénétrer dans mon propre flanc. C'est comme s'il connaissait les paroles du cantique. Un feu me brûle, et en silence, je me plie en deux de douleur.

Trois guerriers, l'un portant un casque de cuivre et les deux autres des plastrons français, attachent à une chaîne plusieurs lames de hachettes qu'ils ont dû trouver auprès de mes soldats morts. Ils me sourient et me parlent gentiment pendant qu'ils posent le tout dans les flammes. D'autres sont arrivés avec une grande marmite remplie d'eau qu'ils ont mise à chauffer sur un deuxième feu. Tekakwitha me sourit et je lui rends son sourire. Le ciel d'après-midi est magnifique, d'un bleu si pur que j'ai l'impression de contempler la surface de la Mer d'eau douce. J'en sens la fraîcheur. Je sais maintenant ce qui m'attend. Je Vous supplie, Seigneur, de continuer à me protéger.

Tekakwitha pousse un cri et un flot de guerriers

entrent dans la chapelle en chantant d'une voix aiguë et en dansant. Nombre d'entre eux arborent des objets provenant de la mission. L'un joue avec un rosaire, un deuxième brandit une chaise en bois, un troisième lève au-dessus de sa tête une poule qui glousse, affolée, tandis que les autres, le doigt tendu, hurlent et rient. Certains ont même enfilé des soutanes et des culottes ainsi que des souliers de cuir qu'ils portent aux mauvais pieds, tandis que quelques-uns sont armés de mousquets pris à mes hommes. Je contemple ce spectacle avec stupéfaction.

C'est alors que je l'aperçois, qui danse dans le cercle de ceux qui m'entourent. Il me jette un coup d'œil au passage. Il tient entre ses mains cet objet dont il a si longtemps été amoureux. Le jeune Joseph, le traître, Cendres Chaudes, danse avec la prise de guerre dont il rêvait, l'horloge de la mission, le Capitaine de la Journée. S'il y a une chose, Seigneur, qui me donne envie de hurler, c'est de voir ce garçon nu me lancer ainsi des regards accusateurs.

Tekakwitha reste immobile pendant que ses guerriers crient, frappent sur les tambours et dansent. Réalisant que ma résistance physique faiblit plus vite qu'il ne l'avait escompté, il ordonne à ses hommes de me détacher. Ils m'allongent doucement sur une fourrure de castor, me versent avec précaution de l'eau froide dans la gorge et frottent les quelques parties de mon corps qui ne sont pas coupées ou brûlées. L'un d'eux mâche un morceau de gibier pour le réduire en une espèce de bouillie qu'il m'introduit dans la bouche comme un oiseau nourrissant ses petits. L'après-midi s'éternise. Le silence est revenu dans la chapelle. Les hommes autour de moi sont excités mais respectueux. Quand je me sens prêt, je me remets à chantonner l'*Ave Verum Corpus* et je m'assois sur la fourrure tachée de sang.

Joseph se lève, serrant toujours le Capitaine de la Journée dans ses mains. « Ce bois-charbon, dit-il en me désignant, a des pouvoirs magiques. Ils en ont tous. Ils savent faire parler cette chose. » Il brandit l'horloge pour la montrer à tous. « Ils lui commandent de parler, et elle parle. Elle nous disait quand il fallait venir manger et quand il fallait rentrer chez nous pour dormir.

— Mais le soleil et la lune ne nous le disent-ils pas aussi ? crie quelqu'un, déclenchant des rires.

— Elle parle comme ça. » Joseph arrondit la bouche pour produire un bruit qui sonne comme *gong gong gong*. Les hommes semblent amusés, mais voyant qu'ils ne le croient pas, il s'avance vers moi pour me demander de faire parler l'horloge. N'ayant pas été remontée, elle est silencieuse. Je tends le bras pour la prendre, puis je me rappelle que je n'ai plus de doigts. Je laisse retomber mes moignons sur mes genoux. Joseph me regarde comme si je venais de lui donner un coup de poignard au cœur. Il lâche l'horloge qui atterrit sur la fourrure avec un tintement étouffé.

Le soir, ils m'aident à me lever et m'attachent une fois de plus au poteau. Tekakwitha a demandé à Joseph de raconter une histoire à la foule grouillante. Le garçon commence ainsi :

« Les bois-charbons disent qu'à la naissance, on

doit vous verser de l'eau sur la tête pour vous protéger. »

Les hommes derrière lui soulèvent avec un bâton la marmite posée sur le feu et l'apportent. Joseph s'écarte et ils versent lentement l'eau bouillante sur ma tête et mon corps. Je sens la fine peau de ma tonsure cloquer puis se déchirer. Je ferme les yeux pour être au moins en mesure de voir la mort arriver. L'eau ruisselle sur moi et n'épargne rien dans sa fureur. Aidez-moi, Seigneur, je Vous en supplie. Ma peau fond, mes nerfs se dissolvent, et je fredonne de nouveau mon chant.

« Et ils disent encore autre chose, reprend Joseph. Que pour parler à leur grand génie, ils doivent porter une corde étincelante autour du cou. » Il indique mon crucifix, celui que m'a donné ma chère mère et que porte à présent Tekakwitha.

Munis de tisonniers, deux guerriers sortent alors des braises la chaîne avec les lames de hachettes chauffées à blanc et s'approchent pour me la passer autour du cou. J'entends grésiller la chair de mes épaules et de ma poitrine, je sens la puanteur de la viande brûlée, puis sous le poids du fer incandescent, je m'affaisse et tombe à genoux. J'ouvre les yeux et tente de me relever, mais je n'y arrive pas. Les Iroquois m'acclament et m'encouragent, mais je n'ai plus de forces. Je reste à genoux.

« Tu as d'autres histoires qui méritent d'être racontées ? demande Tekakwitha à Joseph.

— Il y en a beaucoup, répond ce dernier, mais celles-là me paraissaient les meilleures. »

Je suis écroulé au pied du poteau. Croyant Vous

voir, Seigneur, lumière qui éclaire l'horizon de l'orient, je Vous appelle en murmurant ma prière.

Comme en rêve, je vois mes donnés et les soldats survivants qu'on traîne, liés les uns aux autres, devant leur nouveau maître. Ils pleurent, supplient ou regardent droit devant eux, les yeux vides, comme s'ils étaient déjà morts. Tekakwitha déclare dans sa langue qu'ils seront épargnés pour être échangés avec le Peuple du Fer contre des prisonniers iroquois. On emmène mes hommes, et nombre d'entre eux sanglotent en passant devant moi. Je fais de mon mieux pour leur sourire afin qu'ils sachent que je ne souffre pas trop.

Maintenant, Seigneur, je suis sûr que Votre lumière brille au-dessus de moi, là où était le toit de la chapelle.

Tekakwitha s'adresse aux guerriers rassemblés autour de nous. Il loue ma force et mon courage, car personne n'aurait imaginé que je tiendrais si longtemps sans demander grâce. « Mais je vais moi-même faire une ultime tentative », conclut-il. Les guerriers me soulèvent et attachent mes bras au poteau, dressés au-dessus de ma tête.

Le chef iroquois prend dans les braises un tisonnier qu'il m'enfonce dans l'oreille. Le crépitement que j'entends est pareil à un feu de forêt qui se propage à vive allure. Puis il m'enfonce le tisonnier dans l'œil, et des flammes jaillissent, rouges, puis noires. *Salut ! Toi, vrai corps né de la Vierge Marie, Ayant vraiment souffert et qui fus immolé sur la croix pour l'homme, Toi dont le flanc transpercé laissa couler l'eau et le sang.*

De mon bon œil, je vois Joseph s'avancer, armé d'un couteau. Il me regarde, puis m'ouvre la poitrine. Je sens sa main fouiller mes chairs.

Sois pour nous un réconfort dans l'heure de la mort.
Je sens ma vie battre lentement dans sa main.
Ô doux, Ô bon, Ô Jésus fils de Marie,
Aie pitié de moi. Ainsi soit-il.

De là-haut, je vois Joseph sourire et lever le poids rouge de ma vie qui palpite pour que, cependant que ma vision s'évanouit, je puisse distinguer encore ce qu'il tient dans sa main. Il mord dedans, et je me revois, petit garçon, tendre le bras pour cueillir une pomme puis mordre dans le fruit volé.

Un œil de corneille

Les derniers des Wendats de toutes nos nations, les survivants chassés de leurs maisons-longues errant dans la forêt comme des lièvres effrayés, ont appris que nous nous rassemblions dans l'une des îles de la Mer d'eau douce. Seulement, comme la nouvelle se répand, les Haudenosaunees flairent notre piste, et nos ennemis les plus redoutables risquent de nous traquer jusque dans cette île. Je suis obligé d'ensevelir ma fille en hâte au cours de ces premières semaines de panique.

Peut-être que, l'été arrivant, leurs familles leur auront demandé de rentrer. Ou peut-être qu'après tout ce bain de sang, ils auront fini par avoir pitié de nous. Les Wendats qui souffrent le plus sont ceux qui ne se sont pas rendus et qui sont allés sur le continent pour essayer de chasser ou de retrouver des parents disparus. Des bandes d'ennemis rôdent, guettant comme des loups ceux qui s'aventurent ainsi pour les tailler en pièces. Nous restons donc sur cette île où nous accueillons toutes les familles qui réussissent à l'atteindre dans des canoës qui prennent l'eau.

Petite Oie me dit, maintenant que son ventre est tendu, que l'île sur laquelle nous nous efforçons de subsister est hantée. « C'est pour cela que les Haudenosaunees n'y aborderont pas », affirme-t-elle.

Les femmes ont planté les graines des trois sœurs qu'elles ont emportées, soigneusement enveloppées dans de la peau de cerf, mais le sol de l'île est trop sablonneux et l'ardent soleil d'été décourage la pluie. Nous devons déterrer des racines, pêcher avec des filets de fortune ou chasser les rares cerfs et petits animaux qui ont élu domicile en ce lieu. Pour la première fois de mémoire d'homme, nous avons faim en été.

Gabriel Corbeau paraît perdu sans Christophe, son père, de même que je me sens perdu sans ma fille, Renard et tous ceux qui m'étaient proches. On raconte que le Corbeau a été caressé trois journées durant et qu'il n'a pas émis le moindre son en dehors de son étrange chant. Je ne parviens pas à le croire, mais cet homme m'a surpris de bien des manières. Je n'aurais jamais imaginé le dire un jour, mais Christophe Corbeau lui aussi me manque.

Je rends justice à Gabriel qui s'est jeté dans le travail sans se plaindre pour aider à construire des habitations et un semblant de palissades. C'est comme si, à l'exemple des autres, il assumait en plus la part de travail de son ami absent. Sur cette île dont on fait le tour en deux jours, nous avons bâti quinze maisons-longues dans lesquelles s'entassent les familles. Nous avons déjà presque épuisé les ressources de cet endroit qui nous protège, et nous sommes obligés de piller les petites îles autour de nous. En compagnie de Gabriel, je vais explorer les deux plus proches à la recherche de moules et d'écrevisses. Il m'annonce qu'il a appelé Charité l'île sur laquelle nous habitons, et ces deux-là, Foi et Espoir. Je n'ai pas le cœur de lui dire que la nôtre a déjà un nom : Gahoendoe.

Alors que la fin de l'été approche, nous nous préparons à connaître un automne qui sera agité et un hiver qui sera rude. L'eau qui nous sépare du continent et qui forme à présent une palissade liquide nous mettant à l'abri des Haudenosaunees gèlera pour leur ouvrir un chemin de glace. Et tout aussi inquiétant, nous n'aurons pas de récoltes à manger pendant les longues nuits d'hiver où la neige tombera et le vent hurlera. Mais nous nous en sortirons. Nous avons toujours trouvé le moyen de survivre.

Le soir, maintenant que l'été est presque fini, l'odeur de feu de bois plane plus longtemps dans l'air. Le matin quand je me réveille, je sens le froid qui lui aussi se réveille. Alors que le bébé de Chutes-de-Neige avait décidé de venir plus tôt, comme s'il ne pouvait pas attendre de voir le monde, celui de Petite Oie et moi préfère rester encore un peu dans le nid douillet du ventre de sa mère. Anxieux, je marche longuement sur la plage, contemplant le ciel radieux et guettant l'apparition de fumée sur le continent, signe de la présence d'ennemis, puis j'allume ma pipe avant de revenir sur mes pas.

Petite Oie se contraint à se reposer, et pour vaincre l'ennui, elle fait sécher et découpe de l'écorce de bouleau qu'elle coud pour fabriquer de petites boîtes qu'elle décore avec les piquants de porc-épic qu'elle

677

a emportés. Au lieu de les garder, elle les distribue aux enfants qui viennent l'observer avec curiosité. Aujourd'hui, alors que je rentre de ma promenade, une jeune fille sort de notre maison-longue, l'un de ces coffrets à la main. « C'est la femme qui habite là qui me l'a offert », dit-elle en me le montrant.

Je souris.

« C'est un cadeau, mais elle fait de drôles de bruits, comme si elle avait mal. »

Je me précipite vers la natte où Petite Oie est accroupie, une flaque d'eau à ses pieds. Elle lève les yeux. « Laisse-moi et appelle les femmes », dit-elle.

Je cours les chercher.

Longtemps, je fais les cent pas dehors, me retenant de jeter un coup d'œil à l'intérieur chaque fois qu'elle pousse un cri. Puis, devant un silence qui se prolonge, je commence à m'inquiéter quand j'entends pleurer, un son pareil à celui que j'ai entendu en ce jour récent où ma fille a donné naissance à son enfant. J'entre en toute hâte.

Les femmes s'affairent autour de Petite Oie, essuient doucement le bébé et l'enveloppent dans une fourrure. L'une d'elles me le tend. « Je te présente ta nouvelle fille, dit-elle.

— Une fille ? Tu es sûre ? »

Elle me regarde bizarrement, puis Petite Oie recommence à gémir. « Sors, maintenant », m'ordonne la femme.

Je reste dehors, contemplant ce paquet que je tiens dans les mains d'où émerge un minuscule visage tout rouge. J'ai peur qu'il n'arrive quelque chose à Petite Oie. Tout à coup, j'entends de nouveau pleurer.

J'entre, et la même femme me dit : « Je te présente ton nouveau fils. »

La sentinelle pousse un cri. Petite Oie et moi avons eu des rêves agités. L'expérience de ces dernières saisons m'a appris à toujours redouter le pire. Je passe ma fille à Petite Oie, effleure la joue de mon fils. L'expression de ma femme ne trahit rien. Je m'empresse d'aller voir ce qui a alarmé l'homme de garde.

Courant pieds nus sur le sable froid de la plage, je rejoins la sentinelle qui me montre un canoë filant sur les vagues qui prennent des reflets argentés sous le ciel gris.

« Qui oserait traverser avec un vent pareil ? demande l'homme. Je crains que ce soit encore un sale tour que nous préparent les Haudenosaunees. »

Nous observons le guerrier qui pagaye dur au milieu des vagues. Il a l'allure d'un éclaireur. « Il sait manifestement ce qu'il fait », dis-je. Je l'ai reconnu. Combien d'étés n'a-t-il pas pagayé à mes côtés ?

J'entre dans l'eau au moment où le canoë de Renard touche le rivage. Il est chargé de ballots entourés de peaux. « Je suis venu avec des présents », dit-il.

Ce soir-là, tous les occupants des maisons-longues se rassemblent autour de notre feu. Renard raconte ses aventures, comment il a, lui tout seul, harcelé les Haudenosaunees ces derniers mois, au point que la rumeur s'est répandue qu'on avait affaire à un esprit vengeur, combien il a tué d'ennemis sans méfiance en leur tranchant la gorge ou en leur tirant une flèche dans la poitrine depuis l'arbre où il était perché. Assis près du feu, tout le monde l'écoute, captivé.

Ensuite, Renard sort cadeau après cadeau. Des fourrures de castor pour les mères. De bons arcs et des couteaux pour les hommes. Il y a des pierres peintes pour jouer, et même un plastron brillant d'homme velu. Il distribue aussi des alênes, des perles de wampum et de jolis colliers de coquillages, jusqu'à ce qu'il n'y ait plus rien.

Une fois qu'il a fini, il se tourne vers moi, l'air perplexe.

« Qu'est-ce qu'il y a ? je demande, ma fille sur un genou, mon fils sur l'autre.

— Simplement que je ne t'aurais jamais imaginé ainsi, répond-il avec un sourire.

— Je trouve que cela lui va très bien, dit Petite Oie en éclatant de rire. Ils font maintenant partie de ta famille à toi aussi. »

Le sourire de Renard s'élargit. « J'ai encore un cadeau pour vous », dit-il. Il fouille dans son sac d'où il tire quelque chose qu'il tient dans son poing avec précaution. Quand il déplie les doigts, une fleur s'épanouit dans sa paume.

Petite Oie la prend doucement. « Je l'avais faite pour Chutes-de-Neige, dit-elle. Où était-elle ?

— La nuit où vous vous êtes échappés en canoë du village des Corbeaux, je me suis glissé de nouveau dans leur maison sacrée, répond Renard. À côté de la natte sur laquelle ta fille est morte, Oiseau, j'ai découvert cette petite boîte en piquants de porc-épic. Il y a quelque chose dedans, mais j'ignore ce que c'est. »

Petite Oie soulève le couvercle et regarde un long moment. Je repose mes enfants sur leurs fourrures.

« Montre-moi », dis-je. Elle me donne le coffret. Un objet brille au fond. Un souvenir me revient, et je le reconnais tandis que je fais tomber dans le creux de ma main un coquillage guère plus grand qu'un ongle, délicatement taillé et poli, fruit de plusieurs journées de travail patient.

« Dis-moi ce que c'est », demande Renard.

Je lui tends le coquillage. « L'œil manquant de la corneille de Chutes-de-Neige. »

Ce soir, nous avons de quoi manger, un feu pour nous chauffer, et nous sommes réunis. Nous avons près de nous nos parents encore en vie et nous avons une maison-longue où nous abriter. Je vois ceux de mon peuple parler et rire. Pour l'instant, nous n'avons pas le souci du lendemain. Que pourrais-je vouloir de plus que mes deux enfants qui dorment sur leurs fourrures et mon vieil ami Renard à mes côtés ? Petite Oie aussi voit tout cela comme moi. Elle sait ce qui va arriver, et je crois que nous sommes maintenant prêts.

Je sors deux pipes et rends à Renard sa préférée. Je présente une brindille aux flammes et la tiens pour mon ami, puis j'allume ma pipe. Après avoir tiré quelques bouffées, je la passe à Petite Oie, et les volutes de fumée qui s'élèvent vont se perdre dans les ombres de notre maison-longue.

Aujourd'hui, j'emmène Petite Oie et les bébés dans un lieu secret, un petit lac à l'intérieur de l'île. C'est l'un de ces rares après-midi de fin d'automne où souffle un dernier air d'été et où la chaleur trompe les grenouilles-taureaux qui sortent et se mettent à chanter. Nous tuons à coups de lance le nombre dont nous avons besoin et nous les mettons à griller sur le feu au moment où les premières étoiles apparaissent dans le ciel. Nous mangeons à satiété, puis nous nous allongeons pendant que ma femme allaite les enfants chacun leur tour.

Une fois qu'ils se sont endormis, emmitouflés dans leurs fourrures, elle désigne l'étoile qui conduit toujours son peuple vers son pays au nord. Je lui montre où Aataentsic a glissé à travers un trou et est tombée sur terre il y a si longtemps.

« Je sais où va notre monde », dit Petite Oie.

J'attends la suite. J'ai attendu cela toute ma vie.

« Les Wendats ont suffisamment souffert ces dernières années, reprend-elle. L'hiver sera encore difficile, mais les Haudenosaunees ne viendront pas dans cette île hantée.

— Survivrons-nous ? Nos enfants, toi et moi, verrons-nous le prochain printemps ?

— Oui, nous y étions destinés. » Petite Oie me dit ensuite que ceux qui auront passé l'hiver seront éparpillés aux quatre vents. Certains suivront le Corbeau Gabriel dans cet endroit qu'il appelle Québec. D'autres seront adoptés par les Algonquins et par les Nipissings du peuple des Anishinaabes et, oui, aussi par les Haudenosaunees.

« Toi et moi, notre famille… » Elle pose doucement la main sur la tête de nos enfants. Je souris. « Nous saurons l'été venu que le plus raisonnable est de nous diriger vers le nord pour être recueillis par les miens de l'autre côté de la Mer d'eau douce. » Elle ajoute que je ne cultiverai plus jamais la terre, pas davantage que mes descendants ou leurs descendants. Jamais plus nous ne vivrons du produit de la terre, mais nous ferons ce que son peuple, les Anishinaabes, fait depuis toujours. Nous retournerons dans la forêt et nous vivrons de ce qu'elle nous donne. Elle me dit en riant que tout ce que je ferai jamais en matière d'agriculture, c'est apprendre à mon fils et à ma fille à ramasser du riz sauvage pour le charger dans notre canoë. Petite Oie m'explique tout cela alors que nous sommes couchés sur le dos au bord de ce lac situé sur une île au milieu d'un lac plus grand qui lui-même baigne l'île de la Tortue. Elle parle en traçant du doigt la configuration des étoiles, si bien que devant mes yeux, guerriers, cerfs et animaux mythiques prennent vie avant de disparaître de nouveau dans le ciel noir.

« Je vais te dire une dernière chose, conclut-elle. Et ce sera tout pour ce soir. »

Je hoche la tête comme un petit garçon.

« Ta famille, ma famille, la famille d'Oiseau, nous irons vers le nord à la poursuite du gibier et pour éviter les Corbeaux et leurs disciples qui ne cesseront d'arriver. Nous finirons par nous arrêter près d'une mer salée gelée, car nous ne pourrons pas aller plus loin. »

Je l'écoute me raconter l'histoire des Oiseaux – ceux qu'on appellera beaucoup plus tard les Birds – qui viendront après moi. Ce seront de grands guerriers, de grands chasseurs, de grands voyants. Cette nuit, elle me fait comprendre que la vie continue malgré toutes les destructions brutales qui ont eu lieu autour de nous. Nous nous serrons dans les bras l'un de l'autre au bord de ce lac. Le chant des grenouilles s'est tu, le feu nous réchauffe et, au-dessus de nous, les étoiles poursuivent leur lente danse étourdissante.

Alors que je vais m'endormir, je dis à Petite Oie que j'ai rêvé de Chutes-de-Neige et que j'ai peur que la manière précipitée dont je l'ai inhumée lui ait déplu.

« Est-on jamais satisfait au jour de ses funérailles ? demande-t-elle.

— C'est simplement que je l'ai enterrée trop vite, et sans tout ce dont elle pourrait avoir besoin.

— Dans ce cas, tu dois recommencer », me dit Petite Oie. Sur ces mots, et pour la première fois depuis le début de nos ennuis, je sombre dans un sommeil sans rêves.

Le matin, je me dirige vers un boqueteau d'érables qui, avec leurs feuilles rouges, ont l'air d'être en feu, et j'entreprends d'exhumer ma fille.

Au moment où je défais la natte et la mince couverture en fourrure de castor dans lesquelles, n'ayant rien d'autre, je l'avais enveloppée, le soleil perce au travers des érables et tombe sur le visage de Chutes-de-Neige. Je suis abasourdi. Elle est telle que le jour où elle nous a quittés. Je touche son visage qui brille dans le soleil. Il est dur comme un coquillage. Ma fille, je t'ai enlevée à ton peuple quand tu n'étais encore qu'une enfant, et une enfant vraiment spéciale. Je n'en ai jamais douté, même à l'époque où tu mettais au-delà de toute limite ma patience à l'épreuve. J'effleure une fois encore ta joue de ma main à laquelle manque un doigt.

Je creuse plus profondément ta tombe que je

tapisse du linceul que Petite Oie a cousu avec les morceaux de fourrure que j'ai ramassés ces jours-ci puis, après t'avoir emmitouflée comme un enfant qu'on couche, je t'étends sur la pelisse. Ensuite, je dispose autour de toi les objets susceptibles de te servir : des paniers de bouleau, une paire de beaux mocassins, des barrettes en piquants de porc-épic pour tes cheveux, des aiguilles à coudre, un arc pour la chasse au petit gibier, et surtout, la grande corneille que Porte-une-Hache t'avait jadis donnée et que Dort-Longtemps t'a aidée à empailler, dont l'œil unique étincelle dans le soleil d'automne. Je place en travers de ton corps cette étrange chose qui fait presque ta taille et que Petite Oie a tenu à emporter quand nous nous sommes échappés du village des Corbeaux. Et enfin, je prends le coffret en piquants de porc-épic contenant l'autre œil de la corneille, et je le coince entre l'aile de l'oiseau et toi. Cet œil, ma fille, il te permettra de voir dans l'autre monde. Et cette corneille, ma fille, elle te protégera. Elle te permettra de t'élancer dans le ciel.

Avant l'arrivée des Corbeaux, nous avions la magie, l'orenda. Nous n'en avions jamais douté avant que leurs serres n'agrippent pour la première fois nos branches et que leurs becs ne picorent pour la première fois notre terre.

La plupart d'entre nous admettront que la rapidité avec laquelle les Corbeaux se sont adaptés nous a stupéfiés. Quand on s'endort le soir en riant, il est difficile de se réveiller au soleil en pleurant. Mais il ne s'agit pas seulement de tristesse, ni de pitié ou de responsabilité. Nous sommes tous le produit de nos besoins de même que de nos défauts.

Aataentsic, Femme-Ciel, la mère des Wendats, est toujours assise devant le feu, qui nous regarde avec ses yeux faits de coquillages polis. Aataentsic n'aime pas en révéler trop, mais quand on observe son expression de près, elle le fait parfois.

Lorsque les Corbeaux sont venus croasser que notre orenda *était impure, nous avons commencé par rire. Et Aataentsic aussi. Mais elle ne riait pas pour les mêmes raisons que nous. Elle avait vu les nids que les Corbeaux avaient entrepris de construire en cueillant quelques* plumes dans nos cheveux ou en mendiant une bande de cuir attachant nos ballots alors même que nous les regardions dans les yeux. Aataentsic riait simplement parce qu'elle est aussi imparfaite que nous. Elle riait parce que nous étions incapables de voir notre fin venir.

Mais voir rétrospectivement, c'est parfois trop facile, non ? C'est peut-être cela qu'Aataentsic veut dire. Ce qui est arrivé dans le passé ne peut pas demeurer dans le passé, tout comme le futur se situe toujours à un souffle devant. Le plus important, c'est le présent, dit Aataentsic. On ne peut pas perdre l'orenda, seulement l'égarer. Le passé et le futur sont le présent.

REMERCIEMENTS

Ce roman doit beaucoup aux œuvres de nombreux spé-
cialistes, historiens et anciens. La liste des livres que j'ai
consultés au fil des ans est trop longue pour que je la cite,
mais il y a néanmoins des ouvrages qu'il me faut mention-
ner : *Words of the Huron*, le livre extraordinaire de John
Steckley et *The Jesuit Relations : Natives and Missionaries
in Seventeenth-Century North America*, l'édition concise
d'Allan Greer, en particulier le chapitre où figure la des-
cription du Festin des Morts par Jean de Brébeuf qui m'a
fourni les idées et, parfois, les mots dont j'avais besoin.
The Children of Aataentsic, le chef-d'œuvre de Bruce
Trigger (*Les Enfants d'Aataentsic : l'histoire du peuple
huron*, Libre Expression, 1991), et *An Ethnography of
the Huron Indians, 1615-1649* d'Elisabeth Tooker m'ont
été très utiles pour mes premières recherches. De plus,
The Death and Afterlife of the North American Martyrs
d'Emma Anderson, *Huronia* de Conrad Heidenreich et
Huron Wendat : The Heritage of the Circle de Georges
Sioui (*Les Wendats, une civilisation méconnue*, Presses de
l'Université de Laval, 2002) sont à lire absolument pour
quiconque souhaite bien comprendre cette époque et ce
peuple.

689

Personnellement, j'aimerais remercier du fond du cœur John Steckley, Allan Greer, Emma Anderson, Conrad Heidenreich et Georges Sioui qui ont lu différents premiers jets de ce roman et m'ont si généreusement donné leurs conseils. *Chi miigwetch.*

Écrire est la plupart du temps un exercice plutôt solitaire, mais j'ai la très grande chance de bénéficier de la compagnie, du soutien et de la gentillesse de David Gifford, Gord Downie, Jim Balsillie, Mark Mattson, Jim Steel, John Wadland, Chrys Darkwater, Nick Mainieri, Julian Zabalbeascoa, David Parker, Mike Pitre, Buddha Blaze et A Tribe Called Red, Robbie et Leslie Baker, Brian Charles, Gerald Kennedy, Kim Samuel Johnson et William et Pamela Tozer. Et tous mes remerciements aussi au Banff Center et son Indigenous Arts Programme. Je vous remercie tous en vous comblant de cadeaux exotiques. Et merci aussi à ceux que j'ai certainement oublié de citer.

J'ai toujours le grand bonheur de travailler avec les gens les plus passionnés et les plus intelligents du monde actuel de l'édition. Vous tous chez Penguin, et en particulier Stephen Myers, David Ross et Lisa Jager, c'est un plaisir de travailler avec vous.

Nicole Winstanley, merci pour avoir détecté il y a bien longtemps quelque chose en moi. Nous travaillons ensemble depuis le début, et c'est loin d'être fini.

Gary Fisketjon et Sonny Mehta chez Knopf, merci d'avoir cru en moi. Gary, j'ai fait plus d'un cauchemar où l'encre verte jouait le rôle principal, mais ce roman est beaucoup plus puissant grâce à ton regard follement pénétrant.

Francis Geffard chez Albin Michel, toi aussi tu as cru en moi depuis le début. *Merci beaucoup, mon ami.*

Eric Simonoff, merveilleux agent et agent provocateur, c'est électrisant de travailler avec quelqu'un qui aime autant la chose écrite.

Et toujours, à ma grande, belle et bruyante famille : sans vous, je ne suis pas grand-chose.

Maman, tu ne cesses de nous stupéfier tous.

Jacob, mon fils, ainsi que toutes mes nièces et tous mes neveux, vous m'aidez à rester relativement jeune.

Amanda, tu as toujours fait ressortir le meilleur en moi. C'est un merveilleux voyage que nous avons choisi de faire ensemble, non ?

Le Livre de Poche s'engage pour
l'environnement en réduisant
l'empreinte carbone de ses livres.
Celle de cet exemplaire est de :
650 g éq. CO_2
Rendez-vous sur
www.livredepoche-durable.fr

PAPIER À BASE DE
FIBRES CERTIFIÉES

Composition réalisée par NORD COMPO

Achevé d'imprimer en septembre 2015 en France par
CPI BRODARD ET TAUPIN
La Flèche (Sarthe)
N° d'impression : 3012884
Dépôt légal 1re publication : octobre 2015
LIBRAIRIE GÉNÉRALE FRANÇAISE
31, rue de Fleurus – 75278 Paris Cedex 06